박정희이력서I

세상은 내가 바꾼다

- 5·16 군사 혁명 -

정 이

내외뉴스통신 연재 중
(http://www.nbnnews.co.kr)

ACRIS

■ 저자 : **정이(精而) 이 대 희 (李大熙, Daehee Lee)**

- 아호(雅號): 늘보. 정이(精而). 이재(頤齋)
- (학력) 청주고. 서울대 행정학 박사(정책학 전공)
- (경력) 광운대 교수. 한국행정학회,동양고전학회,서울행정학회 회장 역임
  행정사연구회 회장. 서울북부경실련 공동 대표. '정부기관' 자문위원
  (재)한국산림복지문화재단 이사장. (사)한국산악문화협회 이사장(현)
  「포럼 감성과 문화」 대표(현)
- (저서) 「감성정부」「정책가치론」「문화산업론」「인성」「한국적인식론」
  「감성혁명과 정부재창조」「행정(공저)」「행정사(공저)」「새행정학(공저)」
  Emotional Revolution and Government Reinvention
  「한국정부론(공저)」「한국발전모형」
  「문화학Ⅰ:문화학」「문화학Ⅱ:문화와 인류」「문화학Ⅲ:문화와 자연」
  「문화학Ⅳ:문화와 예술」「문화학Ⅴ:문화와 국가」(교보문고 판매)
  National Development Model: KOREA
  「박정희이력서Ⅰ:세상은 내가 바꾼다. 5·16 군사혁명」(교보문고 판매)
  「박정희이력서Ⅱ:세상은 내가 바꾼다. 우리 민족의 나갈 길」
  「박정희이력서Ⅲ~Ⅳ: 인간 박정희」(내외뉴스통신 연재 중)
  「박정희이력서Ⅴ~Ⅵ: 천 달러, 100억불」(구상 중)
- (연락처) nulbo2000@gmail.com

발 간 사

전쟁 후 베이비 부머로 태어난 저자는 청소년시절을 매우 어렵게 보냈다. 당시에는 어린 마음에도 '어떻게 이런 식으로 평생을 살아가야 하나?' 걱정이 많았다. 항상 배가 고팠고, 모든 게 불편했으며, 뭐 하나 꿈이라는 것을 가져 보기가 어려웠다.

그래도 죽어라 공부라는 것을 하다 보니 상급 학교로 진학할 수 있었고 조금씩 '미래'를 그려보게 되었다. 수도권 대학에 들어가 조금은 희망을 보는 듯 했다.

생각과 달리 당시 대학가는 온통 '유신 독재 반대' 물결에 휩싸여 있었다. 도서관에 홀로 앉아 있기가 미안할 정도로 친구들은 어깨동무를 하고 정문을 나서려 했다. 모두들 그렇게 반항을 해야만 하는 줄 알았다. 그런데 농촌 고향엘 가보니 그렇게 못 살던 이웃 농부들이 새마을노래를 힘차게 부르며 농로를 닦고 퇴비 증산에 힘을 모으고 있었다. 그들의 얼굴에 희망이 피어나 있었다. 통일벼라는 것이 등장하고부터는 흰 쌀밥을 원 없이 먹게 되었다.

"야, 이게 진짜야?"

좀체로 믿기지 않는 희망이 곳곳에서 싹트고 있었다. 그렇게 나와 한국이 성장해 가고 있었다. 그 때까지도 박 정희 대통령은 젊은이들에게 거부 대상이었다. 나로서는 고시 준비나 취직에 목을 매다 보니 '정치'나 '박 정희'에 대한 관심이 적었다.

행정학 박사 학위를 받고 정책학, 행정사, 미래학, 동양 철학과 사상, 문화학을 전공하면서 현대 한국의 국가 발전, 행정사에 대한 관심이 높아졌다. 그러다가 발견한 박 정희 대통령. 그는 20세기 중반부터 대한민국을 세계 일등국가로 성장하게끔 만든 한국 역사상 가장 위대한 지도자였다. 그가 수천 년 동안 가난한 농업 국가 한국을 세계 일등의 공업 국가, 선진 일류 국가로 만든 분이란 사실에 감격을 한다. 단군이나 세종, 이 순신을 훨씬 뛰어 넘는 위대한 지도자라는 생각에 정신이 번쩍 들었다.

그런데 박 정희 대통령을 탐구하기 위해 저작물들을 섭렵하면서 느낀 것이 있었다. 그분은 공에 비해 너무나 폄하되어 있었다. '민주주의를 억압한 독재자'라는 멍에와 함께 그에게 피해를 봤다는 좌파 정치인들에 의해 낙인이 찍혀 있었다. 그런 시각을 가진 인물들이 정치판을 좌우하면서 지금까지도 부정적 비판을 벗어나질 못하고 있다. 비난을 퍼 붓는 그들도 그의 현격한 공(功)은 내심 인정하지 않을 수 없었다. 그럼에도 불구하고 그들은 아직까지도 박 정희 대통령 기념관이나 동상 하나 세우는 것에도 시비를 걸고 나선다. 아마도 그들은 세상을 뜨는 그 순간까지도 자기가 가지고 있는 편견 속에서 벗어나지 못할 것이다.

「박정희 이력서」는 내외 뉴스 통신(nbnnews.com)에 2023년 1월부터 2024년 8월까지 매주 2회 분량으로 연재한 내용이다. 지금도 내외 뉴스통신 홈 페이지에 글이 실려 있고 유 튜브 동영상으로도 만들어져 있다.

「박정희 이력서」에서 저자는 박 정희 대통령의 일생과 업적을 1인칭 관점에서 서술하고자 하였다. 제3자 입장에서 쓴 글들은 '제3자적 관점에서 본' 박 정희 대통령이다. 박 대통령이 얼마나 고심을 했고, 어떤 생각을 가지고 그런 일을 추진했는가를 알기가 어렵다. 일방적 찬사이거나 비판, 그냥 추측성 평가일 뿐이다. 관점을 1인칭으로 해서 바라보고 생각을 해야만 그의 진면목을 좀 더 상세하게 알 수 있다.

박 정희 대통령이 직접 쓰신 일기, 시, 연설문, 그림, 작업도는 제법 많이 존재한다. 하지만 그의 진면목을 알기에는 턱없이 부족하다. 그는 국정을 총괄하면서 국가 발전에 매진하느라고 자신의 내심을 시시콜콜 말할 기회가 없었다. 미쳐 자서전을 쓰기도 전에 부하 직원의 하극상으로 운명을 달리하셨다.

1인칭으로 박 정희 대통령을 묘사하는 것은 어려운 일이다. 그래서 최대한으로 사실에 관한 자료를 모으고, 진정으로 그와 일심동체(一心同體), 감정이입(感情移入) 하고자 노력했다. 제3자가 풀어놓은 당시 상황을 최대한 고려하면서 그 중심에 서 있는 제1인자가 되려고 노력했다.

「박정희 이력서」를 저술하면서 가장 먼저 5 · 16 군사혁명을 다룬 이유가 있다. 현대 한국의 혁명적 출발이 바로 5 · 16으로부터 비롯되었기 때문이다. 5 · 16은 이 성계와 정 도전의 조선 개국과 같은 위치에 선다. 망해 가는 나라의 무기력한 고려를 근본적으로 쇄신하고 새로운 국가를 창조한 당시의 개국 정신이 5 · 16 혁명으로 이어졌다. 고려의 피폐한 민심, 쇠약한 국력, 사분오열된 정치판은 혁명 직전의 이 승만 자유당 정권, 장 면 민주당 정부와 판박이였다. 조선말에도 같은 상황이 만들어졌는데, 이 성계와 같은 강력한 군부가 존재하지 않아서 이웃의 힘센 일제에 망하고 말았었다. 일제 피침략 직전 상황이 장 면 민주당 정부 시절에 그대로 재연되고 있었다.

군사 혁명을 통해 박 정희 대통령은 '무분별하고 몰지각한 자유 민주'에 철퇴를 가하고 한국인들을 정신 차리게 만들었다. 망하기 직전의 한국은 '한 치 앞도 볼 줄 모르는 정치인들이 싸움판을 벌이는' '도깨비 소굴'이었다. 이를 정리할 힘 있는 존재가 바로 군대다. 강력한 군대는 국가 안보와 국방, 치안을 책임지는 일을 한다. 5 · 16 군사 혁명은 난장판의 도깨비 소굴을 일순간에 정리해 냈다.

혁명 정부를 리드하면서 박 정희 대통령은 위대한 대한민국의 미래를 설계하고 강력하게 실천해 나갔다. 2024년 현재까지 이어지는 대한민국의 역사적 발전은 그 때 확립된 터전 위에 그의 지혜로운 영도력이 더해져서 나타난 것이다.

5 · 16 군사 혁명은 만만치 않았다. 누구도 엄두를 내지 못했던 일이다. '오로지 박 정희 장군' 만이 가능했던 일이다. 거사 직전에 비밀이 폭로되어 진압군이 출동한 상황에서 총알을 무릅쓰고 그는 한강 다리를 건넜다. 그리고 과감하게 군사 혁명을 성공시켰다. 완벽한 기획과 추진을 통해 한

사람의 희생자도 없이 무혈 혁명을 이뤄냈다.

군사 정부를 원만하게 운영하여 국가 발전의 방향타를 제대로 설정하여 추진한 것도 대단한 일이었다. 당시 전 세계 신흥 독립 국가들에서는 군사 혁명이 비일비재로 일어나고 있었다. 군사 혁명이 권력을 잡기 위한 목적에서 하극상, 쿠데타로 진행되다 보니 군부의 분열과 내란으로 치닫는 수도 많았다. 혁명 정부 내에서도 권력 다툼, 내분이 일어났지만 박 정희 장군은 읍참마속의 마음으로 혁명 동지들을 달래고 제거하였다.

혁명 정부는 국권을 인수받고 난 뒤, 향후 국가 발전에 필요한 법률 개정, 제도 정비, 인물 교체 작업을 빠른 속도로 진행시켜갔다. 불과 몇 개월 만에 건국 후 10여 년간 지지부진하던 일들을 깔끔하게 정비하고 처리하였다. 그 후 민정 이양까지 2년여 기간 동안 제3공화국 기틀을 다지는 일을 완성하였다.

저자로서 박 정희 대통령의 마음을 완벽하게 공감하는 일은 어렵고 조심스러웠다. 하지만 '그 분의 마음을 크게 상하지 않는 범위 내에서는' '내가 그 분인 것처럼' 자신만만하게 접근해 보고 싶었다.

글을 읽다 보면 독자들도 박 정희 대통령이 되고, 저자 정이(精而)가 될 수 있을 것이다. 조금 맘에 안 들고, 어긋난 부분이 있다면 독자 스스로 채우면 될 것이다. 그렇게 너그러운 마음으로 글을 읽어 주기를 기대해 본다.

2024년 8월 30일

광교산방(光敎山房)에서 정이(精而)

목 차

(사진과 표)
글 속의 사진과 표는 한국군사혁명사편찬위원회. (1963).「한국군사혁명사 제1집. 상」에서 대부분 인용하였음. 아울러 안병훈. (2012)「사진과 함께 읽는 대통령 박정희」 도서출판 기파랑, 국가기록원 자료 사진을 인용함.

(표지)
이 은주 디자이너의 도움을 받아 제작함.

제 1 부

나라가
나라가 아니다.

이 장군, 술 한 잔 하십시다

"이 장군, 술 한 잔 하십시다."

새로 부임한 나를 반갑게 맞으며 부대 상황을 보고해 주는 이 주일 참모장이다. 만군 시절부터 친구처럼 지내는 사이다. 해방과 귀국, 육사 입학을 앞서거니 뒤서거니 하면서 오늘까지 살아오고 있다. 표정이나 말투만 봐도 무엇을 생각하고 뭔 일을 하려는지 서로 잘 아는 사이다. 몇 년 만에 함께 근무하게 되었다.

운전병에게 차를 대라 하고 올라타서 경주 방향으로 달렸다. 앞자리를 비워 두고 뒷좌석에 둘이 나란히 앉았다. 차분히 얘기하기가 좋기 때문이다.

바쁜 군 생활에서 벗어나서 혼자, 또는 몇몇 지인들과 함께 호젓한 시간을 갖고 싶을 때 종종 찾아갔던 경주 토속 음식점이다. 그 집 막걸리가 맛있어서 갈 때마다 흠뻑 취하곤 한다. 그냥 넋을 놓고 풀어진다. 쉬고 싶은 마음에 또 그 곳을 생각해 냈다.

"대구 시위 상황이 만만치 않습니다."

대구를 막 벗어나려고 할 즈음에 옆 자리의 이 장군이 입을 연다.

"10월 이후로 마산, 부산, 진해는 물론 대구 지역에서도 4월 혁명 관련 재판 형량이 작다고 학생 시위가 곳곳에서 벌어졌습니다. 또 경주 군경 유족 500여명이 지난 12월 2일, 보도연맹 사무실을 파괴하고 간판을 떼어내는 격렬한 시위를 벌렸습니다. 불순 세력들이 경주지구 양민학살 유족회라는 것을 구성하고 정부와 군을 비난하니까 보다 못한 유족들이 나선 겁니다. 민주당 정부가 들어선 이후로 공산당 세력이 준동하고 있습니다. 지난달에는 대구공고생 1,600여명이 학교 문제로 도청 앞에서 시위를 했고, 비구승 500여명도 종단 분규를 빌미로 대규모 단식 시위를 전개 했구요. 온통 시위에 데모, 정신이 없습니다."

4·19 이후에 벌어지고 있는 학생 시위, 집단 데모가 끝을 모르고 있다. 부패한 자유당 정권을 끝장냈으니, 이제는 진정으로 살기 좋은 나라가 되어 가야만 하는데 세상은 전혀 그렇지 않다. 이제는 고등학생, 대학생은 물론 중학생까지 나서서 교장을 몰아내고, 남북통일을 외치고 있다. 학생들은 자신의 신분이나 한계를 모른 채 세상을 자유당 정권보다 더욱 나쁜 상황으로 몰아가고 있다.

"참, 답답합니다. 좀 나아지려나 했는데..."

잠시 침묵.

"그나저나 이번에 사령관께서 큰 역할을 하셨습니다. 최 경록 총장이 말을 들었으니 망정이지 그렇지 않았다면 큰 곤욕을 치를 뻔했습니다."

이번 제2군 부사령관으로 발령받아 오게 된 것은 장 도영 사령관이 힘을 써 준 덕분이다. 최 참모총장은 정군 운동이란 명목 하에 그동안 불만 세력이라고 여겼던 나를 극적으로 예편시키려고 했었다.

민주당 정부에서는 군 중간 계급의 승진 적체 문제를 해결하고, 70만에 이르는 군을 감군(減軍)한다는 목표를 세워놓고 있었다. 이 일을 현 석호 장관이 이끄는 국방부에서 주관하고 있었는데 상당 부분은 육본이 나서야만 할 일이었다. 내가 알고 있는 바로는 정부의 재정 절약 차원의 감군에 대해 최 총장이 어느 정도는 소신껏 반대하였었다. 최 총장은 전임 송 요찬 총장이나 최 영희 총장 시절 논란이 되었던 육사 8기생 중심의 정군, 숙군 운동에 대응하기 위해 애를 쓰고 있었다. 송 총장 사퇴를 촉구했던 나를 의식하면서, 신 정부 등장 이후 지속되고 있는 정국 혼란 와중에서 최선으로 군을 이끌고 있었다.

미군측은 전 세계 여러 국가에서 펼쳐지고 있는 군부 쿠데타와 공산화에 매우 민감하게 반응하고 있었다. 한국 내에서의 군부 쿠데타에 대해 몹시 경계하는 와중에 영관급 장교의 움직임이 나타난 것이다. 미군의 압력과 함께 장 면 정부에서도 감군 계획, 항명 사건을 겪고 있는 육사 8기 중심의 영관급 장교들을 예편시키기 위한 움직임이 조용히 진행되고 있었다. 아울러 이들과 뜻을 같이 한다고 소문이 나 있는 나, 박 정희도 예편 대상자로 분류되어 있었다.

"짜식들. 내가 그리 호락호락하게 당할 줄 알아. 하여튼 이 장군 고마웠소. 이 장군이 장 도영 사령관을 잘 움직여 줬기에 내가 곤경을 면한 것 같소이다."

"뭘 말씀을요, 평소에 장 사령관께서 박 장군님을 잘 보셨기 때문이죠."

사실 최 총장의 경우에는 나를 예편시켜야한다고 까지는 생각지 않았었다. 군내 소문이 무성했지만 그는 내가 어떤 사람인지를 잘 알고 있었기 때문이다. 비록 입바른 소리를 하기는 하지만, 항시 정당한 주장을 한다고 믿는 사람이었다. 하지만, 매그루더 미군 사령관은 군부 쿠데타 가능성에 대해 매우 신경을 쓰고 있었기에, 육군본부 작전 참모부 부장으로 있던 내가 못미더웠을 것이다. 여기에 평소 나를 좋게 보지 않았던 견제 세력들이 장면 총리와 매그루더, 최 총장을 부추겼을 것이다.

전쟁 전에 애꿎게 얽혀졌던 좌익 전력이, 두고두고 나를 괴롭힌다. 결정적인 순간에, 나를 음해하려는 세력들은 이 사실을 들먹였다.

맥그루더와 송 총장의 움직임을 감지한 상태에서 나는 한 발 먼저 움직이기로 하였다. 당시 육본 인사참모부 부장이던 박 병권 소장과 긴밀하게 상의하면서, 제2군 사령관 장 도영 중장에게 전화를 걸어 사정 설명을 하고 도움을 요청했다. 그는 곧바로 국방부와 육본에 연락을 취하고 선처를 부탁했다. 일단 송 총장은 어렵다는 톤으로 말꼬리를 흐렸다.

육본 입장에서도 내게 뒤집어 씌울 죄목이 쉽게 떠오르지 않았던 모양이다. 박 정희 스스로 사직서를 내는 형태를 취해야만 했다. 그게 쉽지 않았을 것이다.

내게는 어림도 없는 일이다.

지금까지 정군이나 정권 교체를 합법적으로, 군 고위 장성이나 정치 지도자들을 앞세워 추진해 보려고 무진 애를 썼었다. 하다못해 학생들에 의한 4·19 혁명에서도 '뭔가 희망을 볼 수 있을 것' 같았었다. 하지만 이제는 기대난망.

어느 누구도 내가 그리는 원대한 대한민국 건설의 꿈을 대신해 줄 수 없다.

그래도 올바른 생각을 가지고 있다고 여겨지는 이 종찬 장군이 나를 정군 작업을 총괄할 수 있는 위치로 장면 정부에 추천했었다는 데, '못난이'들은 나를 제대로 알아보지 못한다. 기껏 '좌익 연루자' 정도밖에...

제2군 부사령관. 퇴임을 앞둔 마지막 자리로 보는 이들도 있다. 내 발령 소식을 듣고 제2군단장 민 기식 장군이 전화를 걸어 왔다.

“아, 형님, 어떻게 된 겁니까? 이제 민간인으로 만나야 하는 겁니까?”

호탕한 성격에, 호기로운 말투. 나를 걱정해하는 말이다.

제6관구 참모장인 김 재춘 대령도 안부 전화를 해 왔다.

“이러다가 일 어긋나는 것 아닙니까?”

그는 육사 제자로서 나를 전적으로 믿고 따르는 절친한 동지이기도 하다. 조심스럽게 추진 중인 정군 활동에 대한 우려다. 이리저리 재기만 하다가 타임을 놓치는 것이 아닌가 하는 노파심이다.

저녁 해가 뉘엿뉘엿할 즈음에 첨성대가 눈앞에 나타났다. 지근거리에 있는 한옥 식당. 50대 아주머니가 적당히 아는 체를 한다. 김치찌개에 막걸리. 그거면 충분하다. 젊은 주모 하나가 술시중을 들어준다.

단숨에 몇 잔의 술을 들이켰다. 이러저런 얘기를 나누었지만 속이 후련하지는 않았다.

한 밤중 느지막이 부대로 돌아왔다.

"각하, 신고합니다."

다음 날 아침. 사령관실에 들러 신고를 했다. 장 도영 사령관은 부드러운 덕장(德將)에 속한다. 6.25 때 용문산 전투로 유명하지만, 그는 날카로움보다는 부드러움이 장점이다. 두루두루 인간관계가 좋은 사람이다. 내가 군문에 들어선 이후로 아주 가까이 하면서, 많은 도움을 받고 있다. 물론 나도 성심성의껏 모시고, 반듯한 군인 정신을 발휘하면서 보답을 하고 있는 중이다.

인간 박 정희를 제대로 알지 못하는 사람들은 나의 외모나 언사만을 가지고 나를 평가하려고 한다. 그에 비해 장 사령관은 나를 진정으로 이해하는 몇 안 되는 사람 중 하나다.

"박 장군님, 잠시 숨 돌리세요. 박 장군께서 중책을 맡으실 날이 조만간 올 겁니다. 내가 보장합니다."

그의 말에 진심이 배어 있다.

1960년 12월이 중반을 넘어서고 있다. 지난 1년간 참으로 많은 변화. 1월에 부산 군수기지사령관으로서 부임했다가 3 · 15 부정 선거, 4 · 19 학생 시위, 계엄사령관직을 겪었다. 이 승만 정부의 몰락과 장 면 민주당 정부의 새로운 탄생. 70만 정에 군인들도 해내지 못한 부패 정권 타도를 맨주먹 학생들이 성취해냈다.

정군, 쿠데타, 항명 등 '속앓이' 만 하다가 학생들에게 선수를 빼앗긴 느낌도 든다.

대한민국의 최고 지성인이라고 자부하는 군인, 엘리트로서 부끄럽기만 하다. '잘난 체' 함이 없이 그냥 순수한 몸으로 부딪쳐서 독재를 물리친 학생들에게 참으로 민망하다.

어쨌든 학생들의 힘에 휩쓸려 등장한 4 · 19 혁명에 많은 희망을 걸었었다. 이제 제대로 된 정부가 들어설 것이라 믿었다. 그런데 지난 몇 개월 돌아가는 형세를 보니 그게 아니었다.

민주당 신파와 구파 정치인의 싸움을 보면서 자유당 구태 정치인 모습을 다시금 보게 되었다. 민주의 전제 조건이 다수결이고, 합의인데 도무지 합의라는 것이 없다. 허울 좋은 민주주의에 취해서, 모두가 자기주장만을 일삼고 있다. '자유'나, '민주'나 드러난 행태는 똑 같이 어지럽고 난분분하다.

국가 지도층이라는 대통령, 국무총리, 국회의원, 시장 군수가 형편없다 보니 학생, 교사, 언론인, 기업인도 마찬가지다. 서로서로 비난을 일삼으며, 모래알 같은 한국인들...

참으로 한심한 대한민국의 한 해가 저물어가고 있다.

속에 가득 찬 울분을 참기가 어렵다.

'일제 노예 상태에서 어떻게 벗어났는가?'

'6 · 25 공산당의 침략을 어떻게 막아 냈는가?'

'먹을 게 없어서, 소먹이 풀을 뜯어먹고 사는 저 거지같은 우리 형제들을 어쩔 것인가?'

끝없는 상념에 가슴이 척척해 있는데, 갑자기 책상 위의 전화기가 요란스럽게 울린다.

"각하, 김 중령입니다. 궁금해서 전화 드렸습니다."

"고맙소, 잘 지내고 있어요."

민첩하고 지혜로운 김 종필 중령이다. 뭔가 할 얘기가 있어서 전화 했을 것이다.

"이제 더 이상 물러설 곳이 없어 보입니다. 거동하셔야죠?"

그는 나의 결심을 기다리고 있다. 그동안 치밀한 계획을 세우고, 수많은 인물을 물색하며, 동지를 규합하고, 거사 날자를 살폈었다.

하지만, 결과는 지금 이처럼 낙동강 오리알 신세가 되어 버렸다. 강제 예편을 걱정해야 할 판이다. 내가 물색하고 방향을 제시해 주었던 많은 선후배 장성들, 영관급, 위관급 장교들이 나를 주목하고 있는데, 나는 이렇게 무기력하기만 하다.

실천이 뒤따르지 않는 계획은 무의미하다. 군인인 나의 가장 큰 장점이 '돌격 앞으로'의 무모할 정도의 추진력인데, 또 '안 되는 것도 되게 하는' 창조적 사고와 능률적 성취인데...

지금은 답답하기만 하다. 도무지 내 역량으로는 새로운 국가 만들기가 거의 불가능해 보이기도 한다. 아니, '내가 무슨 일을 벌일까' 두려워지기도 한다.

'두렵다, 두렵다, 두렵다...'

이런 딱한 심정을 알기라도 한 듯 김 중령은 적당히 희망적인 말로 나를 거들려 한다.

"장군님, 긴급히 하셔야 할 일이 있습니다."

갑자기 긴장이 된다.

그는 내 가슴의 정곡을 찌르는 말로 나를 불끈 일어서게 만들었다.

"총장을 바꿉시다."

나 보다 한 발 앞서 나가고 있다.

상대방을 존중하다 보니, 항상 양보하고 그들의 선처만을 기대하면서 여기까지 이르렀다. 되는 일이 별로 없다.

'그래, 이래서는 안 되겠다. 움직이자.'

낮은 포복으로, 암중 모색

대수롭지 않은 일상적인 부대 일은 참모장이나 부관을 통해 관례대로 처리하면 된다. 이런저런 생각이 많으니 눈앞의 일에 눈길이 가지 않는다.

'그냥 이대로 포기하면 어떨까?'

20년 군 생활을 청산하고 그저 고만고만한 민간인으로 살아가면 좋지 않을까? 군복을 벗고 나면 어떻게 살아갈 수 있을까? 이제 40대 초반인데...

홀로된 공간에서 끝없는 상념에 빠져 들다 보면 온통 부정적인 생각들뿐이다. 내 스스로 형편없는 사람인 것 같고, 그동안 내가 무엇을 위해 살아 왔는가 의심이 든다.

불연듯 가족 생각이 났다. 목숨 내놓고 국가에 충성을 다한다고 제대로 신경을 쓰지 못했다. 가족에게는 항상 양보만을 받았었다. 이제 서른다섯인 내자(內子), 어린 자식들. 울컥, 눈초리가 촉촉해졌다.

끝없이 나락으로 빠져드는 상념을 벗어나려면 현장 분위기를 바꿔야만 한다.

차를 타고 팔공산 동화사를 찾았다. 병풍처럼 높고 길게 펼쳐져 있는 팔공산. 동화사 입구에서 고색창연한 봉서루(鳳棲樓)가 나를 맞는다. 팔공산을 배경으로 동화사는 봉소포란(鳳巢抱卵) 지세다. 그 봉황의 둥지 정 중앙, 대웅전을 향해 가볍게 예를 차리면서 문안으로 들어선다. 저녁 목탁 소리가 차분하게 마음에 와 닿는다.

대구를 벗어나면서, 팔공산을 바라보면서 마음이 많이 안정되었다.

'나는 누구인가?'

이제는 막다른 골목 끝에 와 있는 듯한 기분이다.

더 이상 물러설 곳이 없다. 이제 더 이상 잃을 것도 없다. 갑자기, 군복을 벗기 전에, 일생동안 계획해온 일을 실천해 보고 싶어 진다. 내가 그토록 자신만만하게 주장하고, 주변인들을 설득하며, 실행해보고 싶었던 일. 정군(整軍), '그럴듯한 대한민국 건설'

- 허허실실(虛虛實實).

그래, 철저하게 낮은 자세로 임하자. 내가 이곳으로 옮겨 온 것도 어찌 보면 스스로 원했던 일이 아니던가? 육군본부에서 수없이 남의 감시를 받던 상황을 벗어나고 싶어졌었다. 새로운 민주당 정부 출범과 함께 때마침 새로운 총장 물망에 올랐다가 좌절을 맛봤고, 미군 사령관 매그루더와 최경록 총장, 김 형일 차장 등의 반대에 직면한 상황에서, 스스로 탈출구를 모색한 셈이다.

큰 도약을 위한 움추림. 더 높은 곳을 향하여, *Excelsior...*

- 배부른 사자는 들소를 쫒지 않는다.

인간 박 정희를 완전히 제압하여 도태시켰다고 믿는 저들은 '배부른 사자'일 것이다. 유엔군사령관 매그루더(Carter B. Magruder) 대장을 위시한 미국, 육군 참모총장 최 경록과 그 주변 인물들, 민주당 정권의 윤 보선이나 장 면.

그들은 지금 박 정희가 안중에도 없을 것이다. 만만하고, 다루기 쉬운 존재, 이제는 날개가 꺾인 패자로 간주할 것이다. 권력 중심의 시야에서 사라졌으니.

육군참모총장 최 경록, 제1군 사령관 이 한림, 제2군 사령관 장 도영, 육사 교장 강 영훈, 이 종찬 장군, 백 선엽 장군 등은 대부분 30대에 군 최정상에 오른 인물들이다. 물론 6·25 당시의 공적과 군 발전 과정에서 그들이 보여주었던 업적은 괄목할만하다. 군인으로서의 풍채나 담력이 남다른 사람들이다.

이들은 나이 상 '형님뻘'이지만 직급이 낮고, 시키는 일에 충실한 나를 그런대로 잘 대해준 인물들이다. 결정적인 고비에 내 목숨을 구해주기도 한 고마운 이들이다. 이들은 한국 건군 과정과 군 체제 구축 과정에서 선두 주자로서, 20대부터 누릴 건 다 누린 인물들이다.

이들은 진정으로 '배부른 사자'에 속한다. 이들은 내가 원하는 '극적인' 정군이나 체제 혁명에 나서길 꺼려하는 인물들이다. 이 종찬 장군이나 백 장군은 함께 근무하면서 군 부정부패 척결을 같이 한 경험도 있다. 하지만 이들은 이제 절박한 처지에 있는 나를 도울 힘을 가지고 있지 못하다.

조만간 혁명을 시도하기 위해서는 '배부른 사자'들을 더욱 배부르게 해주어야만 할 것이다. 그들의 시야에서 내가 적당히 사라져 주어야 한다. 더욱 낮은 포복으로 그들의 자만심을 북돋워줘야만 한다.

부관을 통해 이 한림 장군에게 전화를 걸게 했다.

"이 장군, 박입니다."

"오랜만입니다. 대구 생활은 어떠십니까?"

"견딜 만 합니다. 다음 주 수요일 쯤 시간이 어떠십니까? 내가 한번 원주로 들르겠습니다."

"아 뭐, 시간은 괜찮은데, 특별히 하실 말씀이라도 있으십니까?"

"그냥 술 한 잔 하면서 세월 가는 얘기나 하고 싶어서요."

이 장군은 만군, 일본 육사를 거치면서 생사고락을 함께 한 사이다. 건국 후, 귀국을 하고 군사영어학교 1기로 입학하여 나보다 먼저 장교의 길을 걸었다.

이 사령관과의 만남은 단도직입적으로 '혁명 같이 하자'고 요청하기 위함이다. 이미 여러 차례 정군, 혁명을 얘기했었지만, 그는 적당히 말을 얼버무려 오고 있는 중이다. 이번에 그를 방문하기 위한 목적은 사실 그를 혁명으로 끌어 들이기 위함보다는 '내가 혁명하려고 한다'는 사실을 미리 알려주려는 것이다.

양치기 소년의 '늑대가 나타났다' 전법을 사용하려는 것이다.

'박 정희가 혁명을 한다'는 소문이 '너무나 뻔한 거짓말'처럼 여겨지게 만드는 방법이다. 배부른 사자들은 '그래, 네가 할 테면 한번 해 봐라' 하면서 자신만만해 할 것이기에.

헌법 상 군 통수권자인 장 면 총리는 독실한 가톨릭 신자로서 신앙인이면서 교육자였었다. 가톨릭과 미국, 영어라는 인연 때문에 미군정과 미국, 이 승만 대통령에 의해 발탁되어 요직을 두루 거쳤다. 건국 당시에 유엔 대사를 거쳐 초대 주미 대사를 지냈고 이 승만 대통령 시절 민주당 출신 부통령으로 재직했었다. 4·19 이후 새로 만들어진 내각책임제 헌법 하에서 실권을 가진 총리가 되었다. 그는 군대나 거친 정치판과 어울리지 않는 인물이다. 쿠데타나 혁명이라는 말조차도 싫어할 인물이다. 그는 지나칠 정도로 완벽한 '배부른 사자' 다.

윤 보선 대통령도 조선 시대 말 양반 가문의 엘리트 인물이다. 일본 유학과 상해 임시정부 참여, 그 후 영국 유학과 귀국, 미 군정청 근무, 이 승만 대통령에 의해 서울시장과 장관 근무 등 화려한 경력 소유자다. 이 승만과 결별한 뒤에 민주당에 몸담았다가 4·19 혁명 이후의 신헌법에서 통치권이 없는 대통령으로 재직하고 있는 중이다. 형식 상 국가를 대표하곤 있지만 실권이 없다.

불현듯 김 종필 중령의 '총장을 바꿉시다'는 전화가 생각났다. 최 경록을 장 도영으로 교체하는 것이 매우 중요한 전략이 되어 버렸다. 최 경록이 녹녹치 않은 헌병 기질을 발휘할 것을 예상하면, 절대 총장 자리에 머물러 있게 해선 안 된다. 거사가 진행될 때 큰 위협 요인이 될 수 있다.

1960년 한 해가 다 가기 전에 부지런히 움직여야만 했다.

아침 출근하자마자 사령관 사무실 방문을 두드렸다. 반갑게 맞는 장 사령관을 향해

"이제 움직이셔야 합니다."

"뭔 얘기입니까?"

"각하께서, 총장이 되셔야 합니다. 제가 만들어드리겠습니다."

'생뚱맞게 뭔 소리냐?' 하는 표정을 지었지만, 싫지는 않은 눈치다. 스스로 충분히 자질을 갖추고 있다고 여기기 때문일 것이다.

"지금 영관급, 위관급 장교들의 불만이 팽배해 있습니다. 학생 시위와 불순한 공산 세력이 활개 치는 것에 대한 불안함, 민주당 정부의 무기력증, 극심한 사회 혼란 등에 대한 군대의 역할 부재에 대한 것입니다. 지금 최 총장은 민주당 정권의 비위 맞추기에 급급해 있습니다. 영관급 장교들은 또 장군 승진 적체에 대한 불만도 극에 달해 있습니다. 최 총장은 8기생들의 문제 제기를 군기 문란, 항명으로 치부하고 재판에 넘겨 더욱더 불만 대상이 되어 있습니다."

"그렇지만, 최 총장도 어쩔 수 없었을 겁니다."

"아닙니다. 이를 방치하다가는 자칫 쿠데타라도 발생할 가능성이 높습니다."

일단 장 사령관에게 적극적으로 나서도록 종용해야 했다. 같은 종씨인 장면 총리를 직접 대면하도록 하고, 매그루더 장군과도 대화를 나누도록 권유했다. 인간관계가 좋은 장 도영 장군은 이들은 물론 여러 정치인들과 사이가 좋았다. 비록 '자천(自薦)'이라는 사실이 다소 꺼림직 하겠지만 일단 마음만 먹으면 충분히 가능성이 있었다.

이 주일 참모장과 상의하여 부관을 통해 새해 선물을 장 사령관 이름으로 주요 인사들에게 전달하도록 했다. 윤 보선 대통령, 장 면 총리, 이 철승 국방위원장, 권 중돈 국방부 장관, 매그루더 사령관, 국방부 인사국장, 육군본부 인사 참모 등 빠짐없이 챙겼다.

이 철승 위원장과 가깝게 지내는, 영천 정보학교장 한 웅진 준장에게 부탁해서 두 사람 만남을 적극 주선토록 했다. 나도 측면에서 이 철승 위원장과 통화를 하고 총장 교체 필요성을 설명했다. 수시로 서울로 올라가 6관구 참모장 김 재춘 대령, 김 종필 중령에게도 장 도영 장군의 참모총장 추대 로비를 하도록 하였다. 김 재춘 대령은 오랜 기간 6관구 참모장으로 재직하였기 때문에 인맥이 제법 넓었다. 지난 해 6관구 사령관을 지내는 동안 정군 계획에 대해서도 허심탄회하게 의견을 나누곤 했었다. 김 대령은 평소 잘 알고 지내던 민주당 오 위영 의원, 박 순천 의원 등에게 장 장군을 소개하는 자리를 마련하여 주었다.

장 도영 장군의 참모총장 취임이 최선이지만, 불발로 끝날 상황도 예견해야만 한다. 최 총장 재직 상황에서 거사를 진행하게 될 경우를 염두에 두고 있어야 한다.

육본에 근무하고 있는 젊은 영관급 장교들을 최대한 활용하여 유사 시 우선적으로 육본을 장악해야만 한다. 김 종필, 석 정선, 오 치성, 김 형욱, 옥 창호, 강 상욱, 김 동환, 박 승권, 손 종호, 유 승원, 윤 필용 등 적극적이고 비밀 유지가 가능한 영관급 장교를 잘 조직화해야만 한다.

갑자기 박 병권 소장으로부터 전화가 걸려 왔다. 1961년 1월 12일.

"장군님, 심각합니다. 육본에서 개인 보안심사위원회를 열어 예편 대상자를 추린다고 합니다. 김 형일 참모차장을 중심으로 부장들과 육군방첩대장, 각 군 보안책임자가 참석했습니다. 또 다시 과거 전력을 들어서 박 소장님을 몰아세우고 있습니다."

갑자기 긴장감이 더해진다.

사생결단, 결판을 내야할 시점이 도래하는 듯한 두려움이 엄습한다.

혁명 추진 세력의 전폭적인 로비와 당사자의 노력에 힘입어 장 도영 장군이 참모총장으로 발령이 난 것이 1961년 2월 17일이다. 내부적으로는 최 총장이 현 석호 장관에게 강하게 반발했다고 한다. 총장 직임을 헌신적으로 수행하면서 감군과 정군, 혼란스런 사회와 정국 속에서 군부 안정화를 추진하고 있던 최 총장은 아무런 잘못도 없이, 5개월 만에 장 도영 제2군 사령관과 자리바꿈을 해야만 했다.

최 장군은 '총장이 어떻게 예하 사령관으로 부임할 수 있느냐?' 고 부임을 거부하고 나섰다. 하지만 며칠 버티다가 승복하고, 2군 사령관으로 부임한 최 경록 장군은 4월 5일 미국 방문길에 나섰다.

참모총장의 교체는 혁명에로의 길에 숨통을 터주는 느낌을 주었다.

낮은 포복으로, 암중모색하면서 한 발자국 한 발자국 혁명의 길로 나서리라.

현룡재전(見龍在田): 드러나는 잠룡(潛龍)들

송 요찬 참모총장은 과도 정부의 내각 수반 물망에까지 올랐었지만, 결정적인 순간에 훌훌 먼지를 털어내듯 미련 없이 자리를 물러났다. '석두(石頭)'라 불리던 그 다운 행동이다. 속으로는 불편했을 수 있지만, 어쨌든 나의 진심 어린 권유를 받아들여 주어 감사할 따름이다.

송 참모총장과 차장 김 종오 장군 후임으로 최 영희 중장과 최 경록 소장이 총장과 차장으로 발령되었다. 1960년 5월 21일 사표 제출 후 이틀 만이다. 송 총장은 퇴임을 하면서 '부덕의 소치로 재직 중에 본의 아닌 과오도 없지 않았을 것을 자성하여, 4 · 19 혁명과 동시에 사퇴하려고 했다'고 자괴감을 표현하였다.

진정으로 훌륭한 군인이었는데 참으로 안타깝다. 1958년 제1군 사령부 참모장으로서 모시면서 군의 고질병이었던 '후생사업'을 폐지했던 일이 아직도 생생하다. 4 · 19 전후 계엄사령관으로서 군을 잘 이끌어 정치 중립을 지켜냈고 이 승만 대통령의 하야가 가능토록 한 공로는 대단한 것이다. 3 · 15 부정 선거에 잘못 발을 들여 놓은 결과로 뒤끝이 좋지 않게 되어 버렸다. 참 군인이었던 그를 용퇴하게 만든 일이 과연 잘한 일이었던가?

군의 부정 선거는 어제 오늘 일이 아니다. 군이 창설되고, 선거 제도가 도입된 1948년 이후로 지금까지 똑 같은 행태가 이어져 왔다. 이 승만 대통령이 이끄는 여당인 자유당 후보자를 지지하는 더티한 투표가 군내에 만연되어 왔다. 총장이 바뀌면 달라질까 생각했지만, 송 요찬 총장은 그러지를 못했다. 여당 후보 지지 교육, 표 매수, 사전 투표, 투표함 바꿔치기, 투표 행위 감시가 똑 같이 이어졌다.

1960년 3월 군수기지사령관실로 육본의 지시와 함께 방첩대의 회식비 지원금이 날아왔다. 또 부관 손 영길 대위가 투표용지를 들고 나타난 것을 보고 속이 뒤집어졌다.

"이까짓 선거 뭣 하려 하나? 20세 군인이면 스스로 도장 찍을 줄은 안다. 사령관이 나서서 꼭 이래라 저래야 하라니. 언제까지 이 지랄을 해야 해."

내 반발이 육본으로 전해졌는지 선거 며칠 전, 그에 송 총장이 부산으로 내려 왔다. 슬금슬금 내 눈치를 본다. 부관을 시켜 기자들과 주요 인물들을 시내 중앙동 일식당으로 불러 자리를 마련했다. 술과 음식을 권하면서 송 총장이 조심스럽게 여당 후보 지지를 호소한다. 그런 그가 더없이 비굴하고 애처로워보였다.

'꼭 저래야 하나?'

회식 중간에 몸을 일으키는 송 총장을 따라 밖으로 나왔다. 참석자들과 인사를 나누고 차에 오르려는 그를 길옆으로 이끌었다.

"총장님, 꼭 이러셔야 합니까? 저랑 그토록 참 군인, 정군을 약속하셨는데, 이게 뭡니까?"

"미안하오. 김 정렬 장관이나 내나 상부 지시에 꼼짝 못하고 이러고 있다오. 참말로 죽을 지경이야. 당장이라도 때려치우고 싶은데, 차마 그러질 못하고 있소."

떠나는 그를 바라보면서 남모를 연민을 느꼈다.

이게 대한민국, 한국 군대의 현 주소다. 한두 사람이 정신 차린다고 해결될 일이 아니다.

대한민국의 시스템 자체를 바꿔야만 한다.

1948년 헌법 체제와 함께 지속되고 있는 질 낮은 정치, 엉터리 민주주의를 바로잡으려면 체제 자체를 새롭게 개조해야만 한다. 그런 다음에 사람이다. 군대도 마찬가지다.

결국 탈이 나고 말았다. 엄청난 3·15 부정 선거는 전국적인 학생 시위를 불러 일으켰고, 마침내 비상계엄이 전국을 뒤덮었다. 이 기붕 가족의 자살(4월 28일)과 이 승만 대통령(4월 29일)의 하야로 드디어 이 승만과 자유당 통치가 막을 내렸다. 허 정 과도 정부가 등장하고 신임 국방부 장관으로 이 종찬 중장이 임명되었다.

과도 정부 등장 전후로 내개로 곳곳에서 전화가 빗발쳤다. 군수사령부 내의 참모장으로부터 참모, 부관들도 불평불만을 토로하면서 나를 자극했다.

“박 장군, 부정 선거를 저지른 군 책임자들을 그대로 둬야 하는 거요?”
“각하, 말이 안 됩니다. 이게 제대로 된 군대입니까? 아무도 책임지는 사람이 없다니요.”

나를 아는 모든 이들이 손가락질하면서 나를 나무라는 것 같았다.

흥분한 그들의 말을 듣는 나도 혈압이 오른다.

‘언제까지 참고 있어야하나?’

육본으로 전화를 돌렸다. 총장에게, 정중하지만 결의에 찬 목소리로 '책임지시라' 권유했다.

전화를 끊고 나서 곰곰이 생각해 보니, '이제는 내가 나설 때가 된 것 같다.' 나를 바라보면서 기대감을 갖고 있는 정군파 장교들을 대상으로 강렬한 메시지를 남길 필요가 있다.

부관 손 영길 대위를 불렀다. 짤막하게 적은 편지를 봉해서 건네주며, 긴급히 송 요찬 참모총장께 직접 전달하도록 지시했다. 내가 가끔 이용하는 L-19 경비행기를 띄웠다.

'참모총장 각하. 다난(多難)한 계엄 업무와 군내의 제(諸) 업무의 처리에 골몰하심을 위로 드리는 바입니다. 각하로부터 많은 은고(恩顧)를 입으며 각하를 존경함에 누구 못지않을 본인이 지금 그 높으신 은공에 보답하는 길은 오직 각하의 처신을 그르치지 않게 충고 드리옴이 유일한 방도일까 짐작되옵니다.

지금 3·15 부정선거에 관련된 많은 사람들이 선거 부정 관리의 책임으로 규탄되고 있으며, 군 역시나 내부적, 외부적 양면에서 이와 같은 비난과 정화(淨化)에서 예외가 될 수는 없을 것이오니, 미구(未久)에 닥쳐올 격동의 냉각기에는 이것이 문제화될 것은 명약관화(明若觀火)한 일이며, 현재 일부 국회 국방위원들이 대군(對軍) 추궁을 위한 증거자료를 수집 중임도 이것을 뒷받침하는 것이옵니다.

비견(卑見)이오나 군은 상명하복(上命下服)의 엄숙한 통수 계통에 있는 것이므로 군의 최고 명령자인 각하께서 부정선거에 대한 전 책임을 지시고, 정화의 태풍이 군내에 파급되기 전에 자진 용퇴하신다면 얼마나 떳떳한 것이겠습니까? 각하께서는 4·19 이후의 민주적인 제반 처사에 의하여 절찬(絶贊)을 받으시오니 부정의 책임감은 희박해지며 국민이 보내는 갈채만을 기억하시겠습니다마는 사실은 불일내(不日內)에 밝혀질 것입니다. 차라리 군인이 아쉬워할 이 시기를 놓치지 마시고 처신을 배려하심이 각하의 장래를 보장하며 과거를 장식케 하는 유일한 방도 일까 아뢰옵니다.

4·19 사태를 민주적으로 원만히 수습하신 각하의 공적이 절찬에 값하는 바임은 물론이오나 3·15 부정선거에 대한 책임도 또한 결코 면할 수 없는 것이며, 따라서 그 공과(功過)는 상쇄(相殺)가 불가능한 사실에 비추어 가급

조속히 진퇴(進退)를 영단(英斷)하심이 국민과 군의 진의(眞意)에 영합(迎合)되는 것이라 사료 되옵니다.

현명한 상관은 부하의 성심(誠心)을 수락함에 인색하지 않을 것입니다. 각별한 은혜를 입은 부하로서 각하를 길이 받들려는 미충(微忠)에서 감히 진언 드리는 충고를 경청하시어 성심에 답하는 재량(裁量) 있으시기를 복망(伏望)하옵니다.

외람되오나 각하와의 두터운 신의에 의지하여 이 글을 올리오니 두루 해량(海諒)하시와 본인으로서의 심사숙고된 성심을 참작하여 주시기 아뢰옵나이다.'

송 총장은 내 편지를 받고 많이 당황해했다고 한다. 처음에는 불끈 화를 냈지만, 생각해 보면 이 승만 대통령 하야와 과도 정부 수립을 계기로 용퇴를 했어야 했다는 생각이었다. 당시에는 4·19 사태를 잘 관리한 공적을 인정받아 과도 정부 수반 후보까지도 오르내렸었다. 그런 순간에 용퇴를 권하는 편지를 공적으로 전달한 것이다. 송 총장은 참모진에게도 내 편지를 보여주면서 불쾌감을 표현했다고 한다.

편지 건은 벼르고 벼르다가 내비친 '내 속내'였다. 큰일을 위해서는 끝까지 참아야만 하는데 이번에는 그러질 못했다. '함부로 머리를 드러냈다가는 매를 맞는다'는 속담이 있다.

편지 건은 두 갈래 방향으로 영향을 미쳤다. 하나는 나를 배은망덕하고, 하극상을 일삼는, 불평분자, 돈키호테로 낙인을 찍히게 만들었다. 육본 중심으로 고위 군 장성들이 나를 형편없는 인간으로 보기 시작했다.

조총련 사주를 받아 부산지역 계엄사령관 박 정희 소장이 반란을 일으킬 거라는 민주당 의원의 밀고, 그에 따른 1군 소속 헌병대대의 부산 진주, 최영희 장군과 서 종철 장군의 내사, 1관구 사령관으로, 2군 부사령관으로 조리돌림, 좌천된 것도 그런 이유 중 하나다.

하지만, 나를 따르던 영관급 장교들에게는 큰 힘을 준 셈이 되었다. 육사 8기생이 내 편지 사건을 계기로 적극적인 의사 표현, 정군 의도를 드러내기 시작했다.

1960년 늦여름부터 육사 8기생 중심으로 시작된 정군 움직임이 본격적으로 수면 위로 드러났다. 육본에 근무하던 김 종필, 최 준명, 김 형욱, 옥 창호, 석 정선, 길 재호, 신 윤창, 오 상균 중령이 앞장을 섰다. 참모총장을 비롯한 소장 이상 고위직 장군들을 대상으로 용퇴를 촉구한 것이다. 이들 고위 장성들은 대부분 건군 이후 승승장구하면서 일찌감치 장군 진급을 하고, 군을 이용한 부정부패와 비리, 3 · 15 부정 선거에 깊숙이 관련되어 있었다.

김 중령이 귀뜸 했던 연판장 내용을 보면 다음과 같다

- 군(軍)도 4 · 19 정신으로 정군(整軍) 해야 한다.
- 정군은 개인적 자진 사퇴의 형식을 취한다.
- 사퇴를 불응할 때는 지휘 계통을 통해 종용한다.
- 그래도 불가능할 때는 국방장관 직속 하에 정군 심사위원회를 설치하여 수행한다.

11명이 서명을 하고, 국방부장관 현 석호를 찾았지만 만나질 못했다. 오히려 반발만 사서 송 총장 지시를 받은 방첩부대장에 의해 반국가음모죄로 구속되기에 이르렀다.

나중에 진행 상황을 알아보니, 이들의 구속으로 반감이 극대화된 육사 8기 위주의 영관급들이 가만히 있지를 않았다. 정군의 목소리를 더욱 크게 내기 시작했다. 이들은 이 소동 준장, 김 종오 차장 등을 찾아가 선처를 요구하고 그들이 원하던 송 총장 퇴진과 정군 요구를 강하게 종용하였다. 30대 중반의 팔팔한 영관급 장교들은 두려울 것이 없다는 태도로 치고 나섰다.

결과적으로 송 요찬 총장은 사퇴하였다. 육사 8기 중령들의 연판장 사건의 영향을 받은 셈이 되었다.

한번 발톱을 드러낸 30대 잠룡(潛龍)들은 이제 뚜렷하게 대중의 관심 속으로 부상하고 있었다. 자신들의 요구가 먹혀들어간다고 생각하게 되니 점점 더 대담해 졌다. 이들은 육본과 수도권 근무자들을 중심으로 더욱더 잦은 모임을 갖기 시작했다. 대통령이나 장관, 정당 정치인조차도 학생들에게 꼼짝을 못하고 좌지우지되는 상황에서 이들은 더욱 자신감이 충만했다. 총장 경질에 앞장서고, 후임 총장에 대한 의견을 제시했으며, 고위 장성들의 예편을 '정군'이라는 이름하에 주장하고 나섰다. 1950년대 군 지휘관 경력을 가지고 있는 어느 누구도 이들의 비판에 자유로울 수 없는 분위기가 형성되어 있었다.

최 영희 참모총장에 이어 부임한 최 경록 총장은 솟아오르고 있는 영관급 장교들을 컨트롤하겠다는 의사를 비치며 내게 작전참모부장을 맡아달라고 전화를 걸어 왔다. 불과 한 달 여전에 좌천성으로 1관구로 옮겼던 나는 '알겠습니다' 호응할 수밖에 없었다(9월 10일). 그의 주문은 어느 정도 정군에 대한 재량권을 가지고 영관급들의 움직임을 순화시켜달라는 것이었다.

육사 8기생들은 합동참모본부 의장으로 근무하던 최 영희 장군을 대상으로 또 다시 문제를 일으켰다. 최 의장 초청으로 방한했던 미 국방성 대외군원국장 파머 대장이 공항에서 이임 기자회견을 한 것에 대한 반발이었다. 요지는, '정군이라는 명목으로 6·25 전쟁에 큰 공헌을 세웠던 고위급 장성들을 내치는 것은 오히려 교각살우(矯角殺牛)의 잘못이 될 수 있다. 한국군 내에는 제대로 된 정군을 할 만한 역량을 갖춘 인물이 부재 한다' 였다. 이런 내용에 공동성명 형태로 참여한 최 영희 장군을 척결 대상으로 정한 것이다.

이들 16명의 중령들은 최 영희 장군 사무실로 쳐들어가서 사퇴를 종용하기에 이르렀다. 참모차장 김 형일 장군의 요청을 받은 헌병대가 출동하여 이들 대부분이 헌병감실 영창으로 수감되었다. 이들은 군사재판을 받고 무죄로 풀려났지만 주동자였던 김 종필 중령과 석 정선 중령은 끝내 군복을 벗어야만 했다. 물론 최 영희 장군도 항의를 받은 직후에 군복을 벗었다.

주역(周易) 건괘(乾卦) 2효(爻) 효사(爻辭)가 마음에 걸린다.

'현룡재전(見龍在田)이니 이견대인(利見大人)이니라.'

몸통을 드러낸 용이 들판에 있느니, 훌륭한 영도자를 만나면 이로우니라.

육사 8기 영관급 장교들은 이제 군의 중심에 서서 실권을 장악한 사람들이다. 여태까지 명령에 복종하면서 몸을 사리던 잠룡(潛龍)이 아니다. 누구도 거부할 수 없는 힘을 가진 존재로 급부상하였다. 하지만 이들에게는 현명한 지도자가 필요하다. 리더가 없는 젊은 장교들은 시위하는 학생들처럼 위험천만이다.

내가 그들의 대인(大人)이 되리라.

육사 8기

현 상황(1961년 1월)에서 가장 활발히 움직이고 있는 동력이 육사 8기생이다. 이들은 모두 30대 초, 중반으로서 가장 정력적이고 추진력이 좋은 위치에 있다. 육본과 전투 사령부, 전투단의 참모진에 포진해 있고, 부대 지휘관으로는 대대장과 연대장, 포병단장으로 활약하고 있다. 육사 선임 기수가 사령관이나 군단장, 참모장으로 재직하고 있다고 하지만 현장에서 직접 병사들과 생사고락을 함께 하고 결정적인 순간에 군대를 통솔할 수 있는 실무진이다. 군사 혁명을 하려면 반드시 이들과 함께 움직여야만 한다.

- 가장 밑바닥에서, 초급 장교로 만났다.

육사 8기생을 만난 사연은 극적이다. 내가 가장 비참한 상황에 놓여 있을 때(1949년 5월), 그들은 20 초반의 싱싱한 초급 장교로 나타났다. 불순세력으로 몰려 김 정렬, 채 병덕, 백 선엽, 김 점곤, 김 창용의 선처에 힘입어 사형을 겨우 면하고, 사복을 입은 문관으로 육본에 근무할 때다. 38선 북방에서 인민군이 집결하고, 남침 가능성이 농후해 질 즈음에 육군본부의 방첩, 정보 업무 확대를 시도할 때 였다.

체제가 잡힌 육군사관학교 교육을 제대로 받고 졸업하는 8기생 우수 초임 장교 30명을 특별 면접으로 뽑아 육본에 배치했다. 이들은 지혜롭고, 자부심이 대단했으며, 국가나 군에 대한 충성심도 매우 높았다.

- 1948년, 나는 모든 군 인맥의 중심에 있었다.

모든 게 뒤죽박죽이고 엉망이던 건국 전후. 나는 육사 2기로 들어가 훈련을 받고 소위로 임관했다. 그리고 육군사관학교 중대장으로 근무했다. 의욕적으로 교관 생활을 하고 있던 그 시절 '부드러운 가랑비'처럼 남로당, 공산주의자들이 내게 접근해 왔다.

그들의 판단에 일본군 인맥, 만군 인맥, 육사 인맥, 육사 제자들 그 중심에 박 정희가 있었다. 박 정희만 잡으면 군 내 남로당 조직이 완벽해질 것으로 생각한 듯하다.

만주군관학교와 일본 육사 동기들은 한국군 창설의 주역이 되어 있었다. 군 창설 준비를 위한 군사영어학교(Military Language School)가 1945년 12월 5일 개설되었는데, 입학생이 대부분 나의 일본 육사, 만주 군관학교 선후배 동창들이었다. 단기 영어 위주의 교육 후 대령급으로 초임 발령을 받고 20대에 장군으로 진급하여 두각을 나타낸 사람들이다. 창군 초기부터 모두 각 부대의 책임자로 근무하기 시작했다. 국군 역사에서 하나같이 이름이 혁혁한 인물들이다.

만주군관학교 출신들은 해방 후 나처럼 남한으로 귀국한 사람들과 만주를 거쳐 인민군으로 편입된 사람들로 나뉜다. 그런데 인민군으로 참여한 사람들 중에는 김일성과 소련의 공산주의에 놀라서 탈출하여 남한으로 온 사람들도 적지 않았다.

6년 연상인 최 남근 대령은 가끔 육사 주변 식당에서 만나면서 가까워졌다. 그는 북한 정치와 인민군 사정을 잘 알고 있었다. 그러면서 틈틈이 통일을 얘기하고 만군 인맥을 내비쳤다. 만군 1기 선배인 이 기건은 인민군 실상을 극적으로 전하면서 내게도 남로당 인맥과의 접촉을 경계하도록 누누이 강조하곤 했다. 박 창암이나 방 원철, 최 창륜도 불쑥 전화를 걸고, 찾아 왔다. 일제 시대 군대 시절 얘기로부터 시작하여 끝이 없을 정도로 진지하게 시간을 나눴다. 술이 거듭되고 의기가 투합한 적이 적지 않았다. 순간 순간 남조선과 북조선, 국군과 인민군, 이 승만과 김 구, 김 일성, 그리고 남북통일이 화제로 등장하곤 했다.

사람을 좋아하는 나는 누구도 가리지 않고 만나 서로 허심탄회하게 대화를 하면서 친해지는 습성이 있다. 독립군을 말하고, 일제에 대해 반감을 드러내면서 통일을 얘기하는 누구와도 쉽게 동화가 됐었다. 가난에 찌든 농민 얘기에는 종종 가슴이 울컥하곤 했었다. 함께 술 먹고, 무한정 얘기를 나누는 사람들 속에 서스럼 없이 끼어들었다.

그러다가 갑자기 방첩대로 끌려왔다. 그리고 '빨갱이 새끼' 소리를 들으며 고문을 당해야 했다. 참으로 황당했다. 아무 거리낌 없이, 서로 허심탄회하게 술자리를 즐겼을 뿐인데... 내 입으로 한마디도 공산당에 찬동한 적도 없었는데...

육사 중대장 시절부터 나를 자주 찾아온 사람 중에 상희 형과 가깝게 지내던 이 재복이 있다. 그는 참으로 나긋나긋하게 말을 잘 했다. '어쩜 이리 말을 잘 할까?' 탄복하면서 그가 찾아오는 것을 막지를 못했다. 그는 고향 상모리 시절부터 알고 지냈던 사이로 지금은 상희 형 가족을 돌봐주고 있다고도 했다. 내가 육사 선후배나 학생 제자들과 술자리를 할 때면 어떻게 알았는지 슬그머니 나타나 나를 핑계로 참석을 했다.

내가 빨갱이라는 것이 도무지 믿기지 않는 상태에서, 처절하게 좌절을 맛봐야만 했다. 나를 포섭하려고 했던 남로당, 북괴 공작원 입장에서 보면 나는 상당이 중요한 인물이었을 것이다. 나중에 고문을 당하면서 방첩대에서 보여준 조직도를 보면 내가 매우 높은 고위층에 자리하고 있었다.

공산주의자는 일제 시대에도 소작인을 선동해서 낫을 들게 했고, 만군 시절에는 독립 운동한답시고 몰려다니며 마적단처럼 설치고 다닌 사실을 잘 아는 나였다. 해방 직후 북쪽에 자리 잡은 소련 적군(赤軍)과 그 앞잡이 김일성의 본색을 더없이 잘 알고 있던 내가 공산당 빨갱이가 되어 있었다.

퍼뜩 정신을 차린 나는 그동안 내게 다가 와 '달콤하게, 유혹을 했던' 인물들을 모두 기억해 토설했다. 내가 빨갱이가 아니란 사실을 밝히기 위해서, 너무나 억울한 내 처지를 구제하기 위해서라도 나는 내 기억을 총동원하여 방첩대를 도와야 했다. 내가 남로당 중심 인물이 아닌 상황에서 누가 진정한 빨갱이인줄 알리가 없었기에 대충 짐작해서 이름을 밝혔다. 취조관에게 진정으로 부탁을 하면서,

"나는 이들 중 누가 진짜인 줄은 잘 모릅니다. 나와 가깝게 지냈던 생도들도 많이 포함되어 있는데, 조사를 통해 잘 가려 주십시요."

이게 내 평생을 따라 다니고 있는 좌익 전력의 실상이다.

이후 나는 생활 철학과 태도를 바꾸려고 노력했다.

'싫으면 싫다고 분명하게 말을 해야 한다.'

'침묵하면, 상대는 나를 자기 마음대로 새겨버린다.'

'내가 100% 진심을 내보였다고 해서, 상대방도 그럴 것이라고 오판하지 마라.'

'공산주의자와는 말을 섞지 말자.'

공산주의자는 나의 증오의 대상이 되었다. 곤욕을 치르고 겨우 목숨을 건진 직후부터 나는 김 일성 공산군과 싸우는 일에 전력을 다해야 했다.

바로 그 순간, 육사 8기생 30명을 육본에서 만났다.

인생에서 가장 막장의 맛을 보고 있는 상태에서 가장 풋풋하고 싱싱한 젊은이들을 만났다. 나는 그들과 함께 군 생활을 새로 시작하기로 했다. 육

사 8기생 선두 주자들의 군 생활 동기가 되어 그들을 이끌고, 적절한 시기에 믿음직한 대인(大人)으로 자리매김할 수 있도록 온 정성을 다했다. 혁명을 눈앞에 두고 있는 지금, 이들은 나에게 가장 중요한 핵심 동력이다.

육사 8기는 민간인을 대상으로 모집되어 6개월 교육 후 장교로 임관되었다. 10:1의 높은 경쟁률 속에 정규 입학 시험을 치렀다. 정부 수립 직후인 1948년 12월 7일부터 948명, 37명, 315명이 며칠 간격으로 입학하여 교육을 받고, 1949년 5월 23일부로 1,263명이 소위로 임관하였다. 이들은 다음해 6.25 전쟁 과정에서 소대장, 중대장, 대대참모로서 참전하여 용맹을 떨쳤다. 전쟁 중에 1/3인 400여명이 전사하였다.

당시 국군이나 육사는 체제가 잘 잡혀 있지 않아서 모집 대상, 교육 기간과 내용, 교육 후 임관 계급이나 보직이 천차만별하였다. 사실 입학 당시의 나이, 교육 경력, 군 경험 등이 제각각이어서 기수를 따지는 것이 무의미할 정도였다.

이들에 앞서 5기생, 7기생도 민간인을 대상으로 모집했었다. 이들도 6개월 과정이었다. 이들이 교육을 받는 사이에도 군 경력자들을 대상으로 3주에서 4개월 과정의 단기 장교 훈련과정이 존재했다.

- 진정한 동지로...

내심으로 꿇릴 게 없었던 나는 외면상으로는 비록 초췌해보였겠지만, 당당했다. 대일본 제국을 향해서도 당당하려고 했었고, 만주 벌판에서도 그 큰 대륙에 쫄아들지 않았었다. 내 조국 대한민국 군인이 되어서 어느 곳에 있더라도 의연했다.

그런 태도로 육사 8기생과 함께 근무를 시작했다. 전쟁을 앞둔 시점에 적정을 살피고 작전을 세우는데 내 능력을 최고로 발휘해서 그들을 감격시켜야 했다. 6·25 전쟁 과정에서 그들은 내게 진정으로 다가 왔다. 군 선배로, 상관으로, 인생 어른으로 그들을 이끌어왔다.

육사 8기생이 혁명을 앞 둔 시기에, 나의 핵심 동력이 된 계기는 여러 가지가 있다.

무엇보다도 그들은 전투 경험을 가진, 30대 초반의 젊은이라는 점이다. 6·25 전쟁에서 목숨을 내놓고 가장 앞장서서 적진을 향해 돌진했던 투사들이다. 이런 젊은이들에게 총이 주어지면 눈앞에 보이는 것이 없어진다. 이들은 죽음이 두렵지 않은 이들이다. 남아메리카, 중동, 이집트, 동남아시아에서 벌어지고 있는 군사 혁명은 모두 30대 초반의 젊은 군인 장교들에 의해 시도되었다.

결혼을 하고, 자식을 둔 군인은 혁명 전선에 나서는 것을 두려워한다. 이제는 '지켜야 할 것'이 생겼기 때문이다. 군사 혁명은 고위직 장성이나 풍요로운 가족을 거느리고 있는 사람에게서는 기대할 수 없다. 가능한 젊은 군인이어야만 함께 혁명 논의를 할 수 있다.

육사 8기생은 적당히 불만 세력이다. 한국군 현실에서 보면 군사영어학교 출신이 모든 영광을 누리고 있는 중이다. 35살인 김 종필 중령이 1926년생인데, 장 도영, 김 형일은 1923년생으로 32살에 중장이 되었다. 8기생들의 장군 진급이 매년 늦어지고 있는 중이다. 동기생 숫자가 가장 많은 상황에서 대령 진급이나 장군 진급을 두고 동기 사이에 처절한 경쟁을 해야만 한다. 육본에 근무하는 수십 명의 8기생들은 수시로 모여서 불만을 토로하고 있는 상황이다. 부대 주변과 명동이나 뚝섬, 수색 등지에서 수시로 만나면서 세를 과시하고 있었다.

육본에서 정보와 작전, 인사 참모로 근무하면서 군내 상황을 잘 알고 있다는 점도 이들이 가진 큰 자원 중 하나다. 1949년 졸업 직후부터 육군본부에 근무하면서 전쟁을 치르고, 그 이후 전후 복구 과정, 군 정비 과정에서 핵심 참모로 근무하고 있는 이들이 많다. 정보와 작전의 장악은 향후 혁명에서 큰 강점이다.

그들은 군사 혁명이 무엇이라는 것을 잘 알고 있었다. 어느 순간에, 어떤 목적으로, 어떻게 권력을 장악하는 가를 이미 훤히 알고 있다. 수많은 역사적 사례, 최근 벌어지고 있는 외국의 군사 쿠데타를 면밀하게 분석하고 정보를 공유하고 있었다.

야생마 같은 육사 8기생을 동지로 엮기 위해서는 치밀함이 보태져야만 한다. 진정한 내 사람으로 만들어야 한다. 야생마 같은 그들은 언제라도 분열될 수 있고, 나를 넘어서려 할 것이다. 한 치의 빈틈이라도 생기면 엉뚱한 사달이 날 것이다. 그들을 하나의 목표로 집중케 만들고 동력을 통일하여 전광석화처럼 일을 끝내야만 한다.

■ **육사 제8기 후보생가** (최상민 작사, 김남기 작곡)

(1절) 불암산봉 둘러싼 태릉 무대(武台)에, 선철 영웅(先哲英雄) 위업의 뒤를 이어서
분골쇄신 다하야 연무(鍊武) 수문(修文)에, 만방 평화 위하야 나가리로다.
대한의 빛나는 육군사관후보생
(후렴) 정의와 인도를 찾을 때까지, 무궁화 삼천리 꽃 필 때까지
나가자 싸우자 팔기 사관 후보생
(2절) 혹한(酷寒) 맹서(猛暑) 무릅서 훈련매진에 강철 같은 단결로 단련된 거체(巨體)
전 민족의 평화와 자유를 위해, 우스면서 나갈 길 차즈리로다.
극동의 빛나는 육군사관 후보생 (후렴).
(3절) 신대륙을 흔들어 태극기 달며, 젊으니의 발자취 울릴 때마다
동해 바다 잠자는 거북선까지, 우리들의 건투를 기원하겠지
세계에 빛나는 육군사관 후보생 (후렴)

함께 육군 본부에 근무할 적에는 그들의 모임에 가끔씩 모습을 보였다. 술로 흠뻑 취하면서 국가와 정군을 논했고, 편하게 가족과 인생에 대해서도 대화를 했다. '믿을 만한 군 선배' '넉넉한 인생 어른'이 되고자 노력했다.

그들의 경력 관리를 위해서도 조언을 하여, 일선 지휘관 경력과 참모 경력을 두루두루 갖출 수 있도록 만들었다. 육군 본부 경력자들과 현장 지휘관들 사이의 간극도 없게끔 조정해야 했다. 그들 사이의 대립과 분열은 결정적인 순간 치명적인 약점이 될 수 있다.

8기생 중 가장 지혜로운 김 종필 중령을 인척 관계로 엮은 것도 참으로 잘 한 일이다. 6·25 전쟁 와중에 조카 박 영옥과 결혼하여 혈연 관계가 되었다. 그는 서울대학교 사범대학 3학년을 마치고 군 입대, 후에 육사 8기로 임관하여 소위가 되었다. 충청도 양반 집안 출신으로 매우 후덕하면서도 치밀하며, 날카로운 면모를 지닌 덕장이다. 육사 8기는 사실 그를 통해 접촉이 주로 이루어졌다.

육사 8기가 발톱을 드러내기 시작한 것이 나의 송 요찬 총장 사퇴 권고로부터 시작되었다. 그들은 자연스럽게 내가 원하는 역사의 길로 들어선 셈이다.

1961년 새해가 시작되고 얼마 되지 않았던 겨울 어느 날, 그 8기생 중 미쳐 내가 눈 여겨 보지 못했던 두 사람이 대구로 나를 찾아왔다. 길 재호 중령과 이 석제 중령. 며칠 전 김 종필 중령이 동기 두 사람이 나를 찾아보고 싶다고 해서 '그러마'고 약속을 잡았었다. 퇴근을 하고 관사로 들어와 옷을 갈아입고 그들을 기다렸다.

빳빳하게 날 선 군복 상의와 바지를 입은 길 중령은 몇 번 본 적이 있다. 목소리가 엄정하고 차분했다. 검정 안경을 쓴 이 석제 중령은 지적이면서도 뚝심이 있어 보였다. 반갑게 인사를 나누고, 당번병이 만든 저녁 식사 식탁에 마주 앉았다.

"먼 길 오셨네. 우리 술 한잔할까?"

"예. 좋습니다."

당번병을 시켜서 양조장 막걸리 한 통을 사오라고 지시했다.

겉옷을 벗고 편하게 마주 앉아 식사를 하면서 반주를 시작했다.

"각하, 저희는 혁명을 하려고 왔습니다."

식사 도중에 이 석제 중령이 심각한 표정으로 말을 꺼낸다. 길 중령도 적당히 거든다.

김 중령에게서 귀 뜸은 받았지만, 함부로 경거망동할 수는 없다. 내 반응이 뜨뜻미지근했던 지 이 중령의 톤이 높아진다.

"요즘 민주당 국회와 장 면 정부가 하는 처사를 보면 금방이라도 공산화할 것 같습니다. 불순분자의 시위 데모와 깡패들이 설치는 정치판을 보면 기가 막혀 말이 안 나옵니다. 무슨 수를 써서라도 공산화는 막아야 합니다. 저희들은 수많은 번민 끝에 군사 혁명 밖에 희망이 없다고 판단했습니다.

지난 해 8기생들이 시도했던, 정군 차원에서 몇몇 부패하고 무능한 장군들의 옷을 벗기는 정도 가지고는 나라를 바로 세우는 것이 불가능하다는 것을 깨달았습니다. 뜻 있는 군인들이 나서서 국정을 장악하고 부정부패를 일소해야만 국가 발전을 이룰 수 있습니다."

"각하, 저희들은 준비가 다 되어 있습니다. 8기생을 중심으로 5기와 7기, 9기, 11기까지 영관급, 위관급 장교들 수백 명이 뜻을 모으고 있습니다. 각하께서 허락만 해주신다면 각하를 모시고 군사 혁명을 해보고 싶습니다."

이 중령의 열변에 이어서 길 중령이 힘을 보탠다.

대화를 하면서 생각이 많아진다. 내 눈 앞에서, 내가 그토록 가슴 속에 품고 있는 생각을, 나 보다 더 열정적으로 토로하고 있다. 그들의 말에 적당히 맞장구를 치는 수준을 넘어서 이제는 그들에게 확실한 언질을 줘야만 하는 시점까지 도달해 가고 있었다.

"무슨 말인 지 잘 알았어요. 나도 고민이 많다오. 군사 혁명이 어린애 장난도 아니고, 목숨을 걸어야 하는 일이요. 그냥 술 먹고 흥분해서 결단을 내릴 일은 아니라고 봐요. 오늘은 여기까지 합시다."

내가 속 시원한 대답을 하지 않자 실망한 표정이 얼굴에 가득하다. 벌써 서울행 첫 기차를 탈시간이 가까워졌다. 그들이 샘 가로 나가서 찬 물로 세수를 하고는 들어와서 옷을 차려 입는다.

영 시원치 않아 하는 젊은 장교들의 표정을 보면서, 퍼뜩 전쟁 직전, 저

나이 때 내가 겼었던 '과거'가 떠올랐다. 술기운과 함께 뭉클 가슴 속을 후린다. 그 서럽고 서러웠던 내 모습이 지금 그들의 뒷덜미에서 느껴진다. 순간 '그냥 보내면 안 되겠구나' 생각이 든다.

“이 중령, 길 중령. 우리 혁명합시다.”

“예에? 옛 !”

그들이 반색을 하면서 내 손을 굳게 잡는다.

그동안 내가 너무 소심해진 것 같다. 그래 봤자 이제 40 초반의 나이인데, 벌써 볼 장 다 본 노인네처럼 변해버렸나 보다.

“알겠소. 당신들과 같은 혁명 동지를 만나게 되어 더없이 반갑소. 이제부터 치밀하게 준비해 봅시다. 서울 올라가면 김 종필 중령과도 긴밀하게 상의하고 수시로 연락합시다.”

셋이 굳게 손을 마주 잡고 혁명에의 의지를 확인했다.

자, 이제부터 본격적으로 시작이다.

엉성한 민주주의: 혁명을 부른다

“지난 10년 동안, 전 세계 모든 곳에서 군사 쿠데타가 기승을 부리고 있네요. 우리도 때가 온 것 같습니다. 더 늦으면 안 될 것 같아요.”

김 동하 장군을 만나 함께 고민 중이다.

“식민지에서 독립한 나라 대부분에서 군사 쿠데타가 일어나고 있습니다. 정치가 엉망이니... 희한한 게 공산국가에서 정변이 일어났다는 얘기는 들어 보질 못했어요. 최근에 공산 독재에 저항했던 헝가리 사태를 제외하면 거의 없는 셈이죠.”

양주 한 잔을 입에 털어 넣었다. 뜨끔하게 목을 넘어 간다.

우리 한국도 마찬가지다. 김 일성이 공산 독재를 하고 있는 북조선은 조용한데, 우리만 3선 개헌이다, 4·19 혁명이다, 내각 책임제다, 난리다. 학생들의 데모로 이 승만 대통령이 물러났다. 그리고 이어지고 있는 엉망진창의 정치, 사회.

'왜 그럴까?'

우리도 김 일성처럼 공산주의를 했어야 하는가? 지난 10여 년간의 현실을 보면 우리가 민주주의를 선택한 것이 '과연 잘한 일이었을까' 하는 의구심이 든다.

"박 장군님, 지난 해 라오스 혁명 생각나시죠? 제가 부관 시켜서 오려 놓은 신문 기사입니다. 한번 읽어 보시죠."

라오스 혁명에 대한 신문 기사, 오려 놓은 조각 여럿을 내게 건네준다.

'악화(惡化)되어 가는 「라오스」사태(事態). (출처: 1960.09.20. 조선일보)

라오스 사태는 최근 더욱 악화되어가고 있는 것 같다...지난 8월 9일 콩레 대위가 주도한 쿠데타가 발생하여 5월에 수립된 친서방적인 타오 손사니트 정부를 축출한 바 있었다...콩레 대위는 중립주의자 소반나 푸마 공을 혁명 정부 수반으로 내세웠으나 푸마 공이 반혁명위원회장 푸미 노사반 장군을 포함한 내각을 발표 하였다. 이에 불만을 품게 된 콩레 대위가 노사반 장군 추방을 요구하면서 내란 상태로 치달았다.

푸마는 친프랑스적 성향을 가진 사람으로서, 혁명군과 반혁명군의 협상을 주선했고 왕정파, 혁명파, 반혁명파를 모두 포함하는 거국 내각 구성을 해 보려고 했어요. 그런데 그는 파테트 라오 공산당과 연합한 콩레 대위 진영을 전혀 알지를 못했어요. 중공과 북부 베트남, 소련의 지원을 받은 콩레에게 일방적으로 밀렸죠.'

혁명의 전제 조건 중 하나는 엉성한 민주주의다. 헌법으로는 그럴듯한 민주 제도를 갖춰 놓고, 정당이란 것을 만들고, 선거를 통해 대통령이나 국회의원을 뽑아 국가를 운영하지만 민주주의가 제대로 구현되기가 쉽지 않다. 근본적으로 국민 개개인이 민주 정치를 운영하고 지탱할 수 있는 역량을 갖추지 못하고 있기 때문이다. 지난 10여 년 간 진행된 자유당, 민주당 정부가 좋은 예다. 민주주의의 표상인 영국과 미국은 하루아침에 만들어지지 않았다. 수 백 년 간 피와 땀으로 일궈낸 결과다.

영국이나 미국의 민주주의는 원래 엘리트 중심의 공화주의에서 출발하여 역량을 갖춘 시민 계층을 지속적으로 받아들이면서 발전해 왔다. 현대적인 전 국민 투표권과 정치 참여는 수 백 년의 혼란을 겪어낸 뒤, 20세기 초반이 되어서야 겨우 모습을 갖추었다. 미국의 경우에 1960년 지금까지도 흑인의 정치 참여를 제한하고 흑백 차별의 갈등을 노정시키고 있다.

전쟁 후 15년이 지난 지금 신생 독립 국가의 정치 현실을 보면 차분하고 조용한 공산국가에 비해 민주국가들의 실상은 처참하다. 거의 대부분 극도의 혼란 속에 군사 쿠데타, 혁명을 겪고 있다. 제대로 된 민주 국가가 거의 존재하질 않는다.

벌써 몇 개비 째 담배를 피워 물고 있는지 모른다. 책상 위 나무토막 재떨이에 꽁초가 수북이 쌓여 있다. 김 장군과 함께 식사를 하고 관사로 들어왔지만, 여전히 상념이 이어지고 있다.

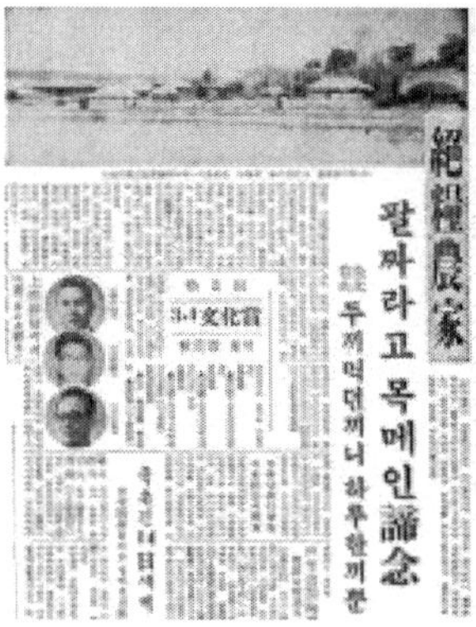
絶糧農家
팔짜라고 목메인諦念
두끼먹던끼니 하루한끼뿐

책상 위에 놓인 신문 기사가 눈에 들어왔다. 군산 어느 마을의 절량 농가에 대한 얘기다. 하루 두끼 식량도 모자라 한 끼로 줄이고 고구마로 허기진 배를 채워야 한단다. 고구마라도 있으니 다행이라는 생각이 드는 순간, 목이 메여온다.

이 불쌍한 백성들. 일제 시대 초근목피(草根木皮)로 연명하면서 배곯으며 원통해 했던 어린 시절이 생각난다.

'어쩌란 말이냐? 이 고달픈 국민을 어쩌란 말이냐?'

대한민국을 정상 상태로 이끌기 위해서는 한시라도 빨리 우리 군인들이 나서야만 한다. 정치를 바로 세워야, 올바른 정책을 시행해 볼 수 있다.

일단 혁명에 나선다면 한 치 빈틈도 없어야 한다.

책상 서랍을 열어 신문 기사를 오려 모아둔 서류철을 꺼냈다. 지난 10년간 꾸준히 챙기고 있는 군사 쿠데타에 대한 것들이다. 그때그때 정리해 둔 메모를 읽어가면서 진지하게 '나의 혁명'에 대해 고민해 간다.

- 이집트의 낫세르 군사 혁명(1952년 7월):

이집트의 낫세르는 34살의 중령으로서, 군사 혁명을 일으켰다. 그는 부패한 정권 척결, 영국이라는 외세 축출, 민족주의 국가 건설, 이슬람 세계 건설, 공산주의자의 불평불만 이용이라는 '모든 혁명의 명분'을 찾아 내세우며 군사 쿠데타를 일으켰다.

나세르(Nasser)와 사다트(Sadat)는 1952년 7월 23일, 젊은 자유 장교단을 이끌고 군사 혁명을 단행하였다. 혁명 초기에는 1948년 제1차 중동 전쟁의 영웅인 나기브(Naguib, 1901년생)를 대통령으로 세웠다. 하지만 나기브가 기존 정치권에 대해 호의적인 정책을 구사하려고 하자 낫세르는 의견 차이를 빌미로 그를 1년여 만에 축출하고 38세에 대통령으로 취임하였다.

그는 민족주의 정책을 표방하면서 영국군을 몰아내고 수에즈 운하를 국유화하였다. 그리고 영국과 미국에 대항하면서 적극적으로 소련과 가까워졌다. 아랍사회주의 정책을 통해 주변국인 시리아, 레바논, 요르단, 예멘 등으로 세력 확산을 꾀했고, 민주주의 정치를 표방했던 왕정을 대부분 몰락시키는데 앞장을 섰다. 낫세르는 이집트의 파루크 국왕을 폐위시켰고, 시리아와 예맨을 이집트로 통합하였으며, 이라크와 요르단, 레바논의 왕정을 흔들었다.

낫세르의 이집트 혁명에서 배울 점은 나약한 민주주의 정치를 표방하던 나라들은 공산주의 증오심으로 무장한 민중이나 군인들의 도전을 감내하기 어렵다는 점이다. 또 한 국가가 공산화하면 주변국이 잇달아 공산화한다는 도미노 효과(domino effect)가 발생한다. 그리고 공산국가인 소련은 동유럽과 아프리카에 이어서 중동 지역에서도 적극적으로 공산화를 시도하고 있다. 가난한 신생 독립 국가 대부분이 불안한 정치, 엉성한 민주 제도를 운영해보려다가 공산주의자의 선동을 받은 '어리석은 민중' '권력욕에 사로잡힌 군인'에 의해 정권 몰락을 겪었다.

만민 '평등'을 허울 좋게 내세우지만 공산주의는 불만 계층을 선동하는 극단적인 이념일 뿐이다. 가난한 농민, 노동자, 분별력 없는 학생, 실업자들은 공산주의자에 의해 손쉽게 불평불만자로 변할 수 있고 순식간에 폭도화 한다. 4·19 학생 혁명이라지만 공산주의자의 선동을 받은 불평 불만자가 '참신한 학생'을 제끼고 더욱 거세게 폭력을 행사하였다.

낫세르 혁명에서 또 한 가지 염두에 둘 것은 30대 젊은 군 장교들은 '성난 사자' 같은 존재로서 언제라도 하극상을 벌일 수 있다는 점이다.

- 인도네시아 군사 혁명(1957. 3.2.):

수카르노 대통령 경호원 출신의 35세 스무일 중령이 스마트라 동부 지역을 기반으로 군사 혁명을 일으켰다. 그는 계엄령을 선포하고, 혁명군사위원회를 구성한 뒤 세베레스 주지사를 인도네시아 동부 권역 군사령관으로 임명하였다. 수카르노 대통령에게는 즉시 군사혁명위원회를 구성하라고 통첩을 보냈다. 남부 수마트라의 바를리인 중령도 혁명에 동참하고 나섰다.
1958년 2월 6일, 스무일 중령은 영관급 군사위원회와 정치지도자들과 연합하여 스마트라섬에 반공 인도네시아 정부를 수립한다고 발표하였다. 이들은 명망 있는 인도네시아은행총재 프라위라네가라 박사를 신정부 수상으로 한 내각 명단을 발표하였다. 수카르노 정권이 공산주의자들에게 너무 호의적인 정책을 펴는 것을 비판하면서 모든 공산주의자를 축출할 것이라고 천명하였다.

혁명 정부는 수카르노 정부를 향해 지속적으로 자신들의 의견을 피력했으나, 스카르노는 정부군을 동원하여 혁명군을 공격, 궤멸시키는 작전을 시도하였다. 스카르노는 낫세르를 방문하고 소련의 지원을 요청하는 등 친 공산화 성향을 드러냈다. 1958년 2월 21일 스마트라 혁명군을 폭격기로 공격을 함과 동시에 정부군이 스마트라 섬에 상륙하였다. 내전으로 발발하여, 몇 개월을 끌었으나 혁명군이 최종적으로 패망하였다.

인도네시아 군사 쿠데타에서 배울 점은, 반공을 목표로 단행된 군사 혁명은 성공하기 어렵다는 점이다. 네덜란드나 미국, 영국 등 민주 국가들의 지원은 기대하기 어려운 상황에서 소련은 전쟁 무기와 물자, 군대 지원을 아끼지 않았다. 수카르노는 이런 세계 정세를 잘 읽고 있었다.

- 태국 군사혁명(1957.9.16.):

사리토 원수가 이끄는 군부 쿠데타로 피분 송크람 총리가 실각하고 타놈이 수상이 되었다. 1932년 6월 24일, 피분 송크람은 프랑스 유학한 신흥군 장교로서 관료 출신의 쁘리디 파놈용과 함께 쿠데타를 일으켜 라마 7세를 형식상 군주로 하는 입헌군주제 정부를 수립하였었다. 그는 제2차 세계대전 이후에 반공 친미 노선을 걸었었다.

불과 13개월 만에 사리크 원수는 아둔데트 국왕과 면담을 마친 직후인 1958년 10월 20일, '국민의 이름으로' 무혈 정변을 일으켰다. 사리트 원수가 영도하는 군사회의가 권력을 장악한 뒤 헌법을 정지하고, 국회를 해산하였다. 그리고 태국 전역에 계엄령을 선포하였다. 그는 불란서 헌법을 모방하는 강력한 신헌법을 제정하였다.

태국 군부는 주변의 파키스탄, 이라크, 캄보디아, 라오스, 베트남, 인도네시아 등의 공산화에 위협을 느낀 나머지 군부가 권력을 장악하여 강력하게 반공 정책을 펼치기 위한 목적에서 혁명을 시도 하였다. 태국 군부는 빈번한 무혈 혁명을 벌이고 있다.

태국은 형식 상 국왕을 둔 입헌군주제 정체를 구축하고 실제 정권은 군 지도자가 수상이 되어 행사한다. 군부가 국가 정책을 주도하기 때문에 중공과 소련, 북베트남과 같은 공산 국가의 침략에 충실하게 대처할 수 있었다.

주변 국가인 캄보디아, 라오스, 미얀마가 민중 혁명 형태로, 친공 군사 쿠데타로 모두 공산화하는 과정에서도 흔들림 없이 정체를 유지할 수 있었다.

- 콩고 군사 혁명(1960.9.14.):

콩고 육군참모총장인 30세 모부투(Mobutu) 대령이 군사 쿠데타를 단행하여 카사부 대통령과 루뭄바 수상으로부터 정권을 접수하였다. 1960년 6월 30일 콩고의 독립 선언 후, 초대 대통령에 카사부부(Kasa-Vubu), 초대 총리에 루뭄바(Lumumba)가 선출되었었다. 두 사람의 권력 투쟁 와중에 루뭄바 편에 섰던 모부투는 자신의 군대 내 권력 강화와 혼란한 국내 정치를 바로잡는다는 명분 속에 9월 14일 무혈 쿠데타를 일으켜 권력을 장악하였다. 모부투는 대학 졸업생들로 구성된 새로운 정부인 College of Commissioners-General을 만들었다.

루뭄바는 모부투로부터 탈출하여 UN 평화유지군 주거지로 도망했지만 얼마 후에 모부투에게 사로 잡혀 구금되었다. 모부투는 그를 위험 인물로 간주하여 1961년 1월 17일 반란군 카탕가(Katanga) 주로 옮겨 그들에 의해 처형되도록 만들었다.

이 군사 혁명으로 알 수 있는 것은 신생 독립국인 콩고가 벨기에식의 내각책임제를 선택함으로서 대통령과 수상의 권력 분리가 일어났고 결국 두 정치 집단들 사이의 정쟁이 심화될 수밖에 없었다. 이를 빌미로 군사 쿠데타가 촉발되었다. 그리고 수상 가까이에 있던 젊은 대위가 군권을 장악한 상태에서는 대통령과 수상 및 의회 인물들은 언제라도 포획당할 가능성이 높았다.

- 에티오피아 군사 혁명(1960.12.14):

에티오피아 국왕 친위대 1개 대대가 황제의 외유 중 군사 쿠데타를 결행하였다. 왓센 황태자를 볼모로 잡고 의회를 해산하고 신정부를 구상한다고 발표하였다. 전 인도 대사를 지냈던 라스 이무르를 수상으로 임명했다.

국왕 부재 시에 핵심 권력 집단을 포획함으로서 손쉽게 군사 혁명이 성공하였다.

- 베트남 군사 쿠데타(1960.11.11.):

보대(保大) 황제를 대신하여 등장한 고 딘 디엠 대통령(59세, 카톨릭) 시대 베트남은 건국 직후의 혼란에 빠져 있었다. 왕정 복고파와 북부 베트남의 지지를 받는 공산주의자, 디엠 대통령의 강력한 반공 정책이 뒤섞여 혼란의 극치를 이루고 있었다. 디엠 대통령은 형제들을 요직에 등용하는 등 가족 중심 정치로 안정을 꾀하고 있었다. 이에 반발하는 뉴엔 찬티 대령이 낙하산 부대를 동원하여 대통령 관저를 공격하는 쿠데타를 단행하였다. 관저가 함락되기 전에 혁명군은 방송을 통해 대통령 퇴출과 혁명 성공을 선언하였다. 이어서 군사혁명위원회(봉 반 동 중령 주도)를 구성하고 디엠 대통령 사임을 촉구하며 협상과 위협을 지속했다.

고 딘 디엠 대통령은 사임을 거부하고, 혁명군 측과 협상을 시도하는 척 시간을 끌면서 외곽에 있는 정부군을 수도로 불러 들였다. 대통령이 북부 주둔 7사단, 서부 주둔병 1개 대대, 장갑차 부대를 호출하여 11월 12일에 혁명군을 공격하여 물리쳤다. 혁명군들은 군용기로 국외 탈출을 시도하였으나 전투기로 인해 강제 착륙당해 모두 체포되었다. 군사 혁명은 불과 36시간 만에 끝이 났다.

베트남 군사 혁명이 실패한 이유는 북쪽의 베트민과 내부의 공비로 인해 매일 수 백 명이 죽어나가는 상황에서 국민들은 공산당 척결에 강렬한 의지를 보이고 있던 고 딘 디엠 대통령을 지지하였기 때문이다. 혁명적 관점에서 보면 군 통수권자인 대통령을 초기에 제압하지 못하고, 그로 하여금 정부군 동원을 가능케 한 점도 패인에 속한다.

- 중남미 국가의 군사 혁명: 중남미 국가의 군사 쿠데타, 군사 혁명은 매우 빈번하게 일어나고 있다. 1954년 6월 18일, 과테말라의 카를로스 아르바스 전 육군 대령과 공군사령관 아르마스 대령이 주관하여 쿠데타를 일으켰다. 5인 군사위원회를 조직하여 전국 비상사태를 선포하고 아르덴즈 대

통령을 타도하고 카스티요 아르마스를 대통령으로 만들었다. 아르덴즈 대통령은 지난 봄, 베네즈엘라 카라카스에서 열렸던 범미회의(凡美會議)에서 미국이 제안한 반공선언결의안을 반대하여 국민을 놀라게 만들었다. 그는 체코 등 공산권 국가로부터 무기를 도입하기도 하였다. 이에 과테말라의 공산화를 우려한 반공 군인들이 쿠데타를 감행한 것이다.

1946년 7월, 볼리비아 대통령 비라로얄이 군부에 의해 추방당하였다. 1947년 8월, 군부가 에쿠아도르 대통령 이바라를 추방했다. 1948년 10월, 페루의 오도리아 장군 주도로 군사 쿠데타 발생. 부스타만테 대통령 추방하였다. 1952년 3월, 쿠바의 홀헨쇼 삽지발 소장이 소카라스로부머 정권 탈취하고 대통령에 올랐다.

1953년 6월 13일, 콜롬비아의 군 사령관인 피니라 중장이 군대를 이끌고 고메스 대통령 관저로 진입하여 대통령을 체포하였다. 그리고는 14명으로 구성하는 군사위원회를 만들어 군정을 선언하고 국방부장관이었던 에즈 장군을 수상으로 임명하였다. 1954년 8월, 브라질 군부가 바르가스 대통령을 압박하여 자살케 만들고 정권을 농단하였다. 1954년 5월, 파라과이의 알프레드 스토로에스넬 장군이 차베스 대통령을 추출하고 대통령에 취임하였다. 1957년 7월 27일, 카스티요 대통령(43세)이 좌익 공산 분자에 의해 암살당했다. 1955년 1월, 파나마의 레몬 칸데라 대통령이 암살당했다. 1956년 9월, 니카라구아의 독재자 소모사 장군이 암살되었다.

1956년 10월, 온두라스에서 군사 혁명이 일어나 로사노 대통령이 추방당하고 혁명 지도자였던 로드리게스 장군 등 3인 위원회가 새로운 정부를 조각하였다. 1957년 7월, 과테말라 아루마스 대통령이 암살당하고, 이후 민주국민당의 파사레루리가 대통령에 당선되었으나 부정 선거라는 반발 속에 군부 쿠데타가 발생하였다.

1958년 2월 육군 지도자 휀태스 장군이 의회에서 대통령으로 피선되었다. 1959년 1월, 쿠바에서 카스트로 소령이 주도하는 군사 혁명이 일어나 살지바르 대통령을 추방하였다. 1960년 10월, 엘살바도르의 카스티유대령을 위원장으로 하는 군사위원회에서 레무스 대통령을 추방하였다.

1955년 6월 20일, 아르헨티나의 루체로 장군이 영도하는 군사혁명위원회가 전권을 행사하고 페론 대통령을 명목상 대통령으로 만들었다. 공영 방송의 죽은 에비타 페론을 위한 방송을 중단시켰다. 군부는 9월, 페론 대통령을 해외로 추방하였다. 11월 13일 혁명 후 임시 대통령이었던 로나르디 소장이 퇴임하고 아람부루 소장이 임시 대통령으로 취임했다. 로나르디는 10여 년 동안 페론 독재에 맞서 싸우다가 혁명을 이루었지만 혁명 주체간의 갈등 속에 갑자기 퇴진을 강요당했다. 아람부르 대통령은 육해공 삼군을 아우르는 군사회의를 만들었다.

1958년 1월 21일, 베네수엘라에서는 내쇼날지 신문 기자로부터 시작된 정권 퇴진 운동이 총파업으로 전개되어 극도의 사회 혼란과 유혈 폭동으로 발전하였다. 성난 군중들은 총으로 무장하고 선거사무소를 습격하는 등, 경찰과 충돌하였다. 이에 젊은 장교들이 민중 폭동을 지지하면서 히메네스 대통령 퇴진까지 이어졌다. 혁명군사위원회가 정식으로 정권을 인수받았고, 라라자벨 해군 소장이 대통령으로 지명되었다.

이런 군사 혁명 사례들은 내게 많은 교훈을 준다.

전 세계 수많은 군사 쿠데타, 혁명 사례 하나하나를 가슴 속 깊숙이 새겨넣었다. 모두가 나의 군사 혁명이다. 성공도, 실패도, 내란도 모두 내 혁명이다.

군사 쿠데타나 혁명은 민주 국가에서만 일어난다. 국민 기본권을 존중하고 삼권 분립을 시도하고 있는 민주주의 국가는 군사 혁명에 매우 취약하다. 국민 개개인이 자유를 주장하듯 총칼을 든 군인들도 자유롭고자 한다. 언제라도 하극상을 벌려 대통령과 장관, 의회를 포획할 수 있다.

공산 국가는 공산당을 내세운 군부 독재 체제다. 공산 국가에는 군사 쿠데타, 군사 혁명이라는 용어가 존재하지 않는다. 국민 개개인의 자유를 인정치 않고, 군대를 동원하여 철저하게 통제한다.

군사 혁명은 30대 초반의 젊은 장교들이 일으킨다. 이들은 젊고, 정력적이며, 잃을 것이 적고, 목숨도 아까워하지 않는다. 자기 의도대로 움직일 수 있는 말 잘 듣는 부하, 중소 규모의 군부대를 장악하고 있다. 모든 전쟁은 대대, 중대, 소대 규모의 정예병에 의해 승패가 결정된다. 연대나 사단 규모가 되면 벌써 내부 통합에 힘이 든다.

민주주의는 튼튼한 인적, 물적 기반과 함께 굳건한 경찰과 국방이 갖춰져야만 한다. 높은 문맹(文盲), 절대 다수의 빈곤, 치안 부재 상태에서는 민주주의 자체가 불가능하다. 뭐가 옳은지도 모르는 '어리석은' 국민들은 손쉽게 불평불만자로 변질되어 좌익, 공산 분자들의 먹잇감이 된다. 가난을 부추겨 지주나 정치인, 국정 책임자를 공격하는 선동가들이 사회 불안, 정치 난맥상을 조성한다. 이런 상황은 군사 혁명의 빌미를 제공한다.

타국의 군사 쿠데타 사례를 보면 반공 혁명은 성공하기가 어렵고, 친공 혁명은 거의 대부분 성공을 했다. 1956년 10월에 발생한 헝가리 혁명은 공산 독재 정부에 대한 민중 항쟁으로 촉발되었다. 민주 제도와 소련군 철수 등을 주장하고 나섰지만 불과 며칠 만에 소련군 15만 명과 탱크 1000여대에 의해 초토화되었다. 친공 혁명은 기본적으로 국내의 많은 불평불만 국민의 지지를 받고, 결정적인 순간에는 전 세계 공산화를 꾀하는 소련과 중공의 재정, 군사, 무기 지원을 받기 때문이다.

인도네시아나 레바논 등에서 반공을 목표로 정권 도전을 했던 군사 쿠데타도 모두 소련이나 중공 등 공산 국가의 무기와 군 지원을 받은 정부군에 의해 좌절되었다. 미국이나 영국, 프랑스 등 민주 대국들은 '공격이 최선'이라는 공산주의자의 혁명 논리를 당해내질 못한다. 아프리카, 중남미의 공산화 군사 쿠데타는 '수비에 급급해하는' 미국을 압도하고 있다.

군인들의 집단 행동을 하극상, 쿠데타, 반란, 혁명 등 다양한 이름으로 부를 수 있다. 항우가 진(秦) 자영(子嬰)이나 초(楚) 의제(義帝)를 찔러 죽인 것은 하극상에 해당하고, 중남미의 군인들이 대통령을 암살한 것은 쿠데타에 속한다. 반란은 군사 쿠데타가 실패하여 정부군과 혁명군이 전쟁 상태로 돌입한 것이다. 그에 비해 군사 혁명은 진정으로 국가의 통치 시스템을 바꿔서, 지속적인 국가 발전을 이룰 수 있게 하는 군부 움직임이다.

군사 혁명을 통해 헌법이나 통치 시스템, 정치인을 교체하는 일은 어렵지 않다. 총과 대포를 들이대면서 정치권을 압박하기만 하면 된다. 하지만, 바뀐 헌법이나 통치 시스템을 잘 가동하여 차원 높은 국가 발전을 이루는 것은 매우 어렵다. 태국의 군부는 주기적으로 군사 혁명을 시도하여 '능력 없는 수상' '못난이 정치꾼'들을 정계에서 몰아낸다. 주변국들처럼 공산화되지 않고 반공 민주주의 체제를 유지할 수 있는 관건이 군부의 강력한 정치 참여 덕분이다.

군사 혁명이 성공하기 위해서는 올바른 혁명 군부가 30년 이상 굳건하게 체제를 지켜낼 수 있어야 한다. 국민들의 의식을 개조하고, 새롭게 추진된 정책이 효과를 나타내기 위해서는 적어도 한 세대 30년은 걸려야 한다.
민주 국가의 정치 제도는 군사 혁명에 매우 취약하다.

군대의 무력을 대통령이나 의회가 적절히 통제할 수가 없다. 미국과 같은 민주 선진국의 경우에는 촘촘한 군 견제 장치, 국민 감시 장치를 가지고 있다. 근본적으로 젊은 장교들의 국가와 군 조직에 대한 충성도가 매우 높다.

하지만 신생 민주 국가의 군 조직은 충성도가 그리 높지 않다. 주기적으로 바뀌는 대통령이나 수상 어느 누구에게도 목숨을 바쳐 충성할 리가 없다. 군 수뇌부도 주기적으로 자리바꿈을 하기 때문에 '특정인에 대한' 충성심이 형성되지 않는다.

민주 국가의 군, 장교, 군부의 충성 대상이나 충성도는 매우 애매하다. 형식 상 국가, 국민을 충성의 대상으로 뇌까리지만, '술 한 잔 먹고' '그까짓 것' 해버리면 그만이다. 자유 민주 국가의 군인은 '자유로운 영혼을 가진' 존재다.

혁명 전야, 한국 군대의 현실은 어떤가?

6·25 전쟁 승리를 경험한 한국 군부는 엄청난 역량을 가진 존재다. 하지만, 전쟁 후 지속된 정치 사회 혼란 속에서 이제는 적당히 무기력해져 있다.

자유당 정부의 부정부패를 보면서, 또 새로운 민주당 정권의 난맥상을 보면서 대통령과 국무총리, 국회, 장관들의 행태에 크게 실망하고 있다. 그들에 대한 충성심은 사라지고 없다. 그들이 '돌격 앞으로'를 외친다고 해서 목숨을 걸 젊은 장교들이 얼마나 될까?

승승장구하는 장군 집단에 대해, 6개월 이상 정기 교육을 받고 임관한 영관급, 위관급 젊은 장교들의 불만이 예사롭지 않다. 지난 해 있었던 육사 8기생들의 정군 촉구, 항명 파동이 좋은 예다.

가장 중요한 것은 4·19 학생 의거를 계기로 준동하는 좌익, 공산 분자들의 공공연한 난동을 보고만 있어야 하는 '원통함'이다. 김 일성 공산군의 남침에 수백 만 명이 목숨을 잃으면서 지켜낸 조국인데, 어느 새 좌익 불순분자, 공산주의자들이 나서서 군부의 처사에 대해 비난하고 있다. 여수 순천 반란 사건, 제주 4·3 사건, 노근리 사태, 경주 양민 피살 사태를 모두 군인 소행으로 비난하면서 처벌을 시도하려 한다. 전쟁이 끝난 지 10년도 안되었는데 우리 군인이 북한 공산군보다도 못된 존재로 부각되고 있다. 공산군이 남침을 하면서 군인은 물론 양민을 사정없이 죽인 사실에 대해서는 어느 누구도 말을 하지 않으면서.

군의 젊은 장교들은 지금 화가 나 있다. 중동이나 중남미, 아프리카, 동남아시아 군대처럼, 언제라도 쿠데타가 일어날 수 있다.

이제는 더 이상 시간을 끌 수 없다. 내가 이들을 군사 혁명의 길로 이끌리라.

끝없는 생각, 생각으로 머리가 지끈거리고 있는데 갑자기 김 종필 중령이 들이닥쳤다.

“웬, 일이야?”

“각하, 저 군복 벗었습니다.”

폭풍이 몰아칠 땐: 몸을 사려야 한다.

김 중령이 풀이 죽어 있다.

"각하, 죄송합니다. 저희가, 아니 제가 잘못했습니다."

"알았으면 됐네. 자, 허리 펴시게."

"일이 이렇게 전개되리라고 생각지 못했습니다. 제가 생각이 짧았습니다."

사실 지난 해 초가을 쯤, 8기 주력들이 명동 음식점에서 모였을 때 참석했었다. 8기생들이 한참 활동적으로 움직일 때였다. 송 요찬 총장을 몰아내고, 최 영희 장군을 비롯한 군 수뇌부에 떼로 몰려다니며 부패한 장군들의 사퇴를 주장하며 파란을 일으켰다. 모두들 기가 살아 있었다.

괄괄한 성격의 김 형욱 중령.

"각하, 한번 밀어 버리죠? 우리가 앞장서겠습니다."

벌떡 일어나 술잔을 들고 건배를 외치면서 그가 하는 말이다. 적당히 술기가 오른 동료들이 따라서 큰 소리로 외쳐 댄다.

"이제는 나서야 합니다. 언제까지 눈치만 보실 겁니까?"

같이 자리하여 술 먹으며 장단을 맞췄지만, 걱정이 앞선다. 아무리 공공연하게 소문이 난 혁명 얘기지만, '이건 아니다'는 생각이 든다. 술판이 끝날 무렵, 좌중을 정돈케 하고 한 마디 따끔하게 해야만 했다.

"제군들, 그동안 보여 준 용기 있는 행동에 경의를 표한다. 하지만 이건 아니다. 군사 혁명은 애들 장난이 아니다. 우리 목숨을 걸어야 하고, 누군가를 상하게 할 수도 있다. 자칫 잘못하면 국가를 내란 상태로 만들 수도 있다. 6 · 25 전쟁도 공산군이 일으킨 내란이었다. 얼마나 많은 군인과 국민이 죽어 나갔는지 잘 알지 않는가? 우리가 하려는 일은 그런 큰 위험 부담을 안고 가는 것이다."

웬 지 모르게 나도 적당히 흥분했나 보다. 목이 마르다. 물 한 잔을 들이켰다.

"여러분이나 나나 방첩대와 헌병대의 감시 대상이다. 이 중에 누군가가 말실수를 하는 일이 생기면 우리 모두 영창에 가야 한다. 이 곳 종업원 중에도 방첩대 끄나풀이 있을 수 있다. 낮말은 새가 듣고 밤 말은 쥐가 듣는다지 않는가. 여러분은 오늘만 살고, 내일은 없는가?"

말을 하다 보니 웅변조가 되어 버렸다. 모두가 알아들은 듯 조용하기에, 마무리 잘 하라고 하면서 먼저 일어섰다. 대표자 역할을 하고 있던 김 종필 중령에게는 따로 불러 더욱 간곡하게 얘기를 했다.

하지만 이들 중 상당수가 정군 파동의 여파로 헌병대로 수감되었다. 그들의 죄명은 아마도 '박 정희를 주동으로 한 쿠데타 모의'였을 것이다. 겉으로는 하극상 정군 파동이 이유라고 했지만.

당시 이들은 육본 전사과장이던 김 동복 대령과 김 형욱 중령 사무실에서 자주 만났다. 우람한 덩치에 성격이 괄괄한 두 사람은 장군 진급이 막혀 있던 영관급 장교의 불만에 동조하면서 맞장구 치고 있었다. 김 종필, 한 주홍 중령 등 8기생들이 수시로 모여 와글대고 있었다. 이들은 김 동복 대령을 앞장 세워 16명이 최 영희 총장을 찾아가 다그쳤다.

이 사건이 신문 기사화하면서 커지자 헌병대가 수사에 착수하였다. 중앙징계위원회에서는 최 총장의 선처 부탁을 받아들여 김 동복 대령 등 3명만 정직 3개월과 감봉 처분을 내렸다. 하지만, 이들은 이에 불복하여 군법회의를 요구하였고, 끝내는 김 동복을 제외한 모두가 무죄를 받아냈다. 문제는 파면과 1년 집행 유예 판결을 받은 김 동복 대령이 '억울하다'고 느끼며 주동자로 김 종필과 석 정선을 폭로한 것이다.

두 사람은 곧바로 헌병대 영창에 잡혀 들어갔다. 일주일 가까이 헌병대 감옥에 있던 두 사람은 1961년 2월 15일 군복을 벗는 것으로 마무리되었다. 당시에 조 흥만 헌병감이 박 정희 소장을 걸고 넘어가면서 두 사람을 압박했다.

마주 앉은 김 중령의 얼굴이 편치 않아 보인다. 만감이 교차하고 있는 것이 느껴진다.

"이제 홀가분해졌습니다. 어차피 결단을 내려야 할 시기가 된 만큼 군복보다는 사복이 편할 수 있습니다."

"자, 오늘은 일단 관사에서 자면서 숨을 돌립시다. 내일 진지하게 논의해 보죠."

일단 거사 D-데이를 잡아야만 한다. D-데이 날자가 정해지면 카운트 다운을 하면서 철저하게 준비 작업을 할 것이다.

잠을 자는 둥 마는 둥 하다가 새벽에 일어나 마루로 나왔다. 담배를 한 대 불 붙여 입에 물었다. 인기척을 느낀 김 중령이 잠옷 차림으로 방문을 열고 나타났다. 가볍게 인사.

"그래, 디 데이는 언제가 좋겠나?"

"저는 금년 4·19 전후가 어떨까 생각합니다. 분명이 학생 시위가 전국적으로 일어날 것이고, 치안 문제가 심각하게 대두될 겁니다. 이때를 이용하는 게 최선이라고 생각합니다."

이미 여러 사람들에게서 들었던 내용이다. 군이 움직일 명분이 있기 때문에 나도 긍정적으로 생각하던 중이다. 하지만, 조금만 더 생각해보면 문제가 있다.

"우리가 그렇게 생각한다는 얘기는 장 면 정부나 미군, 헌병대나 방첩대에서도 그렇게 생각할 수 있어요. 혁명을 하려면 그들과 똑 같은 생각을 하고 있으면 안 돼. 그들을 뛰어 넘어야지."

순간, 김 중령이 흔들리는 모습을 보인다.

"하려면 4·19 전이나 4·19 긴장이 완전히 풀어진 시점이어야 하지."

"4·19 전이라면 시간이 너무 촉박한데요."

"그래서 내 생각에는 5월 달이 좋아 보이네. 지금부터 석 달 뒤. 더 늦으면 또 다시 도로아미타불."

거사일을 5월로 하기로 잠정 결정을 했다.

좀 더 치밀하게 거사 준비를 하면서 최종적으로는 일주일 전에 결정하기로 했다. 그 이전에는 현재처럼 '박 정희 소장과 육사 8기생 중심으로 군사 쿠데타를 벌인다'는 소문으로 흘러가게 두기로 했다. 미리 결정하는 것도 좋겠지만, 자칫 기밀이 새어 나가면 역공을 당할 가능성도 있다.

아침을 먹고 출근하기 전에 김 중령에게 몇 가지 신신당부를 했다. 그동안 내가 혁명 동지들에게 해오던 말들을 정리하여 <혁명 주체의 행동 준칙>화 한 것이다.

- 함께 모여서 모습을 드러내지 마라.
- 말을 아껴라.
- 요정 출입을 금하고, 술에 취하지 않는다.
- 여인을 멀리하라.
- 부하 직원에게 폭력을 행사하지 마라.
- 남의 돈, 재물을 뺏지 마라.

이제는 혁명 주체들이 한곳에 모이는 것을 자제한다. 내밀하게 점 대 점으로만 의사소통을 하고 동시에 모습을 드러내면 안 된다. 함께 모이는 순간 적에게 노출되고 경계 대상이 된다.

호기로운 군인들은 말을 함부로 하는 버릇이 있다. 특히 혁명 주체 세력인 30대 영관급, 위관급 장교들은 젊어서, 요주의 대상이다. 지금까지 장난처럼 해 오던 혁명, 군사 쿠데타 얘기는 이제 더 이상 통하지 않는다. 지금부터는 모두가 진지해져야만 한다.

장교들이 자주 찾는 요정집은 비밀이 유지되지 않는다. 이미 방첩대 감시 대상에 올라 있다. 지금부터 혁명 거사일까지는 절대 술에 취해 비틀거려서는 안 된다. 부대 주변 술집도 가능한 출입 금지다. 장교 선후배나 부하 병사들과 화합을 위해 술집에 갈 수는 있지만, 절대로 취하지 말라.

혁명이 완성될 때까지 여인을 조심하라. 극단적으로, 여인을 멀리하고 금기시하라. 첩을 둔 사람은 혁명 주체가 될 수 없다. 집의 부인네도 가능한 멀리하라. 혁명의 실패는 부인네 귀를 통해 입으로 나오는 말 때문이다. 잠자리하는 도중에 내뱉은 말이 모든 것을 수포로 만들 수 있다.

혁명에 동원되는 군대는 일사불란하게 움직여야 한다. 지휘관이 완벽하게 부대와 장병들을 장악해야 한다. 중간 지휘자 어느 하나라도 의문을 제기하면 부대가 방향을 잃고 허둥댄다. 병사들도 의심이 들거나 반발심이 생기면 총을 거꾸로 들 수 있다.

평소에 하던 못된 버릇대로 병사들에게 욕하거나 모욕을 주어서는 안 된다. 앞으로 혁명이 완성될 때까지 군내 폭력은 금지다.

대신에 부하 장교나 병사들과 더욱더 화합을 도모하라. 군 생활이 어려운 병사들은 지휘관의 따듯한 말 한마디에도 감동을 한다. 모범 지휘관 밑에 충성스런 병사가 있다. 모두가 명심하라.

주위 사람들의 돈이나 재물을 탐내지 마라. 인간이란 동물은 부모 죽음은 금방 잊지만 억울하게 돈이나 재물을 빼겼다고 생각하면 평생 잊지 않는다. 돈 몇 푼에 원수가 생기고 혁명 과업이 망가질 수 있다.

그동안 여러 차례 당부했건만, 김 중령은 하극상을 일삼다가, 감옥에 가고, 끝내 군복을 벗었다. 혁명 주체 중 핵심인물이 이렇게 무모한 행동을 하였다. 혁명 반대 세력에게도 타도 대상이지만, 혁명 주체 세력으로서도 문제 인물이다.

"각하, 명심하겠습니다."

나는 그를 믿는다. 그의 지혜와 용기를 믿는다. 내가 원하는 것은 그가 젊은 혁명 주체 세력들을 내가 가고자 하는 방향으로 잘 이끌어주는 것이다. 내가 그에게 거는 기대감이 참으로 크다.

이제 폭풍이 몰아칠 것이다. 대한민국의 대 전환을 위한 인간 박 정희의 도전이 시작된다.

폭풍이 몰아칠 땐, 몸조심을 해야 한다. 폭풍에 날아가지 않도록 무게 중심을 낮추고 단단하게 착지해야만 한다.

혁명의 D-day를 정한만큼 이제는 작전 계획, 전략을 세우고, 구체적인 전술을 전개해야 한다. 치밀하게, 조그만 오차도 용납지 않는다.

우선 그동안 조심스럽게 탐색해 오던 혁명 동지를 확정해야만 한다. 애매한 태도를 취하던 이들을 다시금 점검하고 핵심 혁명 주체, 적극 참여, 동조 그룹으로 분류하고 그에 맞게 지휘 체계를 세워야 한다. 마찬가지로 적극적 대항 세력, 소극적 불만자, 방관자도 구별해내야 한다. 걸림돌이 될 인물에 대해서는 대처 방안을 강구해야 한다.

혁명군을 확정하고 준비 작업에 들어가야 한다. 일차적으로 혁명 주체를 동원 부대의 지휘관으로 보임해야 한다. 혁명 주체가 지휘관으로 있는 곳은 인사 이동이 없도록 막는다.

가장 중요한 것은 혁명 당일의 작전이다. 군대 동원과 이동 경로, 공관과 주요 정부 기관 점령, 주요 인사 체포와 구금, 대국민 선전...

김 중령에게도 혁명 계획을 세워보도록 부탁했다. 두 사람의 작전 계획을 놓고 핵심 주체 몇몇이 만나서 조율하기로 했다.

엄청난 압박이 느껴진다.

폭풍이 가슴 속 깊은 곳으로부터 솟구치고 있었다.

혁명 동지: '나는 생각한다'

“각하, 육본 상황실에서 이번 주말에 약속 있으시냐고 전화가 왔었습니다.”

최근에 새로 들어온 당번병이다.

“그래, 뭐라고 했노?”

“8사단 출장이 있다고 말씀드렸습니다.”

아차, 싫었다. 이제는 매사 조심해야 한다.

박 환영 중사를 통해 관사 요원들 모두 함께 저녁 식사를 하도록 조치했다. 관사 당번병, 취사병, 운전 담당 이 타관 상사 등 모두 식탁에 모여 앉았다. 저녁을 먹으며 그동안 못했던 얘기를 나눴다. 식사 후에는 아끼던 커피를 한 잔씩 탔다.

“지금부터는 전보다 더 조심합시다. 내가 육본이나 주변 인물로부터 많이 주목을 받고 있어요. 내 출장 기록이나 운행 일정, 하루하루 동선을 함부로 발설하지 마세요.”

혁명의 큰 사업이 자그만 실수 하나로 낭패를 볼 수 있다.

이제는 원점에서부터 하나하나 꼼꼼하게 챙기리라. 독일 철학자 데카르트가 한 말이 있다.

‘나는 생각한다. 고(故)로 존재한다.’

무슨 말이던가? 모든 것이 의심스러운 상황에서, '생각하는 나'의 존재는 확실하다. 이 확실한 진리로부터 출발해서, '생각하는 너'의 존재를 확인 가능하고, '너와 나 둘의 존재'를 확신할 수 있다. 관념주의 철학에서 진리를 찾아가는 방법이다. 소피스트들의 회의론도 마찬가지다.

이제 혁명 동지를 확정해야 하는 마당에 과연 누가 진실로 나의 혁명 대업에 동참하려 하고 있는가를 확신할 수 있어야만 한다. 데카르트의 방법론을 써서 가장 가까이에 있는 내 주변 인물로부터 '확신' 여부를 판단하려고 한다.

조선 중종 때 대학자였던 조 광조는 중종 반정 공신들의 공훈 삭제에 잘못 나섰다가 죽음을 당해야 했다. 그는 반정 혁명 당시에 실제로 군사를 동원했던 인물들의 공적은 당연한 것이라고 생각했지만, 말몰이꾼, 쪽문 수위, 야경꾼, 궁궐 수비대 중 일부 인사가 포상을 받은 것에 대해서는 의문을 표시했다. 혁명을 직접 해보지 않은 학자로서는 당연히 의문을 제기할 수 있는 일이었다. 그런데 실제 반정 당시의 긴박한 상황에서는 궁궐 수위가 문을 열어 주지 않아도, 말몰이꾼이 꾀병을 부려도 거사가 좌절될 수 있었다. 이런 사람들의 협조가 얼마나 중요한 지 알 길이 없는 조 광조는 이들이 공신에 속한 것을 매우 못마땅해 했다.

지금 군사 혁명을 시도하려는 입장에서 보면 실제 병력을 동원해야 하는 사단장이나 연대장, 대대장 못지않게 운전병, 전화 교환수, 연락병, 당번병의 역할도 중요하다. 이들이 조금만 다른 생각을 하고 정보를 누설하면 모든 일이 순식간에 어그러질 수 있다. 나의 기초 체력을 유지할 수 있게 챙겨주고, 나의 혁명 의지가 조금이라도 사그러들지 않게끔 도와줄 수 있다.

하다못해 혁명 모의를 하는 식당의 주모나 우리 집의 집사조차도 고려 대상에 속한다.

평소 나의 생활 철학은 나보다 약한 사람에게 오만스럽게 굴지 않고, 한 발 먼저 그들을 생각하자는 것이다. '내가 잘난 만큼, 내 주변인은 모두 나보다 못할 수 있기에' 항상 배려하고 너그럽게 다가가야 한다. 진정으로 그들을 감동시키고 내 편으로 만들기 위해서는 '내 스스로 온전하게 그 사람이 되어야' 한다.

이번 혁명에 기꺼이 동참하려는 사람들, 내가 믿고 끌어들이려는 사람들은 대부분 나와 함께 근무한 적이 있었던 사람들이다. 실제로 나를 겪어 본 사람들 중에 나의 진정성을 의심치 않고 믿어주는 사람들이 지금 동지로서 나서 주고 있다. 내가 동료나 부하 직원을 어떻게 대했느냐가 결국 '그들이 나를 얼마나 믿고 따라줄 것인가'를 판단하는 기준이 된다.

오늘 이 식탁에 앉아있는 부하들이 진정으로 내 혁명 동지로 승화될 수 있을 때 나는 자신 있게 다음 단계의 동지 포섭에 나설 수 있다.

지금부터, 오랜 기간 나와 함께 군 생활을 하며 호흡을 같이 했던 인물들을 '확신 동지'로 분류해가려고 한다. 이 종찬, 장 도영, 백 선엽, 이 한림, 민 기식 등 선임 장군들로부터 김 동하, 이 주일, 채 명신, 박 경원, 김 윤근 등 동년배 장군들, 그리고 김 재춘, 김 종필, 김 형욱, 문 재준, 이 석제, 윤 필용, 손 영길, 이 낙선, 박 태준, 박 치옥 등 영관급, 위관급 장교들까지 '*Cogito ergo sum*'의 방법을 동원해 보려 한다.

일단 혁명 동지를 찾아낸 뒤에는 철저하게 믿고 맡길 것이다. 혁명은 나 혼자 할 수 있는 일이 아니다. 또 혼자서 모든 일을 다 챙길 수가 없다. 거대한 혁명의 물결을 함께 타고 흘러갈 수많은 동참자들이 있어야만 한다. 자칫 극소수 인물들에 의한 하극상이나, 쿠데타, 반란 수준이 되어서는 곤란하다. 우리 대한민국을 근본적으로 전환시키기 위해서는 역량 있는 모든 이들이 혁명 동지로 규합되어야 만 한다.

사실 기존의 정치인, 이 승만이나 이 기붕, 장 면이나 윤 보선, 자유당이나 민주당이 국가를 잘 이끌어 왔다면 내가 지금 이렇게 고민하고 있지 않아도 된다. 나는 그저 '최고의 군인'으로 만족할 수 있었을 것이다. 하지만 그들에 대한 기대를 이제는 접었다. 우리 한국을 '영원히 빈곤한, 농업 국가'에서 벗어나게 하기 위해서는 다른 누구도 아닌 내가 나서야 한다는 확신이 서 있다.

'아니, 나와 함께 진정한 동지들이 모두 나서야 한다.'

박 환영, 이 타관은 내 영원한 동지다. 집에 있는 안식구 못지않게 내 일거수일투족을 알아 챙겨 준다. 나와 숨 쉬는 것까지도 닮아 가고 있다. 마찬가지로 나와 함께 밀착 근무했던 많은 장군, 영관급, 위관급 장교들이 나와 호흡을 맞추고 있는 중이다.

유기(劉基)의 백전기략(百戰奇略) 신전(信戰)에 다음과 같은 글이 나온다.

"적과 싸울 때, 병사들이 후회하거나 두려워하지 않고 목숨을 걸고 싸우는 이유는 상관이 믿음으로써 부리기 때문이다. 상관의 믿음이 진실되면 부하는 의심치 않기에, 싸우면 반드시 승리한다. 이것이 '믿으면 속이지 않는다' 원칙이다. 凡與敵戰，士卒蹈萬死一生之地，而無悔懼之心者，皆信令使然也。上好信以任誠，則下用情而無疑，故戰無不勝。法曰信則不欺."

취사병이 무슨 요리를 내든, 나는 맛있게 먹는다. 운전병이 운전을 어떻게 하든 괘념치 않는다. 요리에 관한한 그가 최고이고, 운전에 관한 한 그가 베테랑이다. 내가 끼어들지 않는 것이 그가 자기의 최선을 다할 수 있게 하는 지름길이다.

"각하, 죄송합니다. 제가 잘 모르고 장군님 일정을 외부로 공개한 게 되었습니다."

"알았으면 됐네. 이제부터는 모두 조심 합세."

이들에게 내가 하고자 하는 모든 일을 상세하게 말해 줄 수는 없다. 하지만 이들이 결코 소외되었다는 생각이 들지는 않도록 해야 한다. 자신이 하는 자그만 일, 말 한마디, 행동거지 하나도 내게 도움이 된다고 여기게 해야 한다. 그래야만 자신의 행동에 신중을 기하고 나를 속이는 일이 없어진다.

혁명이 성공하기 위해서는 행정, 군사, 작전, 정보, 군수, 홍보, 대민관계 등 모든 영역이 완벽해야만 한다. 모든 전문가가 동시에 필요하다. 나는 이 모든 전문가를 하나로 엮는 지휘관이 될 것이다. 오케스트라 지휘자, 방송연출가, 영화 제작자처럼 완벽한 작품을 만들 것이다. 그것이 내가 꿈꾸는 혁명이다.

혁명 동지를 찾는 일은 다다익선보다는 필요한 최소한이 되는 것도 중요하다. 인간의 마음은 갈대처럼 수시로 변하게 되어 있다. 모든 이들의 이해관계가 다른 만큼 사람이 많아지면 질수록 변수가 많아진다. 핵심 동지를 찾아 임무를 맡기고 그들로 하여금 다음 단계의 책임 행동을 하게 하려고 한다.

커피에 이어 담배 한 모금을 빨다가 갑자기,

'나는, 나 자신을 확신하는가?'

오싹, 의심이 든다.

'나는 과연 이 위험천만한 혁명을 원하는가?'

'나는 혁명을 끝까지 완수할 수 있을 것인가?'

조금 시작해보다가, 어렵게 느끼거나 위험하다고 생각해서 '에이, 모르겠다' 해버리지는 않을까?

'나도 편하게, 다른 누가 내가 원하는 혁명을 대신해주는 것을 기다리고 싶지 않은가?'

살아오는 과정에서, 힘들면 포기하고, 이럴까 하다가 저러 한 적이 수 없이 많았다. 주변 사람에게 정군을 제의하고 혁명까지도 권해 보았지만, 그들의 어정쩡한 대답에 실망한 적도 많았다. 그냥 그들의 생각에 동조하고 싶은 적도 많았었다.

'지금 이 순간, 나의 판단은 옳은가?'

일단 옳다고 생각하여 시작을 하면 더 이상 의심해서는 안 된다. 전심전력으로 과업을 완수해야만 한다. 나를 지지하며 믿고 따르는 혁명 동지들을 내가 배신해서는 안 된다. 내가 의심을 하는 순간 모든 것이 어그러지고 동지들을 파멸로 이끌 것이다.

크게 심호흡을 해 본다. 그리고 확신한다.

'나는 옳다. 내가 가고자 하는 길은 정당하고 바른 길이다. 내가 아니면 어느 누구도 이 일을 할 수 없다. 나는 한번 결정한 일을 두고 후회하지 않

는 사람이다.'

확신에 찬 내 모습이 진리(眞理)이듯이, 이제는 또 다른 확신자(確信者)를 찾아 진리의 영역을 넓혀 가리라.

5월 거사를 앞두고 우선 먼저 병력을 동원할 수 있는 믿음직한 동지를 확정해야만 한다. 3월 첫째 주까지는 90% 이상 확정하고 싶다. 이번 주말 8사단장과 만남도 그 중 하나다. 서울 가는 길에 6군단 포병단, 5사단, 그리고 원주 1군 사령부를 다녀오려고 한다. 1군 사령부 방문은 사령관이 대상이 아니라 혁명 동참 의사를 가지고 있는 참모 장교들이다. 5사단장 채명신 장군, 6군단 포병단장 문 재준 대령, 신 윤창 중령을 만나려고 한다.

그 날 저녁, 나는 심한 악몽에 시달렸다.

곰처럼 커다란 불독이 전 속력으로 나를 향해 돌진해 왔다. 쏜살같이 도망을 치는데 발이 제대로 떨어지지 않는다. 불독이 나를 덮치려는 순간, '큰일났다. 저 지붕 위로 펄쩍 뛰어오르자' 하면서 몸을 솟구쳤다. 놀랍게도 내 몸이 붕 떠서 지붕 위로 날아오르는 게 아닌가. 그렇게 개의 공격을 피할 수 있었다.

잠을 깨 보니 속옷이 흠뻑 젖어 있었다.

혁명 동지: '불 반대(不反對) = 찬성?'

부지런히 차를 몰아 6군단 포병단에 들어서니 토요일 오후 2시가 다 되어 간다. 연병장에서는 수 십 명의 병사들이 한데 뒤엉켜 축구를 하고 있었다. 젊은 병사들이 뛰고 달리는 모습에서 싱싱한 사기가 드러나 보인다.

차를 돌려 사령관 관사로 향했다. 문 사령관에게 미리 연통을 넣었기에 장교 여럿이 반기며 맞는다. 오랜 기간 알고 지내는 사람들이다.

6군단 포병 사령관인 문 재준 대령(34)은 육사 5기로 함흥 출신, 육사 제자다. 강한 인상을 소유하고 있다. 학교 시절부터 내게 가까이 다가왔던 사람으로 광주포병학교장일 때도 많은 도움을 받았었다. 6군단 작전참모 홍종철 대령은 8기 동기생 중 진급이 가장 빨랐다. 육사 8기 동기생인 신 윤창 중령(36)과 정 오경 중령(42)은 나이 차이가 나지만 지금은 함께 포병대대장을 하고 있다. 바로 다음 기(9기)인 백 태하 중령(37)과 구 자춘 중령(33), 그리고 김 인화 중령이 동시에 거수 경례를 한다. 모두 마음이 통하는 지인들이다.

식당으로 안내되어 들어서니, 매큼한 냄새의 김치찌개가 곤로 위에서 끓고 있다. 시장기가 동했다. 일단 식사.

"먼 길 오시느라고 수고 많으셨습니다. 시장하시죠?"

문 사령관이 내가 좋아하는 시바스 리갈 한 병을 식탁에 올려놓은 것이 눈에 들어온다.

백 중령이 병을 들어 내게 권하러 다가선다. 잔을 들어 술을 받으면서

"오늘은 진지한 얘기를 나눠야 하니까 입만 축이는 것으로 합시다."

조심스레 운을 뗐다. 모두 잔을 채운 뒤, 문 단장이 '건배'를 시도했다.

식사를 마치고, 커피. 취사병과 당번병을 본부 막사로 심부름을 보내고 여덟 명이 둘러앉았다.

"디 데이를 잠정적으로 5월 초로 잡았습니다. 이제 모든 역량을 여기로 집중시켜야 합니다."

"저희 포병단도 출동해야 하는 겁니까?"

"당연하죠. 이번 혁명의 중심은 6군단 포병단입니다. 내가 가장 믿는 부대입니다. 저는 여러분들을 믿고 함께 혁명을 하고자 합니다."

갑자기 긴장감이 더해진다.

"병력 동원 계획이 어떻게 되는지 좀 더 알고 싶습니다."

"공수부대와 해병대가 1진으로 출동하고, 거의 동시에 6군단 포병단도 출동합니다. 전투 사단 중 1~2개, 수도권 소재 2개 예비 사단이 동원됩니다. 서울 6관구 사령부가 중심에 섭니다. 전국적으로 주요 대도시의 5개 사단도 혁명에 참여합니다."

"우리 포병단의 경우 1군 사령관과 6군단장의 지휘를 받습니다. 그런데 두 사람 모두 혁명에 대해 다소 과격할 정도로 반대 의견을 내고 있습니다. 혹시라도 적극적으로 방해하지 않을까 걱정입니다."

"아직 시간이 좀 있으니 끝까지 설득해 보도록 합시다."

"여차 하면, 혁명 직전에 먼저 정리하시죠?"

젊은 포대장들이 나보다 더 적극적이다.

"각하, 우리 포병대가 서울로 진출하려면 의정부의 미군 주둔지역을 관통해야 합니다. 이들이 눈치 채지 않을까 걱정이 됩니다."

"그 부분은 사전에 미리 루트 탐색을 해 두어야 할 거요. 우회 도로가 있으면 시간을 계산해서 활용합시다."

"참, 완전 군장이죠? 포탄과 실탄 지급도 하구요."

이 순간, 모두가 긴장을 하는 것이 눈에 보였다. 지나가는 말로 '혁명을 한다'가 아니라 이제 실전으로 다가오고 있음을 감지한 것이다.

"실전입니다. 반혁명 세력과 총격전을 할 수도 있어요. 상황 전개가 여의치 않을 때는 105미리 포 사격을 해야 할 수도 있어요. 하지만, 총격전은 없어야겠죠. 철저한 준비와 전광석화 같은 작전을 펼쳐야 희생을 최소화할 수 있습니다."

지난주에 김 종필 중령에게 신신당부했던 혁명동지들의 행동 수칙을 짤막하게 설명해주었다. 비밀 유지, 언행 주의, 부대 지휘 체제 확립, 전투력 유지 등.

고사를 곁들여 가면서 이들의 책임감과 사기를 높여주었다.

백전기략(百戰奇略) 선전(選戰)에서 말하기를,

“가장 용맹한 지휘관과 예리하고 날렵한 병사를 뽑아 선봉으로 삼아야한다. 그래야만 우리 편 사기가 충천하고 적의 투지를 꺾을 수 있다. 이것이 바로 '군대에 선봉이 없으면 패배한다'는 원칙이다. 凡與敵戰，須要選揀勇將銳卒，使爲先鋒，一則壯我志，一則挫敵威。法曰兵無選鋒曰北.”

“6군단 포병단은 곧바로 육군본부로 진입하여 군 통제권을 장악한다. 육군 본부에 포를 방열하고 청와대는 물론 혹시라도 있을 수 있는 반혁명 세력을 초전에 박살낸다. 여러분들이 바로 혁명의 중심이다.”

강한 톤으로 짧게 명령했다. 그리고 혁명 디 데이까지 최선을 다해 준비에 임하도록 다짐을 받았다. 군사 혁명이라는 큰 사건을 두고, 모두가 마음을 졸이고 있을 터. 내가 힘주어 자신감을 심어줄 필요가 있다. 총을 든 군대도 그렇지만, 대포나 전차가 출동하면 상대방이 기가 죽는다. 일반 국민은 대포와 전차를 보는 순간 혁명군의 힘을 감지하게 된다. 강력한 힘을 보여야만 국민과 이들을 이끄는 정치권이 공감하게 되고 혁명이 성공할 수 있다. 6군단 포병단이 혁명의 선봉이 된다는 점을 누누이 강조했다.

6군단 포병단을 떠나, 김 종필 중령의 형님 댁이 있는 약수동으로 향했다. 육군 본부 참모들 중심의 육사 8기 혁명 세력들과 만나 중간 점검을 하기로 했다. 6관구 참모장 김 재춘 대령과 박 원빈 중령, 30사단과 33사단의 혁명 동참자들이 여럿 모이기로 되어 있었다.

의정부를 가로질러 오른쪽으로 도봉산을 바라보면서 서울 시계로 들어선다. 눈은 차창 밖을 향하고 있지만, 머리속에서는 복잡하게 주판알을 굴리고 있었다.

'누가 진정으로 나를 도와 혁명 전선에 나설 것인가?'

내 앞에서는 어쩔 수 없어서, '알겠다'고 하지만 혹시라도 뒤통수 치는 것은 아닐까?

하나하나 다시금 원점부터 재점검 하는 중이다. 6군단을 다녀온 것도 혁명 동지를 최종 확정하기 위함이다.

지금 상황에서 가장 답답한 것은 군 지휘 체계 상에 있는 육참 총장, 1군 사령관, 수도권 전투 및 예비 사단장, 미군사령관들의 속셈이다. 알듯 모를 듯, 믿어야 할 지 말아야 할지 머리가 아프다.

갑자기 1905년 을사보호조약 체결 광경이 머리에 떠올랐다.

조선 시대 말, 이등박문은 조선을 병합하고자 모든 준비를 마쳤다. 고종을 비롯한 통치 집단도 모두 손아귀에 장악했고, 군대도 무력화시킨 뒤 일본군으로 대체 완료했다. 고종을 비롯한 이씨 왕가의 살림은 물론 대한 제국 재정을 일본 은행의 통제 속으로 포섭했다. 유명무실한 대외 외교나 통상 교섭권도 이등박문이 마음대로 주무르고 있었다. 마지막 남은 것은 허울뿐인 '대한제국'이라는 이름 하나였다. 형식적으로는 고종이 국왕으로 통치권을 행사하고 있었지만 이미 조선, 대한제국이라는 나라는 사라질 운명에 처해 있었다. 그 마지막 순간에 이등박문은 고종과 여덟 대신들을 모아 놓고 합일 합방 문서 조약을 종용했다.

일제의 군사적 압박과 강압적 회유가 있었다지만, 우리의 못난이 통치자들은 서로 책임을 떠넘기기에 급급했다. 고종은 '대신들이 합방 문서에 서명하면, 나도 어쩔 수 없으니 서명하겠다'고 체념하면서 뒷방에 머물렀다. 회의실에 모인 8 대신. 끝끝내 불가(不可)를 표명한 한 규설이나 민 영기, 처음부터 찬성, 가(可) 의견을 피력했던 이 완용이나 이 근택도 있었지만 중간의 애매한 이들은 '임명권자인 황제 폐하의 의견에 따르겠다'고 머뭇거렸다.

회의를 주재한 이등박문은 이미 이들의 행태를 꿰뚫어 보고 있었다.

"그렇다면, 귀하는 황제 폐하가 찬성하면, 가(可) 할 수 있는 겁니까?"

"그렇습니다."

"그러면 당신은 반대는 아닌 거죠?"

머뭇거리던 이들의 의견은 '불 반대(不 反對) = 찬성(贊成)'으로 해석되어 버렸다. 이등박문과 일제는 대신들의 회의 결과를 5 : 3 으로, 조약안 찬성으로 해석해 가결시켜버렸다. 고종은 이미 존재감이 없었다.

지금 이 순간, 왜 이런 생각을 하고 있을까?

가까운 친구인 제1군사령관 이 한림 장군. 매번 진지하게 접근하지만, 결과는 항상 애매하다. 적극 반대도 아니지만, 나를 도와 혁명에 동참할 것 같지도 않다. 왜냐 하면 그는 군 장성으로서 누릴 것은 다 누리고 있는 처지이기에. 조만간 육군참모총장이나 국방부 장관 물망에도 오를 것으로 생각하고 있는 중이다. 1군, 전투사단을 총괄 지휘하고 있는 이 한림이 혁명 반대에 적극 나선다면 위험천만이다. 혁명의 진척 여부에 따라 내란으로 치달을 수도 있다. 그를 우리 편으로 할 수 없다면, 소극적 찬성이나 애매한 위치에 머물도록 만들어야 한다. 혹시라도 그가 반혁명 노선을 취할 여지를 두지 말아야 한다.

민 기식 부사령관은 이 한림 장군보다는 호의적이다. 하지만 사령관이 미적거리는데, 적극적으로 지지를 표명하기는 어려워 보인다. 소극적 찬성으로 보아도 좋을 것이다.

이 종찬이나 백 선엽, 강 영훈, 송 요찬 장군들도 혁명에 대해 다소 비판적이다. 말로는 나의 진심에 동조한다고 하면서도 은근히 비판적이다. 제2군 사령관 최 경록 장군은 나와 좀 불편한 사이다. 하지만 그도 현재의 한국 정치 사회 현실을 잘 알고 있기에 마음속으로는 소극적 찬성일 수 있다. 어쨌든 2군은 나와 이주일 장군이 충분히 혁명 동참 세력으로 움직일 수 있다.

장 도영 육참총장도 애매하긴 마찬가지다. 그는 혁명군의 사정에 따라 태도를 정할 가능성이 높다. 누차 혁명의 필요성을 얘기하고 앞장서 줄 것을 요구해 왔다. 그가 총대를 메 준다면 혁명이 훨씬 쉬워진다. 가장 극적인 군사 혁명은 이등박문처럼 최고통치권자인 장 면과 윤 보선을 체포, 구금하는 것이다. 장도영이 움직인다면 군대 동원 자체가 필요 없어진다. 장 도영 장군도 '불 반대 = 찬성' 처럼 해석할 여지가 있다.

우리 뒤를 캐고 있는 이 철희 방첩대장도 요주의 인물이다. 이들은 현재 육본의 지휘를 받고 있지만, 혁명의 순간에는 강한 편에 줄을 댈 것이다. 혁명 세력이 강력해질 필요가 있다.

"각하, 도착했습니다."

이 승만 대통령의 자유당 정부는 3·15 부정 선거를 저질렀다. 이를 계기로 그동안 참고 참았던 국민들의 분노가 폭발되었다. 이 승만 대통령은 우리 한국민에게 자유 민주주의를 선사했지만 정의롭지 못한 국정 운영으로 인해 '독립 투사와 건국 대통령의 명성'을 모두 잃고 말았다.

비둘기 작전

인상이 좋은 주인 김 종락씨가 문 앞에서 인사를 한다. 은행에 근무한다고 했다. 우리의 엄청난 거사를 내밀하게 도와주고 있다. 김 종필 중령, 김 용태 사장, 남 상옥 사장과 함께 재정에 신경을 써주고 있다. 혁명 동지들이 매번 만날 때마다 소요되는 비용이 만만치 않은데 이에 대해서는 거의 전적으로 김 중령에게 맡기고 있는 셈이다. 평생 잇속에 밝지 못하다 보니 '쓰는 것만 알고, 버는 것에는 무관심'하다는 부인 영수의 평가가 전적으로 맞는다. 군인으로서 전투나 정보, 작전에 대해서는 누구보다도 자신이 있지만 밥 먹고 술 먹는 시간이 되면 주눅이 든다. 그래서 돈 생각을 잊고 오로지 혁명 과업에만 치중할 수 있게 해주고 있는 김 중령과 주변의 민간인 사장님들이 더없이 고맙다.

안으로 들어서니 10여명의 영관급 장교들이 일어서며 인사를 한다. 일일이 악수하면서 안부를 묻는데, 손아귀에 힘이 넘친다. 그들의 강한 의지를 느낄 수 있었다.

저녁 식사 전에 일단 회의를 하기로 했다.

"각하, 혁명에 동참하겠다는 장교들이 대다수입니다. 이런 분위기라면 언제라도 거사할 수 있을 것 같습니다."

적극적인 김 형욱 중령이 먼저 말을 꺼냈다. 참석자 모두가 수긍하는 눈치다.

"일단 디 데이(D-day)를 5월 초로 잡았습니다. 많은 사람이 4·19를 이용하자고 하지만, 그날은 경찰은 물론 군 수뇌부도 긴장하고 대비태세를 갖추고 있을 겁니다. 4·19가 지나고 오월이 되면 정치권과 군 모두가 다소 긴장을 풀 것입니다. 구체적인 날자는 거사 2주 전 쯤에 확정하고자 합니다. 하지만 의외로 갑작스럽게 여건이 조성된다면 4·19를 이용할 수도 있을 지 모르겠습니다."

지난 해 3·15 부정 선거와 4·19 학생 소요 사태 당시에 김 재춘 참모장이 근무하고 있는 6관구에서 병사를 동원했었다. 정부와 경찰이 우왕좌왕하면서 시위대에 발포를 하고 희생자를 내고 있는 상황에서도 침착하게 상황 악화를 막는데 일조를 했다. 이를 잘 알고 있는 혁명 주체 세력들은 그런 상황이 금년에도 또 다시 조성되지 않을까 하는 기대감에 차 있었다. 내가 미리 이런 생각의 문제점을 지적한 셈이다.

3.15 부정 선거에 항의하는 대학생들에 대해 경찰들이 무차별 폭력을 휘둘러 진압하려 하였다. 그러나 이런 정도로 젊은이는 물론 온 국민의 분노를 막을 수는 없었다. 결국 군 부대가 출동하고서야 경찰의 폭력과 젊은이들의 시위를 막을 수 있었다.

"그동안 혁명 동지 포섭에 애쓰셨으리라 생각합니다. 제 생각에는 막연하게 혁명 동참을 권유하기보다는 거사 당일 날 작전 계획에 맞춰서 꼭 필요한 인사를 우리 편으로 만들어야 합니다. 먼저 육군 본부 사정은 어떻습니까?"

"육본에서는 작전처 중심으로 움직이고 있습니다. 장 경순 장군, 조 시형 장군을 중심으로 김 형욱, 김 동환, 김 용건, 김 재후, 박 승권, 손 종호, 심 이섭, 옥 창호, 이 낙선, 정 래창 중령 등이 똘똘 뭉쳐서 동지 포섭에 나서고 있습니다. 통신차감 서 봉희 대령은 통신처를 담당하고, 안 태갑 중령과 이 형주 중령은 정보처를, 부관감실의 오 치성 대령이나 이 명춘 중령, 민사부의 유 승원 대령, 군수참모부의 이 석제 중령, 군수발전부의 이

지찬 중령, 경리감실의 전 준철 중령, 공병감실의 최 홍순 중령도 움직이고 있습니다. 1군과 2군 사령부, 전방 전투 사단과 30사단, 33사단 등 예비사단의 핵심 작전 참모들을 동지로 규합하고 있습니다."

육사 9기 강 상욱 중령이다. 육군 본부의 참모진들은 육사 8기와 9기 중심으로 끈끈한 유대 관계 속에 혁명 주체 역할을 해내고 있다. 부관감실의 오 치성 중령 등 몇몇은 혁명 동지들의 보직 인선에 남다른 노력을 경주하고 있는 중이다. 작전처의 중령들은 각 군 참모들 대상으로 적극적인 포섭을 시도하면서 전군의 혁명 동지화를 추진해 가고 있다. 거사 전후로 혹시라도 있을 수 있는 반혁명 세력의 준동을 사전에 밝혀내고 차단하기 위해 정보 차원의 작전도 구사하고 있다.

"6관구 사령부도 잘 진행되고 있습니다. 서 종철 사령관의 경우에는 반신반의 모습을 보이고 있어 다소 불안합니다. 하지만, 각하께서 다져 놓은 참모진들 중심으로 혁명 의지가 높습니다. 박 원빈 중령과 함께 차질 없도록 잘 챙기겠습니다. 안심하셔도 됩니다."

김 재춘 참모장은 내가 가장 아끼고 믿는 제자이자 참모 중 하나다. 지혜롭고, 민첩하다. 일 처리 하나하나가 꼼꼼하고 빈틈이 없다.

"6관구 산하 30사단과 33사단은 조금 신경이 쓰입니다. 30사단은 작전참모 이 백일 중령이, 33사단은 이 병엽 대령과 오 학진 중령이 애를 쓰고 있습니다만, 사단장의 성향 파악이 아직 안 되고 있습니다. 가능하시다면 각하께서도 도움을 주셨으면 좋겠습니다."

"알겠습니다. 여러분들의 노력에 경의를 표합니다. 얘기를 들어보니 우리 혁명의 성공이 9부 능선까지는 도달해 있다고 생각합니다. 이제 좀 더 구체적으로 거사 당일 날 작전 계획에 대해 논의해 봅시다. 전체 작전 상황을 김 종필 중령이 브리핑해 주세요."

김 중령이 일목요연하게 그려진 차트 두 장을 벽에다 붙이고 설명을 한다.

"일단 혁명 직전까지 총괄 지휘부는 6관구 참모장실로 합니다. 각하께서 위치하고 김 대령과 참모진이 지원합니다. 디 데이, 0시를 기해 동원 병력이 움직입니다. 제1진인 공수단은 영등포에서 오류동을 거쳐 한강교로 진입합니다. 해병여단은 김포에서 공수단에 이어 한강을 건너서 마포를 거쳐 염천교로 움직이고, 6군단 포병단은 포천에서 의정부를 거쳐 미아리고개로 진입합니다. 33사단은 부평에서 경인가도를 이용하고, 30사단은 수색에서 영천을 거쳐 서대문으로 진입합니다.

전방 전투 사단 중 5사단과 12사단은 디 데이와 함께 출동 대기하면서 혹시라도 있을 수 있는 반혁명 부대를 저지하고, 그 중 일부는 필요할 경우 혁명 완성을 위해 서울로 출동하기로 되어 있습니다.

부대별로 임무가 부여됩니다. 제1진은 중앙청에 포진하고 대통령과 총리, 국회의장, 장관 등 정부 요인과 주요 정치인 체포, 구금을 단행합니다. 제2진은 육군본부에 포진하고 육군 본부와 군 지휘체계를 장악합니다. 제3진은 덕수궁에 포진하고 방송국과 신문사, 중앙우체국, 치안국과 경찰서를 장악합니다. 제4진과 제5진은 서울 주요 지점에 포진하여 시민 동요를 막고 반혁명 세력에 대비합니다.

각 부대는 부대장을 중심으로 참모진과 함께 행동합니다. 작전 계획대로 움직이되 변동사항은 수시로 혁명 지휘 본부와 상의합니다. 혁명 지휘 본부는 혁명군 출동 상황을 점검하면서 6관구 사령부로부터, 남산을 거쳐, 최종적으로는 육군 본부에 자리 잡을 겁니다.

디 데이 전날 10시부터는 육군본부 통신망을 혁명군이 장악합니다. 동시에 1군 사령부와 2군 사령부, 6관구 사령부의 통신망도 혁명군이 통제합니다. 혁명 당일 군 통신망은 혁명군만이 사용하며, 출동 부대 상호간에는 암호로 무선 통신을 수행합니다.

모든 방송국을 장악하고, 혁명 당일 5시 첫 방송은 혁명 완성을 알리는 방송이 될 것입니다. 모든 신문이 정지되고 혁명 완성을 알리는 호외가 발간될 겁니다.

5시 혁명 완성을 알리는 방송이 나가면 2군 사령부 산하의 5개 예비 사단은 대구, 부산, 광주, 대전, 청주를 비롯해 각 도의 도청과 시청, 경찰서, 방송 시설을 장악합니다. 이상입니다."

"수고하셨습니다. 동원 부대 지휘관과 참모들, 작전상 임무를 맡은 장교들은 디 데이까지 비밀을 유지하면서 병력 관리와 준비 작업에 최선을 다해야 할 겁니다. 절대 지금 우리가 논의한 비밀이 새어 나가면 안 됩니다. 1군 사령부 상황은 어떻습니까?"

"이 한림 사령관은 좀 비관적인 입장이라고 생각합니다. 그에 비해 2군단장 민 기식 장군은 호의적입니다. 통신 참모로 계시는 배 덕진 장군과 포병 참모 정 봉욱 대령 등과 함께 본부 사령실의 김 유성 중령, 작전과의 박 용기 중령, 작전 참모부의 심 이섭 중령과 이 종근 중령 등이 저와 함께 움직이고 있습니다."

육사 8기 조 창대 중령이다. 매우 적극적으로 혁명 과업에 참여하고 있다.

"우리의 혁명 계획이 누설되지 않도록 조심하고, 당일 날, 혹시라도 반혁명군이 출동하는 일이 없도록 신경 써야 합니다. 자칫 1군에서 전투 사단을 움직이면 유혈 사태로 발전할 수 있습니다.

만약에 1군이 움직이려는 조짐이 보이면 우리 쪽에서 먼저 제압해야 합니다. 디 데이 한 달쯤 전부터 이 사령관 움직임을 예의 주시하고, 마지막 순간까지 주의를 게을리 하지 맙시다."

"각하, 방첩대 최 영택 중령 말로는 이 철희 방첩대장이 의외로 강하게 경계심을 보이고 있답니다. 전에 방첩대의 각하 사저 감시 활동도 있고 해서 신경이 쓰이긴 합니다."

정보 업무에 밝은 김 종필 중령이 끼어든다.

"방첩대나 서울지구 헌병대, 미군 쪽에도 우리와 뜻을 같이 하는 사람들이 있으니까 지속적으로 예의 주시하면서 정보를 교류합시다."

누군가는 혁명 작전을 '비둘기 작전'으로 명명하자고 했다. '횃불 작전' '봉화 작전'도 제시되었다. 명칭이 무엇이든, 혁명이 성공하는 것이 관건이기에 뭐라도 좋다는 생각이 든다.

"각하, 3월 초에 6관구 산하 부대 중심으로 시위 진압 훈련이 계획되어 있습니다. 박 원빈 작전참모와 함께 지난 해 4.19 때처럼 실제 군 병력을 동원하여 중앙청 점령 작전을 펼칩니다. 이름을 비둘기 작전으로 하구요."

가장 자연스러운 혁명군 출동 연습이 될 수 있겠다 싶다. 이렇게 비장한 혁명 모의가 마무리되었다.

김 재춘 대령에게는 따로 진척 상황을 보고 받았다. 혁명군 동원은 5기 출신 사령관들이 담당하고 있다. 공수단 박 치옥 대령, 6군단 포병단 문 재준 대령, 5사단장 채 명신 준장, 12사단장 박 춘식 준장, 고사포 여단장 송 찬호 준장, 2군 공병참모 박 기석 대령, 30사단장 박 영석 준장, 항공학교장 이 원엽 대령, 1군 통신참모 배 덕진 준장, 보병학교장 이 룡 장군 등이다. 육사 생도 시절부터 함께하면서 정군 의지를 공유했던 동지들이다. 김 대령에게 다음 주 중으로 함께 자리를 마련해주도록 부탁했다. 병력 동원이 가장 중요한 만큼 이들이 주도면밀하게 준비 작업을 해주어야만 한다.

회의 후, 식사를 마치고 신당동 집으로 향했다.

"이제 오세요. 늦으셨네요."

거의 12시에 가까워진 시간이다.

"응, 별일 없었죠? 애들은 자고?"

"예. 금방 잠들었어요. 씻을 물 받아 놓을 께요."

씻고 잠자리에 드니, 온 몸이 나른하다. 옆에 누운 영수가 더 없이 곱다. 얼굴을 바라보는 것도 잠시, 금새 잠에 떨어진다.

일요일 점심은 김 동하 장군과 함께 해병 여단장 김 윤근 장군을 만나기로 되어 있었다.

늦은 점심으로 1시에 충무로 일식집에서 만났다. 김 윤근 장군은 사정이 있어서 나오지 않았다. 김 동하 장군은 지난 해 과도 정부 때 이 종찬 국방부장관에 의해 제1군 해병대 사령관직에서 해임되었다. 나와 함께 부산과 포항, 경주를 오가면서 진지하게 정군과 혁명 논의를 하던 중이었다. 나와 김 장군의 움직임을 눈치 챈 듯, 이 장관이 갑작스럽게 그를 해임하였다.

사실 혁명 동원 주축으로 생각하고 있던 해병대 병력이었는데 그의 보직 해임과 예편은 엄청난 충격으로 다가왔다. 김 장군은 보직 해임이 부당하다며 행정 소송을 제기하고 다툼에 나섰다. 그런데 과도 정부가 몇 달 만에 사라지고 새롭게 장 면 정부가 출현하면서, 그의 행정소송 문제는 논외로 흘러갔다.

나와 김 장군은 가슴이 써늘해진 상황에서 차선책을 강구해야만 했다. 그 작업이 김포 해병여단장의 교체였다. 금년 1월 김포 해병여단에서 사고가 났고, 이를 빌미로 부임한 지 얼마 되지 않은 남 상휘 준장을 교체시켜 우리 사람으로 앉히기로 작전을 세웠다. 육군본부 혁명 세력들과 함께 국방부 인사계통을 움직여 만주 군관학교 후배인 김 윤근 준장을 해병여단장으로 발령을 냈다.

김 동하 장군은 2군 참모장인 이 주일 장군과 함께 만군 1기 동기다. 나와 이 한림 사령관이 2기이고, 김 윤근 준장은 6기다. 모두 일본 육사 경력도 가지고 있다. 두 김 장군은 해군에 함께 근무하면서 호형호제하는 사이로 평소에도 친하게 지내고 있었다. 혁명 주체 병력으로 포항의 해병대 사단을 동원하기가 불가능해진 상황에서 차선책으로 김포 해병여단을 심각하게 고려하고 있던 와중에 극적으로 이런 상황이 전개되었다.

"어제 육군 본부 혁명 주체 세력을 중심으로 회의를 했습니다. 혁명 동지 포섭 진행 상황에 대해 보고 받고, 전체 작전 계획을 브리핑했습니다. 김 장군이 알고 계신 내용을 중심으로 얘기했어요."

"수고하셨습니다. 가장 중요한 것이 동원 병력입니다. 김 윤근 장군과는 어제도 통화했습니다. 가장 강력한 힘이 될 것입니다. 공수단과 6군단 포병단, 이 세 부대가 선봉 부대입니다."

김 장군은 혁명에 대해 나보다도 더욱 적극적이다. 해병대 기질이라는 것이 엿보인다. 부산군수기지 사령관 시절부터 가까이하면서 진심으로 속내를 털어놓고 혁명을 얘기해 왔다. 그는 일제 시대부터 조국과 국민에 대한 충성심을 그 누구보다도 열정적으로 내비치고 있는 인물이다. 나와 여러 면에서 같은 생각을 가지고 있다.

부산과 포항을 중심으로 군사 혁명을 논의하던 지난해와는 사뭇 다른 여건이 조성되어 있다. 이제는 해 볼만 하다. 가장 강력한 선봉 부대로 전광석화(電光石火)처럼 권력 핵심부를 장악할 것이다.

군사 혁명에는 대규모 부대 동원보다는 소수 정예병으로 목표물을 급습하는 것이 우선이다. 이와 병행해서 반혁명 세력을 분쇄할 수 있을 정도로 강력한 혁명군을 주변에 포진시키면 된다. 현재로서는 군 전체가 혁명 지지 분위기이고 수도권 주변의 몇 개 사단을 동원할 준비를 마쳤다. 예상되는 반혁명군으로는 미군과 일부 친정부적 장성들이 있다. 이들에 대해서는 해당 부대의 참모들과 실무 지휘관들을 혁명 동지로 포섭하여 대비책을 마련해 두었다.

군사 혁명의 두 주역이, 깊은 호흡을 하면서, 형형한 눈빛으로, 두 손을 꽉 움켜쥐었다.

나라가, 나라가 아니다

1961년 3 · 1절. 백화제방의 통일 논의로 정국이 어지럽다. 지난 해 학생 혁명을 겪은 뒤로 새롭게 등장한 장면의 민주당 정부가 좀처럼 힘을 쓰지 못하고 있다. 자유당 정부를 몰락시켰다는 성취감에 들떠서 대학생들이 정국을 주도하려 한다. 국회는 민의원과 참의원으로 나뉘어 경쟁하고, 행정부는 대통령과 국무총리로 나뉘어 통치 권력이 분산되어 있다. 정치는 온통 구파와 신파 논의로 어지럽다.

1961년 4월 현재 국회 구성을 보면 민의원은 총 232석 중 민주당 133석, 신민당 62석, 무소속 6석, 민정구락부(民政俱樂部) 28석으로 민주당이 절대 다수를 차지하고 있다. 하지만 참의원은 총 50석 중 민주당 13석, 신민당 18석, 무소속 6석, 참우구락부(參友俱樂部) 13석으로 집권당인 민주당이 열세다. 그래서 국회 불안정이 지속되고 있다.

이 와중에 '어중이떠중이' 통일론자, 정치꾼들이 난분분하게 설쳐대고 있다. 혁신 정당이라는 표현을 쓰는 사회주의, 좌파 단체들이 목소리를 크게 내고 있었다. '민주주의'의 자유로움을 만끽하면서 백화제방으로 얼굴을 내밀고 있었다. 하루하루 신문을 보면 화가 치민다. 어떻게 세운 나라인데, 이렇게 세월을 보내고 있어야 하나?

3 · 15 부정 선거 1주년을 계기로 또 다시 시위 데모대가 극성을 부릴 것이라는 3월 둘째 주, 이 철희 방첩부대장이 부대 내에 있는 것을 확인하고 직접 사무실로 찾아갔다. 서류를 보고 있던 이 장군이 깜짝 놀라며 자리에서 일어나 악수를 청해 온다.

"갑자기 어쩐 일이십니까?"

"고생이 많으신 거 같아서 위로 차 들렸습니다. 하고 싶은 말도 있구요."

"난리도 아닙니다. 6 · 25 전쟁은 저리 가랍니다. 장군님 덕분에 군은 제법 안정되었는데 정치나 사회, 경제는 난장판입니다."

"이 난국에 우리 집 관리까지 해주시느라고 고생이 많습니다."

뼈 있는 한 마디에 이 장군의 얼굴색이 변한다. 최근에 내가 관리 대상이 되어 있어 방첩대 요원이 우리 집과 내 일거수일투족을 감시하고 있는 것에 대한 면박이다. 전임 박 창록 대장 때부터 더욱 집요해 졌다.

"죄송합니다. 상부에서 하도 뭐라고 해서 적당한 선에서 하고 있으니 크게 걱정하실 일은 아닙니다."

이 장군과는 육사 동기로서 친하게 지내는 사이다. 충청도 출신의 과묵한 성격이 마음에 든다. 밖에서 보면 정군을 주장하는 혁명파인 나와 방첩대장인 이 장군 사이가 매우 안 좋을 것으로 보지만 그렇지 않다. 직무상 불가근불가원(不可近不可遠) 관계일 뿐이다.

"도대체 정국이 어떻게 흘러가고 있습니까? 지난 3월 1일에는 대구 달성공원에서 민족통일 경북 연맹 주체로 남북통일 대구 시민 총궐기대회가 열렸어요 그들의 주장을 보면, 외세에 의존하는 사대 노예 세력을 일체 배격하고 남북통일을 매진하자, 유엔 총회에 민족통일연맹 대표를 파견하자, 통일 후에는 모든 범죄자를 불문에 부치자 등을 소리 높여 외치더이다. 또 휴전선 완충지대에 우체국을 설치해서 남북간에 서신왕래를 하자, 남북한 경제교류를 하자, 완충지대에 민족친화기구를 설치하여 때때로 남북동포가 서로 만나도록 하자, 신문 기자와 민간인 시찰단을 파견해서 이북 동포를 위로하자, 떠들어댔어요. 민주당과 정부에서 주장하는 '선(先) 건설 후(後) 통일은 매국노의 잠꼬대다' 하더이다. 이게 말이 됩니까?"

"맞습니다. 서울은 물론 전국이 똑 같아요. 지난 2월 25일 천도교 강당에서 결성된 민족자주통일중앙협의회라는 것이 문제입니다. 사회당, 혁신당, 사회대중당, 천도교, 통일민주청년동맹 등 정당 및 사회단체가 참여한 이 대회에서는 3.1 독립 정신에 입각한 민족자주통일을 주장하고 나섰어요. 이들은 곧바로 국무총리에게 공개 서한을 보냈고, 말씀하신 대구 건은 이것과 연장선 상에서 벌어진 일입니다."

"중립화 통일을 주장하는 놈들은 또 뭡니까? 같은 애들 아니예요?"

"그 놈이 그 놈이죠. 우리 실정도 제대로 파악치 못하면서 무슨 중립화 통일을 한다고. 유럽의 스위스를 본받고 싶은가 본데 그게 가당키나 한 소립니까? 그들의 궐기문이라는 걸 봤어요. 그랬더니 '모든 노동자 농민 청년 학생들이여. 조국의 통일 독립을 위한 유일 최선의 길인 중립화 통일운동에 우리와 함께 궐기하라! 모든 애국동포와 시민들이여! 이 나라 주인답게 살기를 원하거든 이제 우리와 함께 중립화 통일의 기치를 높이 들라!' 이러고 있어요. 해방 직후에 공산당들이 하던 주장과 똑 같습니다."

"조선 고종이 망할 때 중립국안을 낸 적이 있어요. 힘없는 국가의 중립국화는 '우리는 이제 힘이 없으니, 아무나 와서 가져가시오' 하는 소리입니다. 김일성 공산당이 좋아할 소리 아닙니까? 정부는 어떻게 하고 있답디까?"

일 년 내내, 연중 무휴로 데모와 시위가 전국을 뒤덮었다. 장 면 정부는 이미 통제력을 상실하고 있었다.

대학생들은 이제 학생이 아니었다. 국가를 운영하는 '주인'이 되고자 거리로 나섰다.

“지난 해 3·15 부정 선거 이후 지금까지 지속되고 있는 학생 운동권, 재야 통일론자, 반정부 불순 세력의 준동에 제대로 대응을 못하고 있어요. 정부에서도 장면 국무총리가 담화를 발표하고 각 대학 총장 명의로 학생들을 설득해 보려고 하지만, 말이 먹혀야죠. 정 일형 외무장관이 미국이나 유엔에 나가서 정부 입장을 설명하느라고 곤욕을 치르고 있답니다. 민주당은 사분오열되어 일부는 정부측 입장을 옹호하는가 하면 일부는 학생과 재야 단체 편을 들어 통일 논의에 동참하고 있어요.”

“국회나 정부가 나라를 제대로 이끌어가지 못하고 있어요. 한숨만 나옵니다.”

“답답합니다. 나라가, 나라가 아닙니다. 엊그제 국방장관을 만났더니 장면 정부는 '4월 위기설'로 벌벌 떨고 있답니다.”

“지금 상황에서 가장 안정되고 책임감 있는 집단은 우리 군 밖에 없습니다. 정부와 민주당은 아무리 봐도 나라를 이끌어 갈 깜량이 부족해요.”

사실 오늘 방문의 목적은 방첩대장과 함께 시국 토론을 하기 위한 것만은 아니다. 폭풍이 몰아치기 직전 상황에서 그가 군사 혁명에 대해서 어떤 생각을 갖고 있는가를 떠보기 위함이다. 지금 한국 상황에서 군이 뭔가 역할을 해야만 한다는데 대해서는 그도 공감하고 있다. 우리의 군사 혁명에 대해 결코 적극적 반대 입장은 아님을 확인할 수 있었다.

'우리 집 관리 좀 잘 부탁한다'는 농담을 하면서 기분 좋게 헤어졌다.

이 대장을 만나고 나오면서 5월 혁명에 대한 확신이 더욱 굳어졌다. 극도의 사회 혼란과 장면 정부의 무능력을 근본적으로 극복해야 하는 당위성을 다시금 재확인했다.

정신없기는 민주당 국회의원들도 마찬가지다. 신문 기사를 보면 3월 13일, 국회 민의원 본회의에서 작년 11월 2일에 결의한 대한민국 헌법 절차에 따른 유엔 감시 하 남북 총선거 통일방안을 재확인, 결의하였다. 이에 대해 통일사회당 윤 길중 의원 등이 이의를 표명했으나 민주당, 신민당 등 다수 보수 당원들의 고함소리에 눌려버렸다. 윤 길중 의원은 '민주적 역량에 자신도 없고 무력 통일과 같은 실력 방안에도 확고한 자신이 없으면서 비현실적인 형식적 통일 방안만을 되풀이 고수하는 것은 통일을 하지 말자는 무성의한 태도'라고 강하게 비난했다. 3월 14일, 민족자주통일중앙협의회와 중립화조국통일운동연맹은 어제 민의원이 재확인한 대한민국 헌법 절차에 따른 유엔 감시 남북 총선거 통일안에 대해 일제히 비난 성명을 발표하였다.

국민 대표기관인 국회가 대학생과 좌파 세력들의 통일 움직임에 편승하여 1948년 당시에도 실현이 불가능했던 통일 방안을 국회 차원에서 다시 들고 나온 것이다. 중립화 통일 방안을 주장하는 번지 수 모르는 떨거지들로부터도 조롱을 받기에 이르렀다.

태국 군부가 주기적으로 수상과 정치인을 물갈이하려는 의도를 조금은 알 것 같다. 국회의원들은 근본적으로 '말만 앞세우는 선동꾼'에 불과한 존재다. 정치는 국민들 사이에 있을 수 있는 갈등을 해결하고, 이해가 엇갈리는 정책을 조율하는 역할을 해야만 한다. 그런데 우리의 국회는 항상 좌파와 우파, 신파와 구파, 애와 어른으로 나뉘어 싸우고 있다. 그들의 다툼이 국론을 분열시키고, 대통령과 장관들을 갈팡질팡하게 만들며, 국가의 행정이나 정책이 뭐 하나 제대로 되는 게 없도록 만든다.

대통령과 총리, 장관, 국회의원들의 말 한마디, 행동 하나에 권위가 없으니 10대와 20대 학생이나 청년들이 설치고, 아무런 책임감도 없는 불평불만자, 좌파 선동가들이 한국 사회를 휘젓고 있다. 이 장군 말 대로 '나라가, 나라가 아니다.'

서울에 올라온 김에 헌병감 조 흥만 장군과도 만나기로 했다. 부관을 시켜 저녁 식사 약속을 북창동 한정식집에 해 놓았다. 시간을 보내다가 미리 들어가 기다렸더니 저녁 7시, 듬직한 체구의 조 장군이 나타났다. 내가 무슨 일로 만나자고 하는지 짐작을 하는 듯 겸연쩍은 얼굴로 인사를 나눴다.

"반갑습니다. 얼마만인가요? 지난 해 회의에서 보고 처음인 것 같습니다."

"예. 그런 것 같습니다. 제법 오래되었네요."

여주인이 나타나 인사를 하더니 금방 한상 차림이 들어왔다. 시중을 드는 처자가 막걸리 주전자를 들어 우리의 잔을 채웠다. 가볍게 잔을 부딪치고 기분 좋게 한 잔을 들이켰다. 식사를 하면서 이런저런 시국 이야기로 분위기를 만들어 갔다.

"젊은 영관급 장교들이 문제가 많죠? 지난 해부터 들쑤시고 다녀서 걱정입니다."

"그러게 말입니다. 어쨌든 김 종필 중령 건은 죄송합니다. 누군가는 책임을 져야 하기에 총장과 상의하여 최소한으로 마무리하려다 보니 그렇게 되었습니다."

"잘 하셨습니다. 지난달에 대구로 들렀을 때 따끔하게 한 마디 했습니다. 사실 8기생들이 너무 설쳐 대서 저도 여러 차례 단속을 하곤 했었습니다. 송 요찬 총장때부터 과도정부 시기, 최 영희 장군 퇴직, 최근의 항명 파동까지 끝이 없이 이어져왔습니다. 아직도 불만이 팽배해 있는 듯합니다."

"그나저나 끊임없이 박 장군님의 혁명 얘기가 이어지고 있습니다. 어떻게 되어 갑니까?"

가슴이 뜨끔 한다. 이런 질문이 나오리라는 것을 미리 생각 했었지만 면전에서 받고 보니 긴장이 된다. 잠시 숨고르기. 그의 속내를 보기 위해서는 내 말보다는 그의 말을 들어야만 한다.

"조 장군께서는 현 시국을 어떻게 보십니까?"

"말해 무엇 합니까? 잘 아시다시피 난장판이지요. 뭐 하나 제대로 되는 게 없이, 뒤죽박죽입니다. 그나마 헌병대는 체제가 잘 잡힌 듯해요. 군이 정치판이나 사회 혼란과는 거리를 두고 있기 때문인 것 같습니다."

"현 정치판을 보면 정부나 민주당은 이 난국을 헤쳐 나갈 능력이 부족해요. 이 철승 의원과 같은 생각이 있는 젊은 정치인이 뭔가 해보려고 애는 쓰는 것 같습니다만 한계가 있어요. 현 상황에서 가장 역량 있는 집단이 우리 군인데, 뭔가 역할을 해야 하지 않을까요?"

"각하께서 말씀하시는 것이 바로 군사 혁명입니까?"

"아, 그렇게 단도직입적으로 말하기보다는 군의 정치 참여나 군 인력을 행정 업무에 투입하는 방법 등 여러 방안이 있을 수 있습니다. 예를 들면, 국토 건설에 군 병력을 동원하거나 대학교 교관 요원들을 학생 정신 교육에 참여시키는 방법 등을 생각할 수 있죠."

"저도 적극 찬성입니다. 70만 군 병력과 잘 훈련 받은 장교들을 국가 건설과 청년 교육, 훈련에 투입하는 건 참으로 좋은 방법이라고 생각합니다. 꼭 혁명이나 쿠데타 같은 극단적인 방법이 아니더라도 활용할 방법은 많을 겁니다. 그리고 우리의 정치를 바로잡는 방법 중 하나로서, 군 출신 대표들을 많이 국회로 보내는 방법도 생각해봐야 할 듯싶습니다.

문제는 총리나 정부가 이런 생각을 해야 하고, 정치권과 사회 각계 각층이 흔쾌히 동의해줘야 한다는 점입니다. 제가 보기에는 불가능해 보입니다. 지난 번 8기생들의 정군 운동도 사실 진급에 대한 불만과 함께 이런 여러 가지가 복합되어 있었다고 봅니다. 휴전 직후부터 지금까지 나라 돌아가는 상황을 지켜보시지 않았습니까?"

"사실 저도 각하처럼 군 장교 집단이 전면에 나서는 것에 대해서 여러 번 생각해봤습니다. 한국 정치가 스스로 환골탈태(換骨奪胎)하는 것을 기다리는 것도 이제 지쳤습니다."

"저도 고민이 많습니다. 어찌 해야 할지. 좋은 의견 있으면 알려 주세요."

상 위의 반찬들이 다 식어 가는 줄도 모르고 대화에 빠져들었다. 처음부터 맛있게 밥 먹기 위해 만난 것이 아닌 만큼, 오고 가는 대화가 진지하기 짝이 없다. 술은 두 잔 이상 먹지 않기로 다짐을 했건만, 벌써 주전자 하나가 다 비어 간다.

“군의 정치 행정 참여, 사회 문제 참여는 명분이 중요합니다. 사람들 생각에는 군은 김 일성과 전쟁이나 하는 집단으로 여겨지고 있습니다. 이런 생각을 바꿔 군의 적극적 활동을 유도하기 위해서는 대의 명분(大義名分)이 그럴 듯 해야 합니다. 그리고 군사 혁명을 하려면 제대로 해야 한다고 생각합니다. 각하에 대한 얘기 말고도 족청 출신 군인들이나 해병대 중심, 육사 동기생들 중심으로 혁명하자는 얘기가 많이 들려옵니다. 들여다보면 각자 국가 상황에 대한 염려나 신경질적인 반응으로 나온 얘기일 뿐입니다.”

'그래, 그거다' 싶었다. 혁명의 대의 명분.

모든 혁명 동지를 하나로 규합하고, 70만 군 병력을 지지 세력으로 만들며, 온 국민을 설득하기 위해서는 '그럴듯한' 대의 명분이 필요하다.

말이 좋아 정군이요, 혁명이라지만 나를 싫어하는 반대쪽 사람들의 입장에서 보면 ‘그저 불만이 많고’ ‘저만 혼자 나라 걱정, 군대 걱정을 하는’ ‘잘 난 체 하고 싶어 안달을 하는’ 그런그런 사람으로 여길 수 있다. 혁명을 원하고 있는 동지들 입장에서도 ‘혁명? 안하면 그만이지...’ 하는 수가 있다. 몇몇 핵심 동지들을 제외하면 적지 않은 사람들은 ‘어차피 피동적일 것’이다. 일반 국민들은 또 어떤가?

혁명 동지들을 하나로 강하게 응집시키고 국민들의 절대적 지지를 이끌어 내기 위해서는 뚜렷한 명분이 있어야 한다. 장 면 정권과 민주당 국회를 몰아내고 군부가 나서야만 하는 당위성(當爲性).

그것을 찾아내야 한다.

혁명 후에 후진국과 같은 군사 쿠데타, 하극상이라는 오명을 듣지 않아야 한다. 온 국민의 지지를 받는 군사 혁명이 되어야 한다.

오늘 만남도 내게는 유익한 자리가 되었다. 헌병감을 감히 혁명 동지로 포섭하지는 않았지만, 결정적인 순간에는 그와 공감대를 이룰 부분이 있음을 가늠할 수 있었다.

무경 칠서(武經七書)를 펴다

3월 중순. 날씨가 제법 따뜻해졌다.

혁명 디 데이를 정하고 전국을 돌면서 동지를 규합하고 작전 계획을 완성했다. 동원 부대 책임자를 만나 치밀한 준비를 다짐하고 대구로. 이제 좀 숨을 돌리면서 차분히 상황을 재점검해 봐야겠다.

언뜻 책장에 꽂혀 있는 무경 칠서가 눈에 들어온다.

'그래, 혁명도 전쟁이다. 이 속에도 내게 가르침을 줄 내용이 적지 않을 것이다.'

무경 칠서(武經七書)는 송나라 때 조공무(晁公武, 1105-1180)가 지은 독서지(讀書志)에 처음 명명된 것으로 기존의 군 관련 서적들 중에서 가장 중요한 일곱 책을 나열한 것이다. 육도(六韜), 손자(孫子), 오자(吳子), 사마법(司馬法), 황석공 삼략(黃石公三略), 위료자(尉繚子), 이위공 문대(李衛公問對) 일곱 책이다. 생도 시절부터 틈틈이 읽어보곤 했었지만, 그동안 까맣게 잊고 지냈던 책들이다.

태공망이 지었다는 육도의 첫머리에는 문왕이 70 넘은 어부인 강 태공을 스승으로 모시는 장면이 나온다. '군사를 이끌고 천하를 얻기 위해서는 먼저 천명(天命)을 얻어야 한다'는 태공의 말에 문왕은 충격을 받았다. 문왕은 태공에게 넙죽 업드려 절하면서 스승이 되어 주실 것을 청원한다.

"모든 사람은 죽음을 싫어하고 살기를 원한다. 인덕을 베풀어 모든 백성을 이롭게 하는 것이 바로 천도다. 천도가 있는 곳으로 천하가 귀의 하니라. 凡人惡死而樂生，好德而歸利，能生利者，道也；道之所在，天下歸之."

혁명을 한다고 하면서 오로지 군, 병력, 작전만을 세우고 있다. 라틴아메리카와 동남아 군사 쿠데타를 챙기면서 병력 동원과 전략만이 눈에 들어

오고 '왜?' '그래서 어쩔 건데..?' 에 대해서는 고민을 덜 했다. 종종 이 병주, 구 상, 황 용주와 같은 신문 기자, 문인들과 만나 담론을 하면서 혁명의 의미를 논하곤 했지만 막상 진지하게 '왜?'에 대해 심각하게 생각지 못했다. 사실 혁명 이후, 다음 단계를 어떻게 전개해 갈 것인가에 대해서는 대강 생각은 해 보았지만, 혁명 거사 자체에 집중하다 보니 중장기 전략이 미약해 보인다.

모두가 박 정희의 군사 혁명을 경계하고 있는 마당에 어떻게 혁명을 성공시킬 것인가? 혁명을 앞둔 내 심정처럼, 본격적으로 상(商)나라 정벌을 앞에 두고 있던 문왕의 아들 무왕이 태공에게 묻는다.

“무왕: 적들도 우리 계획을 알고 있고 우리 전략을 훤히 꿰뚫고 있는데 어쩌면 좋겠습니까 ?

태공: 승리의 비결은 적의 기미를 잘 살피다가, 유리한 순간에, 적이 예기치 못하게 급습하는 것입니다. 武王曰敵知我情 , 通我謀 , 爲之奈何 ? 太公曰兵勝之術 , 密察敵人之機而速乘其利 , 復疾擊其不意.”

놀랍다. 우리의 혁명 작전을 수천 년 전에 이미 훤히 꿰고 있음이라. 5월 혁명의 전략도 태공이 제시한 것과 동일하다.

갑자기 기대고 싶은 '우뚝한 스승님'이 절실해진다. 지금껏 살아오면서 제대로 된 참 스승을 모시질 못했다. 희망이 보이질 않던 어린 시절도 그렇고 만주로, 일본 육사로 떠돌던 때도 그저 그만인 선생님들뿐이었다. 내가 이만큼 성공해 있고 장년이 된 즈음에 마음을 드러내고 상의할 그런 '강 태공'이 없다.

상모리 소시적(少時的)에는 그저 아버지가 최고였다. 그 대쪽 같고 강직한 모습에서 경외감을 느끼곤 했다. 나도 아버지처럼 '대단한 인물'이 되고자 했었다. 학교에 들어가서는 선생님이 존경스러웠고, 군인이 되고자 했을 때는 일본군 대좌, 장군들이 멋져 보였었다. 해방을 맞아 난장판 정국 속에서는 이승만 박사가 '우뚝한 아버지' 처럼 따르고 싶은 인물이었다. 그랬던 그 분도 주변의 '정치꾼들의 노예(?)'로 전락한 이후에는 외경심이 사라져 버렸다.

혁명을 앞둔 지금 이 순간, 강 태공과 같은 대인(大人)이 간절하다...

춘추시대 손무(孫武)는 오자서(伍子胥)와 함께 오(吳)나라 합려(闔閭)를 도와 전쟁에서 연전연승을 거뒀다. 그가 지은 병법은 군 생활을 시작하기 전부터 여러 번 탐독했었다.

절대 절명의 군사 혁명을 목전에 두고 있는 내게 손자(孫子)는 말한다.

"백전백승보다 나은 것이 싸우지 않고도 이기는 것이다(百戰百勝，非善之善者也；不戰而屈人之兵，善之善者也). 최고의 지휘관은 상대를 굴복시키는 데 전쟁 무기를 쓰지 않는다(善用兵者，屈人之兵而非戰也). 내 능력과 적의 역량을 잘 헤아릴 줄 알면 어떤 싸움에서도 위태롭지 않다(知彼知己, 百戰不殆)."

우리가 가고자 하는 길을 막으려는 인물이나 장애물을 사전에 잘 가려내 대처해야 한다. 압도적 기세로 군대를 동원해 엄습하되 총이나 포 한방도 쏘지 않는 상황을 만들 수 있어야 한다. 4·19 학생 시위에서 조차도 희생자가 발생했다. 사생 결단의 실전을 방불하는 우리의 혁명은 총격전도 생겨날 수 있다. 조금만 방심해도 내란으로 치달을 수 있다. 긴장해야 한다. 그리고 최선의 준비와 작전 계획을 통해 '싸우지 않고도 이겨야 한다.' 민이나 군에서 한 사람도 희생자가 나오지 않아야만 우리의 다음 단계 계획이 순조롭게 진행될 수 있다.

병력 출동을 책임진 사령관들에게 신신당부했던 말들이 오자병법(吳子兵法)에 나온다.

"사령관들은 일사불란하게 병사들을 지휘 통솔하고(一曰理), 눈앞에 적이 있는 것처럼 치밀하게 준비하며(二曰備), 행동에 들어가서는 죽음을 불사하고(三曰果), 승기를 잡았다고 풀어지지 말며(四曰戒), 명령과 규율은 간명하고 확실하게 한다(五曰約)."

혁명 당일 병력 출동은 오로지 해당 사령관들의 책임 하에 이루어진다. 실제 상황은 우리가 예측한 대로만 나타나지 않을 수 있다. 통신이 두절될지도 모르는 상황에서 각 부대장들이 혁명 총지휘관인 것처럼 책임 있게 움직여야 한다. 그때그때 발생하는 위기 상황을 자신 있게 헤쳐 나가야만 한다. 작전 계획대로 한 치 오차도 없이 목표를 쟁취해야만 한다.

손자는 반혁명군이 없을 것으로 생각하기보다는 '있을 것을 전제로 미리 대비해야' 하고, 반발 세력이 차마 공격해 오지는 않을 것이라고 예단하기보다는 '감히 반격에 나서지 못할 정도'로 혁명군이 강력해야 한다고 말한다(故用兵之法 無恃其不來 恃吾有以待之, 無恃其不攻 恃吾有所不可攻也).

혁명 과정에서 가장 두려운 것은 혹시라도 있을 수 있는 반혁명군의 반격이다. 장 면 총리의 군통수권이 살아 움직여 미군이나 전방 전투 병력이 서울로 진입해 들어올 수도 있다. 베트남의 고딘 디엠 대통령은 반혁명군을 패퇴시키기 위해 전방 주둔군을 서울로 불러들였다. 인도네시아의 수카르노 대통령도 소련의 무기 지원을 받으면서까지 정부군을 총동원하여 혁명군을 초토화시켰다.

장 면 총리 이외에도 육군참모총장인 장 도영이나 1군 사령관 이 한림이 우리를 배반하고 독자적으로 병력을 동원할 수 있다. 이런 최악의 상황도 고려해서 전략을 세워야 한다. 서울 출동 혁명군 이외에도 중부전선 전투사단의 도발을 막기 위해서 5사단과 12사단을 대항 수단으로 갖춰 놓아야 한다. 현 정부에 호의적인 태도를 보이며 우리의 혁명 과업에 비판적인 사단장에 대해서는 참모진을 이용하여 재갈을 물리고, 다른 한편으로 정보나 통신망으로부터 격리시킬 필요가 있다.

5월 혁명 거사에 동원되는 병력은 주로 육사 5기생 사령관들이 이끌게 된다. 해병대 병력을 제외하면 공수단, 포병단, 전투 사단과 예비 사단, 항공대, 보병학교 모두 5기 동기생들이 가동한다. 육사 시절부터 가까이하던 장교 중에서 나와 생각과 신념을 공유하고 가장 확실하게 믿을만한 지휘관들을 이번 혁명에 참여시키고 있다. 이들은 모두 군인으로서, 장교로서, 더 나아가서 지휘관으로서 존경할 만한 인품을 지니고 있다. 일부를 제외하면 모두 30 중반의 팔팔한 나이다.

5월 혁명은 사실 이들의 힘, 군사력에 좌우된다. 개인적으로, 또 몇몇이 모인 자리에서도 장병 통제와 동원, 작전 수행에 대해 많은 얘기를 나누곤 했다.

전국시대 제 나라 장군인 손빈(孫臏)은 또 하나의 손자로서 손빈병법(孫臏兵法)을 남겼다. 그는 실패하는 장군의 속성을 잘 피력하고 있다.

"전쟁판에서 실패하는 장군은 무능력한데도 불구하고 자기는 능력 있다고 생각하는 자, 교만한 자, 자리와 재물을 탐내는 자, 언행이 가벼운 자, 행동이 굼뜬 자, 용기가 없는 자, 용기는 있다지만 나약한 자, 자기는 물론 남을 믿지 못하는 자, 과단성이 없는 자, 느슨하거나 게으른 자, 남을 함부로 해치는 자, 사사롭게 처신하는 자, 행동이 단정치 못하고 난삽한 자다.

戰國將敗 : 壹曰不能而自能。二曰驕。三曰貪於位。四曰貪於財。六曰輕。七曰遲。八曰寡勇。九曰勇而弱。十曰寡信。十四曰寡決。十五曰緩。十六曰怠。十八曰賊。十九曰自私。卄曰自亂。多敗者多失."

군 지휘관이 이 모든 조건을 완벽하게 갖추기는 어렵다지만, 이 중 어느 하나라도 해당되면 문제가 생긴다. 혁명 동지로 참여하는 지휘관들은 동기생들 중에서도 가장 앞서 가는 우수한 인재들이다. 충분히 능력을 갖추고 있고 자기 자신에게 엄격한 군인들이다. 나는 그들을 굳게 믿는다.

마지막 순간은 바로 나 박정희다. 나의 영도력이 참으로 중요하다. 지금 우리 한국에는 대단한 정치인도 많고, 나보다 우수한 장군들도 많다. 혁명에 동참하고자 하는 동지들 중에는 공산당 격퇴나 6.25 전쟁 때부터 탁월한 공적을 빛낸 군인들이 적지 않다. 하지만 어느 누구도 지금 내가 구상하고 있는 군사 혁명, 그 이후 가고자 하는 대한민국의 목표를 '능동적으로 실천해 갈' 인물이 없다.

황석공(黃石公)「삼략(三略)」군참(軍讖)에 이르기를,

“훌륭한 장수는 자기를 미루어서 병사들을 통솔한다. 병사를 아끼고 사랑하는 마음으로(=惠) 인정을(=恩) 베풀면 병사들의 사기가 날로 새로워진다. 전투는 폭풍우가 몰아치듯 하고, 공격은 황하가 범람하듯 엄습하여, 적은 감히 가당치 못한다. 장수가 몸소 먼저 하기에 병사들은 천하의 영웅으로 변신한다. 良將之統軍也, 恕己而治人, 推惠施恩, 士力日新。戰如風發, 攻如河決。故其衆可望而不可當, 可下而不可勝。以身先人 , 故其兵爲天下雄.”

정군을 말하면서도 모두가 머뭇거리고, 멋모르는 젊은 학생들이 정치를 주도하고 공산당 프락치들이 설치는 것을 보고 분(憤)해하면서도 나서질 못하고 있다. 모이면 너도나도 불평불만 투성이인 데도 어느 누가 선뜻 앞 장서질 않고 있다. 우리 대한민국이 너무 형편없고, 희망이 보이질 않는데도 불구하고... 황석공이 말하는 훌륭한 장수가 보이질 않는다.

그래서 나, 박정희다. 이미 몇 년 전부터 자유당, 민주당 정부의 요주의 인물이 되어 있다. 좌천당하고, 모멸을 당하고, 업신여김을 당해 왔다. 일본군 앞잡이, 공산당 빨갱이, 쪼그만 촌놈 대접에 처연(凄然)하게 지내왔다. 오로지 한 가지 나의 꿈, 대단한 한민족의 미래, 그를 위한 혁명, 대한민국의 대전환을 위해 묵묵히 준비하며 참아 왔다.

그들은 나의 존재를 잘 모른다. 내 가슴 속에 불타오르고 있는 활화산을 보질 못한다. 극소수 몇몇 혁명 동지들만이 조금씩 눈치를 채고 있다. 대한민국을 세계 최고로 이끌 대인(大人)을 아는 이들이 많지 않다.

냉정해지다 보면, 어느 순간에 편안해 진다.

혁명을 통해 그리고자 하는 미래가 마음을 서서히 들뜨게 한다.

책장을 덮는데, 저절로

'지피지기면 백전불태‘ ’지피지기 백전백승'이란 소리가

입에서 나온다.

대의(大義) 명분(名分)

지금 내가 움직이려는 이유는 나 자신의 영달을 위함이 아니다. 지독하게 못사는 우리 딱한 농민을 잘살게 하려는 것이며, 그들의 영혼과 행동을 자유롭게 하고자 함이다. 4백만 명 이상이 실업자가 되어 방황하는데 그들에게 번듯한 일자리를 주고 싶다. 미국이나 영국처럼 우리나라를 자유복지국가로 만들고 싶다. 해방 직후에 대한민국은 1인당 국민소득이 불과 70달러밖에 되지 않는 세계 최빈국이었는데 1961년 지금도 불과 87달러 수준에 머물고 있다.

우리를 식민지 노예로 부렸고 전쟁에서 패망한 일본은 벌써 경제 발전이 본 궤도에 오르고 있는데 우리 현실은 너무나 답답하다. 일본은 미국과 상호 방위조약을 체결하여 국방을 튼튼히 한 뒤, 이제는 경제 동맹으로 발전해가고 있다. 일본은 자민당이 안정적으로 국회를 운영하고 있어서 행정부가 마음껏 경제 발전 전략을 구사해 가고 있다.

조선시대로부터 이어져 오는 양반 상놈의 차별이 자유당 정부를 넘어 민주당 정부에서도 이어지고 있다. 기껏해야 원조 물자에 의존하면서도 부패한 정치인이나 관료들은 외색풍에 흥청망청하려고 한다. 사색 당쟁의 유풍이 지금 이 순간 민주당, 장면 정부에서도 더욱 심하게 구현되고 있다. 시기와 질투, 번복을 일삼는 못된 조선의 파벌 의식이 정치를 혼탁하게 만들고 있다.

그냥 눈앞의 현실, 들리는 소문이 역겹고 심란하다. 부정부패에 물들어 있는 공무원이나 시시콜콜 싸움질하고 있는 정치인들조차도 우리의 현실을 못마땅해 한다. 하물며 양식 있는 지식인, 한창 정의로운 젊은 대학생, 혁명 의지에 불타는 젊은 군인들은 말할 것이 없다.

혁명 동지들을 이끌고, 머뭇거리는 '불반대(不反對) 세력'을 지지 동력으로 유도하기 위해서는 그럴 듯한 대의 명분이 필요하다. 뭐가 뭔 지 모르는 상황에서 자포자기상태로 살아가는 저 수많은 국민을 우리 편으로 이끌어내기 위해서, 더 나아가서 척결 대상인 못난이 정치꾼과 부정부패 관료, 무능력한 공무원들조차도 동의할 수 있는 확실한 공약(公約)이 필요하다.

혁명을 위해 내세우는 대의명분(大義名分)이 너무 거창하면 자칫 정치꾼들의 허풍선과 똑 같아진다. 그렇다고 너무 자잘하면 무시당하기 쉽다. 적당히 고상하고 품격이 있는 목표를 세워야 한다. 부정부패 척결, 반공, 경제 발전, 민주국가 건설과 같은 것은 절실한 명제지만 어째 구태의연한 느낌이 든다. 사실 똑 같은 목표라도 어떻게 상품화하느냐가 중요하다.

오늘은 행정을 담당하고 있는 동지들을 만나 확실히 하고 싶다. 우리가 왜, 혁명을 하고자 하는지, 어째서 이 위험천만한 거사를 준비 중인지 토론해 보고 싶다.

김 중령을 시켜 핵심 인사들을 퇴근 후 신당동 집으로 모이도록 했다. 늦은 저녁을 같이 하자는 명목을 달았다. 오 치성, 이 석제, 유 승원, 김 동환, 김 종필, 이 낙선 등 영관급과 함께 유 양수, 장 경순 장군이 모였다.

"오 대령, 우리가 왜 모였지? 뭘 하려고 이렇게 비밀스럽게 만나야 하는가?"

행정 업무에 밝은 오 치성 대령에게 단도직입적으로 물었다. 갑작스런 질문에 어이가 없다는 표정이다.

"그야 당연한 것 아닙니까?"

"오늘 여러분들을 뵙자고 한 것은 우리가 당연하게 여기고 있는 '그 무엇'에 대해 확실히 하고 싶어서 입니다. 각자 가지고 있는 생각을 기탄없이 얘기해봅시다."

"지난해까지 만 해도 군 부정부패 청산, 3 · 15 부정 선거에 관련된 지휘체계 개편, 정군이 목표였습니다. 이제는 그보다 더 원대한 목적이 생겼습니다.

현 시국 상황에서 우리 군이 나서는 첫째 이유는 치안 확보와 사회 안정일 겁니다. 3 · 15 부정 선거 이후에 학생은 물론 불순분자들의 시위, 데모가 지난 10개월 동안 1,800여건에 이른다고 합니다. 경찰은 4·19 발포 원죄와 함께 발이 묶여서 제대로 나서질 못하고 있는 상황에서 학생 시위가 기승을 부리고 있습니다. 이를 틈타서 혁신과 통일, 자유와 평등, 노동자와 농민을 내세우는 좌파 불순분자, 룸펜, 불만 세력, 깡패들의 데모가 기승을 부려요. 전 국민이 불안해하고 있습니다."

정의감 넘치는 유 장군의 말이다.

"경찰이 못하는 치안 문제는 군 만이 해결할 수 있어요. 학생들의 무분별한 시위, 데모를 원천 봉쇄하고 그들을 온전히 학업에 열중하게 만들어야 해요. 깡패 집단을 잡아들이고 공산 사회주의 불순분자, 선동꾼도 모두 제거해야 합니다. 군사 혁명의 첫째 목표는 데모 시위대를 잠재워 선량한 일반 국민이 마음 놓고 생업에 종사하고 정부가 제대로 일을 할 수 있게 하는 겁니다."

"국가 발전을 생각하면 국회를 뒤집어엎고 정치 안정을 꾀하는 것도 중요합니다. 지금 보면 민주당 정권의 정치 투쟁은 조선 시대 병폐였던 사색당파 싸움을 보는 것 같습니다. 자유당 시절부터 이어져 오고 있는 고질병인데, 민주당 정권은 국회를 이원화(二元化)하여 민의원과 참의원으로 나누어 자유당 시절보다 더욱더 난장판을 만들었습니다. 또 내각 책임제를 택하는 바람에 대통령은 허수아비이고 국무총리가 행정을 담당하는데 이것도 당파 싸움의 한 요인입니다."

법을 공부하고 있는 이 석제 중령이다.

"우리와 같은 상황에서는 강력한 대통령제가 낫다고 생각합니다. 정책 입안과 적극적인 추진은 대통령 중심의 정부가 강력한 권력을 행사해야만 합니다. 내각제에서는 국회가 분열되고 정치가 불안정해서 행정부가 제대로 정책을 추진해 가기 어렵습니다."

유 승원 중령도 정치 안정이 군사 혁명의 목표가 되어야 함을 주장하고 나섰다. 장 장군이 맞장구를 친다.

"국회의원 면면을 보면 대부분 자유당 정권 때부터 설치고 다니던 사람들이야. 그 얼굴이 그 얼굴. 미군정 시기부터 한 자리하려고 나서던 사람들이 여전히 민주당 국회에 들어와 목소리를 높이고 있어요. 반대를 위한 반대를 일삼는 야당 신민당도 마찬가지고. 면면을 보면 우리처럼 죽기살기로 공산당과 싸웠던 사람이 아니라 부모 잘 만나 호의호식하려는 양반 기득권층이 대부분이야. 한국민주당이 자유당으로, 민주당으로, 신민당으로 이름만 바꿔 오면서 정치를 장악하고 난장판을 만들고 있어요. 혁명을 통해 이런 정치꾼을 모조리 쓸어 내버리자고."

"군사 혁명을 통해 정치 안정화를 꾀하는 것이 매우 중요하다고 생각합니다. 현금의 일본 자민당이나 북조선 김일성의 공산당을 보면 어찌 됐든 정치를 안정화시켜 행정부가 국가 발전에 온 힘을 쏟을 수 있게 해주고 있어요. 들리는 소문에 의하면 김일성의 북조선이 우리보다 더 살기 좋다고 합디다. 이유가 뭐겠어요? '정치가 없이' 강력한 행정만 있기 때문입니다. 아말 파샤의 터키, 낫세르 이집트, 아유브 칸의 파키스탄, 태국의 군부처럼 군사 혁명을 통해 썩어빠진 기득권층, 양반 의식에 찌들어 있는 정치인을 정리해야 합니다. 참신한 지식인층, 정의로운 청년들, 역량 있는 군인들이 정치를 주도할 수 있도록 확 바꿔야 합니다."

김 동환 중령도 정치 불만을 표출한다.

"민주당 주도의 새 헌법에서 양원제 국회를 만들면서 정치인의 감투가 많아지고 서로 좋은 자리를 차지하려고 피 터지게 싸움질하고 있어요. 민주당은 신파와 구파로 나뉘어 싸우더니 그예 민주당과 신민당으로 갈라섰어요. 순수한 학생들의 시위 결과로 탄생한 장면 정부, 민주당 국회가 자리다툼, 정쟁에 몰두하면서 세월을 보내고 있으니 말이 안 됩니다. 제 발이 저린 지, 3.15를 지나 4월이 다가오면서 스스로 '4월 위기설'을 퍼뜨리고 있어요."

"빈곤 타파와 경제 발전도 중요합니다. 절대 다수의 농민 사정은 참으로 비참합니다. 토지 분배 이후에 내 땅을 가진 사람은 많아졌지만 여전히 끼니 해결도 어려운 실정입니다. 상환금에 세금에, 또 개인적 고리대에 죽어나고 있어요. 도대체 정부는 무엇을 하고 있는지 모르겠습니다."

조용히 듣고 있던 김 종필 중령이다. 최근에 나와 여러 번 경제 개발계획에 대해 얘기를 나눈 적이 있었다. 사실 치안이나 정치 안정과 같은 목표는 혁명을 통해 강제적으로 실현할 수 있다. 하지만 빈곤 타파나 경제 발전은 결코 쉽지 않다. 세계 각국의 군사 쿠데타를 자세히 들여다보면 권력 장악에는 일시적으로 성공하지만 국민들의 삶의 수준을 높이는 경제 발전을 이룬 경우는 드물다. '못 살겠다 갈아보자!'나 '갈아 봤자 별 볼 일 없다'나 차이가 없다.

혁명의 목표 중에 국민에게 가장 호소력이 높은 것이 바로 빈곤 타파다. 이를 위해서는 농민들의 목을 죄고 있는 고리 사채를 탕감해 주는 일, 실업자들에게 일자리를 만들어 주는 일, 기업인들이 능력껏 사업을 할 수 있도록 법적 지원을 해주는 일, 대외 무역을 활성화하는 일이 필요하다. 모두가 경제 발전과 맥이 닿아 있다.

군사 쿠데타가 진정한 군사 혁명으로 발전해 가기 위해서는 반드시 경제 발전을 이룩해야만 한다. 군사 혁명을 통해 경제 발전을 정상적으로 해 갈 수 있는 정치 안정, 법 체제 정비, 행정 효율화가 마련되어야 한다. 경제 발전은 김일성 공산당과 체제 경쟁을 위해서도 반드시 성사시켜야만 한다.

이 승만 정부도, 장 면 정부도 경제 발전을 위한 계획을 추진해보려고 노력해 왔다. 하지만 아무리 좋은 경제발전계획을 수립했더라도 필요한 재원 즉, 예산과 인력, 각종 자원이 뒷받침 되어야 만 한다. 앞선 정부에서는 경제 발전을 이룩할 수 있는 강력한 추진력을 가진 지도자가 없었다. 기껏해야 원조 물자를 나눠 먹는 수준의 경제 정책을 펼쳤을 따름이다. 나와 군사 혁명 동지들은 일사불란하게 경제 발전을 위해 매진할 능력과 의지를 가지고 있다.
잠시 숨고르기를 하고 난 뒤에 이 석제 중령이 발언권을 얻어 나섰다.

"치안과 사회 안정, 정치 안정, 빈곤 타파와 경제 발전과 같은 것은 국민 피부에 와 닿는 절실한 문제라고 봅니다. 혁명의 명분으로 삼을 수 있어요.

하지만 국가의 통치권과 관련된 차원에서는 좀 더 그럴듯한 커다란 명제, 대의명분이 필요합니다. 예를 들면, 자유 민주주의 발전, 정의로운 사회복지 국가 건설, 조국 근대화 같은 것들입니다. 이런 목표를 세워야만 도시와 농촌, 지식인과 일반인, 정치인과 기업인 모두를 아우를 수 있습니다."

"맞습니다. 다른 나라 군사 혁명을 봐도 외세 척결, 매판 자본 타파, 민족 자주 독립, 정의 사회 건설 등의 슬로건이 자주 보입니다. 혁명을 통해 지향하고자 하는 원대한 국가 장래에 대한 비전이 있어야 한다고 생각합니다."

통이 큰 김 동환 중령의 말이다. 여럿이 이에 동조한다. 나로서도 조선 시대의 역사를 돌아보고, 조선의 멸망과 일제 식민지, 해방 이후의 한국 현실을 고려하면서 내린 결론이 '과연 우리나라가 제대로 된 자유민주주의를 할 수 있겠는가?' 하는 의문이었다. 똑 같은 한민족인 북조선에서 공산당 일당 독재를 참아내고 있는 것을 보면 어느 것이 정답인지 의심이 들게 한다.

진정한 민주주의는 국민 개개인이 자기(自己) 의식과 함께 헌법에서 보장하고 있는 행동과 사고의 자유(自由)를 누릴 수 있어야 한다. 능동적으로 자기 책임 하에 자율적으로 경제 사회 문화 활동을 할 수 있어야 한다. 개인 차원의 자치(自治)를 넘어 각종 사회 활동에서의 자치, 지방 자치까지 활성화되어야 한다.

우리 한국이 자유 민주주의를 선택한 것은 이 승만 대통령의 공이다. 2차 대전 이후 식민지에서 독립한 상태에서 그는 소련이 지향하는 공산국가 대신에 미국과 영국이 주도하는 민주국가를 선택하였다. 지난 15년 동안 김 일성과 소련, 중국 공산당의 남침, 반란과 선동, 시위를 통한 사회 혼란을 극복하고 지금 우리가 민주 국가를 지탱할 수 있었던 것은 놀라운 일이다. 현대의 우리 정치가 제대로 된 민주주의를 구현해 가지 못하고 있는 것은 이 승만 대통령 때문이 아니다. 우리의 정치 기반이 자유민주주의를 제대로 실천할 수 있는 여건을 갖추고 있지 못하기 때문이다.

자유민주주의 국가를 발전시켜 가기 위해서는 국민 개개인이 배를 곯지 않고 먹고 살 정도는 되어야 하며, 교육을 받아 민주주의가 뭔 지 자유가 뭔 지를 제대로 알게 해야만 한다. 배고픈 가난뱅이에게는 자유도 민주도 의미가 없다. 군사 혁명을 통해 자유 민주주의의 든든한 기반을 조성할 수 있어야 한다. 조국 근대화나 정의로운 사회복지 국가 건설이 거의 동시에 추구되어야 한다. 그러기 위해서는 정예 군인들이 나서서 사회 안정, 정치 안정을 이루고 대통령 중심의 행정부가 빠른 속도로 경제 사회 발전, 국가 발전에 매진할 수 있게끔 만들어야 한다.

열띤 토론을 하다 보니 통금 시간이 가까워진다.

"오늘 토론 참으로 유익했습니다. 김 종필 중령과 이 석제 중령 두 분이 오늘 토론 내용을 토대로 혁명의 대의명분이랄 수 있는 공약을 만들어 주시면 좋겠습니다. 다음 주 중에 우리 셋이 만나서 혁명 공약을 마무리해 봅시다. 이제 거사일이 얼마 남지 않았습니다. 모두 감사합니다."

점점 더 혁명의 길로 들어서고 있었다.

4월 위기설

1961년 연초부터 제기됐던 3월 위기설, 4월 위기설로 정치권이 뜨겁다. 지난 해 3.15 부정 선거의 여파로 4·19 혁명이 촉발되었고 마침내 이승만 대통령이 하야 하고 자유당 정권이 무너졌다. 과도 정부를 거쳐 새로운 헌법이 제정되고, 등장한 민주당 윤보선-장면 정부가 이제 9개월을 넘기고 있는데 '위기' 란다.

위기의 결과는 윤보선-장면 정부가 몰락하는 것을 의미한다. 지난해처럼 3·15와 4·19를 계기로 시위 정국이 조성되고 이를 계기로 정권이 끝장이 난다는 말이다. 4월 위기설은 신 현돈 내무부장관의 입에서 나왔다. 정부는 춘궁기(春窮期) 대책으로 절량 농가 구제(絶糧農家 救濟)와 실업자 구제를 위한 국토개발사업(國土開發事業)을 시도하기 위해 추가경정예산안을 국회에 제출하여 심의 중이다. '극심한 시위, 데모를 막기 위해서 경찰력을 총동원할 예정이고 불가능할 경우에는 군 병력까지 동원할 계획을 세워 놓고 있다'는 내무장관의 말이다.

"사월 위기설(四月危機說)이란 것이 어디서, 왜 생겨났다고 생각하십니까? 봄바람이 솔솔 불어오면 활활 타오르는 산화(山火)의 경보(警報)인데 어떻게 할 거요?"

국회의원들이 서슬 퍼렇게 묻고 나서자(1961년 3월 25일), 신 현돈 내무부장관은

"뭐라고 딱 잘라서 말하기는 어렵습니다만, 위기가 있다고 하는 것과 없다고 하는 것이 서로 일득 일실(一得一失)이 있습니다. 사월 위기설은 꼭 구렁이 담 넘는 격으로 유무상통(有無相通)이지요. 그러니 여러분이 저에게 그 근거나 대책을 물으셔도 여러 분이 잘 아실 테니까 저의 대답 역시 유무상통 입니다…. 유무상통이라는 것은 제가 키가 작으니까 일어서 있거나 앉아 있거나 거의 매 한 가지인 것과 같습니다."

의원 모두가 폭소를 터뜨렸다.

3월 위기, 4월 위기의 핵심은 극심한 가난이다. 봄철이 되면 먹을 것이 없어서 전 국민이 끼니 해결에 나선다. 땅이 풀리기 시작하면 칡뿌리 캐러 삽을 들고 온 산을 헤맨다. 새로 돋아나는 모든 새싹은 먹거리다. 쑥, 나생이(냉이), 달래, 꽃다지(진달래꽃이나 아카시아꽃을 따서 그대로 먹는다), 울타리 밑 찔레 순, 죽순, 질경이, 풍년초(亡草) 순, 경쟁적으로 캐서 먹어야만 살 수 있다. 물이 오르기 시작한 소나무 껍질을 벗겨 그 속 얇은 속꺼풀을 먹는다. 소나 돼지가 먹을 풀을 한국민 전체가 나서서 거지처럼 배를 채운다. 시퍼러둥둥한 얼굴에 올챙이배가 한국민의 상징이 되었다. 6월 햇보리가 나오기 전까지 우리 농촌은 비참하다. 책임을 느끼는 정부는 이런 가난한 현실을 위기로 보고 있다.

도시의 난민은 또 어떤가? 일거리가 없어 거리를 헤매는 '거지'가 드글드글하다. 실업자가 4~500만 명이나 된 단다. 농촌의 처자(妻子)들이 원하는 최고의 직업이 도시 부자집으로 식모(食母)살이 가는 것이다. 중학교를 나오고, 고등학교를 나오고, 대학을 나와도 일할 곳이 없다. 학교를 다니기보다는 그저 자동차 조수(助手)나 버스 차장(車掌)이 되는 것이 낫다. 입에 풀칠할 수는 있기 때문이다.

이런 농민과 실업자의 형편을 잘 알아 파고드는 불순분자가 있다. 해방 직후부터 한국을 적화, 공산화하려는 김 일성 추종자들이다. 지난 해 3·15, 4·19 이후 데모는 모두 이들의 사주를 받아 전개되고 있다. 물론 이런 분위기에 부화뇌동(附和雷同)하여 시위, 데모에 나서는 '못난이'들도 부지기수다. 이런저런 불만을 데모로 해결하려고 나서는 이들이 참으로 많다.

치안국 집계에 따르면 4·19 이후 지금까지 10개월 동안 1,836회 이상의 데모가 일어났고 무려 연인원 96만 9천 명이 동원됐다고 한다. 날마다 7건 이상의 데모가 일어났고, 매번 3870명 이상이 동원되었다. 그 중 50% 이상은 학생들에 의한 것이다. 금년 들어서도 시위가 많아져서 마침내 민의원 의정 단상(民議院議政壇上) 점거로 이어졌다. 정부와 국회가 데모를 막기 위해 준비 중인 공민권 제한법(公民權制限法), 특별 검찰부(特別檢察部) 및 특별재판소(特別裁判所) 설치법 제정에 대한 반발이었다.

육로와 해로를 통해 침투하는 북한 간첩은 물론 현해탄을 넘어 버젓이 넘나드는 일본 조총련계(朝總聯系) 불순분자들이 데모를 선동하고 있다는 사실은 공공연한 비밀이다. 이런 불순세력(不純勢力)이 수많은 학생, 노동단체, 혁신계 정치집단 세력에 편승하여 시위와 데모, 정부 전복을 배후조종하고 있다.

더욱 분통 터질 일은 유 진산이나 김 영삼과 같은 신민당 국회의원조차도 나서서 이들을 옹호하고 정부의 정책에 반발하고 있음이다. 이들은 민주당 출신으로 현 정권과 같은 뿌리에서 나왔음에도 불구하고 사사건건 장면 정부를 벼랑 끝으로 내몰고 있다. 어찌 보면 4월 위기설의 진원은 바로 신민당이다. 자유당 정권 시절에는 이승만 대통령의 독재와 부정부패에 대한 '정당한' 비판이었다지만, 현 민주당 정권 하에서는 그야말로 '비판을 위한 비판'에 몰두하고 있다.

朝鮮日報

張內閣에 四月危機說

院內外서의 攻勢激化

汎國民運動展開

事務總長引責등

被疑事實을 通知

신민당은 춘궁기 대책으로 마련된 국토개발사업 관련 추가경정예산안 통과를 차일피일 미루며 막고, 혁신계와 불순분자들이 극단적으로 반대하고 있는 반공 임시 특별 법안(反共 臨時 特別 法案), 집회(集會) 및 시위(示威)에 관한 법률안(法律案)에 대해 헌법에 있는 자유권 조항을 근거로 조목조목 반대하고 있다. 신민당 내에서도 대여 투쟁 방법을 두고 노장과 소장 간에 날카로운 대립을 이루고 있다. 김 영삼 청조회 대변인(淸潮會代辯人)은 노장파의 수정 투쟁론(修正鬪爭論)에 반대하면서 청조회 안에 뜻을 같이하는 신민당 또는 민정구(民政俱) 등 소장(少壯) 민의원, 참의원들과 공동투쟁 기구를 만들어서라도 끝까지 강력 입법 반대를 위한 극한 투쟁을 벌리겠다고 선언했다.

3월 22일에는 반민주 악법 반대 대회(反民主惡法反對大會)가 대규모 시위로 발전했는데 이에 대해 정부는 경찰력을 동원하여 강력하게 대처하였다. 그러자 여야 각 파벌의 간부들이 나서서 경찰의 시위대 대량 체포를 비난하면서 진상 규명을 요청하고 나섰다. 아울러 민의원(民議院) 내무위원회는 진행 중이던 예산안 심의를 중단하고 신 내무장관을 비롯한 치안 책임자들을 불러 닥달을 했다.

장면 정부는 위기 타파를 위해 다각도로 노력을 경주했다. 하지만 신민당 등 야당과 외부의 혁신 세력은 중석사건(重石事件), 시위 방지를 위한 국가보안법(國家保安法) 개정과 데모 방지법 제정 반대, 국토개발사업과 추경예산안 심의 지연, 한미 경제원조 협정(韓美經濟援助協定)의 비준 반대, 한일협정 반대 등을 내세워 끝내는 장 면 정권 퇴진을 요구하고 나섰다.

사태가 악화되자 윤 보선 대통령은 3월 23일 밤, 청와대(靑瓦臺)로 장 면 총리, 백 낙준 참의원 의장, 곽 상훈 민의원 의장, 김 도연 신민당 위원장, 유 진산 간사장, 양 일동 원내총무, 조 한백 총무부장, 현 석호 국방장관 등을 초치(招致)하고 시국수습책(時局收拾策)을 협의하였다. 하지만 조율은 커녕 의견 대립각만 세운 채 헤어졌다.

객관적으로 볼 때 현재의 장 면 정부와 민주당 국회는 제기되고 있는 4월 위기를 제대로 극복하기 어렵다. 민주당이 국회 과반수 이상 의석을 차지하고 있음에도 불구하고 당내 파벌과 야당인 신민당의 극단적인 반발, 내각책임제 헌법이 가지고 있는 근본적인 문제로 인해 정국의 난맥상은 언제까지 지속될 지 모른다. 조선일보 3월 26일자 신문에 드디어 '장 내각 퇴진 요구'라는 제목의 기사가 크게 실렸다.

"유 진산 신민당 간사장은, 현 난국 수습책은 장 정권이 스스로 물러나고 대통령이 지명하는 새 총리 아래 거국적인 초당파 내각(超黨派內閣)을 만드는 길 밖에 없다고 말했다. 신민당은 장 정권이 스스로 물러나지 않으면 안되도록 가능한 모든 도각 공세(倒閣攻勢)를 벌리겠다고 언명했다."

윤 보선의 구파와 신민당은 대통령의 국무총리 선택권을 내세워 장 면 총리도 대통령이 임명한 것이기 때문에 물러나게도 할 수 있다는 논리를 폈다. 어정쩡한 내각책임제 헌법 때문에 대통령에게 국무총리 임면권이 있는 것처럼 비춰진 것이다.

4월 위기설은 군사 혁명을 계획하고 있는 우리들에게도 중요한 관심사다. 지난해에 이어 지속되고 있는 4·19 데모를 계기로 6관구 지휘 하에 군 병력을 서울 시내로 동원할 수 있기 때문이다. 하지만 조심스러운 것은 정부 차원에서 데모 방지를 위한 대책이 추진되고 있는 상황에서 군이 함부로 처신하기 어렵다는 점이다. 연초부터 경찰력이 총동원되어 있고, 군도 현 석호 국방부장관과 장 도영 육군참모총장을 중심으로 만일의 사태에 대비하고 있기 때문이다.

육본으로 장 총장을 방문하고 장 면 정부의 4월 위기 극복 가능성에 대해 의견을 들었다. 장 총장은 정부의 데모 대책이 광범위하게 진행되고 있어 별 문제가 없을 것으로 보고 있었다. 내가 외부에서 느끼고 있는 것과는 사뭇 다른 상황 판단을 하고 있다. 이런 상황에서 내가 군의 전면 등장 필요성을 내세워 봤지만 전혀 씨알이 먹히질 않았다. 혁명을 위해서는 장 총장과 같은 군 선두 주자들의 참여가 필요하다. 영관급 장교를 앞세운 군사혁명은 자칫 하극상으로 비춰질 수가 있기 때문이다.

2군 사령부 사무실에서 3월 마지막을 넘기고 있는데, 갑자기 박 종규 소령이 군복을 입고 나타났다.

“각하, 저 왔습니다.” 언제나 씩씩하다.

“어쩐 일이고?”

“각하를 찾아뵙고, 급히 상의드릴 일이 있습니다. 다름 아니라 육본 작전처 김 형욱 중령, 김 동환 중령 등이 제안한 일이 있어서요.”

그가 털어 놓는 얘기를 듣고 기가 막혔다. 4·19를 계기로 시위, 데모를 극대화시키기 위해 뭔가 공작(工作)을 벌려야 하겠다는 의견이다. 각 대학 학생 대표들에게 접근하여 시위를 부추겨 경찰력만으로는 통제가 불가능한 정도에 도달하게 만든다는 계획이다. 그리하여 자연스럽게 6관구 사령부 중심으로 추진하고 있는 군 병력을 동원한 시위 진압 작전을 전개하여 목표로 하는 군사혁명을 시도하자는 것이다.

“니 무슨 소리하고 있노? 미쳤나? 나라를 바로잡자고 하는 혁명인데 그런 식으로 하면 정권이나 잡자고 하는 쿠데타지 그게 어찌 혁명이 되겠나. 절대 안 된다. 혁명을 안 하면 안 했지 나는 그런 식으로는 안 한다.”

박 소령 얼굴이 벌개 졌다. 순간적으로 치밀어 오르는 분노에 내 목소리가 너무 컸나 보다.

“김 종필 중령과도 상의한 일인가?“

그는 그리 비겁하지 않다고 생각해왔다. 우리가 추진하는 군사 혁명은 6·25 때 공산군을 격퇴할 때 쓰던 방법과는 달라야 한다.

"예. 잠깐 얘기를 나눴습니다만, 별 말씀은 없으셔서 찬성하는 것으로 이해했습니다."

"잘 들으시게. 4·19에 극단적인 위기가 온다면 그를 계기로 혁명을 추진해 볼 수는 있을 것이다. 하지만 정부에서 총력을 기울여 데모 방지에 나서고 있는 만큼 잘못하면 경찰과 총격전이 벌어질 수도 있고, 육본이나 1군도 우리 의사와는 다른 방향으로 반혁명군이 될 수 있다. 더욱이 대학생이나 혁신 세력, 신민당 등 야당의 시위 대상이 우리가 될 수도 있다. 혁명은 조용한 가운데, 속전속결로 이루어져야만 한다."

젊은 혁명 동지들이 혹시라도 오판을 할까 겁이 난다. 얼마나 정성껏 준비해 가고 있는 혁명 과업인가. 박 소령에게 신신당부를 했다.

"학생들 선동은 절대 금물이다. 혁명 이후 우리가 원하는 대로 정국을 이끌어 가기 위해서는 결코 해서는 안 될 일이다. 혹시라도 이런 의도가 발각이 되면 국민적 지탄을 면치 못할 것이다. 다만 그들의 동태와 혁신계, 야당의 움직임을 꼼꼼하게 챙기는 일은 필요하다."

다소 저돌적인 박 소령은 성격이 깔끔하다.

'아니면 아니고 기면 기다.'

주머니를 뒤져 보니 지폐 몇 장이 집힌다. 그의 손에 쥐어 주며 배웅을 했다. 그의 뒷모습이 든든하다.

30 전후의 영관급, 위관급 장교들은 겁이 없다. 6·25 전쟁 중 총탄이 빗발치는 전장에서 '돌격 앞으로'를 외치면서 적진으로 뛰어들던 군인들이다. 그들이 지금 국가를 걱정하면서 꿈틀거리고 있다. 그들의 언행과 얼굴을 보면 혁명의 성공이 보인다.

미국의 고민

지난 2월 5일자 신문 스크랩을 다시 꺼내 본다. '미 외원 정책 비판(美外援政策批判)'이라는 제목으로 미국의 대외 원조 정책을 꼬집은 기사다(조선일보,1961.02.05). 미국과 소련의 대외 정책을 알기 쉽게 비교해 놓아, 눈에 확 들어왔던 내용이다.

"공산주의 신념의 확장이 위험하다.
미국은 물자(物資)에 그치지만, 소련은 물자 약속을 하고 이념(理念)을 수출한다…

오늘날 가장 커다란 「아이로니」의 하나는 미국이 자유(自由)를 맹서(盟誓)하고 물자만을 수출하는데, 소련은 물자를 약속하고 단지 신념과 이념만을 수출할 뿐이다. 소련의 책과 잡지들 그리고 그의 물자 원조까지도 확고한 선전 목적을 위한 것이다. 소련은 유물론(唯物論)에 기초하여 정책기초를 이른바 순수한 철학적 이상주의(哲學的理想主義)에 두고 있다. 오직 공산주의 사상(共産主義思想)만을 수출하고 있다.

소련은 그 사상을 여러 나라 말로 가장 하층(下層)의 사람들도 볼 수 있도록 끊임없이 책이나 「팜푸렡」 또는 영화, 기타 여러 가지로 생산(生産)하고 있다. 소련은 공산주의를 평화 애호 시위, 청소년 대회, 식량 요구 데모와 자유 요구 행진을 통해서 번식하고 있다. 그들은 이 사상을 대규모로 소매(小賣)하고 대 다수 인민을 전향(轉向)시키도록 하기 위해 일단(一團)의 남녀(선동가)를 고용한다.

공산주의에 있어서 필요한 유일의 조건은 공산주의를 신봉하고 이를 전도하는 것이다. 어쨌든 소련은 인간의 마음을 잡고자 한다. 오늘날 공산주의는 『하나 밖에 없는 진정한 합리적인 철학』으로 환혹(幻惑)되어 가고 있고, 소련과 중공은 『유일한, 진정한 발전의 매개물』로 불리 우고 있다.

정신적 단결(精神的 團結) 때문에 자본가 소유 신문 -미국을 포함한 전 자유세계의- 에 공산 지도자들은 항상 크게 취급되고 각광을 받고 있다. 공산 지도자들의 활동은 매일같이 신문의 머리를 차지하고 있고 공산주의자의 사진은 크게 취급되고 있다. 그에 비해 반동분자(反動分子), 전쟁 상인(戰爭商人), 정신박약자(精神薄弱者), 편협광(偏狹狂), 환상론자, 미국 「스파이」, 「부르죠아」 주구(走狗) 등으로 불리우는 반공주의자(反共主義者)는 별로 관심의 대상이 되지 않고 있다.

문제는 중차대하고 위기는 눈앞에 다가왔다.

- 미국은 학교를 지어 주고, 농민들의 문맹 퇴치를 하고 있다. 그런데 소련은 그들이 읽을 책과 신문을 공급하고 있다.

- 미국은 해외 유학을 위하여 학생들에게 장학금을 주고 있다. 그런데 소련은 그들 학생들이 세상을 내다 볼 수 있는 값싼 정치적 안경(政治的眼鏡)을 팔고 있다.

- 미국은 도서관을 지어준다. 소련은 거기에서 소련의 선택대로 읽도록 그것을 관리(管理)하고 있다.

- 미국은 병원을 건축하고, 훌륭한 침대와 최신식 시설을 갖추어 주고 있다. 소련은 그 병원에서 일하며 환자를 꾀이는 의사와 간호부를 훈련시키고 있다.

- 미국은 공장을 건설하고 노동자들이 먹고 살 수 있게 해준다. 소련은 노동자들이 조합(組合)을 만들도록 하고, 노동 지도자를 훈련시키고 노동자들이 무엇을 위해서 죽어야 하는가 하는 투쟁목표(鬪爭目標)를 부여하고 있다.

- 미국은 여러 가지 물건으로 「폼푸질」 하고 힘을 줌으로써 각 정권을 탐닉(耽溺)케 하고 있다. 그런데 소련은 모든 곳에서 정권을 장악할 수 있는 정예분자(精銳分子)들을 훈련시키고 있다.

이러한 상태에서 누가 승리하고 누가 살아남을 것이며 누가 하느님의 도움을 받을 것인가? 미국의 가교가(家敎家)들이여. 진보적 정치가(進步的政治家)들이여. 백만 장자 자선가(百萬長者慈善家)들이여. 그 답을 생각해보라."

미국은 고민이 많다. 신생 독립국가들을 대상으로 재정과 식량, 물자를 지원하면서 애는 쓸 만큼 쓰는 데도 불구하고 성과는 전혀 반대로 나타나고 있으니. 라오스, 캄보디아, 베트남, 인도네시아 등의 공산화, 중남미 각국의 공산화, 특히 턱밑에 있는 쿠바의 공산화는 자유 민주 진영을 이끄는 미국을 매우 당혹케 만들었다. 낫세르 이집트의 공산화는 중동을 거쳐 아프리카 전체를 공산화의 길로 들어서게 만들었다. 6·25 전쟁 때, 미군과 유엔군 수십만 명의 희생자를 내면서 지원했던 한국조차도 공산화 위험성에 노출되어 있다.

1961년 봄, 한국 사정도 만만치 않다. 누가 뭐라도 철저하게 반공 정책을 펼쳤던 이승만 정권이 학생 시위로 몰락했다. 그 대신 들어선 민주당 정권이 좀처럼 힘을 내지 못하고 있다. 날로 심해지는 공산당의 지지를 받는 좌파, 혁신계 시위 데모를 보면 가슴이 조마조마하다. 말이 통하는 윤 보선, 장 면, 장 도영 등이 있어서 수시로 만나서 의견 제시를 하고 정치 사회 동향에 대해 의견을 듣지만 정국이 호전되지를 않고 있다.

미국은 전 세계 공산화 현장을 보면서 한국의 작금 시위와 데모가 한국을 공산 국가로 만들지 않을까 노심초사하고 있다. 장 면의 '안심하라'는 견해를 따르는 것이 아슬아슬하기만 하다.

미군과 미국의 입장을 알아보고 싶어서 한 병기 중위와 함께 이 후락 장군을 만났다. 그는 육군 정보국 전투정보과 내 후임으로 부임한 뒤 줄곧 정보 분야에서 일해 왔다. 미군 정보기관과 연계된 HID에서 일하다가, 미국 육군참모대학교를 졸업한 뒤 국방부 79정보부대장으로 복무했다. 현재는 중앙정보연구위원회 정보실장으로 근무 중이다.

"중앙정보부 창설은 잘 되어 갑니까? "

"예, 예… 쉬입지 만은 않지만, 그런 대로 진행되고 있습니다."

말을 조금 더듬는 습관이 있다고 알고 있다. 전해 듣기로는 나를 주시하고 있는 미국측에 내 정보를 수시로 보고해 주고 있단다. 당연히 전쟁 전 나의 '빨갱이 전력'도, 내가 젊은 영관급 장교들과 어울려 공공연하게 혁명을 준비하고 있다는 소식도 전해주었을 것이다. 그러려니 하고 미국측 입장, 소식을 듣고 싶어서 오늘 만났다.

"여차 하면 매카나기 미국 대사나 매그루더 유엔군 사령관과 만나는 자리를 만들어 줄 수 있겠소?"

"가능합니다. 하지만 그 쪽이 박 장군님을 매우 불신하면서, 경계하고 있는 것으로 알고 있습니다. 미국측은 한국이 반공 정책을 얼마나 잘 펼쳐 나갈 것인가에 대해 걱정하고 있습니다. 미국은 혹시라도 등장할 수 있는 군사 혁명이 정국 혼란을 유발하고, 내란으로 치달아, 그것을 빌미로 북쪽의 김 일성이 오판하지나 않을까 신경을 곤두세우고 있습니다. 전 세계적으로 전개되고 있는 신생 국가의 공산화 도미노 현상에 몹시 기분이 상해 있습니다."

"저도 그렇게 생각합니다. 저는 현 장 면 정부가 4·19 혁명 이후에 전개되고 있는 정부 전복 데모를 막을 여력이 없다고 생각합니다. 자칫 정국 혼란이 촉발되어 무정부 상태로 가면 미국도 어쩔 수 없는 상황이 만들어질 수 있습니다. 혁신계나 좌파, 극단적인 야당 극렬분자들은 민족 자주를 부르짖으며 미군과 유엔군 철수를 들고 나올 것입니다. 이집트 혁명이나 쿠바 혁명, 최근 전개되고 있는 라오스 혁명을 보면 장 면 정부의 실패는 곧 공산화의 길로 들어서는 계기가 될 겁니다."

"미국 CIA 측 전문가 말에 의하면 현 한국 정세는 매우 위태위태하다고 합니다. 소련과 중공, 북조선 공산당의 교묘한 침략 전술은 '애매하게' 자유민주주의를 논하는 한국 정치를 오염시키고, 정부의 반공 정책을 근본적으로 흔들고 있답니다. 그들의 눈에는 보이는 거죠. 한국의 심각한 상황이…"

"저도 육본에 있을 때 미군 참모장이나 고문관들과 자주 만난 적이 있습니다. 최근 상황이 궁금해서 이 장군을 만나자고 한 겁니다. 우리 민족, 한국의 발전을 위한다는 입장에서 저를 좀 도와 주십시요. 종종 전화드리고 조언을 구하겠습니다."

사실 미국과 미군측의 입장에 대해서는 장 도영 총장을 통해서도 전해듣고 있는 중이다. 미 대사관측에서 국무성으로 보고한 내용으로는 현 장 면 정부에 대한 믿음이 흔들리고 있다고 한다. 미국측 정보부의 소식을 듣고 싶어, 또 이 장군의 정보 경력을 어떻게 활용할 것인가 하는 고민과 함께 오늘 만남을 가졌다.

5월 혁명에서 특히 고민해야 할 것이 미군의 동향이다. 공식적으로 미국측은 장 면 총리와 장 도영 장군과 긴밀하게 연락하면서 우리의 동태에 관심을 가지고 있을 것이다. 장 면 정부의 반공 역량이 한계를 보이고, 그래서 우리가 '반공'을 확실하게 보장한다면 미국측도 우리의 군사 혁명에 찬성 내지는 불반대 입장을 보이지는 않을까? 6·25 전쟁에서 피를 흘리며 지켜낸 한국, 5만여 명의 미군이 주둔하고 있는 현실에서 '미군 철수' '미국 반대' 목소리가 나온다면 그들은 어떻게 반응할까?

미국은 독립 이전부터 유럽 제국의 정치로부터 거리를 두는 정책을 취해왔다. 먼로주의(Monroe Doctrine) 고립정책은 세계 대전 기간에도 여전히 위력을 발휘했고, 전쟁 직후 트루먼 대통령의 한국 방위선 제외나 아이젠하워 대통령의 미군 철수 공약과 같은 형태로도 나타났다. '자국 이익을 위한 전쟁'이 아닌, 자국민을 희생해서 타국을 구제하는 정책은 국내 지지를 받기 어렵다. 현재 한국에 주둔하고 있는 미군은 한국이 스스로 자주 국방의 역량을 갖추게 되면 언제라도 철수할 지도 모른다. 그 얘기는 한국군이 미국이 원하는 반공 정책을 충실히 수행한다면, 어느 정도는 한국의 군사 혁명을 용인하지 않을까 싶다.

달리 생각해 보면 미국측이 '내가 기획하는 군사 혁명에 대해 어떻게 생각할까?'에 대한 것보다도, '나는 미국을 어떻게 보고 있는가?'가 중요할지도 모른다. 혁명 거사와 그 이후의 국가발전에 미국을 어떻게 대우할 것인가의 문제일 수 있다.

한국 역사에서 미국은 그야말로 애증(愛憎)의 관계를 유지해 오고 있다. 1866년 평양 군민(軍民)과 미국 상선(商船) 제너럴 셔먼(General Sherman)호 사이의 전투와 1871년의 신미양요(辛未洋擾)는 미쳐 국제 무대 등장의 준비가 되어 있지 못했던 조선과 미국의 불필요한 충돌이었다.

그 이후 일제의 침략 과정에서 의지하고 싶었던 미국은 1905년, 태프트-카스라 밀약(Taft-Katsura agreement)을 통해 매정하게 우리 곁을 떠났다. 미국이 떠나자 조선은 속절없이 일제에 먹히고 식민지가 되었다.

35년의 식민지 통치는 한민족의 독립 의지를 거의 소멸시키고 있었는데 생각지도 않게 일제가 미국에 패망하면서 갑작스럽게 한국 독립이 이루어졌다. 우리만의 능력으로는 독립국가 건설이 불가능했던 상황에서 미국은 구세주처럼 한국에 진주하였다. 그 이후 3년간의 미군정을 통해 자유민주주의 대한민국을 건국할 수 있게 만들어 준 것도 미국이다. 더 없이 고마운 미국이었다.

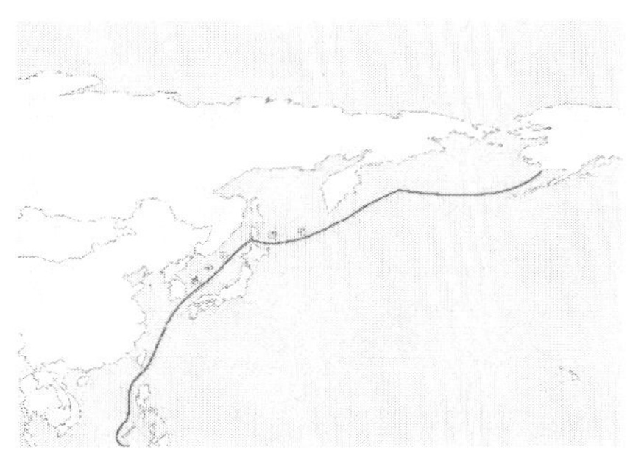

애치슨 라인 (출처:위키백과)

그렇게 고마웠던 미국은 1950년 1월 12일, 애치슨 라인 선언(Acheson line declaration)을 통해 우리 한국을 공산 침략에 무방비로 방치하는 매정함을 보였다. 그 직후에 소련과 중공의 지원을 받은 김 일성이 남침을 하여 대한민국을 벼랑 끝으로 내몰았다. 결과는 어찌 됐던가? 전국이 초토화되고 국가 발전이 수 백 년 뒤로 후퇴했다. 우리를 버렸던 미국은 다시 대군을 보내 공산군을 막아내는데 큰 기여를 했다. 그리고 그 이후 지금까지 한국의 발전을 위해 노심초사하고 있다.

지난 과거의 역사가 증명하듯 미국이 없는 한국은 소련, 중공, 일본의 틈새에 끼어 있는 약소국에 불과하다. 언제 우리가 강대국이 되어 주변국을 호령한 적이 있던가? '중립국 논의'로 이런 강대국 틈새에서 겨우 목숨부지를 하고 싶어 하지만 어림도 없었다. 미국이 우리 곁을 떠나면 한국은 존재하기 어려웠다.

우리는 미국을 끼고 국가 발전의 동반자로 삼아야 한다. 군사 혁명은 철저하게 미국 친화적이어야 한다. 미군 철수나 미국 반대를 외치는 '어설픈 독립운동가'는 청나라로부터 조선을 독립시킨다는 이등박문과 다르지 않다. 미국을 외면하고 '중립국'을 표방하고자 하는 좌파들은 공산당 앞잡이에 불과하다. 이 승만 정부와 장 면 정부의 빈곤 타파, 경제 개발 정책이 불가능했던 것은 미국의 지원을 효과적으로 활용하지 못했기 때문이다. 국방력 강화도, 경제 발전도, 자유 민주주의 발전도 오로지 미국과 함께 해야만 가능한 일이다.

누구는 '미국도 자기 이익만을 위해 우리 한국을 이용하는 게 아니냐?'고 반문한다. 맞는 말이다. 미국은 철저히 실용주의를 택하고 미국 이익을 최우선으로 한다. 중요한 것은 우리 한국이 자유 의지를 가지고 미국과 협력하면서 한국의 이익을 최대로 창출해내면 된다는 점이다. 능력 있는 한국인은 충분히 그럴 수 있다. 각자가 최선으로 자기 이익을 추구하면서, 자국의 발전을 이루면 된다.

내가 추진하고자 하는 군사 혁명 정부는 매우 실용적으로, 한국민의 이익을 위해, 미국을 철저하게 이용할 것이다. 한국이 경제적으로 발전하고, 튼튼한 국방력을 갖춰 공산권에 대항하는 것이 미국이 바라는 최선의 자국 이익에 해당한다. 군사 정부는 충분히 해낼 능력을 갖추고 있다.

문제는 미국, 미군에게 나의 이런 진심을 어떻게 보여줄 수 있을 것인가 여부다. 우리의 혁명 거사가 그들의 이익에 부합한다는 것을 확인시켜 줄 수 있어야 한다.

매카나기 미국 대사나 매그루더 사령관을 만나 진정으로 담판을 짓고 싶다. 우리를, 혁명 전선에 나서야만 하는 우리 동지들을 믿어 달라고 호소해 보고 싶다. 우리가 미국의 고민을 해결하고, 미국이 한국민에게 원하는 경제 발전, 자유 민주 국가 건설을 반드시 관철하겠다고.

갑자기 '영어 공부 좀 열심히 할 것'이란 생각이 든다. 작전이나 정보, 쿠데타 공부에 치중하다 보니 영어 테이프 한번 제대로 틀어보지 못한 채 세월을 보내고 있다. 윤 보선이나 장 면처럼 영어를 잘한다면 내 능력으로 미국과 미군을 내편으로 만들 수 있었을 것 같다. 농부의 아들인 나에 비해, 양반인 아버지를 둔 그들은 확실히 나보다 영어를 잘 한다. 그것을 수단으로 그들은 미국과 매우 친하게 지내고 있다.

아쉽지만, 혁명의 시간은 급박하게 흘러가고 있다.

혁명 공약

김 종필, 이 석제 중령과 함께 혁명의 대의명분을 토대로 혁명 공약을 완성하기로 했다. 이번에도 목요일 저녁에 우리 집에서 만났다.

이 석제 중령이 초안을 잡아 온 공약 내용을 토대로 구체적으로 검토를 시작했다.

"공약은 선언적으로, 읽기 쉽게 강렬한 어투로 만들어야 해요. 신문 기사 제목 뽑듯이. 너무 장황해서도 안 되고, 그렇다고 너무 축조식으로만 되어서도 곤란하지."

"맞습니다. 너무 논리적이기보다는 다소 감성적으로 표현하고 구성할 필요가 있습니다. 거사 목표를 토대로 선언적으로 만들어야 합니다. 그래서 짤막하게 7개 조항으로 정리해 보았습니다."

"항목 수는 그렇다 치더라도 문장이 너무 길고, 항목 간에 중첩된 것도 보이네. 예를 들어 3항 같은 경우 부정부패 척결에 대한 것인데 4항의 구악 철폐 조항과 중첩되는 느낌이 들고, 조금 중언부언하는 것 같아."

초안에는, '제3항, 정부와 공공분야에 만연해 있는 부정과 부패를 척결하여 정의로운 정치와 행정을 도모하고, 이를 기반으로 영예로운 국가의 장기적 발전을 추구한다.' '제4항, 사색당파의 정쟁과 상호 불신의 구악을 일소하여 국민 도의와 민족 정기를 바로 잡고 선진화한 자유민주 국가의 국민으로 정진해 갈 수 있도록 총력을 경주한다.' 로 되어 있다.

"3항과 4항은 하나로 합치는 것이 좋아 보입니다. 그러면 항목 수도 하나 줄어들겠죠?"

"그렇게 하겠습니다. '모든 부정 부패와 구악을 일소하고, 퇴폐한 국민도의와 민족정기를 바로잡는다'로 하면 어떨 지요?'

'좋아요. 내가 혁명을 하려는 핵심 동기 중 하나가 우리 민족이 지니고 있는 무기력증과 패배 의식, 주변 강국에 대해 느끼고 있는 약소국 국민의 절망감을 극복하고자 하는 겁니다. 조선 시대 이후 일제 침략 하의 노예 시대를 보내면서 우리 민족은 그야말로 희망이 없는 민족이 되어 버렸어. 도무지 우리 스스로는 아무 것도 할 수 없겠다는 절망감, 너무나 답답해. 우리가 군사 혁명을 통해 이를 극복치 못하면 우리 한민족은 영원히 희망이 없어요."

"맞습니다, 공감합니다. 우리 군대는 6·25 당시 공산군과 싸워 이긴 역사를 가지고 있습니다. '돌격 앞으로!'를 외치면서 목숨을 바쳐 치고 올라서 고지를 점령해 승리했어요. 우리 군인들은 '이겨 본 경험'이 있어요. 중공, 미군, 일본 누구라도 부닥쳐 이겨 낼 자신감이 있습니다. 그런 의지를 혁명 공약에 담아야 합니다."

김 중령이 맞장구를 친다.

"빈곤 타파, 경제 발전에 대한 조항도 중요합니다. 이것을 제1항으로 하면 어떨지요?"

"좋은 생각이요. 우리의 혁명에 대해 국민들의 지지를 얻으려면 가난 극복, 빈곤 타파, 경제 발전이라는 모토가 필요하지. 상징적으로 모두(冒頭)에 두는 것도 좋겠네."

"제 생각은 조금 다릅니다. 전체 국민을 대상으로 우리의 혁명에 대한 지지를 이끌어 낸다는 생각에는 공감합니다. 하지만 일반 국민들 대부분은 자유나 민주, 이 승만 정권이나 장 면 정권, 우리의 군사 혁명에 대해 별로 관심이 없습니다. 신문이나 방송을 접하는 국민도 얼마 되지 않습니다. 우리의 혁명 목표가 빈곤 타파, 경제 발전인 것은 분명합니다만 일반 국민들에게 주는 메시지는 그리 강렬하지 않을 수 있습니다."

"말씀을 듣고 보니 그런 것 같습니다. 오히려 데모 척결이나 깡패 소탕이 더 솔깃할 것입니다."

우리가 하려는 군사 혁명의 원대한 목표를 일일이 국민들을 대상으로 설명하는 데는 한계가 있다. 절대 다수의 농민들은 다가오는 춘궁기에 하루를 넘길 고민에 빠져 있다. 길거리에 넘쳐 나는 거지, 실업자들은 하루하루 목숨부지도 어려운 실정이다. 그들에게는 거대한 혁명 공약보다는 칡뿌리 한 토막, 감자 하나, 고구마 하나 입에 넣어 주는 것이 도움이 된다.

그들에게 절실한 공약, 그들이 손쉽게 우리에게 공감하여 환호를 보낼 목표 설정이 쉽지 않다. 그렇다면 일단 이들은 논외로 할 것인가?

현재로서는 신문이나 방송을 접할 수 있는 소수 식자(識者) 계층, 정치와 행정을 직접 담당하고 있거나 그 주변에서 연관을 맺고 있는 사람들, 우리의 군사 혁명을 '마음속으로는 지지하면서도, 또는 할 테면 한 번 해봐라' 하면서 방조하는 불 반대(不反對) 세력에게 어필할 수 있는 공약을 개발하는 것이 급선무일 수 있다.

"현존하는 민주당, 장면 정부를 전복시키는 혁명인 만큼 이에 대한 선언적 공약이 가장 필요할 거요. 그들이 생각하기엔 정치와 행정 자체가 이런 것인데, 전쟁이나 할 줄 아는 군인이 왜 나서냐 할 게야. 군인이 나서면 오히려 나라가 더 엉망이 될 것이다는 주장도 있어."

"맞아요. 많은 사람이 정치 분열과 혼란이 얼마나 국가 발전에 저해가 되는 지 잘 모릅니다. 옛날 양반들이 사색당파로 나뉘어 싸움질하면서 임진왜란과 병자호란을 당해 나라가 망했던 것을 벌써 까맣게 잊어버렸습니다. 사색당쟁, 정치 싸움이 '민주주의'로 변질되어 있어요."

"정치 안정, 행정 효율화라는 내용이 바로 6항입니다."

정치 안정과 행정 효율화를 혁명 공약에 어떻게 넣을까 고민스럽다. 정치인들은 헌법 속에 표현되어 있는 사고와 행동의 자유, 언론 출판의 자유, 집회 결사의 자유를 내세우면서 '아무런 말'이나 내뱉으면서도 '자유'라고 강변하는 존재다. 그들이 진정으로 국가 발전을 생각하고, 정부 정책의 효율화를 원한다면 사실은 '말하는 자유보다도, 무엇이 국가 발전을 위해 도움이 되는 가를 고려해서 말을 안하고 아끼려는' 책임 의식이 더욱 중요하다. '못난이 정치꾼'은 자신의 잘못된 말 한마디가 얼마나 국민을 괴롭게 하고 정부 정책에 해로운지를 알 지 못한다.

혁명의 가장 우선적인 제일 목표는 사실 '못난이 정치꾼에게 재갈 물리기'다. 현재 한국, 장 면 정부에서 가장 필요한 일은 국회를 없애는 일이다. 우리가 군사 혁명을 통해 국회만 없애 줘도 장 면 정부는 행정 관료와 전문가들을 활용하여 국가 발전을 체계적으로 해 낼 수 있을 것이다. 아니 그렇게 믿고 싶다. 그런데 장 면 정부 발목을 잡는 것은 다름 아닌 야당 신민당과 민주당 내 비판 세력, 그리고 이들의 뒷편에 함께 하고 있는 재야의 불순 세력, 공산당, 좌파들이다.

정치 안정, 국회 해산을 혁명 공약에 넣을 수는 없다. 혁명위원회가 구성되면 제1순위 작업이 국회 해산과 정치인 연금이 될 것이지만.

"각하, 혁명을 하자면 가장 큰 고려 대상이 미군입니다. 유엔군 총 지휘권을 가지고 있는 미군사령관은 한국군 지휘권도 소유하고 있어요. 우리가 아무리 사단이나 대대 단위로 움직인다고 해도 육본을 넘어 미군의 눈치를 봐야만 합니다."

"중요한 얘기입니다. 미군을 설득하려면 우리 혁명이 공산 혁명이 아니라 반공 혁명(反共革命)이라는 사실을 확실하게 해야 할 거요. 미국, 미군은 전 세계에서 일어나고 있는 공산화 도미노 현상에 대해 극도로 경계하고 있지. 4·19 이후의 한국도 공산화 과정에 있다고 보고 있는 것 같아."

"2항에 있는 반공 항목을 1항으로 올려야겠습니다. 거사일 당일, 가장 먼저 우리 혁명군과 대치할 것이 바로 미군, 미국일 테니까요. 미국 쪽에서 어떻게 반응 하느냐에 따라 반혁명군이 등장할 수 있어요. 우리는 절대 친공산화 혁명군이 아니다, 우리는 반드시 김 일성과 중공, 소련을 적으로 삼는 반공 혁명군이다. 이것을 확신시켜 준다면 어쨌든 미군 쪽에서는 긴장감을 늦출 겁니다. 그들은 사실 장 면 민주당 정부를 의심하고 있습니다. 반공 불순분자가 이렇게 설쳐 대는 데도 불구하고 아무런 대응 조치를 해내지 못하고 있어 불안해하는 중입니다. 이 승만 대통령이 지나치게 민족주의를 주장하니까, 이집트나 파키스탄, 파나마 등 중남미 국가처럼 되지 않을까 걱정을 했었어요. 그래서 은근히 민주당 정부를 기대해 봤는데, 이건 자유당 정권과는 달리 더욱 민족주의를 내세우려 하고, 친공적인 느낌이 들게 하고 있어요."

"그러면 반공 항목을 모두로 올리고, 미국이나 유엔에 친화적인 혁명이라는 내용을 추가하지요."

"알겠습니다."

"민주당이나 민족주의자들이 주장하는 통일에 대한 표현도 필요해요. 고향을 두고 남하한 많은 피난민들의 염원을 담을 필요가 있습니다. 아하, 여기 5항의 내용이 그것이네... 최근에 우리나라와 같은 '민주 정치가 없는' 김 일성 북조선은 안정적으로 국가 발전을 시도해 가고 있다고 해요. 그래서 우리가 선택한 자유민주주의 체제가 그들보다도 우월하다는 것을 보여주기 위한 혁명인 만큼, 이런 의지를 담는 것도 필요해요."

김 종필 중령의 생각과 나의 생각이 매우 흡사하다. 대한민국의 갈 길이 자유민주주의인 만큼 우리는 이 헌법 체제를 견지하면서 공산주의와의 체제 경쟁에서 이겨야만 한다. 현재 문제가 심각한 내각책임제, 양원제 국회를 바꾸는 작업이 꼭 필요하다. 다수 국민이 남북통일을 그토록 원한다면 통일 이후에 있을 수 있는 체제 경쟁, 우리 남한이 주도권을 갖는 정치 행정 체제 확립이 절대적이다.

최종적으로 혁명 공약 초안을 다음과 같이 정리하였다. (혁명 공약 초안)

첫째, 반공(反共)을 국시(國是)의 제 일의(第一義)로 삼고 지금까지 형식적이고 구호에만 그친 반공태세를 재정비 강화한다.

둘째, (유엔) 헌장을 준수하고 국제협약을 충실히 이행할 것이며 미국을 위시한 자유 우방과의 유대를 더욱 공고히 한다.

셋째, 이 나라 사회의 모든 부패와 구악(舊惡)을 일소(一掃)하고 퇴폐한 국민 도의와 민족 정기를 바로잡기 위해 청신(淸新)한 기풍을 진작시킨다.

넷째, 절망과 기아 선 상에서 허덕이는 민생고를 시급히 해결하고 국가 자주경제 재건에 총력을 경주한다.

다섯째, 민족의 숙원인 국토통일을 위해 공산주의와 대결할 수 있는 실력 배양에 전력을 집중한다.

공약 도입부 내용은 김 종필 중령에게 알아서 적으라고 일임했다. 혁명 거사일 저녁에 인쇄하여 거사 당일 날 신문과 방송으로 송출하고, 호외로 만들어서 비행기를 이용하여 서울과 전국 대도시에 뿌리기로 하였다.

어려운 작업을 마무리했다는 생각을 하면서, 부인 영수가 끓여다 주는 국화차 향기를 맡는다. 가슴 뿌듯함과 함께 혁명 당일 상황이 머리에 그려진다.

두 사람을 배웅하고 다시 방으로 들어왔다. 문득, 개운치 않게 머리속에 자리하고 있는 주제가 하나 떠올랐다. 장 도영 총장이나 김 동하 장군, 일부 군 동원 부대장들이 가볍게 말했던, 그러나 매우 진지한 주제인 '혁명 상태를 얼마나 지속할 것인가?' '혁명 목적이 달성되면 우리는 군으로 복귀해야 하는 것이 아닌가?' 하는 것.

총장이나 장 면 정부, 불반대 입장인 많은 수의 군 장성과 영관급, 위관급 장교들이 의문을 품고 있는 주제다. 정치를 개혁하고, 올바른 정부를 세운 뒤, 혁명군은 국토 방위의 본연의 임무 수행을 위해 군으로 복귀하는 문제.

혁명 후 군 복귀 문제는 우리가 원하는 목표를 얼마나 빠른 시일 내에 달성할 수 있느냐와 관련되어 있다. 또 목표 달성이 단 시일내에 이루어질 수 없다면 우리가 원하는 최선의 정부를 구성하여 그들에게 국가 발전의 대임을 믿고 맡길 수 있어도 될 것이다.

하지만 지난 자유당 정권, 현존의 민주당 정권, 그리고 국회와 정당 위상을 보면 어렵게만 보여 진다. 아니 거의 불가능하다. 자유민주주의 여건이 근본적으로 조성되어 있지 않은 상태에서 혁명군의 군대 복귀는 심각한 문제를 유발할 수 있다. 국민의 의식을 온전하게 개조하고, 가난 극복과 지속적인 경제 발전이 보장되지 않는 상황에서 혁명군이 자리를 내주는 것은 너무나 어리석은 일이다.

작금의 정치 상황을 보면 혁명 세력 모두가 한 순간에 '단두대'로 사라질 것이다. 말 많은 정치꾼들이 우리 혁명군의 '참 뜻'을 선의로 받아들여 존중할 리가 없다. 표리부동(表裏不同)하고, 생각을 조변석개(朝變夕改)로 뒤집는 정치인을 믿어서는 안 된다.

우리의 혁명은 국가의 경제 발전이 확실히 이루어지고, 국민 의식이 충분히 선진적으로 성숙되는 시점까지는 지속되어야만 한다. 5년? 10년? 아니 한 세대 30년은 지속되어야 할지도 모른다.

지금 전 세계 신생국에서 발생한 군사 혁명들을 보면 극히 일부를 제외하면 민정 이양을 한 경우가 없다. 모두 군부가 직접 정권을 장악하고 통치를 이어갔다. 하지만 나의 지론은 군은 국방을 책임지고 정치는 정치인들에게, 행정은 공무원 관료들에게 맡겨야 한다는 것이다. 그래서 혁명과 동시에 정치를 정화하고 체제를 정비한 뒤에는 민간 정부를 새롭게 출발시키고 군대는 군으로 복귀하는 것으로 원칙을 세웠다.

그래야만 어렵게 출범한 자유 민주주의 국가가 지속성을 이어갈 수 있다. 군부 통치는 국가 건설기의 혼란을 극복하는 데는 안성마춤이라고 본다. 또 강력한 지도력을 발휘하여 경제 발전을 꾀하는 데도 효율적일 것으로 생각한다. 이래야만 군사 혁명의 대의 명분이 서고 온 국민의 지지를 받을 수 있다. 혁명에 대해 주저하고 있는 장교들을 모두 끌어들일 수 있다.

이리 저리, 골치가 아파온다.

'에이 모르겠다. 일단 자고, 내일 다시 생각하자.'

시나리오는 없다, 정면 돌파다!

진해 벚꽃이 만발하고, 봄 날씨가 화창한 4월 둘째 주 수요일. 2군 산하의 사령관들을 대구로 소집하였다. 4 · 19 시위 대책이란 명목으로 회의를 소집하였지만 대부분 나와 혁명에 동참하기로 약속한 장군들이다. 수도권에 근무하는 몇몇 혁명 동지 장군들도 가능하면 참석해도 좋다고 귀뜸을 했다.

2군 사령부 참모장 이 주일 장군이 공식적, 비공식적으로 회의를 주도하였다. 마침 2군 사령관인 최 경록 중장이 미국 순방 중이라서 이 참에 겸사겸사 혁명 논의를 하기로 한 것이다.

각 지역 사령관과 함께 몇몇 참모들이 차를 타고 속속 등장했다. 제법 넓은 회의실이 꽉 찼다. 참석자 면면을 보면 논산 제2훈련소장 최 홍희 소장, 제2훈련소 참모장 한 관흥 대령, 영천 정보학교장 한 웅진 소장, 광주 항공학교장 이 원엽 대령, 안동 36사단장 윤 태일 준장, 청주 37사단장 김 진위 준장, 부산군수기지사령관 김 용순 준장, 광주 31사단장 최 주종 준장, 국방대학원 송 찬호 준장, 진해 육군대학 정 문순 중령, 윤 필용 중령, 한신 준장, 육본 작전 차장 유 양수 준장, 2군사령부 공병참모 박 기석 대령 등이다. 김 동하 장군도 기차를 타고 대구까지 달려 왔다.

“먼 길 오시느라고 수고 많으셨습니다. 이렇게 많이 참석해 주셔서 감사합니다. 이번에는 2군 내 군 통솔 책임자들과 함께 4월 이후 전개될 수도 있는 극심한 시위와 데모에 대한 대처 방안을 논의하기 위한 자리입니다. 수도권의 몇몇 지휘관들께서도 참석하셨습니다.”

이 주일 장군이 사회를 봤다.

“사령관께서 미국 출장 중이시라서 오늘은 부사령관께서 회의를 주관하시겠습니다.”

“반갑습니다. 최근 혼란스러운 정치 사회 상황 속에서도 굳건하게 군을 잘 이끌어 주셔서 감사합니다. 3월부터 시작된 위기 상황이 여전히 지속되고 있는 것 같습니다. 정부는 4월 위기설에 바짝 긴장을 하고 있습니다. 우리 군은 한 치의 흔들림도 없이 국토 방위와 치안에 책임을 다해야 할 겁니다. 오늘 회의는 그동안 진행되어 온 위기 대처 상황을 점검하고 4월 이후의 작전 계획에 대해서 논의하기 위함 입니다. 기탄없이 말씀해 주시기 바랍니다."

"지난 해 3월부터 시작된 데모가 여전히 기승을 부리고 있습니다. 아시다시피 국방부에서는 지난 3월 초에 6관구 사령부 소속 군인들을 중심으로 시위 진압 동원 훈련을 실시한 적이 있습니다. 다가오는 4·19를 계기로 야당과 혁신 세력, 대학생들을 중심으로 대규모 시위가 발생할 것으로 예상하고 있습니다. 우리 2군에서도 이에 대해 철저히 대비하고 있어야 합니다."

"만성적인 시위, 데모가 참 걱정입니다. 경찰에서 잘 해낸다면 특별히 우리 군이 나서지 않아도 되겠지요. 그런데 지금 상황을 보면 걱정이 많습니다. 지난 해 경찰 발포 사건도 있고..."

일단 정부 차원에서도 위기로 보고 있어서, 충분히 대비하고 있으리라 생각합니다. 경찰력으로 감당이 안 되면 우리 군을 요청하겠지요. 그때까지 지켜보는 수밖에..."

"이 참에 우리 군이 전면에 나서는 것이 어떻겠습니까?"

혁명에 적극적인 한 신 장군이다.

"그 얘기는 잠시 접어두십시다. 지금은 정부의 4월 위기 대처 방안에 대해서만 논의하구요."

2군 산하 예비 사단의 경우에는 관할 지역 치안 유지에 주의를 기울여야만 한다는 사실을 모두가 인지하고 있다. 지난 해 4월, 전국적인 계엄 선포 직후에 각각 지역 계엄사령관으로 활동한 전력이 있다. 회의는 평상시대로 순조롭게 진행되었다. 두 시간 여 회의를 마치고 장교 식당에서 점심 식사를 했다. 자연스럽게 오늘 일정을 파하고, 혁명 동지들을 회의실로 다시 모이게 한 뒤 본격적으로 혁명에 대한 논의를 시작했다.

"개별적으로 말씀드린 바와 같이 거사일은 4·19 전후가 아닌 5월 초순입니다. 정부측에서 3월, 4월 위기를 극복했다고 생각하여 다소 느슨해질 시점이라서 우리에게 유리합니다. 거사일이 확정되면 곧바로 카운트 다운에 들어갑니다.

병력 출동은 해병대와 공수단, 6군단 포병단을 선봉으로 하고 6관구 사령부 소속의 2개 사단의 대대 병력이 출동합니다. 전방의 5사단, 12사단은 혹시라도 있을 수 있는 반혁명군 출동에 대비합니다."

김 동하 장군이다.

"D-데이를 시점으로 만발의 준비를 갖춰 주시고, 거사일 오전 5시 첫 방송에 혁명 소식이 전하는 것을 계기로 2군 산하 후방 사단이 계엄 상태로 돌입합니다."

"잘 알겠습니다. 그런데, 만일에 아침 5시에 혁명 소식이 들리지 않는다면 어찌 합니까?"

최 홍희 장군이 조심스럽게 마이크를 잡는다. 충분히 예상 가능한 얘기다. 우리가 '작전 계획에만 몰입하다 보면 자칫 예기치 않은 상황의 발생에 대해 당황할 수 있다. 갑자기 실내가 조용해진다. 말로만 진행되던 혁명이 이제는 가시권에 들어가고 있음을 직감한 것이다.

"걱정 안하셔도 됩니다. 치밀하게 준비해서 한 치 오차도 없게 추진할 겁니다. 육본의 영관급 장교들이 거의 매일같이 모여서 작전 토의를 하고 있습니다."

송 찬호 장군이 일동을 안심시키는 발언. 혁명이 애초의 작전 계획대로 순조롭게 진행되어야 하지만, 혹시라도 발생할 수 있는 돌발 변수를 고민해 볼 필요가 있다.

“무슨 말씀인지 알겠습니다. 아무리 치밀하게 준비한다고 하더라도 예상치 못한 사건이 생겨날 수 있습니다. 그래서 몇 가지 시나리오를 생각해 보는 중입니다. 한 웅진 장군께서 저와 얘기 나눴던 몇 가지 최악의 시나리오를 말씀해 주시겠습니까?”

“예, 제가 말씀드리겠습니다. 첫째는, 모든 혁명 계획이 수포로 돌아가고 혁명 주체 세력이 모두 방첩대나 경찰에 체포 당하는 경우입니다(시나리오 1). 이 최악의 시나리오가 전개될 경우에는 현재 이 곳에 모이신 지역 사령관들께서는 모두 혁명 참여를 부인하는 '오리발 작전'을 전개합니다. 2군 사령부 내에서는 전혀 혁명 참여 논의가 없는 것으로 합니다. 오늘 오전에 모였던 회의는 철저히 국방부 방침에 따른 공식적인 시위 방지 대책이 되는 겁니다. 이전에도, 이후에도 2군 산하 지역 사령관들이 함께 모인 비공식적 회의는 없습니다.

둘째 시나리오는 혁명군이 장면 총리 체포에 실패하고, 장 면에 의해 전방의 전투 사단이 서울로 진입하여 혁명군과 대치하는 상황입니다(시나리오 2). 이럴 경우 다시 두 가지 경우의 수가 예상됩니다. 실질적인 군 지휘체계 상 장 도영 총장이 적극적으로 정부측 입장이 되어 전투 사단을 동원하여 반혁명군이 되는 경우가 하나이고(시나리오 2-1), 다른 하나는 장 총장이 중간자적 입장에서 장 면 총리를 설득하여 내란으로 발전하는 것을 막는 경우(시나리오 2-2) 입니다.

한 장군의 목소리가 잠기며 심각해하는 느낌이 들기에 내가 거들고 나섰다.

“장 면 총리 체포 실패의 경우에는 대안으로 윤 보선 대통령을 체포하여 우리 편으로 만드는 방법이 있습니다. 현재 민주당 구파와 신파, 즉 야당인 신민당과 여당인 민주당, 대통령과 국무총리가 편을 나누어 대판 싸움을 하고 있는 중입니다. 4월 위기설도 알고 보면 야당인 신민당 측에서 장 면 정부를 전복시키고자 하는 데서 유래한 겁니다. 장 면 총리가 반혁명군을 동원해 정면으로 맞서 온다면 우리는 윤 보선 대통령을 앞세워 공식적인 혁명을 추진하면 됩니다.”

순간 웅성거리는 소리가 들렸다. 고개를 끄덕이며 공감을 표현한다.

“(시나리오 2-1)의 경우를 대비하여 전투사단인 5사단과 12사단 병력을 출동시켜 반격에 나설 예정입니다. 물론 사전에 통신망을 차단하여, 육군본부와 제1군 사령부의 지휘체계를 무너뜨릴 예정입니다. 그리고 육본의 혁명 동지들이 '반혁명' 태도를 보이고 있는 사단장과 군단장에 대해서는 참모진을 동원하여 포획 또는 감금하는 작전도 구상 중에 있습니다. 4월 말쯤에는 성향 파악을 끝내고 모든 군단과 사단을 무력화시킬 계획을 완성할 것입니다.”

한 장군에 이어 유 양수 장군이 거든다.

“장 도영 총장은 지금 극심한 딜레마에 빠져 있습니다. 사실 장 도영 총장은 우리가 총장으로 옹립하였고, 기회 있을 때마다 정보를 주고받고 있는 중입니다. 시국에 대한 정부측 움직임은 물론 미군 동향, 혁명에 대한 본인의 견해에 대해 편하게 얘기 나누고 있습니다. 하지만 그가 공식적으로 우리의 혁명을 지지하고 나서지는 못하지요. 그의 위치 때문에. 그래서 적당히 우리의 혁명 의도를 흘리면서, 결정적인 순간에 '우리의 적이 되지 않도록' 단도리 하고 있습니다. (시나리오 2-2)가 바로 이것입니다.

셋째 시나리오는 3.15, 4.19 시위와 데모를 주동하는 불순세력과 합세하여 야당인 신민당, 재야 혁신 세력들이 지난 해 3월 이승만 정권에 도전했던 것처럼 혁명군에 반발해 오는 겁니다(시나리오 3).”

한 웅진 장군의 설명에, 곧바로 박 기석, 김 동하, 김 진위 장군이 이의를 제기한다.

“그것은 걱정할 게 없습니다. 새벽에 급습하여 장 면과 윤보선을 체포하고, 국회를 해산한 뒤 곧바로 군사 계엄을 선포하면 됩니다. 불순분자의 데모는 대부분 만만한 정부, '어줍잖은 양반네'를 대상으로 나타납니다. 대포와 총, 탱크를 동원하는 군대에 대해서는 오합지졸(烏合之卒)에 불과합니다. 박 장군님께서 지난번에 말씀하신 대로 강태공의 전략을 쓰는 겁니다. '승리의 비결은 적의 기미를 잘 살피다가, 유리한 순간에, 적이 예기치 못하게 급습하는' 전략이지요."

이쯤에서, 장내에 있던 대부분의 장군들이 와글와글 들고 일어섰다.

"아하, 뭘 썩어 빠진 시나리옵니까? 그냥 밀어버립시다. 정면 돌파해서, '아니면 말고'지요. 실패하면 모두 한강물에 빠져 죽읍시다."

"동감입니다. 시나리오를 곰곰이 생각하면 할수록 혁명 의지가 약해질 겁니다. 혁명군 사령관들에게 시나리오를 말하면 말할수록 동력이 떨어지고 전투력만 약해질 뿐입니다. 병사들이 제대로 말을 듣겠어요?"

"맞습니다. 정면 돌파가 정답입니다. 그리고 말입니다. (시나리오 1)에서 우리 지역 사령관들을 어떻게 보고 '오리발을 내밀라'고 하십니까? 이건 우리를 너무 무시하는 처사입니다."

김 진위 사령관이 열변을 토한다. 최 홍희, 윤 태일, 최 주종, 정 문순, 김 용순, 송 찬호, 한 관흥 등이 모두 언성을 높인다.

"이번 혁명을 같이 하기로 한 이상, 우리만 예외로 빠진다는 것이 말이 됩니까? 혹시 우리 예비 사단장들을 적당히 이용만 하고 혁명 주체로 인정하지 않으려는 포석입니까?"

갑자기 언성이 높아지고 얼굴 표정이 변하는 이들이 있다. 그러고 보니 정말 그렇게 느껴질 수 있겠다 싶다. 회의 분위기를 정리할 필요를 느낀다.

"자, 자, 진정들 하십시다. 한 번 동지는 영원한 동지입니다. 절대 그런 의도가 없습니다. (시나리오 1)은 극단적인 예외 상황일 뿐입니다. 여러분들도 아시지 않습니까? 작년에 제가 부산에 있을 때는 여기 계신 여러분들과 함께 주도적으로 혁명군을 동원하기로 계획도 했었지 않습니까? 만일의 사태가 생겼을 때 마지막으로 여러 분을 보호하기 위한 노파심에서 시나리오라고 표현해 본 겁니다."

"자, 오늘 결론을 내십시다. 시나리오는 없는 것이고, 그냥 돌격 앞으로, 정면 돌파입니다. 아시겠죠?"

한 신 장군의 화난 듯한 소리가 쩌렁쩌렁 한다. 회의실 밖으로 넘쳐난다.

"좋습니다. 정면 돌파합시다."

이렇게 4월 봄, 새로운 혁명 전략이 수립되고 있었다.

무혈 혁명(無血革命)

혁명 작전을 '정면 돌파'로 정하고 나니 고민이 적어지고 마음이 많이 편안해졌다. 군 정보 업무에 종사하다 보니 완벽할 정도로 상황 파악을 하려는 습성이 배여 있다. 어찌 보면 자질구레하고 쓸데없는 고민들이 많다. 노력에 비해 효과가 별로 없는 일들 때문에 마음고생을 심하게 겪는다.

40이 넘은 요즈음 빠지는 머리카락 숫자가 대폭 늘어났다. 머리를 감다가 보면 세수 대야 속이 까말 정도로 머리카락이 빠진다.

'머리 나쁜 사람이, 너무 억지로 머리를 쓰면 이렇게 된다는데, 내가 그런가?'
정면 돌파. 좋아 보인다. 간결하고 힘이 넘친다. 하지만 조금만 더 생각해보면 그게 그리 만만치 않다. 정면 돌파는 자칫 희생자를 낳을 수 있다. 실탄이 주어진 젊은 사령관이나 장교들이 어떤 일을 낼지 모른다. 병사들 중에도 '불끈하는' 사람이 나올 수 있다.

지난 해 이 승만 대통령과 자유당 정부가 몰락한 것은 학생 시위나 재야 혁신 세력의 데모 때문이 아니다. 경찰이 시위대에 발포하여 전국적으로 무려 188명의 사망자를 만들어냈기 때문이다. 서울에서만 149명이 죽었는데 학생 68명, 일반인 81명이었고, 부산 15명, 마산 15명, 김천 2명, 광주 7명이었다. 부상자 수는 사망자 수의 10배로써 1,817명이나 되었다. 피를 본 시위대나 국민은 '이성을 잃을 정도로' 흥분한다. 자그마한 불만이 집단 감성으로 발전하여 시위대가 폭도로 돌변했다. 그 결과가 정권 몰락으로 이어졌다.

우리의 군사 혁명이 사상자를 많이 내면 예기치 않은 상황이 전개될 수 있다. 우리가 목숨을 걸고 혁명을 하듯이, '목숨을 걸 정도로 흥분한' 반혁명 세력이 등장할 수 있다. 그리 되면 우리가 원하는 대로 혁명 작전이 전개되지 않는다.

영국의 명예혁명(名譽革命, Glorious Revolution, 1688)은 무능력한 독재 군주인 제임스 2세를 퇴위시키고 윌리엄 3세가 즉위하는데 '피 한 방울 흘리지 않고 명예롭게' 혁명이 이루어졌다. 우리의 군사 혁명도 명예혁명처럼 진행되어야 한다. 동서양 역사에서 많이 논의되는, 통치권의 순조로운 선양(禪讓)처럼 정권 교체가 이루어져야 한다. 하지만 '한번 잡은 권력은 절대 스스로 내놓지 않는다'는 것이 공공연한 정치 원리. 정권 교체는 대부분 피를 부른다.

썩을 대로 썩은 고려 말 정치 상황을 극복하기 위한 이 성계 장군과 정 도전 등 신진 젊은 관료들의 혁명은 위화도 회군에 이어 우왕과 최 영이 이끄는 구 정치 세력과 전쟁을 벌려야 했다. 연산군의 폭정을 뒤집어엎고 반정을 꾀한 박 원종, 성 희안의 중종반정도 피를 불렀다. 인조반정(1623년)은 또 어떤가? 수십 명이 참수를 당했고, 수백 명이 귀양살이를 해야 했다. 인조반정은 뒤이어 이괄의 난(1624년)을 불러일으켰고, 후금(後金), 청(淸)의 침략을 유발하여 조선을 멸망에 이르도록 만들었다.

프랑스 대혁명이나 미국 독립을 위한 혁명은 다름없는 내란, 전쟁이었다. 혁명이란 권력의 장(場), 정치의 판을 근본적으로 뒤엎는 일이다. 지난 10여 년 간 꾸준히 추적해 오고 있는 동남아, 중동, 아메리카의 군사 쿠데타 또는 혁명은 간혹 무혈혁명(無血革命)도 있지만 대부분 적지 않은 사상자를 내면서 이루어졌다. 내란을 거쳐 완성된 군사 혁명도 있고 정부군에 의해 박멸된 군사 쿠데타도 있었다.

우리가 시도하려는 군사 혁명은 자칫 잘못하면 국가를 패망으로 이끌 수도 있다. 사실 위험천만한 거사다. 그래서 명예혁명이나 선양 형태로 순조롭게 혁명이 이루어져야 한다. 철저한 준비와 신속한 돌파를 통해 한 사람의 사상자도 없는 무혈 혁명이 되어야 한다.

갑자기 어릴 적 아버님 생각이 난다. 그 큰 장사(壯士)이셨던 아버지는 노년에 술에 흠뻑 취해 사셨다. 막둥이인 나를 엄청 사랑해 주셨는데, 본인은 너무나 세상을 관조적으로 보시면서 허탈해 하셨다. 내가 말 귀를 알아들을 정도가 된 보통학교 3학년쯤 되었을 때 그 이유를 내게 말씀해 주셨다.

"정희야. 너는 반드시 힘을 길러야 한다. 힘은 덩치만이 아니라 머리, 의지, 여럿이 함께 하는 단결력 모두를 말하는 것이야. 우리나라는 너무나 힘이 없다. 청나라에 꼼짝 못하고 끌려 다니다가 일본에 망해 이제는 노예처럼 살고 있다. 몇 년 전에 일어났던 3·1 운동은 너무나 무기력한 조선인들의 모습을 그대로 보여주었다."

아버지는 1894년 동학란에도 참여하셨었다. 뻔히 망해가는 나라를 보면서, 보다 보다 참지 못하고 전라도 농민들이 부패한 관료를 몰아내고자 난을 일으켰다. 동학이라는 종교 집단이 중심이 되어 무능력한 국왕과 민비 집단을 '바로잡고자' 칼과 낫, 죽창을 들고 나섰다. 관군과 전투를 벌려 급기야는 전주 감영을 점령하고 한성에까지 충격파를 던졌다. 동학란은 이곳 칠곡, 구미, 상모리까지 영향을 미쳤다. 아버지는 분연히 죽창을 들고 무리 속에 들어서셨다.

동학도, 농민들의 난은 참으로 무기력하게 무너졌다. 반성을 모르는 국왕과 민비, 권문 세도가들은 정권 연장을 위해 청나라 군대, 일본 군대를 불러들였다. 외국 군대를 동원하여 충정으로 일어선 동학 농민군을 패퇴시켰다. 가장 밑바닥 백성들의 진정 어린 목소리, 처절한 거사를 무참하게 짓밟아 버렸다.

아버지는 망해 가는 조선의 모습을 보면서 삶의 의미를 잃으셨다. 그때부터 '될 대로 되라' 하시면서 살아오셨다. 좀처럼 아버지를 이해하기 어려웠었는데 말씀을 들으면서 이제는 조금 느낄 수 있다.

"아버지. 3·1 운동은 그래도 우리 민족이 일본군 앞에서 크게 힘을 냈던 거 아닌가요?"

"그러긴 하지. 하지만 얼마나 힘이 없으면 사람들이 모여서 한다는 것이 기껏 '만세' 나 불렀을까? 놈들은 총칼을 들고 우리를 향해 찌르고 쏘는데."

아버지께서 말씀하시는 '힘을 길러야 한다'는 의미를 알 것 같았다. 이후 나는 힘을 기르는 방법을 찾아 헤매야 했다. 학급 반장을 하면서도 '힘을 가지려고' 노력했다. 덩치가 문제가 아니라 성적으로 친구를 압도하고, 옹골찬 독기로 상대를 제압하고자 했다. 운동장에 나서면 누구보다 앞서 질주하고, 뒷산을 올라서도 지지 않으려고 노력했다. 어느 누구도 나를 함부로 하지 못하도록 '인간 박 정희'를 만들어 갔다. 그런 삶의 연장선 상에서 지금 군사 혁명을 준비하고 있다.

무혈 혁명은 우리가 추구하는 군사 혁명의 전제 조건이 될 수는 없다. 무혈 혁명은 혁명 과정을 통해 나타나는 결과일 뿐이다. 무혈(無血)을 전제로 움직이는 혁명은 실패를 부른다. 동학란을 일으킨 전 봉준은 국왕의 존재를 인정하고 안핵사(按覈使) 이 용태의 말을 믿은 덕분에 혁명을 완성치 못했다. 3·1 만세 사건도 일제의 '선의(善意)'를 전제로 한 국민 운동으로 성공을 기대하기 어려웠다. 최고 통치권자나 권력 집단은 스스로 자기 소유의 권력을 내 놓을 생각이 전혀 없다. 그런 대상을 향해 선처를 부탁하니, 그것은 제대로 된 혁명이 아니다. 그래서 동학운동이나 3.1 만세 사건은 란(亂)일 뿐 혁명이 아닌 것이다.

그래서 딜레마(dilemma)다. 국가 발전, 국민 복지를 내세워 군사 혁명을 하려는 우리가 피를 흘리는 희생자를 만들어낸다면 어찌할 것인가? 절대

다수 국민의 행복과 발전을 위해 소수의 희생은 불가피한 것인가? 정면 돌파는 고지 점령처럼 뒤돌아보거나 주저하지 않고 적을 섬멸하는 것이다. 이런저런 고민없이 지휘관의 명령에 따라 '돌격 앞으로' 하면서 목숨을 건다.

이런 순간에 강 태공 같은 스승님이 필요하다. 나의 말 한마디를 기다려 행동에 나설 수많은 혁명 동지, 군 지휘관과 병사들이 눈앞에 선하게 등장한다. 어쩌란 말인가?

고민에, 고민. 이제 되돌릴 수 없다. 전투에 임한 기마(騎馬)를 옆을 보지 못하게 눈을 가리는 것은 좌고우면(左顧右眄)하지 못하게 하는 것이다. 오로지 적을 향해 돌진하게 함이다. 정면 돌파하는 혁명 동지들에게 무혈이니, 양보니, '정도껏 하라'느니 하는 것은 잘못이다. 그들을 오로지 앞만 보고, 혁명 목표만을 향해 돌진하도록 만들어야 한다.

희생자를 내지 않고 무혈이 되게 만드는 것은 오로지 총지휘관의 몫이다. 방법이 있을 것이다. 그 옛날 무경칠서와 현대판 군사 쿠데타와 혁명 사례를 샅샅이 파헤쳐 전략을 개발해야 한다. 온전히 나의 책임이다.

김 재춘 대령과 김 종필 중령을 6관구 참모장 실에서 만났다. 나의 이런 고민을 말하고 '어찌할 것인가' 의견을 구했다.

"지난 해 4 · 19 출동 때처럼 실탄을 개별 지급하지 않는 방법이 있습니다. 분대나 소대 단위로 지급하여 휴대케 하고, 극단적인 상황이 전개되지 않는 한 일반 병사들이 총기를 사용치 못하도록 하는 겁니다."

경험이 있는 김 대령이 먼저 말을 꺼냈다.

"좋은 생각입니다. 그렇지만 요인 체포조처럼 개별적으로 총기를 휴대하는 경우도 있습니다. 이런 경우에는 상대편 경호원이나 헌병, 경찰들이 실탄이 장전된 총기를 휴대할 가능성이 높습니다. 일대일 상황에서는 먼저 총기를 발사하여 상대를 제압해야만 합니다. 이런 상황에서는 우물쭈물하는 사람이 죽습니다."

김 중령이 6·25 당시 실제로 겪었던 경험에 비춰 문제를 지적한다. 혁명군이 반혁명군과 조우하는 상황에서는 즉각 상대방을 제압하거나 사살할 수 있어야 한다. 혁명도 전쟁이다.

“거사 당일 날 모든 지휘관과 병사들에게 실탄을 개별 지급하는 것은 불가피해. 모든 혁명군이 언제라도 반혁명군과 직면할 수 있어요. 전쟁 판, 일 대 일 상황에서 머뭇거리는 것은 곧 죽음을 의미하고 혁명 실패일 뿐야. 혁명군은 실탄이 장전된 총기를 휴대해야만 하지.”

좌석이 더욱더 진지해지고 있었다.

“그렇지만, 우리의 혁명은 반드시 무혈혁명이 되어야 해요. 총기를 사용하지 않고도 우리의 혁명을 완성해야만 합니다.”

잠시 침묵이 흐른다. 누구도 장담하기 어려운 무혈혁명. 세 사람의 호흡이 길어지며 말문이 막혔다.

“강 태공의 전략처럼, 적이 전혀 예기치 못하는 순간에, 태풍이 몰아치듯, 해일이 밀려오듯 급습하죠. 선제 급습 전략이 최선입니다. 통행이 금지되고 모두가 잠든 한밤중에, 탱크와 장갑차를 앞세워 고지를 점령하고, 정부 요인과 주요 인사를 체포하면 됩니다. 날이 새기 전에 혁명 작업을 마무리하여 감히 누구도 대응치 못하게 합니다.”

“현재 군 상황을 보면, 위관급 이상 장교들은 우리의 혁명에 대해 거의 대부분 찬성 입장입니다. 병사들이야 명령하면 따라올 테고. 혁명에 반대하는 이들은 20대부터 장군이 되어 누릴 것을 다 누린 몇몇 고위급 장군들뿐 입니다. 혁명군이 경찰서와 경호실 정도만 사전에 장악하면 총을 사용할 일은 없어요. 방첩대나 헌병대도 대부분 우리의 군사 혁명에 찬동하는 분위기입니다.”

오랜 침묵 끝에 말이 나오기 시작하니 모두가 자신이 넘친다. 무혈 혁명을 장담하는 분위기다.

그래. 현재 분위기로 봐서는 반혁명군은 거의 없다고 보아도 무방할 것 같다. 현재의 정치와 사회 상황을 바로잡아 올바른 국가로 만드는데, 군인들이 나서는 것에 대해 반대할 사람이 거의 없다. 적어도 현재의 한국군 상황에서는. 오직 '입만 살아 움직이는' 정치인들 빼고는.

단 한사람의 희생자도 없이 무혈혁명을 이루기 위해서는 더욱더 철저한 준비가 필요하다.

- 혁명 계획은 철저히 비밀로 한다.

- 혁명군은 침묵 속에, 불시에 출동하여, 적을 엄습한다.

- 예상되는 반혁명 세력은 사전에 포섭하거나 거사 당일 최우선적으로 재갈을 물려야 한다.

- 모든 국민이 상황 파악을 하기 이전에 혁명 과업이 완성되어야 한다.

디 데이 아침이면 전 국민이 혁명 정부를 환영해야만 한다. 우리가 그렇게 만들 것이다.

세 사람 모두 목이 타는 듯한 갈증을 느꼈다.

선조냐, 고종이냐?

4월 23일. 일요일. 오랜만에 가족나들이 겸 창경원을 찾았다. 부인 영수가 정성껏 김밥을 싸고 세 아이들을 데리고 아침 일찍부터 서둘렀다. 이른 시간인 데도 불구하고 만개한 벚꽃 사이로 수많은 인파가 넘쳐났다. 혁명에만 오로지 정신을 쏟다 보니 정신적으로 많이 힘이 들고 가족에 대해서도 너무 소홀하다는 생각이 들었다.

쉬고 싶은 마음에 공원을 찾았는데 오히려 인파에 치이는 느낌이다. 항상 호젓함을 즐기던 나는 이런 분위기가 별로 달갑지 않다. 하지만 아이들과 가족을 위해 꽃도 보고, 동물원 구경도 함께 했다. 놀이시설 회전목마를 타려고 했지만 사람이 너무 많고 줄이 길어 포기한다.

한쪽 구석에서 작은 공간을 찾아 판초를 깔고 모여 앉아 김밥을 먹었다. 이런 것이 가족 행복이런가 싶다. 아이들이 좋아하는 것을 보면서, 또 부인 영수의 환한 웃음을 보면서 나도 마음이 편안해졌다. 따사로운 봄볕이 가족들 얼굴에 가득 들어차고 있었다. 지나가는 아이스께끼 소년을 붙들어 께끼 하나씩을 사서 입에 물었다.

인산인해 인파로 인해 편안하게 오래 있기가 어려웠다. 해가 머리 위로 높이 솟은 것을 느끼며 창경원 문을 나서는데 문득 높다란 홍화문(弘化門) 현판이 눈에 들어온다. 이곳이 전에는 국왕이 살던 창경궁이었는데 지금은 동물원, 식물원, 놀이터로 변해 있다. 좋게 보면 국민 모두가 즐길 수 있는 공간이 된 셈인데, 어째 씁쓸하다. 일제에 의해 강제로 폐기 처분된 궁궐이기 때문이다. 문 앞으로 전차가 지나친다. 멀찍이 대기하고 있는 찝차까지 걸어가서 타고 집으로 향했다.

집에 오니 문 앞에 강 상욱, 길 재호, 김 형욱, 옥 창호, 신 윤창 중령, 박 종규 소령 등이 서성이고 있었다. 그러고 보니 오늘 오후 2시에 육본 작전팀과 회의를 하기로 되어 있었다. 4·19가 별 탈 없이 무사히 지난 뒤 첫 모임이다. 지난 달 말에 대구로 내려왔던 박 종규 소령을 통해 4.19 학생 데모 관련된 일을 전해들은 뒤에 처음 만나는 셈이다. 손님들을 마루로 올라오라 하여 둘러앉았다. 부인이 간단한 유과 접시와 함께 따뜻한 커피 한 잔씩을 내왔다.

"내 깜빡할 뻔했네. 창경원 벚꽃 구경하느라고. 오랜만에 가족 봉사 좀 제대로 했나 싶어요. 회의 시간에 늦지 않아 천만 다행입니다. 하여튼 오시느라고 수고들 했습니다."

"각하, 예상했던 대로 4.19가 조용히 지나갔습니다. 비둘기 작전은 애초부터 실현 가능한 안이 될 수 없었다는 것이 증명된 셈입니다. 각하의 예상이 적중했습니다."

길 중령이 상황 보고를 한다. 정부가 4월 위기설과 함께 총력 대응한 결과이기도 하지만, 지난해처럼 3·15 부정 선거라는 잇슈가 없고, 또 경찰 발포로 인한 사상자가 없었기 때문이다. 자칫 큰 웃음거리가 될 뻔했던 4.19 이용 계획이었다.

"예상했던 대로일세."

"오늘 주제는 혁명 당일 요인 체포, 구금에 대한 건입니다. 대통령과 총리, 참의원과 민의원 의장 및 주요 위원장, 정부 부처 장관, 육군 내 극렬 반혁명 지휘관들이 대상입니다."

강 상욱 중령이다.

"영관급 장교 2인 1조로 구성하여, 공수단 병력 5명씩을 지원받아 행동합니다. 지난 4월 초에 체포 대상자를 배분했습니다. 각기 정보 수집과 행동 계획을 수립하고 은밀하게 시현 중에 있습니다."

"장 면 총리 담당이 누구죠?"

"접니다."

박 종규 소령이 손을 들고 나선다.

"이번 혁명은 박 소령이 어떻게 하느냐에 따라 성패가 좌우될 거요. 절대 착오가 생겨서는 안 돼."

"알겠습니다. 목숨을 걸고 해내겠습니다."

"우리가 무혈 혁명을 해내느냐 여부는 장 면 총리 체포 여부에 달렸어요. 자칫 실패한다면 반혁명군이 등장할 수 있고, 피를 볼 지도 몰라요."

냉철하고 치밀한 박 소령을 믿어야 한다. 그는 사격을 잘한다. 그에 걸맞게 목표를 정하고 반드시 '명중'시킬 수 있는 집중력의 소유자다.

해병대 병력과 포병단 병력이 내무부와 경찰국, 육군 본부를 엄습하는 것과 동시에 군통수권자인 총리와 대통령, 정부 각 부처 장관을 체포하는 일이 혁명의 일 단계 작전이고, 이것이 성공의 열쇠다.

"장 면 총리 체포가 중요한 것은 모두가 잘 알 것이요. 그의 입을 통해 '혁명을 지지 한다'는 메시지가 발표되면 그것으로 우리의 첫 목표는 달성한 셈이야. 아울러 윤 보선 대통령 구금도 동시에 진행되어야 하네. 군 통수권을 확보하고 나면, 그 다음 단계가 바로 행정권이야. 국회는 모여서 회의를 할 수 없게만 해도 일단은 성공한 셈이지. 혹시 조선 국왕인 선조와 고종의 차이점을 아시는가?"

모두가 어리둥절하기에, 간략하게 역사 이야기를 시작했다.

1592년 풍신수길(豊臣秀吉)은 조선을 '먹기 위해' 연인원 20만 명에 이르는 정예병을 앞세워 조선을 침략했다. 일본군 대장 소서행장(小西行長)과 가등청정(加藤淸正)이 4월 14일 부산포에 상륙하여 전쟁 준비가 부실했던 부산진 첨사 정 발(鄭撥)과 동래부사 송 상현(宋象賢)의 군대를 가볍게 대파하였다. 이후 일본군은 거의 저항을 받지 않고 충주를 거쳐 5월 2일, 한성 서울을 점령했다. 불과 18일 만에 서울을 차지했다. 풍신수길은 일본 막부 내정을 엿보기 위해 파견된 조선 사신들에게 '명년(明年)에 명(明)을 치러갈 테니 길을 빌려 달라(征明假道)'는 말을 공공연하게 했다. 그러나 정사 황 윤길이 침략 가능성을 주장한데 비해서 부사 김 성일은 공연한 민심동요 유발이라며 반대 의견을 냈다. 문제는 당시 정국을 주도하고 있던 동인(東人) 붕당의 김 성일 의견이 먹혀 일본군 침략이 없을 것이라고 결론을 냈다는 점이다.

막상 침략을 받고 나니, 동인 집권 세력은 기겁을 하고 부랴부랴 대응책을 강구하고자 했다. 오판의 원흉 김 성일은 의병을 거느리고 전선에 나선다고 어수선을 떨었지만 나라는 거의 멸망 단계까지 이르렀다. 당시 동인 세력이었던 이 산해, 유 성룡, 이 순신, 권 율 등은 뒤늦게 대응에 나서야했다.

장황하게 임진왜란 얘기를 하는 이유가 있다. 후손들은 모두 유 성룡, 권 율, 이 순신 만을 영웅시 한다. 그런데 정작 중요한 것은 선조(宣祖)다. 역사가들이 전쟁 영웅을 떠받들다 보니 정작 노련한 정치가였던 선조의 통치력을 과소평가하는 경향이 있다. 조선이 망하지 않은 것은 선조가 일본군에 잡히지 않았기 때문이다. 소서행장은 가장 빠른 속도로 한성에 진주하여 선조를 사로잡고자 했다. 하지만 선조는 빠르게 판단하여 도피를 했고, 평양을 거쳐 의주까지 괴로운 몽진(蒙塵)을 했다. 만일을 위해 자신이 죽거나 잡힐 경우를 생각해 세자인 광해군을 후임 국왕으로 낙점을 해 놓았다. 일본군은 개성을 거쳐 평양으로 또 함경도로 춥고 높은 산악 지대를 헤매야 했다. 그 기간에 전열을 정비한 권 율과 이 순신, 원 균, 조 헌 등 관군이 동원되고, 전국적으로 수많은 의병이 일어나 일본군을 거의 전멸시키기에 이르렀다.

충성심이 강한 유교 국가인 조선은 국왕만 포획하면 모든 일이 끝난다. 선조가 사로잡혀 교지를 내리면 권 율, 이 순신, 원 균은 그 즉시 일본군 앞으로 포박을 받고 끌려와야 했다. 선조가 건재함으로서 관군과 의병이 힘을 발휘할 수 있었고 마침내 일본군을 패퇴시킬 수 있었다.

1636년 12월 28일, 임진왜란의 전례를 알고 있던 청(靑) 태종 황태극(皇太極)은 병자호란(丙子胡亂) 당시, 명장인 의주 부윤 임 경업(林慶業)이 지키던 백마산성을 우회하여 곧바로 한성으로 치달렸다. 12만 청군은 1월 9일 개성을 통과했다. 기겁을 한 국왕(인조)은 강화도로 가지 못하고 다음날 긴급하게 남한산성으로 대피했다. 청군은 남한산성을 포위하여 고립시킨 뒤 압록강을 넘은 지 불과 한 달 만인 1월 28일, 인조의 항복을 받아냈다. 인조를 사로잡음으로써 전쟁은 그 즉시 끝이 났다. 봉림대군을 비롯한 왕자군과 수십 만 명의 백성이 포로가 되어 만주로 끌려갔다. 최고의 장수 임 경업은 인조의 명에 의해 곧바로 잡아들여져 사형을 당해야 했다. 조선의 경우에 국왕이 사로잡히면 그 즉시 전쟁이 끝나고 국가가 패망하는 지경에 이르르게 되어 있었다.

1880년대 월남의 완(阮) 왕조도 형제들 사이에 권력 투쟁을 하다가 멸망했다. 그 당시에 프랑스 선교사들은 국왕과 반란 세력 사이의 반목을 교묘하게 이용하다가 결정적인 순간에 국왕을 포획하여 통치권을 장악했다. 그렇게 멸망한 월남은 언어와 문화 모두를 잃고 최근에 와서야 제국 프랑스와 처절한 전쟁을 통해서 반쪽짜리 독립을 성취할 수 있었다. 국왕의 포획을 통해 프랑스는 순조롭게 식민지를 만들었다.

19세기 말, 조선은 또 다시 일제의 먹잇감이 되어 있었다. 군부통치의 막부 시대를 끝내고 신흥 관료들을 내세워 급격히 세계 열강으로 등장한 일제는 류구(琉球,1879년), 대만(臺灣, 1895년)을 차례로 점령하여 복속시킨 뒤 마침내 조선을 집어 삼키는 전략을 구사했다. 류구는 국왕이었던 상태왕(尙泰王)이 일제에 의해 포섭되어 번왕으로 되면서 멸망의 길을 걸었다. 대만은 동학란 이후 진행된 청일전쟁에서 일제가 승리하면서 시모노세끼 조약과 함께 멸망하였다.

일제 침략의 중심에 있던 이등박문은 조선 사정을 너무나 잘 알고 있었다. 임진왜란의 실패를 잘 알고 있던 그는 풍신수길처럼 대규모의 정예군대를 파견하는 침략 전쟁을 시도하지 않았다. 친절한 일본인을 가장하여 젊은 개화파 인사들을 친구로 만들고, 대원군과 고종/민비의 틈새를 파고들어 이쪽저쪽에 모두 인심을 쓰는 방법을 시도했다. 인심을 잃고 있던 양반 권력층을 대상으로 뇌물을 쓰고 헌병들을 이용하여 은근히 세를 과시했다. '잘난 체 하는' 개화파들에게 야금야금 돈과 특혜, 정보를 제공하여 일본화한 뒤 '일본화가 곧 개화'인 것처럼 여기게 만들었다.

이등박문은 고종을 포섭하여 꼼짝 못하게 하고는 강제로 합방 조약에 서명하도록 만들었다. 일제는, 이등박문은 엄청난 군대를 동원하지 않고 편안하게 조선을 먹어 삼켰다. 고종은 몇 백 년 전 할아버지 선조에 비해 형편없는 존재였다. 우리 한국민이 아무리 자존심을 내세워보려고 하지만 고종을 생각하면 '답답' 그 자체다. 이게 망하는 나라의 군주요 통치자다.

조선의 아픈 역사를 들먹이는 이유가 있다. 내가 추진하는 5월 혁명이 무혈 혁명이 되도록 하기 위해서는 윤 보선과 장 면을 고종처럼 다루는 방법밖에 없어 보인다.

마루에 둘러앉은 모두가 '알아들었다'는 듯한 표정이다.

저녁을 먹고 가라면서, 부인이 잔치국수를 말아 내왔다. 30 초, 중반의 젊은 군인들의 먹성이 대단했다. 순식간에 두 그릇씩을 먹어 치웠다. 우리 집 며칠 치 식량이 거덜 나는 듯 했다.

어쨌든 가슴 뿌듯한 일요일 오후가 흘러가고 있었다.

헤어지기 직전에 박 소령이 다시 입을 연다.

"각하, 총리 체포조는 다른 조에 비해 두세 배는 많은 인원을 주셔야겠습니다. 5명으로는 절대 부족합니다. 경호원들이 있어서 적어도 2개 분대는 있어야 합니다. 반도호텔 정문과 후문, 엘리베이터, 집무실 앞 등 많은 인원이 필요합니다."

"무슨 말인지 알겠어요. 5명으로는 부족하지. 작전팀에게 요청해요. 다시 당부하지만 박 소령 임무가 참으로 중요해. 절대 실패하면 안 돼. 알았지?"

"옛! 알겠습니다. 충성."

"참, 각하. 총리 체포조는 일반 병사들보다는 위관급 장교들을 동원하려고 합니다. 박 소령 주도로 하되 공수단의 차 지철 대위와 같은 위관급 장교 5~6명을 투입할 겁니다. 각기 2~3명의 부하 병사를 대동합니다."

치밀한 작전 참모 김 형욱 중령이다.

"좋은 생각입니다. 그렇게 합시다."

그들의 등을 두드려 격려를 했다.

당·랑·포·선 (螳螂捕蟬)

신작로 길을 찝차로 달리다가 신기한 장면을 보았었다. 길바닥에 수꿩 장끼 두 마리가 차에 치어 죽어 있었다. 장끼 한 마리 보기도 쉽지 않은데 두 마리가 동시에? 최근에 그런 장면을 또 다시 목격했다. 그런 현상을 두 번이나 겪다 보니 의문이 들었다. 곰곰이 생각해 보니 이유를 알 것 같았다.

장끼들은 서로 싸울 때 5m 정도의 거리를 두고 도움닫기를 하여 서로 정면으로 맞부딪치면서 싸운다. 두 발을 들어 상대 앞가슴을 세게 차기 위해서는 멀리서부터 달려오는 탄력을 이용해야 한다. 그래서 장끼들은 싸울 때 덤불 숲이 아니라 너른 평지로 나와서 싸운다. 싸우는 순간에는 오로지 정면의 적만 쳐다볼 뿐 멀리서 달려오는 차량을 생각지 않는다. 그러다가 두 놈이 동시에 죽음을 당하고 만다.

‘알 만하다.’

'사마귀가 매미를 노린다'는 당랑포선(螳螂捕蟬)이라는 말이 있다. 「장자(莊子)」 산목(山木) 장에 나오는 이야기다. 눈앞의 이익만을 쫓으려다 보니 정작 자기 자신의 위험을 보지 못한다는 고사다.

“장자가 조릉 가에 놀러갔다. 어디선가 커다란 참새 한 마리가 날아오더니 머리 위를 지나 밤나무 가지에 내려앉았다. 날개는 7척이요 눈은 1치나 되었다. (그런데, 사람이 가까이 있는데도 알아보지를 못한다.) 이게 뭔 일이냐? 큰 날개로 (잽싸게) 날지도 못하고 그 큰 눈으로 보지를 못하다니. (잘 됐다 잡아야겠다 하고는) 바지를 걷고 빨리 쫓아가서, 화살을 먹여 겨누었다.
(그때 눈에 띈 것이) 매미 한 마리. 나무 그늘 속에서 맴맴 울면서 즐기는데, 뒤에서 사마귀가 날카로운 앞다리를 숨긴 채 잡아먹으려고 노리고 있는 것을 모르고 있다. 그러는 사마귀도 정작 뒤에서 자기를 먹으려고 노려보고 있는 큰 참새의 존재를 잊고 있다. (참새도 또한 내가 활로 잡으려고 노려보고 있는 것을 눈치 채지 못한다.)

장자는 갑자기 깨달았다. '모든 사물은 서로 먹고 먹히는 관계에 있구나.' 참새를 잡으려던 활을 내던지고 돌아서 도망쳤더니, 어디선가 산주인이 (우리 밤나무 밭에 웬 도둑놈이냐?) 하면서 죽일 듯 쫓아오고 있었다.

<莊子> 山木. 莊周遊於雕陵之樊，覩一異鵲自南方來者，翼廣七尺，目大運寸，感周之顙而集於栗林。莊周曰此何鳥哉，翼殷不逝，目大不覩？蹇裳躩步，執彈而留之。覩一蟬，方得美蔭而忘其身；螳螂執翳而搏之，見得而忘其形；異鵲從而利之，見利而忘其眞。莊周怵然曰噫！物固相累，二類相召也。捐彈而反走，虞人逐而誶之."

앞서 임진왜란, 병자호란 얘기를 했었다. 임진왜란 당시에 일본의 풍신수길은 자기를 보러 온 조선 통신사들에게 '내 년에 내가 너의 조선을 침략할 것이다'라고 경고를 했다. 그런 경고를 듣고 돌아온 황윤길과 김성일은 적의 선전포고에 대한 대응을 하지 못하고 그저 동인과 서인으로 갈려 싸움만 하다가 세월을 보냈다. 결국 일제 침략을 받아 전국이 초토화되었고 수많은 군인과 백성이 죽음을 당했다. 일본으로 포로로 끌려간 조선인도 수만 명이 넘었다. 밖에 있는 거대한 외적(外敵)은 보지를 못하고 바로 눈 앞에 있는 잗다른 이해관계(利害關係)에만 목숨을 걸었다.

병자호란 당시의 조선인도 마찬가지였다. 광해군을 몰아내고 권력을 잡는데 혈안이 된 인조와 그 무리들은 저 밖에 있는 거대한 외적, 청나라를 보지 못하고, 눈앞에 있는 정적 광해군과 그 무리만을 노렸다. 그들을 제거하기 위해 목숨을 바쳐 공격하고 나섰다. 결과는 어찌 되었는가? 불과 한 달 만에 나라를 멸망에 이르게 하고 수십 만 명의 사상자와 전쟁 포로를 만들어냈다. 임진왜란과 병자호란을 거치면서 조선은 영원히 처참하고 고달픈 국가로 전락하였다. 19세기 말까지 '가난한 나라, 조선'이 이어졌다. 그러다가 다시 강적 일본을 만났다.

서구 열강과 일본제국주의가 엄습해 오고 있는데, 조선은 대원군을 몰아내고 고종과 민비, 척족 세력이 정권을 잡는데 열중했다. 기득권층은 척화

(斥和)나 동도서기(東道西器)를 내세워 고집을 부리고, 젊은 개화파는 일본을 모델로 하는 개화에 정신이 없었다. 그 와중에 이리저리 눈치를 살피던 고종은 중립화에, 대한제국 황제에, 아관파천(俄館播遷)에 우왕좌왕하다가 일제 포로가 되었다. 아무런 힘도 없는 상황에서 독립협회는 무슨 소용이며, 대한제국 황제는 또 무슨 말인가?

조선의 패망은 다른 게 없다. 위기 상황에서 국론 통일을 이루지 못하고 서로 싸움질만 했기 때문이다. 우리 전통에서 제법 내세울 만 한 것이 인간존중, 인의와 덕치, 충효, 간쟁이라고 하지만, 사실 '모두가, 너무 말이 많다.' 어느 누구도, 다른 상대방에게 (말과 생각으로는) 지기 싫어하는 민족이다. 그러다 보니 적군을 앞두고도 말이 많고, 편을 나눠 다툰다.

말로 싸우는 것이 '민주주의'라면 한국인은 세계 최고의 민주 시민이고, 한국은 최고 민주주의 국가다.

장끼들의 싸움과 당랑포선 이야기가 떠오르는 것은 5월 혁명과도 연관되어 있다. 혁명을 준비하면서 느끼는 것 중 하나가, '제법 만만해 보인다'는 점이다. 윤 보선과 장 면, 국회, 정부, 더 나아가서 정치인과 학생 모두가 만만해 보였다. 왜 이런 느낌이 들까?

지금 70만 군 전체의 분위기가, 아니 그 중 장교 이상의 군 지휘관들의 분위기가 우리 혁명에 호의적이다. 그들은 우리의 혁명을 지지하면서 기다리고 있다. 이 엄청난 군사력, 무력을 '말만 앞세운 정치꾼'들은 전혀 안중에도 두지 않고 무시한다. 그래도 정국 운영의 책임을 지고 있는 장 면 총리와 정부는 긴장하고 있다는 생각이 들게 한다. 그렇지만 바로 눈앞에서 펼쳐지고 있는 국회, 야당 신민당, 외부 혁신 세력들의 반발과 문제 제기에 대응하느라고 정신을 못 차린다.

유 진산과 젊은 김 영삼이 이끄는 신민당은 정치판 싸움을 주도하면서 장 면 정부를 몰아세우고 있다. 민주당도 파벌로 나뉘어져 다투고 있다. 전혀 의론 통일이 되지 않는다. 여당과 야당, 윤보선파와 장면파의 대립, 그 사이에서 4·19를 내세우며 데모를 일삼는 혁신 세력과 좌파 불순분자들의 통일이나 중립국 논의로 정신이 없다. 오로지 혁명을 추진하고 있는 군 만이 올바른 정신을 가지고 있다.

무혈혁명을 지향하다 보니 혁명 준비를 너무 치밀하게 하고 있는 것은 아닌가 싶다. 젊은 혁명 동지들 말 대로 4.19를 계기로 그냥 밀어부쳤어도 됐을 것 같다. 반혁명군을 겁내고 있지만, 현재 분위기로 봐서는 어느 누구도 반혁명군으로 나설 부대가 없어 보인다. 군사영어학교 출신의 몇몇 앞서 가는 선두 주자 장군들을 제외하면 최근에 진급한 별 한두 개 장군들이나 영관급들은 현 정부와 정치 사회 판에 대한 불안감, 불만감이 팽배해 있다. 혁명 얘기를 흘리면 거의 대부분이 금방 반응을 해 온다. 상당수가 '혁명 동지'가 되기를 자청한다.

잠시 생각을 멈추고 사무실 밖으로 나왔다. 지나치던 병사 하나가 경례를 한다. 4월 늦은 봄바람이 제법 따뜻하다. 담배를 피워 물고 멀리 파란 하늘에 걸린 구름을 바라본다.

"사령관님, 육본에서 전화 왔습니다. 급하다고 합니다."

갑자기 행정병인 김 병장이 나를 부른다. 담뱃불을 끄고 서둘러 사무실로 들어와 전화를 받았다.

"각하, 김 형욱입니다. 큰 일 났습니다."

조심조심하다 보니 자그만 일에도 가슴이 덜컹한다. '큰일이라니?' 순간, 불안감이 엄습한다.

"뭔 일인데, 그러시나? 내심 침착하게 전화를 받았다."

말인 즉슨, 육본 혁명 동지 중 하나인 이 종태 대령이 통근 버스를 타고 가던 중에 옆 자리의 장 세현 중령에게 혁명 이야기를 했다고 한다. 번지수 모르는 장 중령이 가까이 지내는 방첩대 이 희영 대령에게 알렸고, 이 철희 방첩대장과 장 도영 총장에게 까지 보고가 됐다. 그래서 이 대령이 방첩대로 불려 들어가서 취조를 받고 있다는 전언이다.

'아하, 당랑포선! 나도 별 수 없구나. 골똘히 눈앞의 혁명에만 몰두하다 보니, 나를 노리고 있는 적, 포수를 간과했구나. 방첩대에서는 어쨌든 나와 혁명동지들을 예의 주시하고 있는 중인데. 자칫 그 그물에 걸려들면 안 되는데'

"김 중령, 침착하시게. 돌아가는 상황을 지켜봄세. 내 생각으로는 별 탈 없을 걸세."

"정말 그래도 괜찮겠습니까?"

"걱정 마시게. 장 도영 총장이나 이 철희 장군, 이 희영 대령 모두 우리가 혁명한다는 소식은 다 듣고 있을 거네. 아무리 문초해도 우리의 거사 날자는 알 수 없을 거네. 아직 정해진 것이 없으니."

얼마 전에 이 철희 방첩대장을 만나 도움, 또는 방해하지 말아 달라고 부탁을 했고, 함께 근무한 적이 있는 이 희영 서울지구 방첩대장과도 전화 통화를 한 적이 있다. 그들은 현재의 국가 상황을 우리보다 더 자세히 알고 있고, 걱정하고 있는 인물들이다. 우리 군이 나서지 않으면 안될 만큼 상황이 좋지 않다는 사실을 잘 알기에, 정부측에서 원하는 공식적인 방첩활동 수준을 벗어나지 않을 것이다.

김 중령이 잘 알아들었으리라. 디 데이를 얼마 앞둔 상황에서 더욱더 몸조심하고 신중하게 처신하라고 신신당부했다.

오 치성 대령에게 전화를 걸었다.

"김 형욱 중령이 이 종태 얘기를 하던데 어찌 된 겁니까?"

"예, 각하. 이 종태 대령은 지난 해 11월 동참하기로 한 뒤, 나름대로 역할을 하고 있는 중입니다. 동지 포섭에 열심인데, 입이 조금 가볍습니다. 아무 데서나 '4월 위기를 극복하기 위해서는 군대가 나서야 한다' '지금 상황에서 군대가 나서서 치안을 확보해야만 공산화를 막을 수 있다.' '박 정희 장군이 앞장서기로 했고 장 도영 참모총장도 동참을 고려하고 있다' 큰 소리로 떠들어대곤 합니다. 얼마 전에도 제가 직접 만나서 입단속을 했었습니다. 그런데도 또 다시 장 세현 중령을 앞세워 제506방첩부대장인 이 희영 대령을 만났다고 합니다. 아마도 자기 딴에는 이 대령을 설득해서 동지로 포섭하려고 했던 것 같습니다.”

쥐구멍 하나가 댐을 무너뜨린다고 했다. 우리의 혁명 모의는 비밀 유지가 관건인데 이런 사람이 있다니

예상했던 대로 이 종태 대령은 며칠 취조를 받다가 견책을 당하는 수준에서 풀려났다. 영관급 장교들과 박 정희 장군 중심으로 혁명 논의가 이루어지고 있다는 사실은 공공연한 비밀이었기에 그도 잘못된 풍문을 퍼트리고 다니는 사람 중 하나로 훈계를 받았을 뿐이다.

동지 포섭 과정에서 이번과 같은 사건이 간간이 발생하고 있다. 얼마 전에는 혁명 거사 자금 모집을 하던 지인 한 사람이 경찰에 걸려들었다. 그도 며칠간 취조를 받다가 유언비어 날조 혐의만으로 풀려났다. 극히 드문 일이지만 충분히 경계할 만한 일들이다.

사실 동지 포섭은 대부분 매우 가까운 사람 사이에 비밀스럽게 이루어진다. 대개는 육사 동기, 친인척, 같은 고향, 함께 근무하거나 근무했던 사람들 중에서 믿을 만하다고 생각하는 사람들이 대상이다. 금년 들어서는 '꼭 필요한 사람'을 대상으로 정략적으로 진행되고 있기에 더욱 조심하고 있는 중이다.

하여튼 전후 좌우를 잘 살펴 마지막 순간까지 실수가 없도록 해야 한다. 사마귀와 매미의 고사를 통해서, 또 장끼들 싸움 장면을 통해서 다시 한번 긴장감을 맛보게 된다.

얼마 전, 여행업을 하는 정 모 사장을 만난 적이 있다. 그는 학생들 수학여행을 자주 인솔하고 다니는데, 언젠가 서울역 앞에서 쓰리(掏摸, すり)를 맞았다. 그가 하는 말이 예사롭지 않았다.

“시골 아이들이라서, 서울에 소매치기, 쓰리꾼이 많으니, 돈과 소지품에

주의하라고 신신당부를 했어요. 그런데도 불구하고 몇몇 아이들이 쓰리를 맞고서 울고불고 난리를 쳐서 정신이 없었지요. 그런데 더욱 황당한 일이 생겼지 뭡니까? 40여명 아이들을 챙기다 보니 어느 순간에 제 가방이 없어 졌어요."

"저런 !"

"천방지축 아이들 챙기느라고 정작 제 자신을 챙기질 못한 겁니다. 여행비 거금을 모두 털렸어요. 난리가 났죠."

그랬다. 이 순간에도 '당랑포선'이다. 여행사 사장은 여행객 모두를 챙겨야 한다. 학생들 하나하나는 여행사 사장님의 보호를 받는다. 하지만 정작 여행사 사장을 뒤에서 지켜주는 사람은 없다. 그래서 사실 여행팀 중에서 가장 도둑맞기 쉬운 사람이 그 사장일수도 있다. 그를 챙겨 주는 사람이 아무도 없기 때문이다.

5월 혁명을 앞두고 나는 모든 동지들을 하나하나 일일이 챙기는 중이다. 육본 작전팀과 행정팀, 공수단, 해병여단, 포병단, 6관구 사령부와 산하 사단, 5사단과 12사단, 1군 사령부, 2군 산하의 전국 지휘관들을 모두 챙기는 중이다. 머리가 터질 듯 신경을 쓰고 있다.

하지만 가장 중요한 '나, 박정희'는 ?

정신이 번쩍 든다. 5월 혁명은 나의 총 지휘가 없으면 사분오열되기 쉽다. 장면 정부와 미군, 군 방첩대와 경찰국 모든 곳에서 나를 주목하고 있다. 혁명을 앞두고 내가 인조나 고종처럼, 또 우리가 목표로 하는 장 면처럼 되지 말란 법이 없다.

가슴을 쓸어내리며, 김 종필 중령에게 급히 전화를 돌렸다.

"그렇잖아도 저희들 끼리 논의한 적이 있습니다. 현재는 평소처럼 흘러가게 두는 상황이라서 특별히 조처를 취하지 않았습니다. 하지만 디 데이가 결정되는 순간부터 각하 신변 보호팀을 꾸려 운영할 겁니다."

김 중령의 치밀함이 느껴진다.

당랑포선... 당랑포선...

옛 성현의 잠언(箴言)이 결코 만만하게 볼 것이 아님을 실감한다.

성공 예감 !

아침에 샘가에서 이를 닦는데 갑자기 칫솔이 부러졌다. 누군가 말하기를 '칫솔이 부러지면 안 좋은 일이 생긴다'고. 괜히 찜찜하다. 사실 얼마 전 꿈에서 6·25 전쟁 당시의 다부동 전투 장면이 생생하게 나타나 질겁을 한 적도 있다. 수많은 병사들이 피를 흘리며 죽어가는 모습에 가슴이 아파 울먹이다가 잠을 깼다.

혁명 준비를 하면서 노심초사(勞心焦思) 하다 보니 몸도 마음도 많이 지쳐 있다. 지나치게 긴장을 하다 보니 잠도 설치기 일수고 악몽을 꾸기도 한다. 아무리 건강을 자신하는 철인(鐵人)일지라도 힘이 드는 것은 어쩔 수 없다. 이제는 막바지 디 데이 만을 남겨 놓고 있다.

방으로 들어가니, 연초만 되면 장모님께서 사서 보시는 1961년판 토정비결(土亭秘訣) 책자가 눈에 들어온다.

'금년 운세나 한번 볼까? 남들 다 본다는데…'

"토정비결 보시게요? 제가 봐 드릴까요?"

부인 영수가 다정하게 다가선다.

"아니, 그냥 뭔가 하고."

"그냥 재미로 보는 거죠. 맞거나 틀리거나 신경 쓸 필요 없어요."

"됐어요... 이 뒤쪽에 붙어 있는 꿈 해몽 얘기나 좀 보려고."

요즈음 꿈을 가끔 꾼다. 녹초가 돼서 잠에 떨어질 때는 정신 모르고 자는데, 그렇지 않고 잠시 한가한 날에 꿈이 나타난다. 대부분 금새 잊어버리지만 어떤 경우에는 찜찜하게 잔상이 남아있다. 꿈 내용을 곰곰이 생각해보면서, '이게 좋은 징조인가, 나쁜 징조인가?' 걱정을 하기도 한다.

시쳇말로, 꿈에 돼지를 보면 부자가 되고, 똥을 보면 금빛이라서 돈이 생긴다고 풀이한다. 쫓기는 꿈을 꾸면 사업에 실패하고, 죽는 꿈을 꾸면 재수가 좋다. 자식을 바라는 부모들은 짐승이 품안으로 달려들어 오면 태몽이라고 좋아한다. 다 들어서 아는, 믿거나 말거나 식의 꿈 해몽이다. 앞서 다부동 전투의 참상에 대한 꿈은 너무나 처절하고 기분이 나쁜데, 꿈 해몽 책을 보면 '사람 죽는 것을 보면, 좋은 운세'라며 어물쩍 넘어 간다. 해몽가들은 극단적으로 처참한 꿈 내용을 정반대로 '좋게' 해석해 놓았다.

사실 모든 꿈은 '개 꿈'이다. 잠이라는 무의식 상태에서 등장하는 이야기는 전혀 앞뒤가 맞지 않는다. 왜 그런가? 그 답을 유명한 정신분석학자인 프로이드(Sigmund Freud)가 해 놓았다. 그는 미친 정신병자들만을 대상으로 꿈을 분석했다. 「정신분석 입문」이라는 책(1917년 출간) 속에서 인간의 마음, 정신 영역을 의식(意識), 전의식(前意識), 무의식(無意識)으로 구분하여 설명하였다. 그리고 1923년, '자아와 이드'라는 논문을 통해서 원초적 본능(原初的 本能. id), 자아(自我. ego), 초자아(超自我. super ego) 개념을 도입하였다. 평소에 전혀 논리적으로 이야기를 만들어내지 못하는 정신병자가 꾸는 꿈은 그가 잠재의식인 무의식 속에 저장해 놓았던 단어, 장면, 사건이 뒤죽박죽으로 드러난 것일 뿐이다. 그런 꿈을 논리적으로 풀려는 해몽도 엉터리다.

자의식이 강한 나는, 꿈도 내 의지대로 꾸는 수가 있다. 꿈 속 이야기를, 자면서도 이렇게 저렇게 만들기도 한다. 꿈을 꾸다가도 엉터리가 나타나면 '어허, 이게 아닌데…'하면서 깨어난다. 사실 오늘 칫솔이 부러진 것이나 다부동 전투의 피비린내 나는 꿈도 평소대로라면 나는 훌훌 털어버린다. 모든 일은 내 스스로 어떻게 생각 하느냐에 달려 있다고 믿기 때문이다. 불쾌한 영상도 긍정으로 생각하고 넘기면 그만이다.

그런데 오늘은 웬 지 마음이 무겁다. 너무나 엄청난 혁명 과업을 목전에 두고, 불안한 마음이 없지 않다. 백 운학이라는 유명 점쟁이가 있다는데 점이라도 한번 쳐 봐야 하는가? 별별 생각이 다 든다. 마음을 다잡아먹지만 편치가 않다.

점쟁이는 항상 맞는 얘기만을 한다. 그들은 당연한 소리를 하면서 돈을 번다. '공부를 열심히 하면 성적이 오를 것이고, 놀기만 하면 성적이 나쁠 것이다'는 식이다. 듣는 사람은 참으로 옳은 소리라고 감탄을 하지만 뒤돌아서서 생각해 보면 누구나 할 수 있는 소리다. 점쟁이 앞에 가서, '5월 군사 혁명이 성공할 까요 실패할까요?' 묻는다 치자. 그는 '완벽하게 잘 하면 성공할 것이고, 잘못하면 실패할 겁니다' 식으로 답을 한다.

몇 년 전 미국 포병학교 연수 중에 도서관에 몇 번 들려서 책들을 들춰본 적이 있다. 그때 *Future Forecasting* 이란 책에서, Self-fulfilling forecasting과 Self-defeating forecasting에 대한 내용을 읽었었다. 전자는 '자기 성취형 예측'으로 번역하는데 행위자가 스스로 노력해서 예측 내용에 맞게 행동하여 예측 결과를 만들어 내는 것이다. 예를 들면, '지금처럼 완벽하게 혁명을 준비하면, 반드시 성공할 겁니다'라는 점쟁이 말을 듣고서 치밀하게 혁명을 준비해서 성공시키는 경우다. 후자는 '자기 축소형 예측'이라고 하는데 이는 스스로 무슨 일을 하지 않아서, 또는 반대로 해서 예측 결과가 나오지 않게끔 하는 것이다. 예를 들면, '지금처럼 계속 알코올 중독에 빠져 살면, 얼마 안 가서 위암에 걸릴 겁니다'는 점쟁이 말을 듣고, 대오 각성해서 다시는 술을 입에 대지 않아서 건강이 좋아지고 암에 안 걸린 경우다. 이런 예측은 예측자의 말보다도 행위자가 의지를 가지고 행동하여 결과를 만들어 낸 경우다.

나는 점(占)을 보지 않는다. 나의 운명을 점쟁이의 말 한두 마디에 맡길 수 없다. 내가 가고자 하는 앞날은 내 스스로 작정하고 걸어가면 된다는 사실을 알기에. 내 의지대로, 목표를 정해, 정진해가는 것이 최선이라는 소신을 가지고 있다.

화창한 4월 마지막 날. 일요일이다. 칙칙한 기분을 털어 낼 겸 바깥나들이를 하고 싶어졌다. 마침 아이들이 모두 집에 있어서 지난 번 창경원 나들이처럼 외출하자고 앞장을 섰다. 막내 지만이는 감기 기운이 있는 것 같아서 어머니랑 집에 있기로 하고 근혜, 근영이만 데리고 집을 나섰다.

4월부터는 꼬박꼬박 신당동 집에서 주말을 보내려고 하는 중이다. 가족과 함께 보내는 나의 모습이 방첩대를 통해 육본이나 국방부, 장 면 정부 고위층까지 보고되리라는 것을 가늠하면서. 전역을 앞둔 박 정희가 가족 생활을 준비하는 것처럼 비칠 수 있다.

꼭 필요한 비밀스런 회의는 대구에서 갖거나 아니면 주중에 집으로 들어서기 전에 다른 장소에서 미리 하고 있다. 집 전화는 공공연한 얘기만 하는 것으로 하고 있다. 언제나 처럼 집 주변에는 감시자가 어슬렁거리고 있다.

- 망중한(忙中閑) -

"오늘은 전차를 타 볼까?"

"예, 좋아요."

둘이 신이 났다. 지난주에 이어서 연속 아빠와 함께 외출이다. 집 가까이에 있는 신당동 정류장. 매표소에서 표를 사서 기차에 올라탔다. 사람이 많아 빽빽하다. 을지로를 거쳐 남대문까지 가기로 했다. 아이들의 들뜬 기분도 잠시, 덜컹거리며 달리던 전차가 을지로 2가에서 멈춰 섰다. 운전수와 조수가 내려서 뭔가 열심히 고쳐보려고 애를 쓰지만 시간만 흐른다. 기다리다 못한 승객들이 문을 열고 밖으로 나간다. 우리도 하차. 전차가 낡기는 많이 낡았다. 일제시대부터 30여년 운행하고 있는 전차는 선로와 전기선, 차량 모두가 위태위태하다.

종로 방향으로 조금 걸으면 청계천이다. 청계천은 하얀 시멘트로 복개를 하는 중이다. 전쟁 후 청계천변으로 길게 늘어서 있던 판자촌을 없애고, 둑을 쌓은 뒤 복개를 하고 있었다.

"아빠, 여기 전에는 수많은 판자촌이었는데, 깨끗해졌네."

큰 딸이다. 그녀는 청계천변에 주욱 늘어서 있던, 위태위태하게 기둥에 의지해 난립해 있던 판자집들을 기억하고 있다. 청계천은 그야말로 빈민촌이었다. 개천변에는 똥이 그득했고, 더러운 하숫물이 흐르고 있었다. 보다 못한 정부가 나서서 복개를 하여 덮고 있는 중이다.

무교동 좁은 골목을 빠져나와 시청, 덕수궁으로 걸었다. 아이들이 힘들어 할 즈음에 리어카 장사꾼에게서 김이 나는 풀빵을 하나씩 사서 입에 물었다. 나도 아이들처럼 길거리를 걸으면서 맛있게 빵을 먹었다. 나의 이런 모습이 생경하다.

덕수궁과 시청 주변은 주말 나들이객들로 붐볐다. 아이들에게 내가 알고 있는 덕수궁 역사와 대한문(大漢門) 현판 글씨에 대해 설명을 해주었다. 청와대 뒷산으로부터 조선총독부 건물과 서울시청 건물이 일렬로 늘어서 지어졌는데 마치 '대일본(大日本) 글자'를 상징하듯이 지어졌다는 고사도 말해주었다. 조선총독부 건물은 일제에 의해 경복궁을 제압하는 형태로 지어졌고, 해방 후 지금까지도 정부청사로 사용되고 있다는 것, 그 앞 육조거리가 세종로를 거쳐 태평로가 되었는데 일제가 강제로 줄이고, 그 길 위로 전차길을 냈다는 사실, 전쟁으로 주변의 시설들이 대부분 폭파되어 사라지고 새로 짓고 있다는 것에 대해 알기 쉽게 설명해 주었다.

아이들이 배고파하는 것 같아서, 덕수궁 옆에 붙어 있는 중국집으로 들어갔다. 시키는 메뉴는 당연히 짜장면 세 그릇. 셋이서 허겁지겁, 그러나 맛있게 먹었다.

덕수궁 앞에서 어렵게 택시를 잡아타고 남산으로 올랐다. 남산 공원 주변

으로 봄꽃이 한창이다. 푸릇푸릇 돋아난 초목의 새싹들이 자라나는 아이들처럼 싱그럽다. 딸들이 마음껏 봄볕을 즐긴다.

갑자기 이곳에 있던 우남 이승만 대통령의 동상이 생각났다. 일제가 조선을 멸망시키고 정신까지도 세뇌시키고자 세웠던 조선신궁을 허문 그 자리에, 1956년 8월 15일 독립의 상징인 이승만 대통령 동상을 81척 높이로 우뚝 세웠었다. 저 지난 해에는 남산 꼭대기에 팔각정을 세우고 우남정(雩南亭)이라 명명했었다. 그런데 지난 해 4·19 혁명이 나면서 이 대통령 동상이 끌어내려 졌고, 좌대는 폭파되어 사라졌다. 너무나 허무한 일.

알량한 대한민국인들은 대만의 장 개석 총통, 중공의 모 택동 주석, 북조선의 김 일성과 같이 이 승만 대통령을 위할 줄을 모른다. 모두가 자기가 잘 나서 이렇게 나라를 세우고 잘 살고 있는 줄 안다. 같은 한민족이라는 북조선 인민들은 공산당 일당 독재를 하면서, 수백 만 명을 전쟁 중에 죽게 만들은 김 일성을 떠받들고 살고 있는데. 아마도 이 승만 대통령 동상과 우남정을 폭파해 버린 이들은 북조선 공산당의 사주를 받은 인물들일 것이다. 그들은 대한민국의 존재 자체를 부정한다. 오로지 북조선 위주의 한국을 상상하는 것 같다. 정의로운 4.19 학생들의 짓으로 보고 싶지는 않다.

갑자기 기분이 안 좋아진다. 아이들에게 변덕장이 아빠의 모습을 보이기 싫어서 억지로 먼 산을 바라볼 수밖에 없었다.

한참을 걸어서 서울역으로 내려섰다. 분주하게 오가는 사람들. 역 앞에 죽치고 있는 마차와 리어카꾼들이 눈에 들어온다. 그 옆에 지저분한 옷차림의 거지 소년들이 여럿. 행인들에게 때가 꼬질꼬질한 손을 내밀며 구걸을 한다. 서울역 건너편 남산방향으로는 닥지닥지 판자촌. 전쟁으로 폐허가 되었던 서울역 앞에도 새로운 건물이 들어서고 있었다.

해가 서편으로 기울며 역 건물이 길게 그림자를 만들고 있었다. 아이들과 함께 전차를 타고 집으로. 아이들은 힘은 들어 했지만 기분은 좋아 보였다. 함께 못간 아들 지만이 우리를 반겼다.

딸들과 서울 시내를 구경하면서, 우리 한국의 현실을 직면하였다. 전쟁 후 복구 작업에 나서고 있지만, 어디 하나 똘똘한 건물이 없다. 길도 일제 시대 그대로 중앙으로 전차가 다니고 새로 등장한 차량들과 사람들로 북새통. 일제가 지어 준 건물에 대통령과 정부, 서울시가 들어서 옹색하게 살고 있다. 청계천 주변, 서울역 주변의 판자촌은 아직도 더럽고 비참하다. 일제가 1934년에 지은 부민관(府民館) 건물이 대한민국의 상징인 국회의사당으로 쓰이고 있다. 장 면 총리는 조선총독부 중앙청 건물이 아닌 반도호텔에서 근무하고 있다. 가난한 한국이 너무나 역겹게 느껴진다.

참으로 답답한 우리 대한민국이다. 말로는 일제를 비난하고 일본에 신경질을 부리지만, 눈앞의 현실은 어떠한 가? 일본이 지어주고, 만들어준 건물과 도로가 아니면 어디 하나 번듯한 것이 있는가? 눈을 뜰 수 없을 정도로 비참한 우리의 가난한 현실. 도무지 어쩔 수 없는 무력감에 빠진 시위 군중. 그런데도 국민의 대표라는 국회의원들은 연일 싸움만 일삼고 있다.

이제 디 데이 날자를 선포할 순간이다. 내면 저 깊숙한 곳으로부터 솟아나는 혁명에의 의지를 활활 불태우리라. 이제 더 이상 우물쭈물하거나 좌고우면할 시간이 없다. 내게 주어진 운명과 정면으로 마주 서서 나의 갈 길을 가리라.

기다려라, 새로운 세계가 열릴 것이다.

국가재건최고회의 의장 공관에서. 1961. 8. 28

의장 공관에서 가운데 지만 군을 앉히고. 1962

(혁명 정부 당시의 가족 생활. 출처:안병훈 2012)

드디어, 카운트 다운

드디어 5월이다. 진달래와 개나리, 그리고 벚꽃이 만발했던 4월이 지나고 푸른 하늘이 더욱 기분 좋은 봄날이다. 어린이날, 어머니날, 4월 초파일이 지속되는 5월은 온 국민의 마음을 들뜨게 만든다. 내게도 오월은 드디어 행동을 보이는 달이다.

월요일 저녁, 혁명 핵심 동지인 김 동하, 이 주일, 김 재춘, 김 종필과 함께 김 동하 장군 집에서 만났다. 혁명 계획을 완성하고 거사 날자를 정하기로 한 모임이다. 각자 식사를 하고 저녁 7시에 김 장군 서재에 모여 앉았다.

"우선 거사일을 정합시다. 이제 더 이상 늦출 수가 없어요."

내가 먼저 말을 꺼냈다. 마음속으로 생각하고 있는 날자가 있지만 우선 다른 사람들의 의중이 어떤 가 듣고 싶었다.

"어설프게 생각했던 4·19 거사 계획이 애초부터 불가능했고, 위험천만이었어요. 자칫 일을 크게 그르칠 뻔했습니다."

김 재춘 대령이다. 그는 시위대 진압 출동 계획인 비둘기 작전의 중심에서 있던 사람이다.

"맞는 말입니다. 큰일 날 뻔했어요. 정부측에서 4월 위기설을 계기로 시위 데모에 극도로 신경을 썼어요. 시위 주도 학생들에게 일일이 손을 써서 큰 시위가 없이 지나갔지요."

"하지만, 지역 사령관들은 4·19를 굉장히 유의해서 지켜봤어요. 왜냐 하면 예년처럼 계엄 가능성을 염두에 둔 것이지요."

이 주일 장군이다. 그는 혁명 거사일이 차일피일 늦춰지고 있는 상황에 대해 매우 우려를 하고 있다. 비밀이 새어 나가는 것에 대한 우려보다도 사실 혁명 주체 세력의 '자포자기(自暴自棄)'가 나타나지 않을까 하는데 대한 걱정이다. 과격한 이들은 그래도 적극적으로 혁명 추진을 주장하지만, 적지 않은 장교들은 그냥 '될 대로 되라'는 심정으로 변모할 수 있다. 이런 심정적 변화는 혁명 의지를 무력화시키고 자칫 모든 노력을 무산시키기 쉽다.

"장 면 정부는 3월 위기, 4월 위기를 무난하게 넘겼다고 안심하려는 분위기가 느껴집니다. 경찰의 경계 태세도 잠시 누그러지는 것 같습니다. 그래서 작전팀에서 5월 12일로 거사일을 정하자는 의견도 나온 것으로 알고 있습니다."

김 종필 중령이 육본 혁명 동지들의 움직임을 전해준다. 영관급 작전팀에서는 거사 당일 날 진행될 병력 동원과 행동 계획을 수립해 놓고 있고, 행정팀에서도 혁명위원회 구성과 계엄령 선포, 정권 인수, 대국민 홍보 대책을 치밀하게 진행 중이다.

"그런데 5월 12일에는 공수단 훈련 계획이 있다는 정보입니다. 가장 먼저 한강육교를 건너 중앙청을 점령할 공수단이 서울을 떠나 있으면 곤란합니다."

김 재춘 대령이다.

"그렇다면 12일은 불가능하지요. 좀 더 늦춰서 공수단이 제 자리로 돌아오는 날자로 해야 합니다."

이쯤에서 내 생각을 제시할 필요가 있다.

"제 생각에는 2주일 뒤 주말을 지낸 화요일, 5월 16일이 좋다고 봅니다. 화요일날 국무회의가 있어서 모든 각료들이 서울에 대기할 겁니다. 혁명군이 요인 체포 임무를 수행하기 좋은 날자입니다."

특별히 이의를 제기하는 사람이 없다.

"제가 알아본 바에 의하면, 아마도 오늘 낼 사이에 장 면 정부의 개각이 있을 지도 모릅니다. 지난 연초부터 여당인 민주당에서 지속적으로 개각을 요구해오고 있어요. 4월 위기설과 관련해서 야당과 민주당 내 소장파 의원들이 신 현돈 내무장관의 경질을 강력하게 요구하고 있습니다. 또 국토개발

사업 등과 관련해서 경제부처 장관의 경질도 말이 나오고 있고요. 장관 교체로 조금 어수선할 때를 이용하는 겁니다."

"그 때 쯤에는 공수단 병력도 훈련을 마치고 귀대할 겁니다. 제가 박 치옥 단장과 상의해서 차질이 없도록 하겠습니다."

김 재춘 대령과 박 치옥 대령은 육사 5기 동기생이다.

"제가 알고 있기로는 5월 15일이 1군 사령부 창립 기념일입니다. 장 면 총리께서 참석한다고 합니다. 주말에는 국회의원이나 장차관들이 지역구로 내려가 서울을 비우는 사람도 있어서 체포하기가 어렵고, 장 면 총리가 원주 기념식에 가는 날도 행동하기가 어려워집니다."

김 종필 중령이 내 의견에 동조를 한다.

"꼭 그래서만은 아니지만 어쨌든 5월 16일, 화요일 0시를 D-day로 하고자 합니다."

모두가 찬성 의견을 피력한다. 이제 군사 혁명 날자가 정해 졌다.

1961년 5월 16일 0시. 운명의 날이다.

"거사일이 정해졌으니 내일 5월 2일부터 카운트 다운에 들어갑니다. 이제 정신 바짝 차려야 합니다."

모두가 결연한 의지. 눈초리에 힘이 들어간다.

"자, 그러면 김 중령께서 준비한 혁명 작전 계획에 대해 들어 봅시다."

김 종필 중령이 먹지를 대고 복사한 혁명 작전계획서를 참석자들에게 배포한다.

"문건을 보시면 내용이 상세하게 나와 있습니다. 각하와 상의하고 육본의 작전팀, 행정팀과 여러 차례 상의하여 결정한 내용입니다. 오늘 5인 위원회에서 최종 승인을 받고 나면 모든 혁명 동지들께 배포하여 차질 없게 혁명 준비를 하도록 할 예정입니다. 요점 위주로 말씀드리겠습니다."

김 종필 중령이 인쇄물을 중심으로 핵심 내용에 대해 보고를 한다.

"혁명 일자는 1961년 5월 16일 0시 이고, 총지휘관은 박 정희 소장입니다. 혁명 지휘본부는 6관구 사령부입니다. 출동 병력은 공수단 1개 대대, 해병 여단 1개 대대, 6군단 포병단 5개 중대, 30사단 1개 대대, 33사단 1개 대대입니다. 그리고 전방 5사단과 12사단이 반혁명군에 대비하여 비상대기합니다."

문건에는 혁명 디 데이 이전부터 거사일, 그 이후의 시간대별 행동 내용이 상세하게 정리되어 있었다. 지난 해 9월부터 차분하게 준비해 온 작전계획이 그대로 담겨 있었다.

출동 병력은 디 데이 2주일전부터 준비 작업에 들어간다. 병사들에게나 중간 간부, 대외적으로는 시위 진압이나 전투력 향상을 위한 평상시 훈련형태로 인식케 만들고, 디 데이 하루 전에는 비상 계엄 상태에서 실전을 치르는 것처럼 하여 병력을 동원한다.

동원 부대는 전날 하오 10시에 완전 군장을 한 뒤, 디 데이 0시를 기해서 목표 장소로 출발한다. 16일 3시를 목표 고지 점령 마지노선으로 한다.

제1진인 공수단은 박 치옥 대령과 김 제민 대대장, 차 지철 중대장 등이 통솔한다. 김포에서 출발하여 가장 먼저 한강 인도교를 건너서 용산을 거쳐 중앙청과 국회의사당을 점령하고 시청 앞, 중앙청에 주둔한다.

제2진인 해병 여단은 김 윤근 준장, 대대장 오 정근 중령, 조 남철 중령이 통솔한다. 김포를 출발하여 한강 인도교를 건너 내무부, 치안국, 서울시 경찰국을 점령하고 남산에 주둔한다.

제3진인 6군단 포병단 5개 대대는 단장 문 재준 중령, 백 태하 대대장, 구 자춘 대대장, 신 윤창 대대장, 정 오경 대대장, 김 인화 대대장이 통솔한다. 포천을 출발하여 의정부, 도봉, 미아리를 거쳐 육군본부를 점령하여 주둔한다.

제4진인 33사단 1개 대대는 연대장 이 병엽 대령이 통솔한다. 부평 소사에서 경인가도를 거쳐 한강 인도교를 건넌 뒤, 서울시청과 방송국, 서대문 형무소, 마포경찰서를 점령한다. 덕수궁에 주둔한다.

제5진인 30사단 1개 대대 병력은 이 백일 중령이 통솔한다. 수색에서 영천을 거쳐 서대문으로 진출, 모래내, 수색에 주둔하여 서북 방향의 반혁명 세력에 대비한다.

5사단은 채 명신 준장이 이끌고 포천에서 남하하고, 12사단은 박 춘식 준장이 통솔하여 원통에서 원주 방면으로 진출하여 반혁명 세력에 대비한다.

본부 작전팀은 카운트 다운과 동시에 출동 부대의 준비 상황을 지속적으로 점검하고 통솔 책임자의 요구 사항에 주목한다. 1군 사령부를 중심으로 관내 주요 지휘관의 동향 파악에 나선다. 디 데이 병력 출동 계획에 맞춰 작전팀은 전 날 오후 10시 6관구사령부 지휘부로 집결하고, 임무를 나눠서 공수단, 해병여단, 6군단 포병단, 30사단, 33사단의 출동 상황을 체크하고 지원한다. 부대별 목표 거점 확보나 요인 체포 등 진행 상황을 점검하고 적극 지원한다. 특히 요인 체포 구금조에 대해서는 책임 장교별로 현장 조사에 철저를 기한다. 그리고 병력이 출동하는 30사단과 33사단의 경우에는 사령관에 대한 연금 조처도 포함된다.

행정팀과 육본 지원팀은 카운트 다운에 들어 가는 순간부터 혁명 동지들 사이의 연락에 신중을 기하고 필요한 재정, 정보, 긴급 회의를 주관한다. 아울러 군과 군단 및 사단의 혁명 동지들과 함께 전날 하오 10시를 기하여 육군 본부와 6관구 사령부, 1군과 2군 사령부, 전방 주요 군단 및 사단의 통신망을 장악한다.

행정팀은 동원 부대가 1차 목표를 달성하는 순간부터 군사혁명위원회 구성, 계엄령 선포, 국회 해산과 정권 인수, 서울 및 전국 치안 확보, 기타 세부 정책에 관한 모든 행동 계획을 사전에 준비한다. 대국민 홍보, 여론 환기 작업도 수행한다.

“카운트 다운에 들어가는 순간부터 박 정희 장군에 대한 비밀 경호팀을 가동합니다. 군 출신 정예 요원 10명을 선발해 놓고 있는 중입니다.”

“현역병이 아닌가요?”

“일단은 민간인으로 구성하여 신당동 자택을 중심으로 가동할 예정입니다. 디 데이와 동시에 병력이 출동하면 그때부터는 공수단 병력 중 우수 인력을 선발하여 대체하려고 합니다. 부인과 자녀들에 대한 경호도 포함합니다. 현재 방첩대에서 각하 주소지를 감시 중에 있는 것으로 알고 있습니다. 이번 경호팀은 경찰국이나 헌병대 소속처럼 자연스럽게 행동하도록 할 예정입니다.”

“각하만이 아니라, 출동 부대장들에 대한 경호도 필요할 겁니다.”

김 동하 장군이다.

“맞습니다. 출동 부대장들에게는 카운트 다운에 들어가는 순간부터 자체 경호팀을 가동하도록 할 예정입니다. 부대 내는 물론 가족들에 대한 경호도 중요합니다.”

서울 이외 지역을 관장하는 2군 사령부 행동 계획에 대해서도 치밀하게 준비되어 있었다.

“2군은 이 주일 장군 지휘로 움직입니다. 디 데이 오전 3시에 각 예비사단별로 비상을 발동합니다. 완전 군장으로 병력을 대기시키고 있다가 5시 중앙방송에서 혁명 발표가 나는 것과 동시에 관내 주요 행정 기관과 경찰서, 방송국, 대학, 은행, 주요 시설을 점령합니다. 방송과는 별도로 5시에 혁명 지휘본부로부터 명령을 하달할 생각입니다.”

“김 중령, 수고하셨어요. 지금까지 말씀하신 내용과 문건 내용에 대해 추가로 논의하실 것이 있으면 말씀해 주시기 바랍니다. 아 참. 김 대령께서 해 주실 일은 여기에 담겨 있지 않네요.”

"그렇습니다. 문건에 포함시키지 않더라도 지휘본부 차원에서 반드시 해야 할 일들이 적지 않습니다. 첫째, 서 종철 사령관과 부딪치지 않으면서 혁명 지휘 본부를 운영하는 일입니다. 사령관 퇴근 이후부터 거사일 새벽까지 사령관이 영내에 거주할 명분을 주지 않도록 유의할 겁니다. 둘째, 공수단, 30사단, 33사단에 대하여 정상적인 훈련 상황을 만드는 일입니다. 사전에 사령관 명의로 훈련 계획을 발령할 예정입니다. 셋째, 작전팀과 상의하여 육군 본부와 6관구 사령부, 제1군 사령부 및 관심 대상으로 정해진 군단과 사단의 통신대를 장악하고 우리측이 이용할 노선을 제외한 모든 노선을 차단합니다. 넷째, 지휘본부를 호위할 경계 병력을 1개 소대 병력으로 운용합니다."

김 재춘 대령이 치밀하게 준비하고 있는 내용을 말해 주었다.

모두가 혁명 계획에 대해 이론이 없음을 확인하였다. 이제부터는 확정된 D-day와 작전 계획에 대해서 핵심 지휘관들과 작전팀, 행정팀, 일선 부대의 혁명 동지들에게 비밀리에 전달하는 일이 남았다. 당장 내일부터 서둘러야만 한다.

"박 장군님, 우리 이 원본 문서에 친필 사인을 하고 지장을 찍는 것은 어떻겠습니까? 독립 투사들이 혈서(血書)를 쓰고 각오를 단단히 하는 것처럼."

이주일 장군이 제안을 한다. 김 동하, 김 재춘도 고개를 끄덕인다.

"혁명을 2주일 앞두고 카운트 다운을 하는 마당에 우리의 결의를 다지는 의미가 클 겁니다. 말로만 하는 것보다도 시각적으로 강렬하게 동지들의 결연한 다짐을 유도할 수 있습니다. 좋아요. 그런데 이 종이가 서명을 하기에는 너무 옹색하네요."

갑자기 목숨을 건 독립 투사와 같은 기분이 든다. 김 장군이 일어서더니 문득 장롱 속에 고이 접어 넣어둔 해병대사령관 시절의 작은 태극기를 찾아 내왔다. 그리고 아이들 그림 물감과 붓, 인주(印朱)를 들고 들어온다.

내가 먼저 붓으로 이름을 적고 그 아래에 엄지에 인주를 묻혀 지장을 찍었다. 이 주일, 김 재춘, 김 종필, 김 동하 순으로 돌려 가면서 이름을 적고 지장을 찍었다.

눈앞에 놓여 있는 태극기가 이제는 예사롭지 않다. 우리 목숨을 담보하고 있는 것 같다.

"이렇게 결의를 다지고 보니, 다른 혁명 동지들을 설득하고 다짐을 받는데도 더욱 믿음을 줄 것 같네요. 내일부터 저와 김 중령이 직접 비행기와 찝차를 이용해서 일일이 동지들을 찾아가서 브리핑을 하고 서명을 받겠습니다."

비밀을 유지하기 위해서는 내가 직접 나서야만 한다. 김 종필 중령에게 작전팀과 행정팀, 육본 동지들을 비밀리에 김 종락 씨 집으로 모이게 했다. 김 재춘 대령에게도 동원 부대장들을 시내 모처로 모이도록 부탁했다. 참석이 어려운 동원 부대장은 내가 직접 방문하기로 했다.

지역 예비 사단의 혁명 동지들에 대해서는 1차적으로 이 주일 장군이 혁명 거사일과 핵심 일정만을 내밀하게 전달하기로 했다. 그런 다음에 작전 계획 문건과 동지들이 사인한 태극기를 들고 내가 직접 방문하기로 했다. 시간상 어려울 경우에는 이 장군에게 일임하여 설명하고 서명을 받기로 했다.

"자, 모두들 수고하셨습니다. 그런데, 반드시 유념하실 일은 작전 계획은 '실제가 아닌 계획'일 뿐, 이것을 행동으로 옮겨 혁명 과업을 완성하는 것은 우리 모두의 강한 집념과 실천 의지, 그리고 고지 쟁탈 능력입니다. 실제 상황은 예상대로만 진행되지 않습니다. 때로는 강한 돌파력도 필요하고, 임시 변통도 필요하고, 목숨을 바치는 희생도 필요합니다."

모두가 숙연해 졌다.

드디어 카운트 다운, D-15.

■ **작전 계획:** 봉화(烽火)

1. 작전 계획(Operation Plan): 봉화(烽火)

2. 개요 및 목적(Outline and Goals):

o 개요(Outline):
정에 혁명군을 동원하여 정부 행정 기관과 국회, 주요 공공 시설을 점령하고, 계엄령을 선포한다. 군사혁명위원회를 구성하여 정권을 인수받고, 새로운 대한민국 건설의 중임을 담당한다.

o 목적(Goals):
- 반공(反共)을 국시(國是)로 하고, 반공태세를 재정비 강화
- 유엔 헌장을 준수, 국제협약의 충실한 이행, 자유 우방과의 유대 강화
- 사회의 모든 부패와 구악 일소, 국민 도의와 민족 정기 정립, 청신한 기풍 진작
- 빈곤 타파와 민생고 해결, 국가 자주경제 재건에 총력을 경주
- 민족의 숙원인 국토통일을 위해 공산주의와 대결할 수 있는 실력 배양에 전력을 집중

3. 작전 개시일(D-day): 1961년 5월 16일 00:00

4. 주요 활동(Major Activities):

(1) **혁명을 위한 사전 준비:**
- 혁명 동지 포섭
- 혁명에 필요한 정보 수집과 분석
- 혁명 소요 자금 확보
- 국민 여론 파악, 호의적 여론 조성
- 혁명군 동원 준비

(2) **혁명군 동원:**
- 출동 준비: 완전 군장
- D-day 출동: 최단거리로 목표 지점까지 이동
- 점령 목표물 확보 후 계획된 주둔 지역에 포진
- 목표물 확보, 주요 인사 체포 및 구금

(3) **혁명 정부 구성과 활동:**
- 계엄령 선포
- 군사혁명위원회 구성
- 정권 인수 인계
- 혁명 정책의 구체적 실행
- 헌법 개정과 새로운 정부 출범

5. 조직(Organizations)과 임무(Duties):

(1) **혁명 지휘 본부**: 혁명을 총괄 기획하고 병력 동원을 책임지며, 혁명 전체를 총괄 지휘.

- 본부팀: 혁명군 총대장을 중심으로 참모진, 연락병, 경호원 등으로 구성.
  /총대장: 박정희 소장 /부대장: 김재춘 대령, (박원빈 중령)
- 행정팀: 혁명을 위한 조직, 인사, 재무, 여론 조사 및 분석, 홍보 담당, 정책 개발
  /팀장: 김종필 중령(오치성 중령, 이석제 중령, 유승원 중령, 김동환 중령, 이낙선 소령)

- 작전팀: 혁명 동지 포섭과 규합, 병력 동원 계획 수립, 전술 개발, 정보 수집과 분석, 병력 출동과 목표 달성 지원.
  /팀장: 김형욱 중령(강상욱 중령, 길재호 중령, 옥창호 중령, 김성룡 중령, 박종규 소령)

- 육본 지원팀: 혁명 지휘본부에서 필요한 활동 지원
  /김동하 소장, 장경순 준장, 유양수 준장, 한신 준장, 유원식 대령 (박창암 대령, 육사)
  /박병권 소장(국방대학원장), 국방연구원: 송찬호 준장
- 재정팀(민간인): 김용태, 이학수, 김덕승, 남상옥, 김종락 (정보: 정태화)
- 위치: 6관구 참모장실(1단계), 남산 혁명군주둔지(2단계),육군본부(3단계)

(2) **혁명군**: 혁명군은 각 동원 부대별로 출동하여 목표 지점 장악 후, 목표 활동 수행

- 1공수여단: 1개 대대. 김포-한강인도교-용산-덕수궁. 중앙청,국회의사당을 점령. 요인 체포 구금 활동.
  /단장:박치옥대령(김제민중령,최소만중령 차지철 대위) 중앙청에 주둔
- 해병 여단: 1개 대대. 김포-한강인도교-염천교-중앙청. 내무부 치안국, 서울시 경찰국 점령.
  /단장: 김윤근 준장 (오정근중령,조남철중령,최용관소령)남산에 주둔.
- 제6군단 포병단: 5개 대대. 포천-의정부-도봉-미아리-남산 육군본부. 육군본부를 점령.
  /대장: 문재준 대령
  /출동 대대장: 신윤창 중령, 구자춘 중령, 정오경 중령, 백태하 중령, 김인화 중령

- 제33사단: 1개 대대. 부평 소사-경인가도-한강인도교-서울시청. 서울시청, 방송

국, 서대문형무소, 마포경찰서 등 주요 시설 점령.
/대장: 이병화 대령, (오학진 중령) 덕수궁에 주둔

- 第30사단: 1개 대대. 수색-영천-서대문-중앙청 진출. 서북방향의 경찰서, 파출소, 민주당 본부, 시경 탄약고 접수. 서대문과 모래내에 주둔. 서북방향 반혁명 세력에 대비.
/대장: 이백일 중령 (박상훈 대령, 이갑영 대령)

- 제5사단: 포천에서 서울 쪽으로 이동. 반혁명군 대응
/대장: 채명신 준장
- 제12사단: 인제 원통에서 원주로 이동하여 반혁명군 견제.
/대장: 박춘식 준장

(3) 2군 산하 예비사단: 사령부 및 사단 관할 지역 내 행정 및 주요 기관, 시설 점령. 계엄 실시
- 2군사령부(대구): 이주일 소장 (박기석 대령, 박승규 대령, 이신득 대령, 허건공 대령, 장동운 중령, 임광섭 중령, 서상린 중령)
- 제2훈련소(논산): 최홍희 소장 (한흥관 대령)
- 육군정보학교(영천): 한웅진 소장
- 육군항공학교(광주): 이원엽 대령
- 제36사단(안동): 윤태일 준장
- 제37사단(증평): 김진위 준장
- 군수기지사령부(부산): 김용순 준장
- 제31사단(광주): 최주종 준장
- 진해 육군대학: 정문순 중령, 윤필용 중령

(4) 1군 소속 지원 팀: 1군 산하 군단과 사단 소속으로 혁명 지원
- 1군 사령 본부팀: 이한림 사령관 통제. 통신선 차단, 반혁명 움직임 사전 차단
/팀장: 조창대 중령 (이종근 중령, 박용기 중령, 심이섭 중령, 엄병길 중령, 김덕윤 중령)
/(이한림 체포 지원): 박태원 대령, 정봉욱 대령, 허순호 대령 (안찬희 대위, 김승대 대위)
- 제5군단: 박임항 중장 (이종학 중령)
- 제2군단: 민기식 중장
- 제6군단 작전참모: 홍종철 대령 (박배근 중령)
- 제1사단: 한윤찬 중령
- 제9사단: 황종갑 준장(포병사령관)

6. 시간 계획(Time Schedule):

(1) 혁명군:

날자	행동 계획
D-10	출동 계획 확인, 지휘관 회의 및 임무 확인, 출동부대장 경호팀 구성
D-9	출동 부대 인원 점검(열외자 및 부족 인원 대체 인력 보충)
D-8	총기, 탄약, 장비, 차량, 피복, 식량 준비
D-7	출동 경로 확인 (주요 장애물, 거리와 시간 확인), 주둔지 확인
D-6	담당 임무 확인. 사전 점검
D-5	출동 부대장 중간 점검 회의
D-4	출동 병력 건강 및 이상 징후 점검
D-3	총기, 차량, 포 점검. 출동 경로 재확인
D-2	작전 계획 재점검, 담당 임무 확인, 장교 및 병사 정신 교육
D-1	인원 점검, 총기 및 실탄, 포탄 지급, 차량 주유 확인. 외출 금지 하오 10시 비상 발령, 병력 출동 대기, 통신선 차단.
D-day	오전 00:00 병력 출동. 03:00 점령 목표 지점 도착. 임무 수행 점령 기관 및 주변 지역 경계. 요인 체포 및 구금, 감시 (예비사단:오전03:00비상발령, 05:00병력 출동, 08:00 임무 완수)
D+1	임무 지속 수행
D+2	임무 지속 수행
D=3	임무 지속 수행. 총대장의 지휘에 따라 병력 이동 배치 가능

o 5사단과 12사단은 총대장의 명령에 따라 병력 이동

(2) 혁명 지휘 본부:

날자	행동 계획
D-10	혁명지휘본부 팀장 회의 및 팀별 회의. 작전 내용 숙지. 총대장 경호팀 가동(행), 5월 훈련계획 하달(본)
D-9	출동 부대 상황 파악(작), 여론 동향 파악(행), 재정 지원(재)
D-8	반혁명 세력 파악 및 대책 수립(작), 혁명위원회/계엄령/대국민 홍보준비(행), 군내 정보수집 및 분석(지), 출동부대현장점검(본)
D-7	출동 부대 현장 점검(본), 정권 인수 계획 수립(행)
D-6	소요 재정 지원(재), 정치 사회 동향 파악(행)
D-5	중간 점검(본, 작, 행, 지)
D-4	지역 예비 사단 상황 점검(본), 장면 정부 동태 파악(행)
D-3	D-day 출동 현장 확인(작)
D-2	출동 부대장 연석회의(본)
D-1	홍보물 인쇄(행), 혁명지휘본부 구성(하오 10:00)
D-day	오전 00:00 병력출동점검(본,작). 03:00 남산으로 지휘부 이동.

	05:00 중앙방송 송출, 08:00 육군본부로 이동(본,작,행,지,재) 군사혁명위원회 발표(행), 계엄령 선포(행), 정권 인수(본, 행)
D+1	혁명 포고령 발표(행), 군사혁명위원회 업무 개시(행)
D+2	혁명 과업 시행(행)
D=3	혁명 업무 시행(행)

7. 유의 사항(Notes):

- 예외적 상황 발생 시에는 본부 대장에게 보고 후, 지시에 따를 것
- 출동 부대는 각 부대 대장 책임 하에 행동함
- 혁명동지 행동준칙이행(건강, 음주금지, 폭력금지, 언어유의,이상 행동 금지)
- 비밀 준수
- 혁명 문건은 재생산하지 않고, 회의 후에는 반드시 폐기 처분함
- 통신 보안 유지

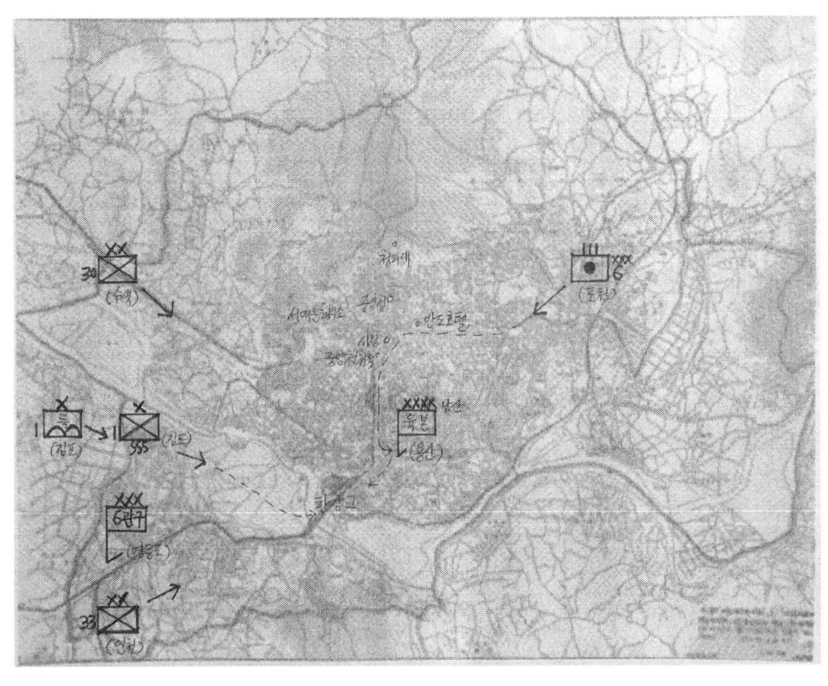

부대 동원 작전 지도

5월 정국

본격적으로 카운트 다운을 시작하고 긴장의 끈을 조여 가고 있던 5월 7일 조선일보 조간신문에 한국청년당의 쿠데타 음모설이 실렸다.

'한국청년당 사건. 확대되는 쿠데타 음모 배후. 나치당 행동을 본 따. 무기 구입비 제공자는 실업가 이모씨, 의사당 강점, 조각(組閣)까지 망상(妄想).'

한국청년당은 지난 해 4·19 직후에 박 대완이라는 청년이 중심이 되어 결성한 단체였는데 최근에 쿠데타 음모설이 밝혀져 지난주에 검찰에 대표자가 구속되었다. 박 대완(위원장), 유 세림(부위원장), 김 찬빈 등 구속된 사람들은 모두 북한 출신으로 전국에 3000여명의 당원이 있다고 한다. 눈여겨 볼 것은 그들의 강령 중에 내각책임제는 안 되고 반드시 대통령중심제 정부여야 한다는 주장이다. 그들도 현 내각제 헌법의 문제점을 잘 알고 있다는 의미다. 또 주요 기간 산업의 국공영화(國公營化) 원칙에 입각한 계획 경제 체제, 반공 반독재 구국 운동에 의한 자주 통일을 주장하고 있었다. 대통령 중심제나 계획 경제, 반공 반독재, 자주 통일은 나의 생각과도 같다.

그들은 군사 훈련을 제대로 받은 장병 2개 중대를 무장시켜, 오는 7월까지 데모에 편승하여 국회의사당과 정부 청사를 강점하는 쿠데타를 일으키기로 했다고 한다. 장 면 국무총리를 비롯한 정부 요인들을 암살하고, 새로운 혁명 내각을 수립하고자 했다. 재미있는 것은 혁명 내각을 예비역 장성과 젊은 대학 교수 중심으로 구성하는데 내무에 강 문봉 장군, 국방에 송요찬 장군, 주미 대사에는 정 일권 장군, 고대 교수인 김 준엽씨 등을 고려중이었단다.

기가 찰 노릇이다. 수없이 떠돌고 있는 쿠데타 음모설에 편승한 불순 세력일 뿐이다. 하지만 심각히 생각해야 할 것은 현 장 면 민주당 정부가 '너무나 만만해 보일' 정도로 무능력하다는 점이다. 기사 속의 청년당은 해방 직후 활동했던 대한청년단, 대동청년단, 민족청년단, 서북청년단과는 차원이 다르다. 그때는 경찰과 군대가 아직 정상화되지 못한 상황에서 국방과 치안 확보 차원에서 반공 청년들의 존재가 절실하게 필요 했었다. 하지만 지금은 아니다. 70만 군대가 있고 잘 조직된 경찰 조직이 엄연히 존재하고 있다. 이런저런 명분을 앞세우고 있지만 어불성설이다.

기사를 보면서 정신이 번쩍 든다. 우리의 군사 혁명이 더 이상 늦춰져서는 안됨을 절감한다.

D-10. 모든 혁명 동지들이 '봉화 작전'에 대해 숙지하고 철저한 준비 작업에 돌입해 있다. 출동 병력이 가장 중요한데, 통솔 부대장들의 지혜로운 영도를 기대하고 있는 중이다.

장 면 총리가 삼차 개각(改閣)을 단행한 것에 대해 민주당 내부의 반발이 제법 심각하다. 장 총리는 5월 3일, 6부 장관과 7부 정무차관을 경질하였다. 내무, 재무, 문교, 농림, 상공, 보사부 장관이 교체되었다. 장 면 정부에서 4월 위기설과 관련해서 내무와 문교를, 또 의욕적으로 추진했던 국토건설, 농촌 발전, 경제개발 계획 등과 관련된 부처 장관이 교체된 셈이다. 모두 야당의 반발이 심했던 부처들이다.

4월 위기설과 함께 장 면 내각 총퇴진을 주장하고 있는 신민당과 같은 야당의 반발은 당연하다고 치더라도, 여당인 민주당 젊은 의원들조차도 개각 결과를 놓고 즉각적으로 반발하고 나섰다. 이유는 장 총리 측근의 노장파 의원들만 입각시켰다는 얘기다. 소장파인 신풍회(新風會) 소속으로 교통부 장관 설이 있던 김 준태 의원이 부흥부 정무차관에 유임되자 극단적으로 반발을 하면서 사표를 제출했다. 당 기획위원으로 지명된 박 주운 의원과 함께. 신풍회 소속 민주당 의원들은 국회와 정부, 정당 업무 모든 면에서 협조를 거부하고 나섰다.

- 내각제(內閣制)의 함정(陷穽)

장 면의 민주당 정부는 철저하게 내각제 함정에 빠져 있다. 이번 개각 내용을 보면 모든 장관과 정무차관이 민주당 국회의원이다. 민주당이 국회의 입법기능은 물론 행정부의 정책 기능까지 전담하고 있다. 헌법에 장관 중 반 이상을 국회의원으로 채워야 한다고 되어있지만, 이번 개각 결과를 보면 장관과 차관 모두를 의원으로 한 셈이다.

정부 형태를 논할 때 대통령 중심제와 내각 책임제로 구분한다. 내각제는 국민 대표로 구성되는 국회가 입법권은 물론 정부 부처 총리와 장관이 되어 직접 행정과 정책을 담당한다. 이에 비해 대통령제는 행정부 수반인 대통령을 국민 직선으로 선발한 뒤 모든 행정권을 담당케 하는 구조다. 또 다른 국민대표로 구성되는 국회는 입법권과 예산심의권을 가지고 행정부를 적절히 견제하는 역할을 담당한다.

내각제에서 중요한 것은 국회다. 국가 발전의 모든 정책과 그 관리 활동인 행정을 제대로 감당해낼 수 있느냐 여부다. 행정은 전문가가 담당할 때 최고의 성과를 낼 수 있다. 국방은 군인들에게, 국토 건설은 토목 전문가에게, 교육은 선생님들에게 맡겨야만 한다. 그리고 공무원은 평생 동안 같은 일에만 종사하는 행정 전문가이다. 이에 비해 국회의원은 임기가 정해져 있는 정치인이다. 정치는 여론을 수렴하고 행정부를 적절히 견제하는 역할이 주 임무다. 정치인은 결코 행정 전문가가 아니다. 정치, 정치인이 행정에 간섭을 하면할수록 행정이 난맥상을 보이고 국가 발전이 제대로 이루어질 수 없다.

지난해부터 민주당은 국회와 행정부 모두를 장악하고 있다. 그런 민주당이 국회는 물론 행정부 총리와 장관을 두고도 '정쟁(政爭)'에 목숨을 걸고 있다. 장 면 정부가 하는 모든 정책에 대해 야당인 신민당처럼 비판적인 의원이 많다. 장 면 총리와 장관이 소속 공무원들을 거느리고 소신껏 행정을 펼치지 못하게 만들고 있다.

신풍회 총무가 바로 이 철승(39세) 의원이다. 내가 알기로는 매우 강직하고 올바른 젊은 정치인이다. 주로 국방위원회 소속으로 있어서 나도 제법 가까이 아는 사람이다. 그런 그도 신민당 소장파 김 영삼(32세) 의원처럼 장 면 총리를 몰아 부치고 있는 셈이다.

현재의 대한민국은 정치인들만 신나는 나라다. 대부분 부모 잘 만나 순조롭게, 또 좋은 학교를 나와서, 국회의원이 된 경우가 많다. 한번 국회의원이 되면 지역구민을 이리저리 구워삶아서 재선, 3선으로 이어간다. 겉으로 보면 말도 잘하고, 잘 생기고, 멋있다. 평생 보리고개를 모르고, 굶주리는 농민과 실업자의 한탄을 제대로 알 리가 없다. 스스로 막노동을 하면서, 돈을 벌기 위해 노심초사해 본 적이 없다. 농민과 노동자의 육체적 고통을 짊어져 본 적이 없다. 물론 말로는 청산유수(靑山流水), 보리고개 빈민들로 하여금 금방이라도 '배가 불러올 것' 같게 만들지만.

정치인들은 참의원, 민의원으로, 국회의 온갖 감투, 장관과 차관으로, 또 눈치 빠른 '이권 개입'을 통해 부귀를 누리고 있다. 그런 그들은 결코 행정 전문가가 될 수 없다. 앞의 청년당 젊은이들처럼 전국의 대학생들도 국회와 국회의원을, 장 면 정부를 믿지 못하고 있다.

현재의 헌법은 이 승만 대통령과 자유당 정부 시절에 대한 반발로 만들어졌다. 민주당 신파의 장 면이 대통령이 될 가능성이 높아지자 윤 보선의 구파가 기존 자유당 출신들과 연합하여 내각제를 선택하였다. '혼자만 해먹는' 대통령이 꼴 보기 싫어서, 국무총리를 세워 놓고는 임기를 정하지 않고 아무 때나 교체할 수 있게 만들었다. 국회의원 하는 판에 '정책을 마음대로 주무를 수 있는' 또, '수많은 관료들을 머슴부리듯 다룰 수 있는' 장관도 되고 싶어졌다. 그런 국회의원들이 대한민국을 좌지우지하고 있다.

내각제의 성공 비결은 안정적인 국회다. 국회가 흔들리고, 사분오열되어 있으면 덩달아 정부도 춤을 춘다. 내각제를 선호하는 정치인은 영국이나 일본의 의회와 수상을 생각한다. 영국이나 일본도 내각제를 선택한 직후에는 당내 파벌이 극심해서 적지 않은 혼란을 겪었다. 하지만, 이들 나라는 국왕이 있어서 의회의 극단적 분열을 막고, '국가'를 생각하는 의원들이 어느 정도는 수상의 행정권을 인정해준다. 근본적으로 행정 수반인 수상이 제대로 정책을 수행하도록 독려하고 지원한다.

그런데 지난 몇 개월 민주당 국회와 장 면 정부를 보면 걱정이 많다. 장

면 정부는 뭐 하나 제대로 일을 해보질 못하고 있다. 사사건건 반발하고 문제 제기하는 국회를 감당하기가 너무 힘이 든다. 국회와 연결된 장관, 차관도 역시 정치적으로 행동한다.

내가 추구하는 군사 혁명의 제일 목표가 사실 국회 정화(淨化)다. 그런 다음에 행정 전문화다. 정치인의 '입'을 다스리는 일이 대한민국 발전의 제일보(第一步)다. 군대를 동원하면 정치인에게 재갈을 물리는 일이 어렵지 않지만, '대한민국은 엄연히 민주주의' 사회다. 김 일성과 같을 수는 없다. 그래서 생각이 많다.

장 면 총리는 고민이 많다. 관료들을 동원하여 추진하는 농촌 발전, 국토개발사업, 빈곤 퇴치, 실업자 구제 어느 하나 제대로 되는 것이 없다. 원조물자를 제공하는 미국도 지쳤는지 이제는 번듯한 경제개발계획을 가져와야만 지원을 계속하겠다고 엄포를 놓고 있다.

국회 여당이 적극적으로 지원을 해 줘도 일을 하기가 버거운데 야당 신민당과 한 패가 되어 비판에 나서고, 물고 늘어진다. 예산 통과를 시켜주지 않고, 장관과 차관을 바꿔라 난리다.

최근에는 윤 보선 대통령까지 나서서 국정을 어지럽게 만들고 있다. 민주당 구파와 신민당은 대통령에게 군통수권이 있다는 헌법 조항을 들어서 군통수권 중 군령권(軍令權)은 대통령, 군정권(軍政權)은 총리가 갖게 하자고 난리다. 내각제 정부에서는 행정책임자인 국무총리가 군령과 군정을 통할하는 것이 당연하다. 그런데 헌법이 법률전문가가 아닌 정치인들에 의해서 조령모개(朝令暮改)로 만들어지는 바람에 논란을 불러일으킨 것이다. 대통령의 권한에 대해서, 다음과 같이 규정되어 있다.

'헌법 제61조: 대통령은 헌법과 법률에 정하는 바에 의하여 국군을 통수한다. 제64조: 대통령은 법률의 정하는 바에 의하여 계엄을 선포한다.'

그리고는 행정수반인 국무총리가 주도하는 국무회의 권한으로 다음과 같이 규정해 놓고 있다.

'헌법 第72조: 좌(左)의 사항은 국무회의의 의결을 경(經)하여야 한다.
... 6. 계엄안, 해엄안(解嚴案) 7. 군사에 관한 중요한 사항'

장 면 정부가 우리의 군사혁명에 대해 고민을 하고 있다지만 이런 헌법 규정의 애매함으로 인하여 윤 보선 대통령과 대립각을 세우고 있는 셈이다. 그러고 보니 5.16 거사의 중심에 장 면 뿐만 아니라 윤 보선도 제1의 경계 대상이 되어야 만 하겠다. 작전팀에게 다시 한번 더 윤 보선 대통령까지 체포, 구금에 철저를 기하도록 지시를 해야 겠다.

윤 보선 구파의 주장 속에는 국무총리를 대통령이 임명하기 때문에 언제라도 해임할 수 있다는 논리도 있다. 대통령제와 내각제의 어수선한 통합이 낳은 결과다.

'헌법 제69조: 국무총리는 대통령이 지명하여 민의원의 동의를 얻어야 한다. 단, 대통령이 민의원에서 동의를 얻지 못한 날로부터 5일 이내에 다시 지명하지 아니하거나 2차에 걸쳐 민의원이 대통령의 지명에 동의를 하지 아니한 때에는 국무총리는 민의원에서 이를 선거한다.'

장 면 정부는 최근에 일제시대와 6.25 당시 공산군에 부역한 전력이 있다고 여겨지는 공무원과 경찰 4500여명을 해임시켰다. 이와 동시에 민주당 원내 총무 대리인 이 병하(현 법무장관)가 소속 의원들에게 비밀리에 1~2명씩 인재 추천을 지시한 것이 발각되었다. 이틀 전에는 국무회의에서 군수급 간부 공무원들을 신인으로 교체시키겠다는 논의를 했다. 본격적으로 민주당 인사를 관료나 경찰로 임명하기 위한 '꼼수'로 보여 졌다.

『추천자 구비 서류 제출의 건(件)』
수제(首題)의 건(件), 좌기(左記)에 의(依)하여 귀하 추천자(貴下推薦者)의 구비서류를 제출하여 주시기 무망(務望)하나이다. 단기 4294년 5월 3일. 민주당 원내 총무대리 이병하. 민주당 의원 제위 귀하.
기(記) 一. 구비서류(具備書類): 이력서 2통, 사진 2매, 학력 증명서 1통, 호적 초본 1통, 신원 증명서 1통, 병력 증명서 1통. 二. 서류 마감: 5월 10일. 三. 전형 일자: 5월 15일(월). 四. 추천 인원: 본 당소속 의원 1인당 2인씩. 주(註): 구비서류를 완결하여 4294년 5월 10일까지 본 당 의원 총회로 보내 주실 것. 본 공문서는 숙독 연후 소각 처리하실 것.

야당과 혁신계의 반발이 극심하게 나타났다. 행정 관료에 대한 정실 인사가 본격적으로 시작된 것이다.

사면초가(四面楚歌)의 장 면 정부.

'그 놈의 시위 데모는 어찌 이리도 심한 가!

장 면 총리의 한탄이 심정적으로 다가온다. 교육자 출신의 장 총리는 이런 난장판의 정치 상황, 진퇴유곡의 행정 현실에 몹시도 괴로울 것이다. 이번 7월 방미를 통해 미국 원조 확대를 거의 '구걸하다시피' 해야 하는 미래도 걱정이 많다. 새롭게 경제개발계획을 수립해야 하고 이를 적극적으로 추진할 기구도 따로 만들어야만 한다. 그런데 야당은 물론 여당조차도 지지를 해주지 않는다.

'나라가 나라가 아니다'는 한탄이 이제 총리 입에서 조차 나올 판이다. 이게 자유민주주의 대한민국의 현실이다.

마냥 이렇게 시간을 보낼 수는 없다.

D-day 시계는 긴박하게 흘러가고 있다.

D-9: 딜레마, 장도영 총장

총장 공관으로 장 도영 장군을 만나러 갔다. 일요 예배를 보고 집에 돌아오는 시간인 두 시에 맞췄다. 접견실에 커피를 가지고 둘이 마주 앉았다.

오늘은 그에게 진정으로 결단을 내려줄 것을 부탁하려고 한다. 혁명의 시간이 카운트 다운을 시작한 지금 더 이상 주춤거릴 수가 없다.

"오늘 아침 조간 보셨습니까? 청년당 사건이 크게 실렸던 데요."

"얼핏 제목만 보았습니다. 지난해부터 간간이 듣기는 들었습니다만, 장

면 총리 살인까지 불사하는 쿠데타 음모라니, 놀랍습니다."

"박대완이란 친구, 족청계 아닙니까?"

"서북청년단 소속 족청계 같아요. 항간에 족청계 쿠데타설이 종종 흘러나오더니 근거 없는 소리는 아니었나 봅니다."

"대학생들이 나서서 민의원 단상을 점거하고, 혁신계라는 인사들이 중립화 통일을 부르짖는 상황에 이어서 참으로 어이없는 사태입니다. 장 면 정부가 만만하게 코너로 몰려 있는 것 같습니다."

"걱정입니다. 박 장군과 함께 하는 영관급 장교들은 어떻습니까?"

장 총장이 먼저 역공을 해오는 느낌이 든다.

"그러잖아도 오늘 그에 관한 말씀을 드리려고 왔습니다. 혁명 거사를 더 이상 늦춰서는 안 될 것 같습니다. 총장님 결단을 얻어오라고 성화가 심합니다."

장 총장이 씁쓸하게 입맛을 다신다. 내가 여러 차례 혁명의 필요성에 대해 설명하고 동의를 구해왔기에 그는 상황이 어느 정도인 줄 충분히 짐작하고 있을 것이다.

"제가 참, 중간에서 힘이 드네요. 박 장군께서 말씀하시는 충견(忠見), 의도는 제가 잘 압니다. 그렇지만 장 면 정부도 뭔가 잘 해보려고 엄청 애를 쓰고 있는 중이구요."

"그렇지만, 외면으로 나타나고 있는 현실은 그렇지를 못하잖습니까? 총장께서는 무엇이 문제라고 생각하십니까?"

"제 생각으로는 국회와 민주당, 항상 비판적인 신문들이 문제입니다. 장면 정부가 제대로 일을 할 수 없게 만들고 있어요. 제가 장관들을 만나 보면 하나 같이 똑똑하고 일을 잘 해보려는 의욕이 넘쳐요. 그런데 국회에서 법률안 하나 제대로 통과시켜 주질 않고, 정책 관련 예산들에 대해서도 사사건건 시비를 걸고 있어요. 이러니 정부가 무슨 일을 하겠습니까?"

"의원이나 장관이나 모두 민주당 정치인 아닙니까? 서로 같은 편인데 왜 그런 답니까?"

"그러게 말입니다."

"그러면 우리 군인들이 나서서 국회와 언론을 정화시켜 주면 어떨까요? 그러면 장 면 행정부가 제대로 일을 해낼 것 같습니까?"

"제 생각에는 국회와 언론만 정부를 지지해 준다면 지금의 체제로도 충분히 국가 발전을 이룰 수 있다고 생각합니다."

장 총장은 현 정권을 적극적으로 옹호하고 나선다. 그로서는 윤 보선 대통령이나 장 면 총리와 관계가 좋은 상태에서 굳이 군사 혁명에 나설 의욕이 없다. 나로서는 군의 대표격인 장 총장이 '총대를 메 주었으면' 하지만 그는 대통령이나 총리에 대해서 하극상을 벌릴 이유가 전혀 없어 보인다.

"그렇다면 우리가 장 면 총리를 지지하는 군사 혁명을 해보면 어떻겠습니까?"

그가 흠씬 놀라는 기색을 보인다.

"그런 방법이 있나요?"

"물론입니다. 우리가 원하는 것은 제대로 된 국가 발전입니다. 사분오열되어 한 발자국도 진척을 보지 못하고 있는 국가 성장, 빈곤 타파, 경제 발전, 사회 혁신을 장 면 정부가 제대로 해 낼 수 있게 만드는 겁니다.

장 총장의 생각이 깊어지고 있었다. 그동안 내가 말해 오던 것과는 사뭇 다른 얘기를 듣고 긴가 민가 하는 중이다.

"총장님이 앞장서면 저나 장성급, 영관급 혁명 동지들이 기꺼이 도울 겁니다."

여전히 믿음이 안 간다는 눈치다.

"그런데 말입니다. 장 면 총리는 정말로 능력이 있고 국정을 맡길 만 합니까? 요즘 정국을 보면 그는 윤 보선 대통령이나 민주당 반발 세력을 넘어설 역량이 없어 보입니다. 3월 위기, 4월 위기를 겨우겨우 넘어서는 것을 보면서 참으로 아슬아슬한데 말입니다. 농촌 빈곤 문제를 해결한다고 요란한 국토개발사업이나 쌀값 폭등, 농촌 고리채 문제, 미국이 압박해 오는 경제개발계획 등도 문제가 많아요. 시위에 데모는 또 어떻구요."

"정부 정책이 아직 뚜렷하게 성과를 내지는 못하고 있습니다만, 정부 관료들도 열심인 것으로 알고 있습니다. 정책 초기인 만큼 좀 더 지켜봐야 합니다."

"정부 공무원들은 어떻다고 보십니까? 우리 군 젊은 장교들과 비교해 봐서 어느 편이 더 능력이 있다고 보십니까?"

"그야 규율면에서는 군인들이 훨씬 낫지요. 하지만 관료들도 공직자라는 측면에서 보면 기대해 볼 만 하지요."

"그렇지 않습니다. 우리 군은 정군 과정을 통해 부정부패가 없어지고 깨끗해 졌습니다. 미국 연수를 통해 현대적 행정을 배우고 체득한 젊은 장교들이 매우 많습니다. 그에 비해 보면 현재 우리 공무원들 중에는 일제 시대 면서기 출신이나 정실로 채워 넣은 사람들이 대부분입니다. 일제 시대로부터 이어져 오는 권위적이고, 무기력하며, 부정부패에 물든 그 모습을 그대로 간직하고 있습니다. 장 면 정부의 문제는 국회나 정당만이 아니라 공무원도 문제가 많다는 점입니다. 총리 하나가 똑똑하다고 해서 극복될 수 있는 문제가 아니라고 봅니다."

장 총장의 침묵이 길어진다. 수긍하는 태도가 엿보인다.

"혁명하십시다. 총장님께서 오케이 하시면 제가 모든 일을 뒷받침하겠습니다."

이건 내 진심이다. 내 충성스런 말을 듣고 흔들리는 눈빛이 역력하다. 그의 성격 상 장 면 총리에 대한 의리가 지금 그의 마음을 주저하게 만들고 있을 것이다. 장 면 총리는 군에 대한 통솔을 전적으로 장 총장에게 의지하고 있을 것이기에.

"오늘 제가 그동안 논의해 온 혁명 계획서를 가지고 왔습니다."

누런 서류 봉투에서 '작전 계획: 봉화(烽火)' 문건을 꺼내 그의 앞으로 내밀었다. 김 종필 중령이 작성한 문서를 내가 조금 수정한 문건이다. 아직 그가 백 프로 우리 편이 되었다는 확신이 서질 않는 마당에서 온전한 문건 전부를 전해줄 수는 없다. 비둘기 작전에 공수단 출동 부분만 첨가한 셈이다. 그가 친하게 지내는 공수단장 박 치옥은 우리 혁명 동지들이 그를 통해 인사 발령을 냈었다. 공수단이 당연히 혁명군이 될 것을 예측할 수 있을 것이기에 공개해버린 것이다.

찬찬히 문건을 들여다보더니,

"정말로 혁명을 하셔야겠습니까?"

"당연합니다. 누누이 그 이유를 설명해드리지 않았습니까?"

"언제쯤 하시려구요?"

"총장께서 오케이 하시면 지금 당장이라도 가능합니다. 준비는 다 되어 있고, 추진 세력들의 마음이 매우 급합니다. 지난 해 4.19 학생 의거처럼 변수가 생길 수 있습니다."

주저하는 듯, 입맛을 다시며 맞잡은 두 손에 힘이 들어간다. 고지 점령의 용문산 전투와는 사뭇 다른 상황이다. 아예 '목숨을 내놓고' 치르는 전투라면 이리저리 고민할 것이 없다. 반드시 적을 섬멸해야만 하기 때문이다. 그런데 지금 상황은 그렇지 않다. 가만히 있어도 육군참모총장에, 합참의장에, 국방부장관의 길이 보이는 마당에 구태여 위험부담을 안을 필요가 없다.

"좀 더 생각해 보고, 결정하십시다. 장 면 정부하는 것을 시간을 두고 지켜본 뒤에 결단을 내려도 늦지 않습니다."

예(例)의 그 다운 대답이다. 그는 용장(勇將)이기보다는 덕장(德將)이길 원한다. 두루두루 인심을 잃지 않으려는 태도가 몸에 배여 있는 것을, 오랜 기간 그와 함께 하면서 내가 잘 알고 있다.

문제는 혁명 카운트 다운이 시작되어 있음이다. 지금 그에게 카운트 다운

이 시작되었다고 말하는 것은 위험천만이다. 자칫 혁명 동지를 배반하고 모든 거사를 수포로 돌릴 우려가 있기 때문이다.

나로서도 답답하기만 하다. 어쩔 것인가?

지금 눈앞에 마주 앉아 있는 장 총장을 '배반하는 것' 같은 상황을 나는 원치 않는다. 그와 함께 혁명의 길로 나서고 싶다. 그래야만 무혈 혁명이 가능하고, 나의 총지휘관으로서의 부담을 덜 수 있다. 그가 흔쾌히 우리의 뜻을 따라주면 좋겠다.

"이렇게 하십시다. 내가 장면 총리를 만나 박 장군님을 주요 보직으로 추천해보겠습니다. 혁명에 준할 만한 성과를 가져올 수 있는 자리를 만들어 볼 게요. 지금 내가 있는 이 자리나, 국방부 장관 정도. 내게 조금만 시간을 주세요."

"그게 가능하시겠습니까?"

그는 내가 '자리하나 얻자고' 혁명의 길로 나선 줄 아는가 보다. 그가 나를 보는 시각이 어느 수준인 줄 짐작케 한다.

"내가 꼭 그렇게 만들겠습니다. 나를 믿어 보세요."

"총장님, 저는 한 자리 얻자고 혁명을 하려는 것이 아닙니다. 현 정권 아래에서는 희망이 없다고 느끼기 때문입니다. 근본적인 체제 개편, 체질 개선이 있어야 합니다. 그래서 장 면 총리를 앞세운 군사 혁명이 별로 의미가 없다고 보는 겁니다."

"잘 압니다. 그렇지만 너무 서두르시면 안 됩니다."

오늘도 결론에 도달하기는 어려워 보인다. 이제 아흐레만 지나면 세상이 바뀔 판인데 눈앞의 이 사람은 전혀 예측도 못하고 있다.

"총장님, 오늘 총장님 뜻을 잘 이해했습니다. 마지막으로 한 말씀만 더 드리겠습니다."

긴장이 된다. 꼭 이런 말까지 해야 하나 싶지만

"저의 초심은 변치 않을 겁니다. 혁명을 하게 되면 꼭 총장님을 앞세우고 할 예정입니다. 그런 경우가 발생하면 제 진심을 알아주셨으면 좋겠습니다."

묵은 체증이 시원하게 풀리지 않고, 여전히 가슴을 꽉 누르고 있는 것 같다.

이렇게 총장 공관을 나선다.

혁명 위원회 구상

오 치성, 이 석제, 김 종필 중령 등 행정팀이 무척 바쁘다. 혁명군 병력 동원은 시작에 불과하고 다음 단계의 행정팀이 제대로 작동해야만 혁명이 본격적으로 진행된다. 지금 현재 온 정성을 들이고 있는 병력 출동은 정권 인수와 함께 진행될 '위대한 대한민국 만들기'의 출발점일 뿐이다.

혁명을 통해 통치권, 즉 헌법 상 존재하는 국회, 행정, 사법 기능을 인수할 조직을 만들어야 한다. 타국의 군사혁명 사례를 통해 살펴보면 거의 대부분 군사혁명위원회가 등장한다. 공산당에서 즐겨 사용하는 위원회가 혁명 정부에서도 필요하다.

혁명 위원회를 만들어야 한다면 누구를, 어느 정도까지 포함시켜야 할 것인가? 고민이 된다. 지금 혁명에 참여하고 있는 또 참여하려고 의지를 표명하는 이들을 보면 거의 대부분 목숨을 내걸 정도로 진지하다. 너무나 많은 이들이 참여하고 있어서 선별하는 일이 쉽지 않다. 어느 한 사람이라도 자칫 소외감을 느끼게 되는 순간 혁명 동지들 사이에 갈등이 생길 수 있다.

정신 바짝 차려야 한다!

1954년 초, Fort Sill, Lowton 포병학교 교육 방문 중에 *Politics* 나

Public Administration 책들을 관심 있게 보았었다. 눈이 번쩍 뜨였던 행정학 이론 중에는 테일러(F. Taylor)의 과학적 관리법(scientific management), 페욜(H. Fayol)의 14개 행정의 원리(Principles of Management) 등에 대한 내용이 있었다. 귀국 후에 군대를 테일러나 포드 자동차 회사(Ford Motor Company)의 방식대로 과학적으로 관리하고 페욜의 말처럼 실천해 보려고 노력했다. 그런 노력이 지금 우리 군대를 바로잡는데 도움이 되었다고 생각한다.

새롭게 출발하려는 혁명 정부에서는 국가 행정을 과학적, 능률적으로 해보고 싶다. 조선 시대의 유교식 행정이나 일제 시대의 식민지적 행정이 아닌 '제대로 된 선진' 행정을 해보고 싶다. 그 첫걸음이 군사혁명위원회와 그 산하 조직을 어떻게 만들고 운영하느냐 다.

최고 상위에 핵심 군사혁명위원회를 두어 혁명 동지를 하나로 통합시킨 뒤(unity of command), 모두가 일사불란하게 하나의 목표로 집중하게 해야 한다(unity of direction). 업무를 적절히 분할한 다음(division of work), 그들에게 권한과 책임(authority and responsibility)을 분배하여 책임 있게 행정에 임하도록 한다. 분야별 행정에 가장 적합하고 능력 있는(discipline) 이들을 발굴하여, 사적인 고민이 없이(subordination of individual Interest), 능동적으로(initiative) 혁명 과업을 완성해 가도록 만들 것이다. 적당한 보수(remuneration)는 당연한 것이지만, 아울러 혁명 의지나 사명감으로 분기댕천하도록 민들 것이다. 혁명 동지들이 일치단결하여(esprit de corps) 국가 발전의 대업을 추진해 가야 한다.

식민지였던 미국이 지금처럼 일등 국가로 발전할 수 있었던 것은 청교도 정신과 함께 한 실용주의 사상 덕분이다. 청교도 정신으로 정치를 순화한 뒤, 국가 발전을 이끈 것은 정치가 아니라 실용적인 행정이었다. 지금의 우리도 정치가 아니라 행정이 필요하다. 빈곤 타파나 경제 발전, 공산당 세력이나 불순분자, 깡패로부터 치안과 국방 안전을 확보하는 일은 오로지 행정의 몫이다.

위원회(committee) 이론을 보면 위원회는 실질적으로 일을 하는 정책 위원회와 스탭으로서 조언하는 기능만을 담당하는 자문위원회로 나눌 수 있다. 혁명위원회를 어떤 성격을 지니게 할 것인가를 먼저 생각해야 한다. 중공의 모 택동이나 북한의 김일성을 보면 형식적으로 인민위원회라는 것을 만들고 그 위에 다시 극소수 인물로 구성하는 상임위원회를 두어 통치권을 행사한다. 다른 나라의 군사혁명위원회를 봐도 대부분 극소수 실권자들이 참여한 뒤 전권을 행사한다.

5·16 군사혁명위원회도 실권을 가진 기구가 되어야 한다. 일단 가장 중심에 있는 핵심 혁명 동지를 위원으로 위촉하고 합심하여 혁명 과업을 추진해 가야 한다. 그런 뒤에 업무 분담을 할 수 있는 새로운 조직을 만들어 가면 된다. 위원회 성원을 어떻게 할 것인가가 첫 번째 고민이다.

'누구를 ? 몇 명이나 ?'

당장 떠오르는 위원 후보로는 몇 년 전부터 함께 혁명을 추진해 오고 있는 김 동하 장군, 이 주일 장군, 무엇보다도 계획과 실천에 일가견이 있는 김 종필 중령, 혁명 본부에서 나를 도와 총지휘를 잘 하고 있는 김 재춘 대령이 생각난다. 이들은 반드시 혁명위원회에 포함되어야 한다. 지난주에 혁명 디 데이를 결정한 핵심 요인들이다.

무혈혁명을 위해 설득 중인 장 도영 총장도 당연히 포함시켜야 하리라. 그러다 보면 실제 군 병력을 동원하는 김 윤근 장군, 박 치옥 대령, 문 재준 대령, 채 명신 장군, 본부 차원에서 몸으로 뛰는 여러 장군들, 영관급 장교들이 눈에 밟힌다.

실권을 가진 정책위원회 형태와는 달리 자문위원회 형태로 한다면 육군, 공군, 해군, 해병대 최고사령관들도 포함시켜야 할 것이다. 경우에 따라서는 민간 전문가나 덕망 있는 인사도 이름을 올려야 한다. 포함시키고 싶은 인사들 숫자가 지속적으로 늘어난다. 마음이 모질지 못한 탓에 '끊어버리기'가 쉽지 않다. 혁명군 동원 만큼이나 위원 선별 작업도 어려운 일이다.

'그냥 행정팀에게 맡겨 둘까? 가지고 오는 것을 봐서 대충 선별하면 편하지 않을까?'

쉽고 편하게 가는 방법이 생각난다. 하지만 그건 혁명을 총지휘하고 있는 나로서는 해서는 안 될 일이다. 자칫 지휘권을 놓으면 혁명 동지들 사이에 갈등, 권력 다툼이 생겨날 수 있다. 폭풍 전야 같은 혁명 직전 상황에서야 모두들 숨죽이고 있다지만, 5.16이 지나면 금새 자리다툼, 권력 투쟁이 발생할 것이다. 사색당파, 권력 투쟁은 '못난이' 정치꾼에게만 있는 현상이 아니다. 한 가족 형제들 사이에도 생겨날 수 있고 육사 동기생, 혁명 동지들 사이에서도 나타날 수 있다.

갑자기 첫 딸을 낳고서 장모님과 부인, 셋이서 나누던 농담이 생각났다.

"아이를, 몇이나 날까?"

"다른 집들 보면 거의 열 명 가까이 낳은 집도 많아요. 우리 부모님들처럼. 여인이 20 전에 결혼해서 2년 터울로 낳다 보면 40대 중반까지 거의 열 명을 자연 출산한다네요."

"우리도 열 명 정도 낳아 볼까?"

"어머나. 뭔 소리예요."

나의 너스레에 영수가 펄쩍 뛴다.

"한 명은 외로워서 안 되고, 두 명이면 서로 싸워서 안 되지. 심판을 볼 정도로 세 명은 되어야 하는데 그러다가 세 명 중 둘이 편 먹고 하나만 따돌리면 안 되니까 하나 더 나아 넷은 되어야 하네."

장모님이 맞장구를 친다.

"넷이 편가르기 시작하면 바로 조선 시대 동인, 서인 파당으로 발전합니다. 그래서 다섯은 돼야죠."

그러다 보니 결론이 럭키 쎄븐(lucky seven)이다. 막상 당사자인 부인 영수는 빙그레 웃고 만다.

일단 핵심 인사 7명으로 구성되는 혁명위원회를 만들어 보고 싶다. 행정팀과 작전팀, 병력 동원 팀 각각에서 1명씩을 참여시키고 장 도영 총장과 박 정희, 김 동하, 그리고는 이 주일과 김 종필 또는 김 재춘 중 한 명을 포함하면 7명이 될 수 있다. 혁명군 쪽 요원을 2명 정도로 늘릴 필요도 있어 보인다. 김 윤근 장군이나 채 명신 장군, 박 치옥 대령, 문 재준 대령 모두 일등 공신들이다.

혼자만의 고민으로 해결될 일이 아니다. 김 종필 중령을 집으로 불렀다. 생각했던 고민 내용을 말해 주고 의견 조율을 시도했다.

"아무래도 7명 가지고는 인적 구성에 어려움이 많네. 명 수를 늘리다 보면 한도 끝도 없겠고."

"이너 서클(inner circle)로 7명 정도의 소수 정예 위원회를 운영하는 것으로 하고 외적으로는 행정팀과 작전팀, 병력 동원팀 상당 수를 포함하여 위원회를 구성하는 것도 좋겠습니다. 그래야만 서운한 사람이 없지요. 또 장 도영 총장이나 육해공군 삼군 사령관들, 덕망 있는 민간인 몇몇도 포함합니다. 그러면 거의 30명 정도는 될 겁니다."

"너무 방대하지 않은가?"

"위원 수가 30명 가까이 되면 사실 정책 실무 회의를 할 수가 없습니다. 또 다시 분과를 만들어야만 하지요. 그렇기 때문에 이너 서클 7인이 포함되면 이들이 회의를 주도할 수 있습니다."

"하긴 그럴 게야. 잘못하면 혁명위원회가 또 다시 민주당 국회처럼 변하는 거지."

"저는 외면적인 혁명 위원으로는 참여치 않겠습니다. 현재 이 후락 씨가 주도하고 있는 중앙정보부를 창설하여 책임지고 운영해보겠습니다. 미국 CIA 같은 대내외 정보기관이 우리 현실에서 무엇보다도 필요합니다. 전쟁 때 중요성이 입증된 바와 같이 장 면 정부가 이렇게 흔들리는 이유 중 하나가 '정보 기능 부재' 탓이라고 봅니다."

그의 생각이 매우 긍정적이다. 정보 업무를 전담했던 사람으로서 나도 중앙정보부의 중요성에 대해서는 누구보다도 잘 알고 있다. 북조선 김 일성 및 중공이나 소련, 일본 등 주변국에 관한 정보, 기존 정치권에 대한 정보, 방첩 차원의 대공산권 정보, 경제 사회 각 분야에 대한 정보, 더 나아가서 행정 및 정책에 관한 구체적인 정보까지 혁명 정부를 뒷받침할 수 있는 중앙정보부가 절대적으로 필요하다.

"군사혁명위원회를 상징적으로 두고 나머지는 직접 혁명 내각을 구성하여 행정을 챙기시면 됩니다. 지난 해 과도 정부처럼 각하께서 내각 수반이 되셔서, 하시고 싶은 혁명 과업을 적극적으로 추진하실 수 있습니다. 지금 행정팀에서 행정 조직, 주요 정책에 대한 대비책을 철저하게 준비해 놓고 있습니다."

그렇다. 이제는 정치, 행정, 국방, 치안 모두를 혁명군이 담당해야만 한다. 기존의 구태의연한 정치인, 무능력한 행정 관료를 젊고 유능한 장교들로 교체해야 한다.

그러고 보니 최고위급 군사혁명위원회만을 생각하고 있어서는 안 된다. 5·16 즉시 정치와 행정 각 분야를 담당할 인재를 선발하여 적재적소에 배치하여야 한다. 혁명 동지들이 역량 있고 현명하다지만 기본 바탕이 군인인 것만은 부정할 수 없다. 혁명 직후에는 비록 군 장교들이 정치 행정 전반에 나서게 될 것이지만, 행정이나 정책 전문가를 활용하지 않으면 안 된다.

마지막 순간까지도 결정을 하지 못하고 찜찜한 것이 있으니, 바로 혁명위원회 위원장으로 모시려고 하는 장 도영 총장 부분이다. 여전히 머뭇거리고 있다. 현 정부, 장 면 총리에 대한 의리라고 보여지지만 나로서는 걱정도 되고 답답하기도 하다. 자칫 잘못하면 다혈질인 혁명 동지들에 의해 '제거' 논의가 곧바로 표출될 지도 모른다. 하지만, 무혈혁명을 위해 그를 최대한으로 옹립할 필요가 있다.

극단적으로 장 총장이 나약한 모습을 지속한다면 내가 전면으로 나서야 한다. 하지만, 가능한 한 '얼굴 마담'이나 감투에 연연하고 싶지 않다. 실질적인 국가 개조, 효율적인 정책 개발과 집행, 경제 발전을 이루는 것이 최우선의 목적이다. 나의 혁명 의지가 반영될 수 있는 위원회나 행정 조직이면 충분하다.

김 중령과 결론을 냈다. 군사혁명위원회는 30명 정도 규모로 하고 핵심적인 혁명 동지들을 많이 포함시키기로 했다. 장성급과 영관급, 행정팀과 작전팀, 병력 동원팀을 적절히 고려하기로 했다. 특히 유의할 것은 육사 기수별로 균형 있게 배분하는 일이다.

그리고 핵심 이너 써클 멤버 7인을 비공식적으로 운영한다. 이너 서클 멤버는 필요에 따라 적절하게 변동을 기하는 것으로 했다. 김 중령은 중앙정보부를 결성한 뒤 혁명위원회를 적극 지원하기로 하였다.

누가 뭐라고 해도 이번 혁명의 중심에는 나, 박 정희가 있다. 새로운 대한민국 건설의 중책을 스스로 책임져야만 한다. 잠시라도 마음을 놓거나 주변에 휘둘리면 만사 도로 아미타불이다. 지금은 동지로 함께 하는 장군들이나 영관급, 위관급 장교들, 육사 5기와 8기, 그리고 10기나 11기 장교들이 언제라도 감투싸움에 나설 수 있다.

Public Administration 책 속에서 보았던 Gulick과 Urwick(1937)의 POSDCoRB 이론이 생각난다. 행정의 기본 기능, 행정 책임자가 해내야만 할 중요 기능 7 가지: 기획(Planning), 조직(Organizing), 인사(Staffing), 지휘(Directing), 조정(Co-ordinating), 보고(Reporting) 체계, 예산(Budgeting). 혁명 총 지휘관으로서 총괄 지휘를 하면서 정책 기획, 조직, 인사, 예산을 책임지고, 적절한 보고 체계 확립, 조정 역할을 해내야만 한다.

이제는 엄격한 군인에서, 전문 행정가로, 노련한 정치인으로 발전해 가야 한다.

이제 얼마 남지 않았다.

가슴 벅차게 하는, 나의 새로운 조국이여 !

작전은, 계획대로...

5월 8일. 오후에 서울로 올라와서 김 동하 장군을 앞세워 인천 해병여단을 찾았다. 김 윤근 장군을 만나 작전 계획의 진행 상황에 대해 들었다.

그는 지난 1월 여단장에 부임한 이후 중대 단위로 엄격한 검열을 실시하여 병력, 총포 장비와 탄약, 전차, 주유, 피복, 취사 및 식량, 내무반, FDC 등 모든 것에 대한 점검을 마쳤다. 그리고 혁명 거사일이 잠정적으로 결정된 4월부터는 본격적으로 병력 출동 준비에 돌입하였다. 그의 보고에 따르면 출동 부대로 오 정근 중령의 대대를 선정하고 집중적으로 준비 작업에 돌입해 있었다.

- 거사 출동 부대가 될 오 정근 대대가 중심이 되는 보·전·포 합동 훈련을 5월 초순에 실시한다.
- 보·전·포 합동훈련을 위해 오 정근 대대의 사고 인원(휴가, 입원, 영창 등)은 타 부대에서 차출하여 정원의 100%가 되도록 충원한다.
- 오 정근 대대는 병기, 장비의 수리와 교환을 5월 첫 주말까지 끝낸다.
- 보·전·포 합동 훈련이 끝난 후에 오 정근 대대는 대대 단위로 차량에 의한 야간 기동 훈련을 지속한다.(출처: 김윤근, 「해병대와 5.16」 범조사)

보·전·포 합동 훈련은 보병과 전차, 포병이 모두 참여하는 훈련으로 실제 전투 상황을 전제로 펼쳐진다. 치밀한 김 장군은 조 남철 부연대장, 여단 인사참모 최 용관 소령, 대대장 오 정근 중령을 의기 투합하는 혁명 동지로 포섭하고 조직적으로 혁명 준비를 하고 있었다.

거사 당일, 해병대의 포병과 전차까지 서울의 중심부, 중앙청과 서울시청 광장, 이어서 남산으로 출동한다. 엄청난 혁명군의 파워를 보일 것이다.

그의 준비 상황을 들으면서 김 동하 장군과 함께 더 없이 든든함을 느꼈다.

김포를 떠나 영등포 6관구 사령부로 잠시 들렸다. 서 종철 사령관과 마주치지 않기 위해 부대 주변에 차를 세우고 김 재춘 참모장을 불러냈다. 차 속에서 박 치옥 단장의 공수단 사정을 들었다. 이번 주말에 안성과 도봉산 훈련이 있는데, 차질 없이 부대로 복귀하여 디 데이 출동을 책임지도록 신신당부했다고 한다. 그리고 공수단이 비행기를 이용하여 공중 낙하할 수 없기 때문에 부족한 쓰리 쿼터(three quarter) 자동차 20여대를 거사 전날 보내주기로 합의했다.

"각하, 30사단 사정이 다소 유동적인 것 같습니다. 이 백일 중령이 핵심인데 이 갑영 참모장이나 박 상훈 연대장이 적극적이지 않습니다. 각하와 육사 동기인 이 상국 사단장도 적극적인 혁명 지지자는 아닌 것 같구요."

알만 하다. 이 상국은 다소 자부심이 강하고, 내게도 그리 친밀하게 다가오지 않는 사람이라서 적극적으로 혁명이야기를 나누지 않고 있다. 이 백일 중령의 의지와 추진력에 전적으로 맡겨 오고 있다.

"잘 좀 챙겨주세요. 이 순간에 내가 나서는 것도 조심스러워요. 이 갑영이나 박 상훈이 방해만 하지 않도록 해도 충분할 겁니다. 33사단 사정은 어떤가요?"

"가까이에 있어서 박 원빈 중령과 함께 이 병화 대령, 오 학진 중령을 자주 만나고 있습니다. 별 염려 없습니다. 안 동순 사령관은 비둘기 작전의 필요성에 대해 어느 정도 호의적이구요."

굳게 악수를 하고 헤어졌다. 내일은 비행기를 이용하여 중부 전선의 혁명 동지들을 만나기로 했다. 광주로 이 원엽 대령에게 전화해서 여의도 비행장으로 L-19 경비행기 한 대를 부탁했다.

5월 9일. 화요일. D-7. 10시에 비행기에 올라서 5군단으로 향했다. 공항에 내리니 박 임항, 채 명신 두 장군이 기다리고 있었다. 비행기를 대기시켜 놓고, 군단장 차량에 함께 탑승했다. 차 속에서 군단과 사단의 준비 상황을 전해 들었다.

5군단 사령관실에 들어서 차 한잔을 마시면서, 이야기를 이어갔다. 백전용장(百戰勇將)인 두 장군은 참으로 당당했다. 혁명 논의를 하면서 전혀 거침이 없었다. 준비 상황에 이어서 이 한림의 1군 사령부와 전방 군단이나 사단의 혁명에 대한 분위기를 물었다.

"각하의 혁명 의지에 거의 대부분 찬성하는 분위기입니다. 이 한림 사령관이 다소 소극적이라고 알려져 있습니다만, 얘기를 나눠 보면 그의 생각도 우리와 크게 다르지 않습니다. 대부분이 현재의 민주당 국회, 장 면 정부에 대해 불만입니다. 최근에 군 식량 문제와 관련해서도 반발이 심하구요."

박 장군이 시원시원하다. 차분한 성품의 채 장군도 고개를 끄덕이며 수긍한다.

"알겠습니다. 채 장군의 5사단과 박 춘식 장군의 12사단은 만일의 사태에 대비한 정예 혁명군입니다. 세 분께서 능동적으로 혁명 분위기를 이끌어 주시고, 혹시라도 있을 수 있는 반혁명군을 사전에 막아 주시면 좋겠습니다. 1군 사령부 내에 혁명 동지들이 치밀하게 대비하면서 지원을 할 겁니다."

"걱정 마십시요. 여차 하면 5사단도 서울로 진입할 수 있습니다."

채 장군이다.

"감사합니다. 사실 현재 분위기로 봐서는 크게 걱정 인 하셔도 될 것 같습니다. 공수단과 수도권의 비둘기 작전 부대, 해병여단과 6군단 포병단 5개 대대 4,000여 병력만으로도 충분합니다."

"참, 5월 15일 날 1군 창립 기념식이 있지요? 장 면 총리와 국방부장관이 참석할 예정이고 1군 내 모든 군단장과 사단장, 기계화 부대장들이 참석할 겁니다. 혁명군이 움직이는 것이 오후 10시부터이니까 두 분 장군님께서는 가능하시면 늦은 시간까지 1군 사령관과 관내 부대장들의 동태를 살펴봐 주시기 바랍니다. 미심쩍은 언행을 보이는 지휘관들을 체크해주시고,

1군 사령관도 적당히 묶어 놔 주셨으면 합니다. 1군 사령부 내 혁명 동지들로 하여금 사전 준비에 철저하도록 만들겠습니다."

"잘 알겠습니다. 걱정 마십시요."

부대 내에서 병사들과 어울려 식사를 했다. 식사 후 박 장군과 인사하고 채 장군 차를 타고 6군단 포병 사령부로 향했다.

가는 길에 길 가의 국민학교를 지나다가 아이들이 노란 벤또를 들고 길게 줄을 서 있는 것이 보였다. '뭔 일인가?' 내가 궁금해 하는 듯하니, 채 장군이

"점심시간이라서 강냉이 죽을 나눠 주는 걸 겁니다. 보리고개로 먹을 것이 없는 아이들에게는 학교에서 끓여주는 강냉이 죽이 최고입니다. 간혹 죽 대신 강냉이 빵을 주기도 하지요."

"아하, 그렇군요. 저도 알고 있습니다. 어떤 경우에는 분유를 주기도 하던데..."

이래저래 불쌍한 아이들, 가난한 농민들이 마음에 걸린다. 미국에서 식량이 부족한 한국인에게 동물 사료로 쓰이는 옥수수 가루를 원조 물자로 보내주고 있다. 이를 학교 급식실에서 끓여서 점심을 굶는 아이들에게 배급해 준다. 가난한 아이들에게는 최고의 점심이다.

문 재준 단장을 만나 부대 준비 상황을 들었다. 1 주일 뒤에 실전 훈련을 하는 것으로 전 부대 병력들이 준비 중에 있다고 했다. 선봉 부대로서 만전을 기하도록 다짐을 받았다.

비행장으로 와서 비행기를 타고 대구 2군 사령부로 귀환했다.

미국 출장을 다녀온 최 경록 사령관에게 인사를 드리고, 퇴근 직전 5시에 이 주일 장군과 마주 앉았다.

"분위기가 어떻습니까?"

"나쁘지 않습니다. 모두가 책임 있게 잘 준비해 가고 있습니다."

"하지만 한 치의 방심도 금물입니다. 언제, 어디서 문제가 터질 지 모르니까요."

"작전 계획서를 들고 2군 관내 혁명 동지들을 일일이 찾아가 디 데이를 통보하고 작전 내용을 브리핑했습니다. 태극기에 동지들 서명도 받았구요, 모두들 기분 좋게 반응해 왔습니다. 그런데, 작전 개시를 위한 최종 회의는 어떻게 하시겠습니까?"

"D-2 일에 할까 합니다. 마지막 점검 차원에서, 또 혁명 동기나 에너지를 극대화하기 위해서 이틀 전에 하는 것이 좋아 보입니다. 마침 일요일이라서 자연스럽게 모임을 가질 수가 있을 겁니다."

"장소와 시간은?"

"아침 10시경, 약수동이 어떨까 합니다. 신당동 제 집은 노출되어 있어서요. 방첩대 요원과 제 비밀 경호팀이 친구처럼 제 집을 지키고 있답니다."

"좋습니다. 그런데 그 시점부터는 각하께서 몸을 숨기는 것이 어떨까요? 전에 말씀하시던 '고종과 같은' 순간이 나타나면 안 될 테니까요."

제법 의미 있는 말씀이다. 혹시라도 작전 계획이 노출되어 경찰이나 방첩대가 나를 감금하는 일이 발생한다면 큰일이다. 모든 게 한 순간에 수포로 돌아갈 것이다.

"사실 걱정이 되는 부분입니다. 최근에는 제가 아예 군복을 벗을 준비를 하는 것처럼 가족들과 함께 하는 모습을 많이 보여주고 있는 중입니다. '배부른 사자'들이 경계심을 풀도록. 하지만 조심스럽기는 마찬가지입니다."

"D-2 회의 이후에는 신당동 댁에 들어가지 마십시요. 장 면 총리처럼 외부 호텔을 잡아 디 데이까지 잠적하시면 좋겠습니다."

"명심하겠습니다. 2군 관내 준비에 특이 사항은 없습니까?"

'현재로서는 특별한 사항은 없다'는 말과 함께 이 장군은 '혁명을 반드시 성공시키자'는 다짐을 해온다.

숙소로 돌아와 저녁을 먹었다.

가누는 것도 힘들 정도로 나른한 몸을 의자에 기대앉다가, 문득 책상 위에 올려져 있는 「나폴레옹 평전」이 눈에 들어왔다. 불꽃처럼 살면서 프랑스를 세계 최강대국으로 올려놓았던 나폴레옹. 젊은 군인 시절, 참으로 감명 깊게 다가왔던 영웅이었다.

나폴레옹은 파리 육군사관학교를 16세에 졸업하여 소위가 된 뒤 포병 장교로 두각을 나타냈다. 1779년 프랑스 민중 혁명 당시에 클뤼브 데 자코뱅(Club des jacobins) 당의 일원이 되어 왕당파와 전투를 벌렸다. 1793년 12월, 혁명 정부군의 툴롱 전투에서 포병사령관이 되어 레기에트와 발라기에 요새를 탈환하는 전과를 올린 직 후, 24세의 나이에 준장으로 진급했다. 이후 그는 이탈리아 원정, 이집트 원정으로 두각을 나타냈고 1799년 군사 쿠데타, 이듬해인 1800년에 통령(統領)의 자리에 올랐다.

30세에 프랑스 최고 통치자가 된 것이다. 이후 그는 주변 왕정 국가들의 대불 연합 전쟁을 격파하여 승리로 이끌었고 일등국 프랑스를 만들기 위한 개혁 작업에 착수하였다. 1802년 종신 통령이 된 후, 1804년(33세) 12월에는 국민의 절대적인 지지를 받으면서 나폴레옹 1세로 즉위하였다. 그는 국왕이나 교회가 가지고 있던 토지와 재산을 국민들에게 돌려주었고 조세 제도와 각종 행정 체제를 바꾸었다. 민중 혁명 과정에서 피폐해졌던 산업 시설을 복구하였고, 그 유명한 나폴레옹 법전을 제정했다. 전 세계의 문화를 획기적으로 도약시킨 법전으로 만민(萬民) 평등, 자유와 박애 사상을 담고 있다. 국가는 국민과 함께 한다는 세속주의, 로마 교황청으로부터 벗어난 개인의 종교 자유, 경제 활동의 자유를 표방한 최초의 민법이다.

나폴레옹은 이후 주변 강대국들과 전쟁을 치르면서 1000년이나 지속되었던 신성로마제국을 멸망시켰고 오스트리아, 네덜란드, 프로이센, 스페인, 포르투갈, 이탈리아를 병합하였다. 19세기 초반 세계 최강의 프랑스 국가를 만들었다. 하지만 러시아 침략 전쟁 실패 후 주변 연합군의 침략을 받아 파리가 함락되는 수모를 겪으면서 1814년 황제의 자리에서 물러나야 했다.

나폴레옹은 어린 시절 아버지께서 주셨던, '정희야 힘을 길러야 한다'는 말씀을 실천하는 모델이 되었다. 총칼로 무장하고 엄격한 군인이 되기 위해 만주 군관 학교로 진출한 것도 바로 나폴레옹 덕분이었다. 일제 식민지 치하에서 황국사관을 전파하는 시골 학교 선생님 자리를 때려치우고 홀홀 단신으로 만주 벌판으로 떠났다. 그리고 시작한 군인으로서의 길. 일본 육사, 독립한 대한민국의 육사를 거쳐 오늘에 이르렀다.

이제 제법 힘을 지닌 존재가 되었다. 그 마지막 결전의 시간이 일주일 뒤로 다가왔다.

나폴레옹의 도전 정신, 세계 최고가 되고자 하는 불굴의 투지. 반드시 해내고야 말겠다는 가슴 절절한 욕구가 온몸으로 전율(戰慄)이 되어 흐른다.

문밖의 5월은 참으로 청명하고 평화롭다.

거리를 오가는 사람들은 칙칙한 겨울옷을 벗고 가벼운 봄옷차림이다. 신문 지상에는 농촌의 밭갈이, 모내기와 함께 봄소식을 전해주면서 한편으로는 보릿고개를 걱정하고 있다.

그런 봄 날씨도, 신문 기사도 제대로 눈에 들어오지 않는다.

고민에, 고민. 가슴 답답증...

담배만 피워 댄다.

그런 나를 옆에서 지켜보는 부인 영수도 목이 탄다.

어떤 나라를 만들 것인가?

'과연 어떤 나라를 만들 것인가?'

혁명을 눈앞에 두고 있는 마당에 다시금 곰곰이 내가 그리고 있는 '위대한 대한민국'의 모습을 떠올려 본다. 혁명의 대의명분. 어지러운 정국을 정화하고, 지독한 가난을 타파하며, 전 국민의 온전한 행복을 추구하는 것. 나의 혁명이 한갓 못난이 하극상이나 오만한 군부 쿠데타가 아닌 참된 대한민국 혁명이 되기 위해서는 진정으로 모든 국민이 원하는 그 '위대한 목표'를 반드시 달성해야만 한다.

- **문화 국민, 문화 국가:**

내가 지향하는 대한민국은 진정으로 발전한 문화를 가진 한국인이, 하나의 국민이 되어, 세계로 우뚝 선 선진 문화 국가가 되는 것이다. 지금 이 순간 절대 다수의 국민이 가난과 질병, 실업과 고통 속에서 헤매고 있다. 의식주가 빈한한 상태로는 절대 문화인이 될 수 없다. 한국 전통의 좋은 문화인 선비 문화, 의젓한 양반 문화, 인의와 예절 문화, 두레와 품앗이 문화를 1961년 현 수준에서는 기대난망이다.

문화(文化)란 인간의 지적 활동을 통한 인류 발전이고, 그 지적 활동의 결과물이며, 지적 상징 체제를 말한다. 인간이 머리를 써서 자신의 삶을 윤택하게 하려는 모든 생각, 노력, 창조물이 바로 문화다. 그래서 인류 문화는 시대 흐름에 따라 지속적으로 발전해 간다. 문화는 질 낮은 동물 차원의 현상이 아니라 좀 더 우아하고 멋있는 삶의 현장이다.

그런데 우리 한국은 끔찍한 조선 시대 말기의 쇠락, 일제 시대의 노예 식민지 상태, 6·25 공산당 남침 전쟁을 거치면서 철저히 파괴되고 문화적 퇴보를 겪었다. 자유당 정권을 끝장냈다지만 새로 시작한 민주당 정권도 문화적으로 형편없다. 기본적인 삶의 질이 밑바닥인 상황에서 우아한 문화를 말하는 것이 어불성설이다.

북한의 김 일성은 전 국민에게 집을 다 지어 줬고, 농민들에게 경작할 토지를 나눠줬다고 선전한다. 우리의 농지 개혁처럼 그럴 듯하게 포장하고 있다. 하지만 집만 져줬지 그 속에는 제대로 된 가구는 물론 아무 것도 없다. 농지를 나눠 줬다지만 모두 국유로 하고 있어 우리처럼 개인 소유가 아니다. 집단 농장에 억매여 노동을 하는 북조선 농민은 모두 일제 시대의 소작인, 노예와 다를 게 없다. 그에 비해 내가 그리는 농민은 자기 소유의 땅을 가지고, 마음껏 일을 하여 먹고 살 수 있는 문화인이다. 먹는 것, 입는 것, 들어가 사는 집 모두 마음에 들고, '좋은 것'이어야 한다. 그것이 바로 문화다.

머슴으로 살아가는 농민, 남의 집 식모살이를 해야만 입에 풀칠하는 아녀자, 거지 동냥하듯 쥐꼬리만 한 일당을 받는 품팔이 노동자는 진정으로 행복한 문화인이 아니다. 지금은 비록 머슴, 식모, 품팔이꾼에 불과하지만, 내가 정책을 담당한다면 5년 이내 아니 10년 이내로 모두 번듯한 자영농, 봉급생활자, '주머니 두둑한' 노동자로 만들 수 있다. 내가 그렇게 만들 것이다.

내가 그리는 세상은 의식주 생활수준이 좋아진 문화, 정치가 안정되고 정부의 행정과 정책이 순조롭게 추진되어 지금보다 훨씬 더 나은 지적 문화를 갖춘 대한민국이다. 경제 발전이 충분히 이루어져야만 수준 높은 문화사회를 만들 수 있다.

문화 국민(culturalized people)은 국가라는 공동체에 몸담고 살아가는 문화인을 말한다. 문화인(文化人)은 문화화된 사람으로서 (원초적 욕구 충족, 동물 수준을 벗어난), 지적이고 세련된 사람이다. 문화인은 지적 활동을 통해 자신의 발전을 꾀하고, 다른 사람의 지적 활동에 의해 창조된 결과물이나 공동체 사회에 존재하는 지적 상징 체제를 받아들여 체득한 사람이다.

문화 국민은 국가 공동체에 속해 있는 '국민'이라는 공감대를 가지고 행동한다. 문화 국민의 기본 요건은 '국민이라는 공감대(國民共感帶, national sympathy)'이다. 문화라는 관점에서, 당연히 대통령이나 국회의원, 통치 관료들도 모두 국민과 공감대가 형성되어 있어야 한다.

일제 시대의 우리 조선 사람은 진정으로 일본인과 하나가 될 수 없었다. '일본 국민'이라는 공감대가 형성되어 있지 못했기 때문이다. 일본 국민이 아닌 조선인은 그저 노예였을 뿐이다.

세계 제2차 대전을 치르고 수많은 식민지 국가들이 독립을 하던 20세기 중반 이후에 와서야 비로소 (국민 = 국가 = 문화)의 등식이 성립될 수 있었다. 진정한 통치 체제는 '하나의 국민'이라는 문화적 공감대가 형성된 국민과 함께 할 때 안정적이다. 문화 공동체가 형성되지 못할 경우에는 지속적으로 국론 분열이 일어나고, 새로운 민족 국가 창설의 움직임이 끊이질 않는다. 이런 움직임을 규제하여 안전한 국가 통치 체제를 만들기 위해서는 강력한 군대와 경찰, 법규의 억지력을 필요로 한다. 국민 통합, 국민 국가 건설이 절실해지는 지점이다. '국민 = 국가'라는 일체성이 흔들리면 언제라도 국론 분열과 함께 체제 불안이 나타난다. 이 일체성이 바로 문화 국가의 핵심이다.

- 반공, 공산당 척결:

1948년 대한민국 건설과 6·25 전쟁을 겪으면서 김 일성, 공산당, 북괴(北傀)는 가장 가까이에 있는 우리의 철천지원수임이 밝혀졌다. 그들은 우리 대한민국을 인정하지 않는다. 전 세계 모든 국가들이 한국을 인정하고 승인하였건만 오직 북조선만이 우리를 무시하고 인정하지 않는다. 그들은 지속적으로 간첩을 보내 우리 정치판을 흔들고, 시위와 데모로 사회 혼란을 부추긴다. 노동자들을 선동하여 파업 전선으로 이끌고, 사사건건 정부와 정책을 비판하고 나선다. 그들이 우리의 생존을 원하지 않듯이 우리도 반드시 그들을 멸망의 길로 이끌어야만 할지도 모른다.

어설픈 통일론자들이 공산당 독재 체제인 북조선을 향해 통일을 부르짖지만 가당치 않은 말이다. 문화가 다르면 하나의 국민이 되기 어렵고, 같은 민족이 되기 어려워진다. 휴전선에서 총부리를 맞대고 있고 수 없이 대한민국을 위협

하는 북조선은 우리와 같은 (문화 = 국민 = 민족 = 국가) 등식으로 들어서기 어렵다. 중요한 것이 국민 감성, '국민화(國民化, nationalization)' 여부다. 국민화는 몸을 담고 있는 국가 공동체의 진정한 일원이 되는 것이다. 북한 사람들은 이제 우리와 같은 편이 아니다.

김 일성 북한 공산당은 끊임없이 우리 한국을 교란하고 정국을 어지럽히고 있다. 그들은 공산주의를 맹신하고 있기에 우리와 같은 자유민주주의 문화를 소유하고 있지 않다. 그들은 진정으로 우리와 같은 문화 국민이 될 수 없다. 그런 그들을 향해 추파를 던지거나 추종하는 이들은 '우리 국민'이 아니다. 철저하게 발본색원해 없애야만 우리가 스스로 온전한 대한민국인이 될 수 있다.

문화 국민을 형성하는데 중요한 역할을 하는 주체가 정부이고 정치와 행정이다. 정치 분열은 국민 통합을 이루는데 지장을 초래한다. 무능력한 정부는 경제 발전을 추진하지 못하고 국민 생활 수준을 낮은 차원에 머물게 만든다. 수준 높은 우아한 문화를 조성해주지 못한다.

- 경제 발전: 공업화, 산업화

혁명을 통해 경제 발전을 이루고 국민의 빈곤 타파와 함께 삶의 질을 높게 만들고자 한다. 교육을 통해 지적 역량을 키우고 공업화, 산업화를 통해 국민 모두에게 안정적인 소득을 보장하며, 국민 건강을 좋게 하고, 우수한 문화를 향수하도록 만들 것이다.

몽골이나 오스만 터키의 전성시대를 끝내고 유럽이 세계 선진국으로 부상한 것은 바로 산업 혁명 덕분이다. 증기기관과 각종 기계를 발명하여 공장 생산량을 급증시키면서 부자가 되었다. 자동차와 기차, 무역선박을 만들어 전 세계를 누볐다. 지금 현재의 세계 최강대국은 모두 산업 혁명을 훌륭하게 이룩한 나라들이다.

우리 한국도 공업화, 산업화의 길로 나서야만 한다. 전국이 산악인 한반도는 농사지을 땅도 모자란다. 이를 극복하는 방법이 바로 공업화, 산업화다.

국민들이 직업 노동을 할 수 있는 공장을 많이 세워야만 한다. 수천 년 역사를 자랑한다지만 농업 국가로서의 한국은 영원히 가난한 나라일 뿐이다.

- **무역 대국:**

이웃 일본이 빠른 속도로 세계 열강이 된 것은 무역을 통해 선진 문물을 받아들여 발전시켰기 때문이다. 문화적으로 우리보다 못했던 일본은 서유럽 강대국과 교류를 시작하면서 우리를 능가하고 선진국이 될 수 있었다. 불과 몇 십 년 만에 미국과 영국 등 선진국을 대상으로 전쟁까지 치를 정도가 되었다.

아담 스미스(Adam Smith, 1723~1790)는 「국부론(國富論, the Wealth of Nations)」에서 인간의 이기적 욕구를 존중하고, 자유로운 무역을 촉진하면 국가의 부를 증대시킬 수 있다고 주장했다. 이전의 농업 경제 시대에서는 농토의 크기가 커야만 부강해질 수 있었지만 스미스는 토지를 늘리지 않더라도 무역만 잘해도 부국이 될 수 있다고 보았다. 농업 경제 시대에는 강대국이 되기 위해서 다른 나라를 침략하여 점령지를 넓혀야 했지만 무역 경제에서는 상품의 자유로운 유통을 통해서도 강국이 될 수 있다. 작은 나라 영국이나 네덜란드, 포르투갈이 세계 최강대국 반열에 들어선 것도 산업혁명과 함께 한 무역 때문이다. 스미스 이후, 유럽 각국은 적극적으로 무역, 상업 발전에 나섰고 수많은 식민지를 개척할 수 있었다. 일본이 먼저 이를 깨달아서 주변국인 유구, 대만, 조선을 침략해 식민지로 만들었다.

우리도 국내 산업 발전을 계기로 수출입 무역을 증대시켜 가야만 한다. 우물 안 개구리 식으로는 결코 국가 발전을 이룰 수 없다. 우수한 상품을 만들어 외국으로 팔고, 수입에만 의존해야 하는 상품 구조를 탈피해야 한다. 수출을 해야만 달러를 벌어들일 수 있고, 그래야만 우리가 필요한 국가 발전을 시도해 볼 수 있다. 지금 현재로서는 외국에 내다 팔 물건이 하나도 없다. '농자천하지대본(農者天下之大本)이라고 큰 소리쳐보지만 지금은 입에 풀칠하기도 바쁘다. 외국에 내다 팔 수 있는 좋은 품질의 공산품을 우리 스스로 만들어 내야만 한다.

선진국으로부터 부지런히 기술을 배우고, 과학화를 시도하여 공업 국가를 만드는 것이 필요하다. 한번 가 본 미국, 얼마나 발전해 있던가. 열심히 배워 따라잡도록 노력할 것이다.

- 자주 국방:

6.25 전쟁은 우리 한국민들에게 많은 것을 깨우치게 해주었다. 김 일성 공산당은 철저하게 우리를 망가뜨리려고 하는 적(敵)이라는 사실, 미국 등 유엔 동지 국가들이 없었다면 한국은 이미 지구 상에서 사라졌을 것이라는 사실, 자주 국방의 힘이 없으면 전 국민이 죽음의 공포에 떨어야만 한다는 사실, 임진왜란, 병자호란, 일제 침략, 6.25 전쟁은 '나쁜 적국'의 침략 이전에 '스스로 무기력한 우리가 자초한 일'이라는 사실.

강력한 국토방위의 의지를 지닌 젊은이들을, 최첨단 무기로 무장시킬 것이다. 나약하게 당하고 만 있지는 않는 대한민국을 만들 것이다.

'어쩔 것인가?'

현재 우리 군대는 숫자 면에서는 6~70만에 이를 정도로 대단하다. 하지만 장비, 식량, 무기 모든 면에서 열세다. 억지로 미국의 힘에 의존해서 버티고 있다. 조만간 미국이 우리를 버리고 철수하면 또 다시 조선 시대 말, 6.25 직전 상황으로 빠져들 수 있다. 한시 바삐 자주 국방 역량을 갖춰야만 한다. 북한 김 일성이 소련과 중공의 첨단 무기 지원을 받아 호시탐탐 침략 전쟁을 준비하고 있는 상황에서 6.25와 같은 위험천만한 일이 언제라도 벌어질 수 있다.

개인 화기인 M1 소총을 모두 다연발 카빈 소총 이상으로 대체하고, 105mm 포를 155mm 이상으로, 장갑차를 최첨단 탱크로 바꿔야 한다. 경비행기 수준의 공군력을 최첨단 제트기로 바꿔야 하고, 동해안에는 대형 전함과 잠수함을 띄워야 한다. 2차 대전 중에 일제는 생화학 무기, 화생방 무기를 개발 완료하였다. 우리도 그럴 수 있다. 원자폭탄은 불가능할까?

당장 눈앞의 적은 북한 괴뢰 공산군이라지만, 우리 주변에는 더 악랄한 전쟁광인 일본과 중공, 소련이 포진해 있다. 대한민국의 생존을 위해 자주 국방은 가장 시급한 국가 목표가 되어야 한다.

- 당당한, 세계 속의 일류 국가:

내가 그리는 원대한 미래의 한국은 세계 속에 당당한 일류 국가로 우뚝 서는 것이다. 일제와 중공, 북한 공산당의 침략에 전전긍긍하는 옹색한 한국이 아니다. 미국과 유엔, 유럽 선진국의 경제 원조에 목을 매는 '거지 같은' 한국이 아닌 '스스로 당당하고' 어려운 이웃 국가에 '원조를 베풀 정도로 부강한' 나라 한국이다. 내가 반드시 그렇게 만들 것이다.

곰곰이 생각하면 할수록...

그동안 청나라에, 일제에, 북한 공산당에 당해온 지난날의 억울함이, 설움이 되어 복받쳐 온다. 지나 온 나의 과거를 돌아보면서, 지독하게 가난하기만 했던 조선인, 송곳 하나 꽂을 땅뙈기도 없는 노예 같은 농민의 삶, 일제에 총알받이로 또 강제 노역꾼으로 끌려가 목숨을 내놓고 노동을 해야 했던 역사 속의 한국인을 생각하면 참으로 원통하다. 은연중에 부아가 치밀고 눈에 핏발이 선다.

생각을 하면 할수록, 복장이 터질 정도로 숨이 막혀 온다. 치밀어 오르는 분노로 '꺼이 꺼이...' 저절로 목이 메인다.

그래서, 그래서, 참으로 밉다.

제 몸 하나 편하다고, 말만 내세우고, 하루 종일, 일년 내내 싸움질만 하는 정치꾼, 데모대, 사사건건 정부 정책에 반대만 하는 불평 불만자들. 좌파, 공산당. 도저히 용서할 수 없다.

윤 보선이나 장 면, 번지르한 장관 차관들, 제 권위만 내세우려는 관료 역시나 눈뜨고 봐 줄 수가 없다. 어쩜 그리도 무능력한지. 먹을 게 없어 굶주리는 가난한 농민, 일하고 싶지만 일거리가 없어 거리를 헤매는 수많은

실업자들, 공부라고 죽어라 해보지만 졸업을 해도 희망이 없는 젊은이들은 오로지 당신들만을 쳐다보고 있는데

- 대한민국의 모든 시스템, 조직, 인간을 바꿔야만 한다.

모든 것을 새롭게 바꿔야 한다. 기존 헌법 체제를 새롭게 정비하고, 공산주의보다도 못한 엉성한 자유민주주의를 다시금 정화해야만 한다. 싸움질만 하는 국회의원 모두를 새로운 인물로 교체하고, 내각제를 청산해 책임 있게 앞장서서 일할 수 있는 번듯한 대통령을 세워야 한다.

대한민국의 오랜 역사를 볼 때, 체제와 인물을 동시에 모두 바꿀 수 있는 방법은 오로지 군사 혁명 밖에 없다. 난장판이었던 고려를 바꿔 새로운 국가 조선을 세운 것은 이성계의 군사 혁명이다. 우리의 뜻은 아니지만 참으로 무능력한 고종의 조선을 바꾼 것도 일제 군부였고, 그런 일제를 멸망시킨 것도 미군이었다. 영국의 식민지 통치를 벗어나 미국이 독립한 것은 워싱턴의 군사 혁명이었고, 프랑스 왕정과 민중 반란을 끝내고 민주 국가로의 길을 연 것도 나폴레옹 군사 혁명이었다.

현재 우리 대한민국의 희망은 오직 군사 혁명뿐이다.

새로운 대한민국 건설은 생각이 올바른, 젊은 엘리트 군인들이 주도적으로 중심 역할을 할 때에만 가능하다.

제 2 부

헤드 라이트를 켜라!

마지막 회의

어제(1961.5,12.) 석간신문에 소련과 중공이 라오스를 중립국화 함과 동시에 이웃에 있는 버마, 캄보디아, 월남까지 모든 인도차이나 반도 국가를 중립화하자고 미국과 영국 등 민주 진영에 제안했다는 기사가 실렸다. 참으로 교활한 공산당이다. 중립화는 곧 미국과 영국을 라오스나 월남에서 철수하도록 만드는 것이다. 서방 진영의 동남아 방위조약 기구(東南亞防衛條約機構)를 완전히 무력화하려는 시도다.

공산당은 민주, 평등, 인민, 노동자와 농민 등 교묘한 말로 후진국 국민들을 유혹하면서 야금야금 공산화를 시도한다. 겉으로는 공정한 체 하면서 내밀하게 선동가나 불순분자, 불만 세력들에게 공산주의 이념을 전파한다. 그들을 통해 자유민주주의 정치 자체를 엉망으로 만들어 버린다.

우리도 해방 직후에 겪었던 일이다. 공산당은 대한민국 건설을 끝끝내 방해하면서 마침내 전쟁을 통한 공산화를 시도했었다. 엄청난 인명 살상과 국토 파괴를 자행했다. 그런 공산당의 전략이 또 다시 인도차이나 반도에서 나타나고 있다. 소련과 중공은 버마, 라오스, 캄보디아를 모두 공산화하면서 월남까지도 베트콩을 내세워 전쟁판으로 만들고 있다. 군인이 정치에 관여하고 있는 태국만이 아슬아슬하게 버텨내고 있다.

공산당은 언제나 억지를 쓰고 적반하장(賊反荷杖)이다. 여순 반란과 제주 4·3 사건, 대구 폭동을 일으킨 공산당, 6·25 전쟁을 일으켜 수백만 명을 살상한 전쟁광(戰爭狂) 김 일성도 큰 소리를 친다.

"너희들이 우리 군대를 환영했으면 아무런 살상도 일어나지 않았을 것이다. 공연히 경찰과 군, 유엔군을 끌어들였기 때문에 이렇게 큰 전쟁이 되었다."

할 말이 없다. 자기 잘못을 반성하기보다는 '그래 너는 잘 났냐?' 식으로 상대방의 잘못, 실책을 떠벌려 모면하려는 것이 공산주의자들의 장기다.

소련 공산당 서기장 후루시쵸프(Khrushchev)도

"라오스에 미국이 끼어들었기 때문에 콩레 대위 중심의 '새로운 라오스 건설'이 방해를 받았고 내란으로 확대되었다. 가만히 있었더라면 자기들끼리 잘 살 수 있었는데. 이집트를 봐라. 낫세르가 얼마나 잘 하고 있냐?"

라고 뇌까린다. 공산화만이 최선이라는 논리가 판을 치고 있다.

소련, 중공, 김 일성 사주를 받은 '불순분자'들이 중립화 통일에 목을 매고 있다. 젊은 학생들까지 '철없이' 따라 나선다. 더욱 황당한 것은 민주당 소장파 청조회 의원과 신민당 의원들까지도 통일 논의에 동참하면서 정부를 애먹이고 있다는 사실이다.

3월, 4월 위기가 현재 진행형으로 5월에도 지속되고 있다.

수렁에 빠져 있는 대한민국을 구출할 수 있는 방법은 오직 군사 혁명밖에 없다.

D-2. 마지막 회의가 있는 날이다. 약수동 김 종락 씨 집으로 아침 10시까지 모두 집결하도록 했다. 일요일이기 때문에 사복을 입고 자연스럽게, 가능한 한 시간차를 두고 모이도록 조처했다. 차량을 이용할 경우에는 멀찌감치 세워 두도록 하고.

핵심 동지 27명 정도가 모였다. 작은 집안 방과 마루에 가득 찼다.

회의는 간결하게, 혁명에 대한 결의를 다지고, 전략 계획을 재확인하는 것으로 마무리했다.

"출동군은 15일 22시에 비상을 발령하여 디 데이 0시를 기해 부대를 출발한다. 3시까지 목표 시설 점령과 함께 임무를 완성하고 요로(要路)에 주둔한 뒤, 차후 진행될 혁명 과업을 지원한다. 모든 책임은 지휘 대장 책임하에 진행하되, 중요 사안에 대해서는 혁명 본부로 직보 한다.

요인 체포조는 공수단 출동과 동시에 영등포 염창교에서 병력을 지원받아 작전에 들어간다. 본부팀은 22시까지 6관구 사령부로 집결하여 혁명지휘본부를 구성하고, 팀 별로 과업 수행에 들어간다. 육군 본부, 1군 사령부, 2군 사령부는 자체적으로 혁명 지부를 조직하여 6관구 본부와 긴밀하게 연락망을 구축한다."

모두가 쥐 죽은 듯이 조용하게 경청한다, 혁명군 출동 계획에 대해 박 원빈 중령이 보고를 마치자 혁명을 총지휘하는 김 종필 중령이 전반적인 작전 계획에 대해 간략하게 보고를 했다.

"이제는 결행만이 남았습니다. 우리의 군사 혁명은 대한민국의 발전을 위해 지극히 당연하고 정당한 행동입니다. 그리고 반드시 성공합니다."

결연하게, 나의 의지를 피력했다. 누구도 의심하거나 주저해서는 안되기에 확신에 찬 목소리로.

이주일 장군이 혁명 의지를 담은 태극기를 꺼내 놓았다. 모두의 눈빛이 달라진다. 미쳐 이름을 올리지 못한 몇몇이 서명을 하고 지장을 찍었다.

"일동 차렷 ! 경례 !"

누군가의 군호로, 모두가 태극기를 향해 일어나 경례를 부쳤다. 대한민국을 구하려는 독립투사처럼 지금 이 순간, 모두가 감격해 한다. 가슴이 벅차오른다. 이제 혁명의 9부 능선까지 도달했다.

회의가 끝난 뒤, 식사를 하지 않고 곧바로 해산하기로 했다. 흩어지기 직전에 김 종필 중령이 준비한 혁명 자금을 일일이 나눠주었다. 누런 봉투에 1만환씩을 넣었다. 혁명에 들어가면 정국이 어떻게 변할지 모른다. 극단적으로는 목숨이 어떻게 될 지도 모르고, 식료품이나 화폐, 은행, 물가, 치안 모두가 변할 수 있다. 정부와 군이 흔들리면 봉급도 제대로 받지 못할 수 있다. 만일의 사태에 대비해서 가족 비상금으로 지급한 것이다.

진지한 표정으로 집을 나서면서, 필요할 경우에는 오늘 중으로 각자 맡은 임무 수행에 필요한 사전 점검, 시내 정찰을 최종적으로 한번 더 하기로 했다.

점령 목표 시설과 주둔지, 장 면 총리 등 요인들의 사무실과 주거지 확인이다.

오 치성, 이 석제, 김 종필, 유 승원, 김 용태 등 행정팀이 나를 붙든다.

"각하, 최종 확인해 주셔야겠습니다."

혁명 공약과 대국민 포고문, 각종 행정 서류에 대한 최종 점검이다.

"아, 그렇잖아도 혁명 공약 좀 봅시다. 조금 수정하고 싶어요."

우리들의 군사 혁명에 반신반의하는 이들 중에는 '혁명 후 어떻게 할 것인가'에 대해 집요하게 묻고 나서는 이가 있다. 장 도영이나 이 한림, 강 영훈, 이 종찬 등 혁명을 지지하면서도 선뜻 함께 하기를 주저하는 고위 장성들이 원하는 것이 바로 그것이다. 혁명 후 원상 복귀. 나로서도 내내 고민해 오고 있는 주제다.

"혁명 공약 속에 군대의 원상 복구에 대해 명확하게 천명할 필요가 있어 보여요. 우리들의 선의를 그저 하극상이나 권력 찬탈로 보려는 사람들에 대해서 명확한 언질을 주는 것이지요."

"각하, 그럴 필요 없습니다. 공연히 나중에 곤란한 일이 생길 수도 있어요."

김 중령이 걱정을 한다.

"그것도 좋은 생각이라고 생각합니다. 하지만 공약 속에 넣기보다는 혁명 진행 상황을 봐서 적당한 시점에서 각하 이름으로 공론화하시면 될 겁니다."

오 치성 대령이다. 이 석제 중령도 공감 의사를 표한다.

"아니요. 내가 그동안 많은 생각을 했어요. 장 도영 총장이 머뭇거리는 태도를 버리게 하려면 이런 방법 밖에 없다고 봐요. 공약 문건 줘 보세요."

공약 조항의 끄트머리에 제6항을 추가하여 연필로 적어 넣었다.

'6. 이와 같은 우리의 과업이 성취되면 2년 이내에 참신하고도 양심적인 정치인들에게 정권을 이양하고 군으로 복귀한다.'

“기한을 못 박지 않았으면 좋겠습니다. 그래야만 우리가 주도권을 가질 수 있습니다.”

법 논리에 밝은 이 석제 중령이다. 그래서 조금 융통성이 있는 표현을 사용하기로 했다.

'6. 이와 같은 우리의 과업이 성취되면 참신하고도 양심적인 정치인들에게 언제든지 정권을 이양하고 우리들 본연의 임무에 복귀할 준비를 갖춘다.' 로 정정했다. 추가로 혁명에 동참하고 있는 민간인 신분의 전역 군인들과 민간인 조력자들을 고려하여 다음과 같이 추가하기로 하였다.

'(민간) 이와 같은 우리의 과업을 조속히 성취하고 새로운 민주공화국의 굳건한 토대를 이룩하기 위하여 우리는 몸과 마음을 바쳐 최선의 노력을 경주한다.

이 주일 장군 지인인 이 학수 사장의 광명인쇄소에서 혁명 전 날 인쇄하기로 하였다. 김 종필 중령과 김 용태 사장이 지원하기로 했다.

“참, 각하. 오늘부터는 댁에 들어가시지 않는 것이 좋겠습니다. 청진동 호텔에 한 웅진 장군 숙소를 정했는데 거기가 어떨까요?”

김 중령이다. 영천에서 올라온 한 장군이 몇몇 경호요원과 함께 디 데이 전후에 나에 대한 경호 책임을 지기로 하고, 어제부터 청진동 미화호텔에서 묵고 있다.

“조심해야 하는데... 그런데 그 호텔은 장 면 총리 숙소나 미국 대사관과 너무 가까워. 오히려 내가 눈에 잘 띌 수도 있어요.”

그렇다고 지방으로 내려가는 것도 조심스럽다. 서울에 머물러야만 혁명 동지들과 호흡을 맞추기가 수월하다. 오히려 정면 돌파하는 방식대로, 그동안 내가 자연인처럼 해오던 방식대로, 신당동 집을 그대로 활용하는 것도 가능할 수 있다.

“어제, 오늘 집 주변을 보니까 평상시대로 하고 있는 것 같아요. 방첩대와 우리 측 경호원이 적당히 섞여서 감시를 하고 있어요. 아직 디 데이를 모르니까... 내가 한 장군과 상의하여 몸조심하도록 하겠네."

특이 행동을 보이지 않고 평상 시 대로 처신하기로 했다.

일행을 모두 보내고 김 종필 중령과 단 둘이 남아 담배 한 대를 피워 물었다. 묵직한 긴장감. 눈길을 마주하기도 겁이나서 멀리 담장 밖을 훑는다.

김 종락씨 부인이 점심상을 차리겠다고 했지만 '생각이 없다'고 말렸다.

'이제 다 된거지? 혹시라도 빠뜨린 것 없나?'

'할 수 있는 일은 다 했습니다. 이제 가는 겁니다.'

'그래도 안심이 안되네.'

'과공비례(過恭非禮)라고 지나친 노파심도 오히려 독이 됩니다.'

이심전심으로 묵언(默言)의 대화를 나눈다.

그러다가 빙긋이 웃었다. 그도 따라 웃는다.

"자, 우리 자신을 믿읍시다. 그리고 금방 다녀간 혁명 동지들의 다짐을 믿읍시다. 지나친 걱정이 오히려 병이 되고 실수를 낳을 수 있어요."

"알겠습니다. 필승!"

집으로 들어오자마자, 화로를 찾아서 마당가로 갔다. 품속에 넣어온, 동지들의 이름이 적혀 있고 지장이 찍혀 있는 태극기를 태워 없애기 위해서다. 성냥을 그어서 태극기에 불을 붙이고 화로 속에 집어넣었다. 혹시라도 아이들이 볼까 봐 눈치를 살피면서.

불타는 태극기를 바라보면서 다시 한번 더 혁명에의 의지를 북돋운다.

지금 태극기를 태우는 이유가 있다. 그럴 리는 없겠지만 혹시라도 혁명이 실패할 경우를 대비하는 의미가 있다. 하지만 그것보다도 더욱 중요한 것은 혁명이 성공했을 때 나타날 수 있는 논공행상(論功行賞) 때문이다. 혹시라도 동지들 사이에 일등, 이등의 차별 의식이 생겨날까 염려된다. 우리의 군사 혁명은 충직한 군인들의 총출동이다. 그래서 비록 지금 이 순간 혁명 과업에 앞장서고 있는 사람들과 나서지는 않고 있지만 군사 혁명을 지지하는 모든 사람을 동등하게 대우할 필요가 있다. 그래야만 진정으로 내가 그리는 위대한 대한민국을 만들어 갈 수 있다.

마루로 올라와 부인 영수와 마주 앉았다. 오늘 하루 진행된 일과 향후 전개될 혁명 과정에 대해 간략하게 알려주어야 했다.

"디 데이가 모레 새벽이요. 평상시처럼 행동하되 장모님이나 다른 식솔들을 조심스럽게 지방으로 내려 보내는 것도 좋을 게요. 아이들이야 우리와 운명 공동체이니 당신이 집에서 잘 단속해주면 좋겠고."

사태를 짐작하고 있는 영수도 의연하게 반응한다.

"짐작하고 있었어요. 어머님도 달리 가실 데가 마땅치 않으니 우리 랑 집에 계시면 돼요. 각하께서나 몸조심하세요."

30 중반의 곱디고운 얼굴이 마음에 쓰인다. 어쩌다가 이런 '승부사' 남편을 만나 백척간두(百尺竿頭) 칼날 끝에 올라서게 되었을까?

크게 심호흡을 한다. 마음을 다잡아 본다.

비상! 비상!

45 구경 권총을 꺼내 실탄 상태를 살폈다. 평소에 휴대하던 권총이건만 실제 사격을 해 본 지가 꽤 오래 되었다. 이제는 결단의 시간. 이것이 내 목숨을 살릴 수도 있고 자칫하면 누군가를 상하게 할 수도 있다. 남다르게 다가온다.

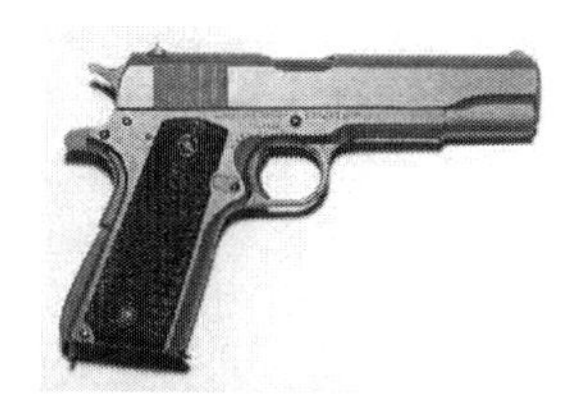

벽에 걸린 군청색 항공 잠바가 긴장을 한 채 나를 기다리고 있다. 작전에 나설 때 내가 즐겨 입는 옷이다. 활동하기에 편하고, 어깨에 달린 하얀 별 두개 계급장이 반짝반짝 장군의 권위를 보여준다.

아침 일찍, 딸들이 선생님께 드린다면서 자그마한 선물을 손에 들고 학교로 향한다.

오늘(5월 15일)은 세종대왕이 탄생하신 지 564년째가 되는 날이다. 한국인 모두에게 최고의 영웅, 통치자로 숭앙 받는 세종. 오늘 드디어 결단을 내리는 날, 세종 대왕이 새롭게 다가온다.

세종은 진정으로 국민을 사랑하는 애민(愛民) 정신에 투철했던 분이다. 글자를 몰라 의사소통을 제대로 하지 못하는 어리석은 백성들을 위해 읽고 쓰기 편한 한글을 만드셨다. 가난한 백성을 위해 식량 생산을 늘리고자 농사직설(農事直說) 등 책자 발간을 통해 새로운 농법을 전파하고, 측우기(測雨器), 대소간의(大小簡儀), 혼천의(渾天議) 등 과학 문명을 발전시켰다. 아버지 태종의 성공적인 국가 건설에 이은 그의 노력 덕분에 조선 초기 국가 발전이 이루어졌고 국민들의 삶이 평화로워졌다.

오늘 나는 세종의 국민 사랑, 국가 발전의 업적을 이어받고 태조 이성계의 군사혁명 정신을 계승하려 한다. 태조와 태종, 세종의 모든 업적을 아우르는 거대한 국가 개조, 새로운 국가 건설에 나서려고 한다.

아침 일찍 광주항공대의 이 원엽 대령이 집으로 찾아왔다. 내일 새벽 서울 항공을 누빌 항공기를 여의도 공항에 대기시켜 두었다는 보고. 때마침 김 종필 중령이 이 학수 사장을 대동하고 등장한다. 이 대령과 반갑게 악수를 나누면서 끼어든다.

"비행기 한 대 가지고는 부족할 것 같습니다. 전국 대도시에 거의 동시에 전단을 살포해야 합니다. 권역이 넓고 문건의 숫자와 중량이 많아 한 대 가지고는 불가능합니다."

나도 그렇게 생각하던 중이다.

"알았습니다. 그러면 추가로 두 대를 늘리도록 하겠습니다."

이 대령은 전화로 항공기 2대 증파를 지시한다. 이 대령이 떠나고 조금 있으니, 지방에서 올라온 정 문순 대령이 사복 차림으로 등장한다. 내일 민주당사 점령 책임을 맡고 있다.

"내일 공수단 병력을 지원받아 차질 없이 시행하시면 됩니다."

김 중령이다. 정 대령은 물 한잔 먹고 곧바로 돌아 나갔다. 또 다시 회의.

장롱 속에 넣어두었던 혁명 관련 서류들을 꺼내 왔다.

"이 사장님. 내일 새벽 5시까지 이 혁명 공약과 포고문 30만장을 인쇄해 주세요. 다른 문건들은 좀 더 시간을 두고 인쇄해도 될 겁니다. 직원과 종이는 이미 확보해 놓으셨겠죠?"

"예, 이미 준비 완료했습니다."

"절대 비밀이 유지되어야 합니다. 직원들은 내일 아침 9시까지 공장 내에 머물도록 하시고. 김 중령은 밖에 있는 경호원 몇 명을 데리고 가서 인쇄소를 철통 같이 경계하세요.

"넷, 알겠습니다."

“혹시라도 야간작업하는 윤전기 소리가 밖에 까지 새어 나가면 야경꾼이나 경찰이 의심할 수도 있어요. 잘 대처해야 할 겁니다.”

“염려 마십시요.”

이 주일 장군과 같은 함경도 출신인 이 사장은 과묵하게 필요한 말만 하는 성격이다. 민간인으로서 어느 군인보다 믿음직스럽다. 이 사장이 나가고 나서 조금 있다가 혁명 행정팀인 이 석제 중령과 정보통 장 태화 씨가 들어섰다. 어제 늦은 시각까지 다 마치지 못한 문건 작업을 마무리하기 위해서다. 혁명군 동원 직후부터 사용할 계엄 문건, 포고 문건, 인사 발령, 정책 내용 등을 거듭거듭 다듬고 있는 중이다. 장 태화는 방첩대가 조용하다고 말을 전해 준다.

만일의 사태를 생각해서 내 친필 서명이 들어가 있는 서한 몇 개를 준비했다. 통신이 두절된 상태에서 혹시라도 긴급 연락이 필요할 경우를 생각해서다. 혁명 군대가 동원된 상태에서는 정상적인 통신이 불가능하고 혹시라도 중간에서 누군가가 간첩질을 할지도 오른다. 옛날 통신이 어려웠던 때에 군 통수권자와 현지 사령관 사이에 유통되던 부절(符節)처럼 쓰기 위함이다.

정오 쯤 육본 작전팀 옥 중령이 전화를 걸어왔다.

“각하, 오늘 원주 1군 사령부에 1군 관내 모든 군단장, 사단장, 부대장들이 모여서 창설 기념식을 진행 중입니다. 모든 부대의 대표와 깃발이 등장하고 어마어마한 규모입니다. 오전 기념식에는 장 면 총리와 현 석호 장관 등 정부 요인들도 많이 참석했습니다.”

“알겠습니다. 특이 사항은…”

“기념식 후에는 사격대회와 축구대회 등 각종 대회가 이어지고 있습니다. 내일까지 라서 적지 않은 부대장들이 원주 일대 여관에 머물 것으로 예상됩니다. 참조 하십시요.”

그렇다. 오늘 밤, 1군 관내 사령관들이 원주 시내에 머문다면 생각지 못한 변수가 생겨날 수도 있겠다.

"1군 내 동지들께 더욱 긴장하라고 전달해 주세요."

"넷, 알겠습니다."

사실 어제 이 낙선 중령을 보내 1군 내 영관급 혁명 동지들을 점검하고 박 임항, 채 명신, 박 춘식 장군 등 출동 부대장들을 만나 혁명 계획을 다시 한 번 더 확인토록 했었다. 그들로 하여금 이 한림 사령관을 마지막 순간까지 설득해 보도록 신신당부했다.

조금 전에는 장 면 총리 체포 임무를 맡고 있는 박 종규 소령이 다녀갔다.

"각하, 어제 오후부터 반도 호텔 주변을 철저하게 관찰하고 있는 중입니다. 장 면 총리가 지금 원주 1군 사령부 창립기념식에 참석하고 있는데 오늘 저녁에는 민주당 의원들과 회의가 잡혀 있다고 합니다."

그의 말에 따르면 민주당 총재이기도 한 장 면 총리가 지난 번 장차관 인사 문제에 대한 당내 반발을 진화하기 위한 회의라고 한다. 청조회가 새로운 정치노선을 추구하겠다고 극단적으로 반발하고 나서자 이를 무마하기 위한 대안 찾기에 골치를 썩이고 있다. 미국 여행 중인 이 철승 청조회 대표를 오는 10월 전당대회를 통해 원내 총무로 내세우려고 한다는 소문이 파다하다. 참석 예상자로는 장 면 총리(민주당 총재), 이 상철 간사장, 박 순천, 최 희송, 윤 명운, 신 상초, 이 태용, 양 병일, 이 춘기, 홍 익표, 김 용주 의원 등이 거론되고 있다고 한다.

박 소령은 공수단의 차 지철, 장 종원, 이 동웅, 김 인식, 탁 병섭, 유 국준 대위 등과 반도호텔 내외부 상황을 치밀하게 사전 점검 완료했다. 809호 총리실은 물론 바로 옆에 붙어 있는 경호팀 거주 공간까지 확인하고 있다.

누누이 당부했던 대로 그들은 치밀하게 준비한 채 디 데이를 기다리는 중이다.

마지막 카운트 다운의 초침 소리가 '쿵쿵' 가슴을 때린다. 벽에 걸린 괘종 시계 소리가 방안을 가득 채우고 있다. 바짝바짝 목이 말라 온다. 주전자 꼭지에 입을 대고 벌컥벌컥 물을 마셔 본다. 젊은 동지들의 얼굴이 두 겹으로 세 겹으로 겹쳐서 등장한다. 그들도 지금 나처럼 목이 타리라.

서서히 해가 기울고 있다. 부인이 차려다 주는 저녁상의 된장국을, 넋이 서 맛도 모르고 먹고 있는데, 갑자기 심장을 떨게 하는 전화벨이 울린다.

'따르릉, 따르릉…'

전화기를 드니 30사단 이 백일 중령의 다급한 목소리가 들려왔다.

"각하, 심상치 않습니다. 신경이 쓰입니다."

"무슨 소리야? 찬찬히 말해 보시게."

그의 말을 들어 보니, 몇 시간 전에 동원 병력을 최종 점검하다가 동원 부대인 제30B형 전투단 부대장인 박 상훈 대령과 다소 언쟁이 있었다고 한다. 그동안 비밀 유지를 위해 이 백일 중령 중심으로 움직이다 보니 병력 동원 책임자인 박 대령이 상대적으로 뒷전으로 물러난 모양새가 되어 있었다. 이 중령이 앞장서서 부대는 물론 박 대령까지도 좌지우지하는 꼴이 되어 버렸다. 이런 상황이 박 대령의 불쾌감을 유발했을 것이다. 자신이 혁명 진행 과정에서 소외되었고, 혁명이 성공하더라도 자기에게 돌아오는 보상이 거의 없을 것 같은 초조함이 언성으로 표출된 셈이다.

"그래서 어찌 되어 가노?"

"박 대령이 불쾌한 표정을 지면서, '이러면 나는 그만 둘란다'고 했답니다. 이 갑영 참모장까지도 걸고 넘어간 것 같습니다. 지금 둘이 퇴근을 하는 이 상국 사단장님과 함께 차를 타고 나갔습니다."

순간, 불안감이 엄습한다. 이런 좋지 않은 직감은 대체로 맞는다.

"어디로 갔는지 아시는가?"

"잘 모르겠습니다. 서울 시내 방향으로 갔습니다."

긴장이 된다. '우리의 혁명이 순조롭게 진행되지 않을 수도 있겠구나!' 하는 생각이 드는 순간 오싹 소름이 돋는다. 박 상훈과 이 갑영의 폭로, 이 상국의 돌출 행동이 어떤 상황을 만들까 조심스럽다.

"침착하시게. 일단 김 재춘, 박 원빈 동지에게 연락해 놓고 병사들을 잘 단속해. 언제라도 출동할 수 있도록."

전화를 끊고, 초조함에 휩싸여 있는데 금새 다시 전화벨이 울렸다.

"각하, 방첩대 최 중위입니다. 큰 일 났습니다."

"왜애~ ?"

순간 큰 소리가 나왔다.

"방첩대에 30사단 이 상국 준장과 이 갑영, 박 상훈 대령이 나타났습니다. 제506방첩대장에게 30사단에서 반란이 일어났다고 총장에게 보고해야 한다고 난리입니다."

'들통이 났구나!'

이건 실제 상황이다. 지금까지 '박 정희가 혁명을 한다'는 것이 거짓말 같은 사실이었다면 '30 사단에서 혁명을 시도한다'는 것은 현재 진행형의 팩트(facts)다.

상황이 어떻게 전개될까? 덜컥 겁이 난다. 혁명에 진심을 담기 시작하던 때의 두려움이 이제는 실제로 충격으로 등장하고 있다.

다급하게 미화호텔로 전화를 했다. 한 웅진 장군과 장 경순 장군을 집으로 급하게 불렀다. 김 동하 장군에게도 전화를 걸어 김포 해병대의 출동을 챙기도록 독려했다.

이제부터 나, 박 정희의 진두 휘가 필요해졌다. 종이 속의 '군사 혁명: 봉화 작전'이 드디어 임자를 만났다.

‘그래 전쟁판에 나서는 나폴레옹처럼, 12척 배를 타고 적진으로 돌격하는 이 순신처럼 내가 나서리라.’

권총을 만져 느낌을 받는다. 두려움에서 벗어나, 서서히 냉정해진다.

‘그래, 한 판 붙어 보자.’

그때 또 다시 전화벨이 울렸다.

“각하, 비상입니다. 비상!”

육군 본부 사령인 유 장군이다. 은성에서 식사를 하고 있던 장 도영 총장에게까지 보고가 되었단다. 장 총장이 서울 제506 방첩부대장실로 나타나 목소리를 높이고 있다고. 이 철희 방첩대장, 이 상국 30사단장 등이 모여 반혁명 전선을 구축하고 이리저리 전화를 돌리고 있단다.

이 상국 사단장은 삼희정에서 식사를 하던 중에 이 상훈 대령과 권 용성 중령으로 하여금 급히 귀대하여 병력 출동을 저지하고 영외 거주자를 모두 퇴근토록 종용하게 하였다. 연대 제1대대장에게는 직접 지시하여 탄약을 다시 원래 자리로 돌려놓도록 했다. 곧바로 방첩대로 옮겨서, 장 도영 총장이 나타남과 동시에 사단 주번 사령인 김 상진 소령에게 부대를 출동시키는 자가 있으면 사살해도 좋다는 엄명을 내렸다. 장 총장이 제6관구 사령부와 33사단 등에 혁명군 출동 저지 지시를 내리는 것과 동시에 이 사단장도 적극적으로 혁명군 진압 작전을 구사했다.

11시 20분, 제6관구사령부 헌병대에서 사단 박 상훈 대령에게 전화하여 이 백일 중령 체포를 명령했다. 박 대령은 곧바로 사단 소속 헌병 부장 강오현 소령으로 하여금 즉시 행동에 들어가도록 지시하고, 이어서 제6군관구 헌병부로부터 1개 소대 병력을 지원받아 정문, 위병소, 탄약고, 막사 등을 엄중 경계조치하고 이 백일 중령 체포에 나섰다.

위협을 느낀 이 백일 중령은 부대 뒷산으로 도주하여 몸을 숨겨야 했다.

군사 혁명의 디 데이는 결코 조용히 나타나지 않았다.

혁명을, 전쟁판으로 만드는구나 !

'네 놈들이... 기어코 우리의 군사 혁명을 전쟁판으로 만드는구나.'

무혈혁명을 위해 그토록 철저하게 준비 작업을 해왔건만, 디 데이 4시간을 앞두고 배반자가 나타났다. 이 상국, 이 갑영, 박 상훈. 도저히 용서할 수 없다.

'너희들이 여전히 나를 얏 보고 있구나!'

급히 6관구 사령부로 전화를 돌렸다.

"참모장 계시나? 나 박 장군이야."

"충성. 식사하러 나가셨는데 아직 안 들어 오셨습니다."

"박 원빈 중령은?"

"옆방에 계십니다. 잠깐 기다리십시요."

박 중령이 전화를 받는다.

"박 중령. 30사단 소식 들었는가?"

"예. 각하. 조금 전에 이 백일 중령이 전화를 해왔습니다. 사정 얘기를 들었습니다."

"거사 계획이 누설되었네. 상황이 어떻게 전개될 지 예측불가야. 일단 가동 병력을 총동원하여 사령부를 통제하시게. 지휘 본부를 철통같이 경계하고, 작전 계획대로 육군 본부와 6관구 사령부 통신망을 장악하시게. 혁명군이 사용할 노선만을 남겨두고 모든 노선을 차단해."

"알겠습니다. 즉시 거행하겠습니다."

"참모장 들어오시면 함께 상의해서 계획대로 실천하시게. 봉화 작전은 결코 흔들려서는 안 돼. 30사단 쪽을 지속적으로 점검하고, 33사단 단속을 강화하시게. 참. 지금 이후로 나와 연락이 잘 안될 수도 있네. 필요하면 내가 전화할 거야."

"예, 명심하겠습니다."

10시 전후에 혁명군 본부팀과 작전팀, 행정팀이 6관구 사령부로 집결하게 되어 있다. 김 재춘 참모장과 함께 혁명군 본부를 책임 있게 이끌도록 박 중령에게 신신당부했다.

초조하게 두 장군을 기다리고 있는데, 김 재춘 참모장이 전화를 해 왔다. 식사를 마치고 부대로 전화를 했더니 박 중령이 30사단 사태를 알려주었다고 한다. 급해서 공중전화를 걸었다고.

"김 대령, 큰 일 났어. 거사 계획이 탄로 났어. 바로 귀대해서 본부를 장악하시게. 세상없어도 작전 계획대로 밀어붙여야 해. 절대 흔들리지 말고. 금방 방첩대와 육본 동지들의 전화를 받았는데 장 총장이 술 한 잔 먹은 참에 '발끈' 하고 나선 것 같애."

"넷, 각하."

전화를 끊고, 김 중령에게 집 밖 상황을 파악하도록 지시했다. 우리측 경호원들에게 방첩대 감시자들을 밀착 대응토록 단속했다. 이 석제 중령에게는 지금 바로 차를 타고 육본을 거쳐 사령부로 가도록 했다. 바지를 입고, 권총을 찼다. 벽에 걸린 잠바를 손에 들었다.

벽시계가 9시를 침과 동시에 장, 한 두 장군이 들이 닥쳤다. 군화를 신은 채 마루에 걸터앉게 하고, 긴박하게 돌아가고 있는 상황에 대해 설명을 해주었다. 나도 군화를 신었다.

"씨발 자식들. 기어이 칼부림 나게 만들고 있네."

장 장군이 거칠게 말을 내뱉는다.

"장 총장이 우리의 뜻과는 달리 방첩대를 움직이려고 하는 것 같아요. 이 상국이 달려와 닥달을 하니까 총장 체면상으로도 큰소리를 쳐야만 했을 게야. 이 철희 방첩대장으로서는 총장 지시를 따르는 시늉이라도 해야 겠지만, 이 희영이나 방 자명은 능동적으로 반혁명 태도를 보일 수도 있어요."

그 순간 전화벨이 요란스럽게 울려 댄다. 직감으로 장 총장이라는 생각이 든다.

"받지 맙시다."

"일단 이 자리를 벗어나야 합니다. 방첩대가 출동하면 이래저래 골치 아파집니다."

일단 집을 벗어나야 했다. 장 면을 체포하기에 앞서 내가 사로잡히면 만사 끝이다. 하지만 병력 출동에 앞서 6관구 사령부로 가는 것도 문제가 있다. 혁명 지휘부가 포위되면 상황이 더욱 악화될 뿐이다. 지금 밖으로 나가 어디로 갈 지 생각이 나질 않는다.

"제가 바깥 상황을 점검해보겠습니다."

한 장군이 밖으로 나가 골목골목을 돌아보고 들어선다. 그의 보고에 따르면 건너편 골목 어둠 속에 찝차 두 대에 사복 차림의 군인들이 타고 있었다. 방첩대 차량임이 분명하다. 섣부르게 행동할 계제가 아님을 직감한다.

초조함 속에 11시를 넘긴다. 이제는 지휘본부로 출동해야 할 시간이다. 지휘본부가 이미 노출되었다면 영등포로 직행하는 것도 위험할 수 있다. 밖에 우리를 체포하려고 대기하고 있는 방첩대 요원이나 헌병들이 얼마나 있는 지도 모르는 상황이다. 장, 한 두 장군이 두려워지려는 나의 마음을 추스리게 한다.

"각하, 실탄 장전하십시요. 여차하면 쏴 버리고 돌파해야 합니다."

그 말을 하고는 한 장군이 '아차' 한다. 허리에 권총이 없었다. 급히 오느라고 호텔 방에 풀어놓고 온 것이다. 미화호텔을 들려야 한다.

시곗 바늘이 채칵 채칵 초조함을 더한다. 집을 나서려는 데 힐끗 긴장한 모습의 영수가 눈에 들어온다. 무언의 눈짓. 어떤 의미인지 알 것 같다. 방을 들여다보니 큰 딸 근혜가 책상머리에 앉아 있다. 마음이 급하다 보니 말이 제대로 나오지 않는다. 영수의 손을 꽉 잡고 눈을 마주친다.

'내 다녀 오리다. 걱정마시게나.'

집 밖 골목에 내 차와 장 장군 차가 일렬로 세워져 있었다. 내 차 뒷좌석에 한 장군과 김 중령이 올라타고 장 장군 차에는 부관 2명이 함께 탔다. 골목을 빠져나오는데 길가에 세워져 있던 찝차 두 대가 눈에 들어왔다. 우리 차량이 움직이자 멀 발치에서 뒤를 따라잡는 것이 어둠 속으로 보인다.

추적 차량을 의식해서 곧바로 영등포로 달리지 않고 시내를 빙빙 돌기로 했다. 일단은 한 장군이 묵었던 호텔로 먼저 가야 했다. 뒤 따라오는 추격 차량을 빼돌리기 위해 이리저리 곡예 운전을 한다. 우리 차 운전수는 베테랑이다. 장 장군 차가 우리 차 뒤를 따르면서 추격 차량을 방해하기 시작했다. 끈질기게 따라붙는 추격 차량을 동대문, 혜화동, 창경원 쪽으로 내달리면서 마침내 떼어 버릴 수 있었다. 일단 미화 호텔을 들려 권총을 찾아 챙겼다. 한 장군이 소련제 권총 한 자루를 내게 쥐어 준다.

어두운 골목길에 차를 숨겨 놓고 공중전화를 찾았다. 6관구 사령부로 전화를 걸었다. 병사가 전화를 받기에 참모장을 바꾸라 했다.

“상황이 어떤가?”

“잠깐만 기다리십시요. (수화기 너머로 '모두 나가라'는 김 대령의 말이 들린다.) 지금 난리가 났습니다. 장 총장 지시로 방첩대원과 헌병들이 들이닥쳤습니다. 우리를 체포하겠다고.”

“그래 ? 지금 상황은?”

“5기 동기인 헌병차감 이 광선 대령은 저랑 친한 사이라서 잠시 누구려

뜨려 놓고 있는 중입니다. 혁명 요원들과 격리시켜 그들을 다른 막사에 대기시켜 놓았습니다. 박 원빈 중령이 2개 소대 혁명군을 동원하여 사령부를 장악하고 있기 때문에 그들이 섣부른 행동을 하지 못하고 저희 눈치만 보고 있습니다."

"잘 하셨네. 여차하면 선제공격하여 제압하게."

"알겠습니다. 서 종철 사령관도 장 총장 지시를 받고 안달이 났습니다. 병력을 동원해서 제 책임 하에 혁명 요원들을 체포하라고 야단입니다. 일단 알았다고 했습니다. 사령관은 이곳이 혁명 지휘본부라는 사실을 아직 알지 못합니다. 그나저나 30사단의 이 백일 중령이 방첩대 체포조를 피해 몸을 숨겼습니다. 30사단 병력 출동은 어렵게 되었습니다. 33 사단과 공수단도 장 총장이 하도 큰소리로 병력 통제를 하는 바람에 전전긍긍하고 있는 중입니다."

상황을 짐작할 만 했다.

"본부 요원들은 모두 집결했는가?"

"아직 도착 안 한 사람들도 있습니다. 제 생각에는 각하께서 얼른 오셔야 할 것 같습니다."

"알았네."

전화를 끊고 옆 골목에 주차해 있는 장 장군 차로 갔다. 다섯이 모여 긴급 사태에 대해 논의를 했다. 병력 출동 이전에 6관구 사령부로 들어가는 것도 위험하다. 자칫 혁명 본부가 포위되면 큰일이다. 혁명 동원 부대가 출동하는 시각을 고려해서 지휘본부로 들어서기로 했다.

"장 장군. 여기서 출발하면 곧바로 낙하산 부대로 직행해 줘야겠소. 장 총장이 박 치옥 대령을 무진장 쪼고 있을 게요. 공수단이 못 움직이면 우리 계획도 허사가 됩니다. 박 단장이나 김 제민 대대장 모두 혁명 의지가 확고하니까 의심할 여지는 없지만, 혹시라도 박 단장이 총장과의 의리 때문에 머뭇거릴 수가 있어요. 곧바로 들이 닥쳐서 정확한 디 데이 시각에 맞춰 병력 출동을 책임지시오.”

“알겠습니다.”

“우리가 다시 움직이면 금방 저들의 눈에 띌 게요. 방첩대 병력이 얼마 안 되니까 일단 둘이 붙어서 움직입시다. 여차하면 총을 사용하더라도 늦지 않게 한강다리를 건너야 합니다.”

김 종필 중령은 적당한 위치에서 하차하여 택시를 타거나 걸어서 광명인 쇄소로 이동하기로 했다.

주변 동태를 살핀다. 시계를 보니 벌써 11시를 훌쩍 넘었다. 우리 차가 앞서서 출발. 광화문 앞을 지나 서울시청 쪽으로 달렸다. 어느 새 방첩대 차량이 꼬리에 따라붙는다. 장 장군 차량이 내 뒤를 따르면서 적당히 거리를 두고 추적 차량을 방해한다. 우리가 곧장 남대문으로 향하고, 장 장군 차는 소공동 골목으로 들어서면서 혼란을 유도했지만 그들은 우리 뒤를 따라 속력을 냈다. 우리는 사정없이 달려서 서울역을 지나 용산으로 달렸다. 능숙한 운전과 함께 어느 새 두 차량을 따돌리고 한강 다리를 올라탔다.

오른편으로 사육신 묘소가 나타났다. 길 가에 차를 세우고 뒤차를 기다렸다. 담배 한 대를 피워 무는데 금방 장 장군 차가 나타났다.

문래동 6관구 사령부에 도착하니 문 앞에 많은 사람이 몰려 있었다. 혁명 동지들이 관내로 들어가지를 못하고 담벼락에 다닥다닥 붙어서 서성이고 있었다. 내 차가 도착하는 것을 보면서 모두가 모습을 드러낸다. 그동안 불안하게 나를 기다리면서 노심초사했을 것이다.

“나, 박 장군이야.”

위병에게 통성명을 하니 나를 알아보는 병사들이 있었다. 위병 장교와 병사들이 동시에 경례를 붙인다. 바리케이트가 치워지고, 행정실 앞까지 차를 몰고 들어가는데, 동지들이 우루루 뒤따른다.

부사령관실로 들어가니 참모장과 박 중령이 반갑게 맞는다. 얼마나 애타게 나를 기다렸는지 알만 했다. 얼굴이 백지장처럼 하얗게 변해 있었다.

일단은 장내 정리를 해야 했다. 김 재춘 대령이 지금까지 진행되고 있는 상황을 보고해 주었다. 장 총장이 계속 큰소리를 치면서 닥달하고, 서 종철 사령관까지도 30사단 사태를 들어서 몰아 부치고 있었다. 알만 했다.

내가 들어서기 직전에 윤 태일, 송 찬호, 이 원엽, 최 재명 등 동지들이 장 도영 총장을 설득하기 위해 방첩대로 출발했다고 한다. 윤, 송 두 장군에게는 어제 불러서 내 친서(親書)를 주면서 당부했던 일이 있다. 유사시에 일단 장 총장을 설득해 보고, 여차하면 1군이나 다른 반혁명 세력과 선이 닿지 않도록 격리시키도록 지시했다. 장 도영 총장이 끝내 반혁명 쪽으로 돌아서면 장 면처럼 체포, 구금하는 것이 최선이다.

'자, 이제부터 혁명 개시다. 이 긴급 상황에서 무엇을 해야 하나?'

빠르게 머리를 굴려 본다.

무엇보다도, 반혁명 노선을 취하고 있는 장 도영을 주저 앉혀야 한다. 윤과 송이 그 역할을 잘 해내 주길 바라지만 안 되면 당장 체포조를 보내야 한다. 어느 부대를 동원할 것인가? 방첩대 병력과 헌병대가 있으니 섣부르게 행동해서는 안 된다.

둘째, 30사단은 포기하더라도 공수단과 해병여단, 포병단은 절대 작전 계획대로 출동해야만 한다. 33사단도 마찬가지로 출동하도록 해야 한다. 다행인 것이 장 총장이 아직 해병여단과 6군단 포병단에 대해서는 잘 알지 못하는 것 같다. 작전팀을 급파해서 차질 없도록 독려해야 한다.

셋째, 박 치옥 대령의 공수단 역할이 매우 중요한데 장 총장의 말을 듣고 출동이 늦어져서는 안 된다. 장 경순 장군이 지금 달려갔으니 어떻게 든 출동케 만들 것이다. 여차 하면 나도 당장 달려가야 할 지 모른다.

넷째, 장 면 총리나 윤 보선 대통령이 사정권에서 벗어나게 될지 모르겠다. 장 총장이 보고했다면 나름대로 대처가 진행되고 있을 것이다. 체포 구금조가 혹시라도 실패를 하게 된다면 큰일이다. 공수단 병력 출동을 독촉해야 하고, 그게 늦어지면 다른 병력이라도 동원해야 한다.

짧은 순간에 온갖 고민이 나타나고 있었다.

우선 먼저 눈앞에 보이는, 혁명군 진압 차 출동해 있는 헌병들을 처리해야 했다. 그들을 모두 불러내 사령관실로 모이도록 했다. 혁명군과 섞여 방안이 꽉 찼다. 의자 위로 올라가 짤막하고 강한 톤으로 한 마디 했다.

"제군들. 고생이 많네. 여기 뭐 하러 왔나? 우리 잡으려고? 그래 한번 잡아 보시게."

모두 뜨악해 한다.

"우린 지금 군사 혁명을 하려는 거야. 모두 유서 써 놓고, 목숨 내놓고. 자네들 권총 차고 왔지? 여기 있는 혁명군 모두 실탄 장전한 카빈과 권총을 들고 있네. 한번 붙어 보실란가?"

적당히 겁을 주며 기선을 제압했다.

"자, 좌우를 돌아보시게. 모두 자네들 친구요, 선후배일세. 얼굴에 총을 들이댈 용기가 있으신가?"

수적으로 열세인 헌병들이 기가 죽는 것이 보인다. 이제는 설득을 해야 할 단계다.

"우리와 함께 합세. 지금 우리나라 정세가 어떤 지 잘 아시지 않는가? 이게 나라인가? 국민들은 개돼지만도 못한 삶을 살고 있는데 민주당 국회나 장 면 정부는 어떤 가? 진저리 쳐지는 공산당, 불순분자, 데모꾼의 시위를 보고 있지 않은가? 지금 대한민국이 살아날 길은 우리 젊고 유능한 군대가 나서는 길 밖에 없어요. 이 성계의 군사 혁명, 나폴레옹의 군사 혁명. 우리 한번 해 봅시다."

동요하는 빛이 보인다. 평정을 찾은 혁명 동지들의 얼굴이 밝아진다.

"이번 군사 혁명은 무혈 혁명이어야 하네. 4·19 유혈 사태처럼 되어서는 절대 안 되지. 아니 여러분들이 우리 앞길을 막는다면 또 다시 6·25 전쟁판이 될 거네. 우리와 함께 하십시다. 진정으로 부탁드리는 바요."

옆에 있던 김 재춘 대령과 박 원빈, 그리고 오 치성, 이 석제, 유 승원 등 본부 행정팀, 강 상욱, 옥 창호, 김 형욱 등 작전팀원들이 모두 나서서 헌병들의 손을 맞잡는다. 자연스럽게 혁명의 분위기로 바뀌어 간다.

"알겠습니다. 저희들도 동참하겠습니다."

헌병들이 혁명군으로 변신하는 바로 그 순간, 요란스럽게 전화벨이 울렸다. 동지 하나가 전화를 받으니 장 총장 목소리가 낭랑하게 나를 바꾸라 한다.

"박 장군, 나 총장이요. 오늘 병력 동원하신다면서요?"

"그렇게 되었습니다. 미리 보고 드리지 못해 죄송합니다."

"이러지 맙시다. 내 그렇게 기다려 달라고 부탁드리지 않았습니까? 꼭 이래야겠습니까?"

"죄송합니다. 저로 서도 기다릴 만큼 기다려드렸습니다. 더 이상은 기다릴 수 없습니다. 엊그저께 청년단의 쿠데타 계획이 탄로 났을 때도 더 이상 늦춰서는 안 된다고 말씀드리지 않았습니까?"

"내가 30사단, 33사단, 공수단 병력 출동을 모두 금지시켰습니다. 무슨 병력으로 군사 혁명을 하실 겁니까? 박 장군님, 너무 무모합니다. 공연히 여러 사람 다치게만 할 뿐입니다. 자제하세요."

"……"

할 말이 없다. 그토록 간절하게 혁명 필요성을 설명하고 앞장 서 줄 것을 요청했지만 지금 이런 상황을 만들고 있다. 윤, 송 장군들의 설득이 효과가 없었음을 감지한다. 아직 그의 목소리가 당당한 것은 우리의 2차 작전이 전개되지 못하고 있음이라.

어이가 없어서 가만히 있었더니 저 쪽에서 '쾅' 소리가 나게 전화기를 내려놓는다.

누군가의 말 대로, '주사위는 던져 졌다.'

이미 루비콘 강을 건넜다.

찻잔 속 태풍

출동한 헌병들을 다시 막사로 이동시켜 커피 한 잔씩을 권하게 했다. 그리고 김 재춘 대령을 통해 참모장실로 헌병차감 이 광선 대령과 508 방첩대 정 명환 중령을 불러들였다.

"이 대령. 정 중령. 장 총장도 사실 우리 편 일세. 지금은 술 한잔 먹고 흥분해서 어쩔 수 없이 정부 편을 들고 있지만 총장도 그 어느 누구 못지않게 정의로운 분이시네. 지금 현재의 한국 상황을 너무나 잘 알고 있지. 우리가 갈 길은 오로지 군사 혁명 밖에 없음을. 우리는 지금 그 분을 앞세우고 혁명에 나선 것 일세."

"사실 당신들을 끌어 들이려고 했지만, 지금의 직책 때문에 내가 말을 안 했네. 아마 나 보다 더 정의감이 넘치는 당신들이 미리 알았다면 혁명 대열에 먼저 앞장섰을 거네."

김 대령이 거든다.

"각하, 저도 적극 동참하겠습니다. 제가 무엇을 하면 되겠습니까?"

이 대령이 바로 긍정적인 반응을 보인다. 정 중령도 환해지는 얼굴로 나의 입을 주시한다. 두 사람의 반응이 의외라는 생각이 들 정도로 내게는 기분 좋게 다가왔다. 사실 내가 등장하기 이전에 이미 김 재춘 참모장을 비롯한 혁명 동지들이 적극적으로 설득해 놓은 상태였다. 오히려 자신들만 소외되었다는 섭섭함을 느끼고 있던 상황이었다.

"이 대령은 지금 바로 헌병대를 장악해 주시게. 며칠 전에 조 흥만 장군과도 말씀을 나누었네. 디 데이 얘기만 안 했지, 사실 거의 공감하는 단계까지 갔었다오. 방첩대 이 철희 대장과는 지난달에 만났었지. 현재의 사회불안에 대해 누구보다도 걱정하는 사람이지."

"알겠습니다. 혁명군과 충돌이 없게 최선을 다하겠습니다."

두 사람과 굳게 악수를 하고 그들을 떠나보냈다. 건너편 본부 혁명 요원들이 모여 있는 부사령관실로 들어갔다. 긴장 속에 좌불안석을 못하고 있던 동지들이 반긴다.

"작전팀은 지금 즉시 맡은 부대로 출발해서 병력 출동을 점검하고 독려하시게. 30사단도 직접 가서 이 백일 중령을 찾아 함께 행동하고. 본부 행정팀은 육본과 1군, 2군, 6군단 포병단, 5사단, 12사단 상황을 점검하여 보고해. 통신 보안에 유의하고. 참 공수단에 차량 지원했나?"

김 재춘 대령이 귀대 즉시 차량을 공수단으로 보냈다고 한다. 11시 직전에.

"요인 체포조의 현재 상황도 보고해."

이제 본격적으로 봉화 작전, 혁명이 진행되는 것 같다. 시간은 벌써 새벽 1시를 넘어가고 있었다.

속속 전화벨이 울리면서 상황 보고가 들어왔다. 장 총장이 30사단 이상국 준장에게 지시하여 반혁명군 출동을 명했고, 조 흥만 헌병사령관을 불러내 헌병 지원을 지시했다. 육본 참모 장성들을 506 방첩대로 불러들였으며, 국방장관 현 석호까지 방첩대 사무실로 찾아 들었단다. 1군이나 1군 사령부는 조용한 상태에서, 혁명 동지들은 서울 상황에 귀를 기울이고 있다고.

갑자기 귀가 먹먹해 지면서 공황 상태처럼 느껴졌다. 긴박한 상황을 벗어나자마자 '멍' 해지는 느낌. 불안감과 안도감, 앞으로 어찌 될 것인가 하는 걱정. 전신을 짓누르는 압박감.

몸이 소파 속으로 푸욱 빠져든다. 갑자기,

'찻잔 속의 태풍 ?'

이란 생각이 든다. 지금 마악 전개되고 있는 30 사단의 비밀 누설, 그로 인한 작전 차질과 장 총장의 반발, 헌병들의 등장과 혁명군으로의 변신. 이 모든 것이 군사 혁명이라는 도도한 흐름 속에 잠시 등장한 미풍(微風)에 불과할 뿐이라는 생각이 든다. 나와 혁명 동지들에게 큰 충격으로 다가와 있지만, 몇 시간만 지나고 나면 그야말로 '찻잔 속의 태풍'에 불과할 뿐인 것을. 수십 만 군인이나 대부분의 국민이 우리의 군사 혁명을 기다리고 있음을 잘 알기에,

사실 '거칠 것이 없다'는 생각을 하고 있던 터.

혁명군 중에 예비 사단인 30사단과 33사단은 핵심 주력이 아니다. 공수단과 해병대가 주축이다. 예비 사단 병력은 주요 거점 확보가 주 임무다. 병력이 소수이고 전투 부대가 아니기 때문에 혁명군 주력이 되기 힘들다. 30사단 병력 출동이 없더라도 우리의 작전 계획에 큰 차질이 초래될 가능성은 적다.

장 총장이 30사단 이 상국 장군의 밀고를 받고서 부대 동원을 지시하고, 조 흥만 헌병사령관을 호출하여 헌병 동원을 명했다지만, 내게 큰 충격을 줄 수는 없다. 서울 시내 헌병대 병력도 그리 대단한 규모가 아니기 때문이다. 주력 부대가 정면 공격하면 오합지졸에 불과할 뿐이다.

다만 걱정되는 것은 장 총장이 일을 키워 장면 총리를 대피시키고, 1군 사령관으로 하여금 전방 전투 사단을 반혁명군으로 투입하는 경우다. 그야말로 최악의 경우다. 무혈 혁명의 방향성과는 전혀 다른 상황이 전개될 것이다.

이런 최악의 상황에 대해서도 이미 작전 계획을 세워 두었고, 마음의 준비를 하고 있다. 서울 진주 혁명군을 동원하여 청와대와 국회의사당 등 주

요 시설을 점령하고 정부측과 협상을 시도하는 것이다. 포병단과 탱크를 동원한 경우에는 더욱 강력한 협상력을 발휘할 수 있다. 2군 사령부 산하의 예비 사단들도 적지 않게 동참할 것이다.

1군 관내 전투 사단의 움직임은 혁명에 동참한 전투 사단을 들어 대응하면 된다. 이런 최악의 상황이 되면 미군도, 정부측 반혁명군도 긴장할 수밖에 없다. 국가 전체가 대혼란의 내란 상태로 돌입하게 된다.

장 도영 총장은 이런 상황을 누구보다도 잘 알고 있다. 우리 혁명군의 치밀한 사전 계획과 전 군의 혁명 지지 성향, 대다수 국민의 현 정치권과 장면 정부에 대한 혐오감을 정확히 꿰뚫고 있다. 막상 반혁명군을 동원한다고 하더라도 과연 얼마나 응해 줄 지 미지수라는 사실.

장 총장의 오늘 저녁 반응은 과잉 반응(過剩反應)이라고 확신한다. 한식집 '은성'에서 참모차장 장 창국, 김 용배 정보참모부장 등과 기분 좋게 술 한잔하면서 식사를 하던 중, 갑작스럽게 방첩대 조사과장 조 석일 중령의 보고를 받았다. 군사영어학교 출신들이 모여서 향후 보직 변경 등 희망적인 얘기를 나누던 중이었을 것이다. 이런 와중에 '반란' '혁명'이라는 보고를 받았으니…

순간, 짜증과 신경질이 났을 것이다. 술 한 잔에,

'누가 감히 나에게 도전을 해?'

발끈 했으리라.

나와 혁명 동지들의 혁명 의지가 확고하다는 것을 알고 있는 상태에서 전화 몇 번으로 우리의 군사 작전을 되돌릴 수 없다는 것을 그는 잘 안다. 자신을 믿어준 장 면 총리와 정부 각료들에 대한 의무감 차원에서 방첩대에 자리를 잡고 적당히 호기를 부리며 '호들갑을 떠는' 중이다.

냉철한 그는 육군본부 참모진 중 상당수가 혁명에 동참하고 있고, 자신과 가장 가까운 군 지휘관들이 대부분 혁명군으로 동참하고 있음을 간파하고 있다. 1군 사령관 이 한림도 적당히 중간자적 입장을 취하고 있음을 안다.

또 믿을 수 없는 것은 윤 보선 대통령조차도 같은 민주당 총재인 장 면이 이끄는 정부를 불신하고, 젊은 의원들 모임인 청조회나 신민당과 같은 야당 국회의원들조차도 현 정부 전복을 기대하고 있음이다.

장 총장이 우리의 군사 혁명에 반발하는 순간 그는 스스로 외톨이가 될 운명에 처하게 된다. 그가 할 수 있는 최선의 대안은 혁명 상황을 예의주시하다가 나의 요구를 수용하여 혁명군 수뇌가 되는 방법뿐이다.

그런 그의 처신은 우리에게 큰 위협이 될 수 없다.

'찻잔 속의 태풍.' 현재 장 총장이 벌리고 있는 행동이다.

하지만, 예측 불가한 미래 상황에서 가만히 있을 수는 없다. 혁명군이 출동하여 초기 목표를 달성하는 순간까지, 장 총장과 몇몇 반혁명 세력을 현재의 상태대로 묶어 두어야만 한다. 어떤 방법이 있을까?

본부팀 회의를 소집했다. 사정 설명을 하고 대처 방법을 물었다. 쉽지 않은 상황이라서 누구도 먼저 나서질 못한다.

"각하, 윤 태일, 송 찬호, 장 경순 장군 등 장 총장과 친한 분들을 다시 방첩대로 보내서 설득하는 것이 어떨까요? 육군 본부 참모들 중에도 우리 측 의도대로 움직여 줄 사람들이 적지 않습니다. 지속적으로 설득하면 그의 흥분 상태도 조금은 가라앉을 겁니다. 다른 돌출 행동을 못하도록 잡아 두는 효과도 있구요."

예리한 이 석제 중령이다.

"그러다가 장 총장이 극단적으로 흐를 경우에는 곧바로 연금시키는 겁니다."

박 원빈, 한 웅진, 유 승원 등이 공감을 표한다.

그때, 요란하게 전화벨이 울렸다. 동지 중 하나가 받아 보니 장 총장이다.

“아직 박 장군 거기 계시는가?”

나를 찾는다.

“예, 총장님. 박입니다.”

“아하, 여태 거기서 뭐하고 계십니까? 군 출동은 모두 불가능하게 되었습니다아~. 일단 이쪽으로 넘어오세요. 차근차근 얘기해 봅시다.”

그는 혁명 저지를 확신하고 있었다. 자신의 조치가 충분히 효과를 보았고, 그래서 오늘 저녁 박 정희의 군사 혁명은 좌절되었다고 생각하는 듯하다. 그런 만큼 내가 혁명을 포기하고, 방첩대로 와서 자신과 함께 새로운 군사 혁명에 대해 논의해 보자는 것 같이 느껴진다.

“어쨌든 알겠습니다. 여기 동지들과 함께 회의를 한 뒤 다시 연락드리겠습니다.”

일단 그를 안심시켜 두는 것이 좋겠다 싶다. 공연히 내가 길길이 뛰듯이 반응을 하면 오히려 그를 두렵게 만들고 내가 예기치 못하는 행동을 보일 수가 있다.

“박 장군. 이번에는 장 면 정부에 강력하게 정군 의사를 표명하는 것으로 마무리 하십시다. 그리고 불순분자들의 시위 데모에 경찰은 물론 군대까지도 동원해서 강력하게 대처하도록 약속을 받아냅시다. 그러면 되는 것 아닙니까? 내가 반드시 그렇게 만들겠습니다.”

“총장님 뜻 십분 이해했습니다. 다시 전화드리겠습니다.”

조심스럽게 전화기를 내려놓았다. 이제는 제법 냉정 해졌다. 내가 해야 할 일, 나아갈 방향이 뚜렷하게 보이기 시작한다.

일단 설득조를 대규모로 파견하기로 했다. 준 전시 상황인 만큼 두세 명씩 나눠서 방첩대로 출발시켰다. 혁명지휘 본부를 전시 상황으로 급반전 시켰다.

긍정적으로 생각하고자 하지만 가슴 속 불안감을 어쩔 수 없다.

출동 병력 상황이 몹시 궁금하다. 통신이 두절된 상태에서 연락병에 의한 통신에 한계가 있다.

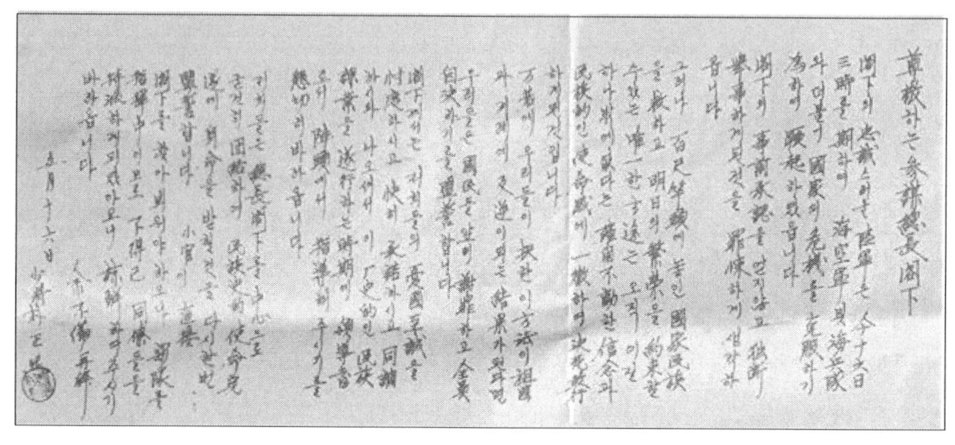

尊敬하는 參謀總長 閣下
閣下의 忠誠스러운 陸軍은 今十六日
三時를 期하여 海空軍 및 海兵隊
와 더불어 國家의 危機를 克服하기
爲하여 蹶起하였읍니다
閣下의 事前承認을 얻지않고 独断
擧事하게된것을 罪悚하게 생각하
옵니다
그러나 百尺竿頭에 놓인 國家民族
을 救하고 明日의 繁榮을 約束할
수있는 唯一한 方途는 오직 이길
하나밖에 없다는 確固不動한 信念과
民族的인 使命感에 一致하여 決死敢行
하게된것입니다
万若에 우리들이 択한 이 方式이 祖國
과 겨레에 叛逆이 되는 結果가 된다면
우리들은 國民들 앞에 謝罪하고 全員
自決하기를 盟誓합니다
閣下께서는 저희들의 憂國至誠을
忖度하시고 快히 承諾하시고 同調
하시와 나오셔서 이 歷史的인 民族
課業을 遂行하는 時期에 總指揮를
으시 陣頭에서 指揮해 주시기를
懇切히 바라옵니다
저희들은 總長閣下를 中心으로
굳건히 團結하여 民族至上의 使命完
遂에 身命을 바칠것을 다시한번
盟誓합니다 小官이 直接
閣下를 찾아 뵈와야 하오나 部隊를
指揮하여야 하므로 不得已 同僚들을
特派하게되었아오니 許諾하여 주시기
바라옵니다 人편 不備 上書
五月十六日 少將 朴正熙

부절(符節)로 사용한 편지

헤드 라이트를 켜라 !

담배 하나를 빼서 불을 붙였다가 금방 재떨이에 부벼서 껐다.

'내가 이럴 때가 아니지. 가자, 공수단으로.'

한 장군과 호위병 둘을 태우고 차를 김포로 몰게 했다. 사령부 정문에 도착해서 박 단장을 찾으니 금방 나타났다. 장 경순 장군과 육본 특전감 장호진 장군도 모습을 보였다.

"출동, 어찌 됐소?"

"지금 준비 완료하고 출발하려는 중입니다."

"너무 늦지 않았소? 왜 작전 계획대로 움직이지 않나?"

조금은 신경질적으로 윽박지르듯이 쏘아붙였다. 어제 그제 연속 훈련 후의 피곤함과 함께 장 총장의 전화를 받고 머뭇거리고 있었을 것이다. 나의 신통찮은 반응에 맞춰 박 단장이 반사적으로 신체를 곧추 세운다. 당황스러운 인상이 불빛에 드러났다.

"당장 출동하겠습니다."

박 대령이 김 제민 출동부대장에게 무전으로 연락하는 것을 들으면서 차를 타고 해병대 출동 병력 점검에 나섰다. 시간 상 해병대 쪽으로 갈 수가 없어서 영등포 방향으로 천천히 움직였다.

해병대 김 윤근 장군은 15일 오후 10시를 기해 통신선을 차단하고 비상을 발령하기로 계획하고 있었다. 오전에 미리 김 동하 장군과 혁명 작전 요원을 파견하여 차질 없도록 독려했다. 오전 두 시가 넘어선 지금쯤 이곳 염창교, 영등포 일대를 통과하고 있어야만 한다.

김포가도 길 가에 있는 헌병 초소와 파출소에 들러 군대 병력의 출동 여부를 물었지만 '통과한 적 없다'는 대답. 초조하다. 해병대도 차질이 생겼나?

공중전화에 매달려 혁명 본부로 전화를 했다. 출동 부대 상황을 물었으나 '아직 불투명 합니다'는 답변. 본부도 우왕좌왕하고 있었다.

한 장군과 둘이서 연신 담배에 불을 붙여 입에 문다. 칠흑 같은 밤. 건너편 마포 일대의 가로등만이 꺼질 듯 가물가물 모습을 보이고 있다.

바로 그 때. 저 멀리 어둠속으로부터 '우르릉~ 우르릉~' 지축을 흔드는 묵직한 차량 소리. 드디어 애타게 기다리던 차량 행렬이 나타나고 있었다. 길 가 가로수 숲 사이로 언듯 언듯 보이던 차량 불빛이 눈앞으로 환하게 다가섰다. 공수단 병력의 출동이 지체되고 있는 상태에서 예정대로 출동한 해병대 병력이 먼저 나타났다.

헤드라이트를 켠 차량 행렬이 장관(壯觀)을 이루며, 김포 가도를 달려오고 있었다. 순간 감격스럽게 가슴이 벅차 온다. 오늘 이 헤드라이트 불빛을 보기 위해 얼마나 노심초사했던가? 이제 시작이 반이고, 그 나머지 반은 곧 혁명 완성이 될 것이다.

한강을 바라보면서, 그 너머 어둠 속에 잠든 서울시를 보면서, 아니 나를 기다리는 '깜깜하기만 한 대한민국'을 향해 마음껏 소리치고 싶어졌다.

'헤드 라이트를 켜라 ! 이제 시작이다.'

차량 몇 대가 지나간 뒤에 드디어 찝 차 한 대가 와서 멎는다. 김 장군이 차에서 내려 경례를 붙인다.

"김 장군. 수고가 많소."

"뭘요, 각하께서 더 하시죠."

김 장군에게 사정 설명을 해야 했다.

"김 장군, 혁명 계획이 누설되어 작전에 조금 차질이 생겼어요. 장 총장이 반발을 하면서 30사단과 33사단 병력 출동이 어렵게 됐소. 그리고 공수단은 출동이 조금 지체되어 지금 현재 해병대 병력이 선두가 되었오."

"그렇습니까? 알았습니다. 어차피 초전박살 입니다.

확신에 찬 그의 모습이 든든하다. 전쟁에 임하는 선봉 장군의 위상이 드러나 보인다.

차량 행렬이 한강 인도교를 향해 달려간다. 헤드 라이트의 긴 행렬이 새로운 세상을 열어 가듯 전진한다. 더 없이 감동적이다.

해병대 병력을 보내고 잠시 그 자리에 서서 공수단 병력을 기다린다.

김포 쪽으로 눈이 뚫어져라 쳐다보면서 담배 연기를 뿜는데, 혁명 지휘본부로부터 연락 장교가 탄 차량이 나타났다.

"각하, 육본에서 연락이 왔는데 장 총장이 조금 전 2시경 장 면 총리와 윤 보선 대통령에게 상황 보고를 했다고 합니다."

순간, 느낌이 좋지 않다.

“그래, 특이 사항은?”

“장 총장께서 매우 긍정적으로 보고 하더랍니다. 군사 혁명을 시도했지만, 30사단과 33사단 병력 출동을 저지했고, 공수단도 출동을 안 하는 것으로 보고 받았다고 했답니다. 6관구 사령부도 서 종철 사령관을 통해 장악한 상태이고 헌병대를 동원해서 핵심 혁명 요원들을 제압했다고 했답니다.”

‘으~음.’ 저절로 신음소리가 난다.

장 면 총리 체포조가 아직 가동되지 않은 상황에서 자칫 작전이 어그러질 소지가 있다. 긴장이 된다. 박 종규 소령이 애타게 병력을 기다리고 있는 중인데, 잘못하면 사전 준비나 점검했던 노력이 무의미해질 수 있다.

장 총장을 굳게 믿고 있는 총리가 안심하고 현재의 위치를 고수하는 것을 기대할 수밖에 없게 되었다. 갑자기 신경이 곤두서기 시작한다. 혈압이 오른다.

연락 장교에게, 현재 상황을 요인 체포조에게 알려주도록 했다. 체포조 요원들이 지금 이 곳 염창교 주변에서 공수단 병력을 기다리고 있다. 공수단 병력 출동이 늦어지는 바람에 체포조의 임무 수행도 지체되고 있는 중이다. 시간이 흐르면서 자꾸만 초조해진다.

해병여단 병력이 통과하고 난 뒤 거의 30분 정도가 지나서야 저 멀리 공수단 병력 차량 불빛이 보이기 시작했다. 선두 차량의 모습을 확인하고 난 뒤 차를 타고 한강 다리 쪽으로 달렸다. 해병대 차량 말미를 따라잡았다고 생각하는 순간,

'따따당. 따다다 땅 !'

총 소리가 요란하게 들렸다.

가슴이 '쿵' 하고 내려앉는다.

'이건 아니다' 싶은 생각에 불끈 화가 치민다. 그토록 원하던 무혈혁명이 깨어지다니...

멈춰 선 병력 차량 꽁무니에 찝차를 세우고 걸어서 차 옆을 지나 앞으로 나갔다. 병사들이 모두 차에서 내려 다리 난간 쪽으로 붙어 납작 엎드려 있다. 낮은 포복 자세로 앞으로 총을 겨누고 있다. 중지도 가까이 다가가니 김 윤근 장군이 나를 막아선다.

"각하, 헌병대가 제무시 차량을 이용해 앞을 막고 있습니다. 혁명군을 향해 총을 난사하고 있어요. 우리도 응사하여 적극 대처하고 있는 중입니다. 우리측 소대장과 병사 몇몇이 총상을 입고 부상을 당했습니다."

'이게 웬 일인가?'

장 총장이 시킨 일일까? 아니면 헌병대 자체적인 판단일까? 앞서 이 광선 헌병차감을 통해 헌병대 병력 통제를 누누이 부탁 했었는데, 이런 사태가 벌어지다니

"저지선 병력이 얼마나 됩니까?"

"전혀 가늠할 수가 없습니다. 어두워서..."

또 다시 '따다당' 총 소리가 나고, 우리 쪽에서도 일제 사격을 가했다.

총격전이 벌어졌다. 하지만 그리 오래 가진 않았다. 또 다시 정적.

"각하, 저들의 사격이 우리를 정조준 하는 것 같지는 않습니다. 그냥 허공을 향해 총을 그어 대고 있습니다."

그러고 보니 실제 전투라기보다는 간헐적으로 위협사격을 가해오고 있었다.

무혈혁명이 최선이지만, 지금 상황에서는 기대를 접어야 한다. 일촉즉발의 순간에는 조금만 빈틈을 보여도 패하고 만다. 강하게 적을 압박해야 한다.

"서울 시내 헌병대 병력이 그리 많지 않습니다. 정면 돌파합시다."

"알겠습니다. 전차를 앞세웠다면 그대로 밀어 버리면 되었을 텐데, 아쉽습니다."

"참, 전차는 동원 안 하셨나요?"

"아닙니다. 캐터필러 소리가 너무 클 것 같아서 우리가 출동한 뒤 4시경에 뒤따르도록 했습니다."

오 정근 대대장의 지휘로 1차 저지선을 돌파하고 중지도를 넘어서 용산 쪽으로 진출을 시도했다. 또 다시 나타나는 2차 저지선. 자동차 두 대를 팔자형으로 배치해 세워 놓았다. 똑 같은 방법으로 돌파. 광나루 쪽 하늘이 뿌옇게 밝아오고 있다. 새벽 4시를 향해 시간이 흐르고 있었다.

3차 저지선까지 돌파하고 나서도 도보로 전투태세를 취한 채 전진을 계속했다. 더 이상 헌병들의 저지는 나타나지 않았다. 드디어 삼각지. 갑자기 완전 군장을 한 군인들의 모습이 보였다. 모두가 긴장하여 낮은 포복 자세를 취하는데,

"안심하세요. 혁명군입니다."

먼저 육군본부를 점령한 6군단 포병단 병력이었다.

가장 선두에 섰던 소대장이 포병단 병사를 끌어안으며 환희의 소리를 지른다.

"야아~하 !"

오 정근 대대장이 병사들에게 차량 탑승을 지시한다. 이제부터는 차를 타고 빠른 속도로 서울시청, 중앙청을 향해 돌진해야 한다. 4시 30분. 중앙청 진주 완료. 공수단 병력도 잇달아 서울시청, 덕수궁으로 진입해 들어섰다.

그 사이에 나는 차량을 몰고 육군본부로 들어가서 6군단 포병대의 상황을 점검해야 했다. 문 재준 단장 이하 대대장과 병사들이 나를 반갑게 맞는다. 가장 먼저, 작전 계획대로 목표 임무를 완수한 그들의 공로를 적극 치하해주었다.

'이제는 됐다' 싶다.

갑자기 급해졌다. 해병대 병력과 공수단 병력이 한강다리를 넘어서는 순간 체포조가 발 빠르게 병력을 인솔하고 출동했다. 주요 시설 점령조도 행동을 개시했다.

이제부터는 본부 행정팀, 작전팀의 활약이 중요하다.

남산에 제 2 혁명 지휘 본부가 구축됐다. 6관구에 있던 핵심 본부 지휘소가 이곳으로 이동하고 해병대 병력이 주위를 에워쌌다. 덕수궁과 서울시청 앞 광장에 주둔한 공수단 병력과 긴밀한 전선을 구축했다.

일단 혁명군의 진주 소식을 1군 사령부, 2군 사령부 혁명 동지들에게 긴급으로 타전하도록 지시했다. 특히 전투 사단인 5사단과 12사단에 먼저 소식을 전하고, 전국 각지의 예비사단장들에게도 연락을 취했다.

혁명군이 서울 시내 전역을 장악했다. 많은 국민들이 호기심 어린 눈초리로 상황을 예의 주시하고 있다. 그들의 얼굴에는 두려움보다는 '적당히 편안함'이 자리하고 있었다.

친애하는 애국 동포 여러분 !

5시까지 얼마 남지 않았다. 김 장군에게 해병대 병력 차출을 명하여 대동하고, 병력을 인솔하여 중앙방송국으로 쳐들어갔다. 미리 점령을 마친 혁명 동지들이 우리를 반갑게 맞는다.

"방송 준비는?"

"예, 아나운서와 기술진, 모두 제 자리에 앉혔습니다. 원고만 주시면 됩니다."

아직 김 종필 중령이 도착해 있지 않았다. 궁금해서 견딜 수가 없다. 윤태일 장군과 호위 중령 하나를 대동하고 차에 탑승하여 광명인쇄소로 달렸다. 마침 인쇄를 끝내고 혁명공약 문건 몇 장을 들고 문을 열고 나오는 김 중령과 마주쳤다.

"어떻게 되었습니까? 총소리가 나더니."

"계획대로 잘 되었소. 어서 갑시다."

김 중령을 차에 태우고 부리나케 골목길을 내달렸다. 진땀을 흘리며 5분 전에 방송국에 도착했다.

한 웅진 장군이 나에게 '직접 방송하시라'고 권한다. 하지만 장 도영 총장 이름으로 포고문을 작성한 마당에 내가 전면에 나서는 것도 좋아 보이지 않았다. 원래대로 전문 아나운서 목소리로 포고하기로 했다. 곧바로 박종세 아나운서의 방송이 전파를 탔다.

"친애하는 애국동포 여러분!

은인 자중(隱忍自重)하던 군부는, 드디어 오늘 아침 미명(微明)을 기해서 일제히 행동을 개시해, 국가의 행정, 입법, 사법 3권을 완전히 장악하고, 이어서 군사혁명위원회를 조직했습니다. 군부가 궐기한 것은 부패하고 무능한 현 정권과 기성 정치인들에게 이 이상 더 국가와 민족의 운명을 맡겨 둘

수 없다고 단정하고, 백척간두에서 방황하는 조국의 위기를 극복하기 위한 것입니다.

군사 혁명 위원회는, 첫째, 반공을 국시(國是)의 제일의(第一義)로 삼고, 지금까지 형식적이고 구호에만 그친 반공태세를 재정비 강화할 것입니다.

둘째, 유엔헌장을 준수하고 국제협약을 충실히 이행할 것이며, 미국을 위시한 자유우방과의 유대를 더욱 공고히 할 것입니다.

셋째, 이 나라 사회의 모든 부패와 구악을 일소하고, 퇴폐한 국민도의와 민족정기를 다시 바로잡기 위하여 청신한 기풍을 진작할 것입니다.

넷째, 절망과 기아선상에서 허덕이는 민생고(民生苦)를 시급히 해결하고, 국가 자주경제 재건에 총력을 경주할 것입니다.

다섯째, 민족적 숙원인 국토 통일을 위하여, 공산주의와 대결할 수 있는 실력 배양에 전력을 집중할 것입니다.

여섯째, 이와 같은 우리의 과업이 성취되면, 참신하고도 양심적인 정치인들에게 언제든지 정권을 이양하고 우리들 본연의 임무에 복귀할 준비를 갖추겠습니다.

애국 동포 여러분, 여러분은 본 군사혁명위원회를 전폭적으로 신뢰하고, 동요 없이 각인의 직장과 생업을 평상과 다름없이 유지하시기 바랍니다. 우리들의 조국은 이 순간부터 우리들의 희망에 의한 새롭고 힘찬 역사가 창조되어 가고 있습니다. 우리들의 조국은 우리들의 단결과 인내와 용기와 전진을 요구하고 있습니다.

대한민국 만세, 궐기군 만세.

군사혁명위원회 의장 육군 중장 장 도영”

방송을 듣고 난 혁명군 모두가 힘차게 '대한민국 만세'를 외쳤다.

5시 첫 방송은, 혁명 소식을 애타게 기다리던 전국의 혁명 동지들에게 기상나팔 소리처럼 울려 퍼질 것이다.

마음 속 응어리가 '쑤욱' 빠져나가는 느낌이 든다. 5월 16일 아침. 대한민국의 새로운 역사가 시작되는 순간이다.

방송국 담당 지휘관에게 혁명 공약 방송을 지속하도록 부탁하고 남산 혁명 지휘 본부로 이동했다. 웅성웅성 나를 기다리고 있던 동지들이 나를 반겼다. 각 부서로부터 보고를 받았다.

"33사단 병력도 출동하여 한강인도교를 건넜습니다. 안 동순 사령관을 우리 편으로 만들었고 이 병엽, 오 학진 대령이 부대 병력을 총동원하여 서울역을 지나 점령 지역으로 이동 중입니다."

작전팀 오 치성 대령, 김 형욱 중령이 계획대로 임무를 완수하고 있었다.

"30사단도 이상국 사단장이 소대 병력을 동원한데 이어서 이백일 중령이 나머지 병력을 총동원하여 서대문으로 들어와 요지를 점령하고 있습니다."

길 재호 중령이다.

"이 사령관이 이끌고 출동한 부대 병력도 지금은 혁명군으로 전환해 함께 임무 수행 중입니다. 이 사령관은 서울시 경찰국 내에 감금해 두었습니다."

김 재춘 참모장, 박 원빈 참모가 6관구 사령부 상황을 보고한다.

"각하께서 떠나시고 난 뒤에 곧바로 서 종철 사령관과 조 흥만 헌병사령관이 당도했습니다. 저희들이 적극 설득하여 마침내 혁명 지지로 만들었습니다. 그 뒤로 일이 수월해졌습니다."

듣던 중 반가운 소리였다. 군사 혁명에 대해 나 못지않게 공감하던 장군들이다. 다만 용단을 내리지 못하고, 또 현재의 보직 때문에 주춤거리고 있었을 뿐이다.

"마침, 출동군 쪽에서 총격전 소리가 나서 놀랐습니다. 그러자 조 사령관이 '아차' 싶었던 지 급히 헌병대로 전화를 걸더군요. 장 총장이 길길이 뛰면서 헌병대 병력 출동을 명해서 할 수 없이 김 석률 중대장이 이끄는 병력을 한강으로 출동시켰다고 걱정을 하면서."

알만 했다. 이 광선 대령이나 조 흥만 헌병감이 반혁명군이 되리라고는 생각지 않았었다. 장 총장의 섣부른 대응으로 인해 펼쳐졌던 헌병대의 한강 3차 저지선이 힘없이 무너진 이유가 바로 그것 때문이었다. 조 사령관의 병력 철수 지시는 한강뿐만 아니라 방송국, 서울시청 등 모든 곳에서 효과를 발했다. 혁명 저항 세력이 소리 없이 사라졌다.

"서 종철 사령관의 지시와 설득으로, 30사단 반혁명군을 이끌던 이 상국 장군도 두 손을 들 수밖에 없었을 겁니다."

군사 혁명을 자칫 전쟁판으로 만들 뻔했던 30사단 비밀 누설 사태가 '찻잔 속 태풍'으로 잦아들었다. 봉화 작전이 이제서야 정상 궤도로 올라선 셈이다.

갑자기 장 면 총리, 윤 보선 대통령 상황이 궁금해졌다. 박 종규 소령을 찾았다.

"각하, 장 면 총리 체포에 실패했습니다. 체포조가 총력을 기울여 소재 파악 중입니다."

이 석제 중령이 옆에서 보고한다. 장 면 총리 체포는 최대로 신경을 썼던 부분인데 비밀 누설 사태로 인해 차질을 빚게 되었다.

"총리가 갈 데가 어디 있나. 아마 미국 대사관이나 미 8군 사령부로 피신했을 거네. 지금부터 미군 동향에도 특별히 신경을 써야 해."

주변에 몰려 있는 작전팀에게 신신당부를 했다. 미군을 자극하지 않도록 특별히 유의하면서 미군에 파견되어 있는 혁명 동지들을 최대로 활용토록 지시했다. 장 면 총리가 미 대사관 및 미군과 연합할 가능성이 높아졌다. 불안감이 들었지만 지금 이 순간에는 고민할 여력이 없다.

"윤 보선 대통령 쪽은 어떤가?"

"청와대에 계셔서 병력을 동원해 감시 중입니다."

옆에서 누군가 답변을 한다. 현 석호 국방부장관과 몇몇 각료들을 서울시청 건물 내에 감금 조치를 했다는 말과 함께.

장 면 총리 체포가 무산된 상황에서 윤 보선 대통령을 최대한 활용할 필요가 생겨났다. 여차 하면 장 면과 윤 보선을 정면 대결하는 구도로 몰아가는 것도 생각해 둔 방법 중 하나다.

출동군 병력의 출동 후 역할 수행과 병력 상황에 대해서도 수시로 보고가 들어왔다. 각 출동 부대장들을 급히 불러 모았다. 김 윤근, 박 치옥, 문재준, 이 백일, 오 학진 등 부대장들과 함께 다수의 대대장, 중대장들이 남산 본부로 몰려들었다.

"모두 수고가 많소. 출동 병력 통제를 철제하게 해줘야 겠소. 첫째, 총기 통제를 철저히 할 것. 모두가 실탄을 소지한 만큼 조금만 방심해도 큰 사달이 날거요. 지금 상황에서는 서울 시내에 반혁명 세력은 없어요. 혹시라도 경찰이나 경호팀에서 총기로 대항해 올 가능성이 없지는 않지만 그리 크게 염려 안 해도 될 듯 싶어.

둘째, 대통령이나 각료, 의원들, 혁명에 동참치 않은 고위 장성들에게 예의를 지킬 것. 요인 체포조들이 임무 수행 과정에서 함부로 처신하지 않도록 특별히 단속해 줘요.

셋째, 시민들에게 친절하게 대하고 거리 질서 확보에 특히 유의할 것. 우리 군사 혁명이 권력을 잡기 위한 하극상이나 쿠데타가 아니고 국가를 바로 세우기 위한 거사인 만큼 양식 있는 모든 인사들이 함께 참여해야 하고 국민들의 절대적인 지지를 받아야만 합니다. 4 · 19 와 같은 사태가 발생해서는 절대로 안 됩니다.

아시겠습니까?"

"넷! 알겠습니다."

모두가 힘차게 응대를 한다. 부대장들을 곧바로 각자 위치로 돌려보냈다.

"각하, 2군 사령부 이주일 장군에게서 전화가 왔습니다."

"그래? 연결해줘."

전화를 받으니 우렁찬 목소리의 이 장군 나타났다.

"각하, 2군 관내 모든 사단이 비상을 걸고 병력을 출동했습니다. 부대별로 관내 주요 시설 점령에 들어갔습니다. 보고 드립니다."

"수고했어요. 이제 시작이니 단단히 정신차려야 합니다. 잘 통제하고 본부와 수시로 연락하십시다."

"넷, 알겠습니다. 충성!"

전화를 끊자마자 김 형욱 중령이 1군 상황에 대해 보고했다.

"각하, 이 한림 장군이 장 총장 전화를 받고 원주 시내에 묵고 있는 전방 군단장과 사단장 몇몇을 관사로 불렀다고 합니다. 조 창대 중령 말로는 이 사령관이 임 부택 장군, 김 웅수 장군 등 일부 부대장들에게 병력 출동 준비를 지시했다고 합니다."

신경이 쓰인다. 1군 관내 혁명 동지들과 긴밀하게 연락을 취하고 발 빠르게 대처하도록 지시했다.

목이 말라서 시원한 물 한 컵을 부탁해서 먹고 있는데, 이 낙선 중령이 커피 한 잔을 가져왔다. 따끈한 커피 맛을 느끼면서 순간, 이 아침 공기가 제법 시원하다는 생각이 들었다. 지난 초저녁부터 지금까지 초긴장 상태로 있다 보니 주변을 돌아볼 여지가 없었다. 이제 좀 정신이 든다.

혁명군의 통제 속에 서울 시내가 서서히 밝아지고 있었다.

분주한 혁명군 지휘본부. 중무장을 한 병사들이 보초를 서고 있다.

'저 사병들도 지금 이 상황을 이해하고 있을까? 우리 대한민국에 얼마나

큰 변화가 발생하고 있는 지 알기나 할까?'

'이 인간 박 정희의 원대한 꿈을'

남산의 박 정희, 이 승만을 만나다.

건너편 인왕산 바위에 환한 아침 햇살이 들이 비추기 시작한다. 그 옆 청와대 뒤편에 솟아 있는 뾰족한 북악산이 어둠을 벗고 모습을 드러내고 있다. 그 밑으로 중앙청.

혁명군의 진주 속에 차분한 서울 시내를 바라보다가 문득, 등 뒤로 이승만 대통령이 느껴졌다.

'아하, 그렇지. 이곳에 이승만 대통령이 우뚝 서 계셨었지!'

얼른 등을 돌려 산 쪽을 향한다. 지난 달 말에 딸들을 데리고 와서 죄송한 생각에 마음이 울적했던 바로 그 곳이다. 일제가 세워 두고, 우리 한민족을 치욕에 떨게 했던 조선 신사. 그 건축물을 허물어 내고 몇 년 전에 우뚝 자리 잡았던 이승만 대통령 동상.

지난 해 폭파되어 사라지고 없다. 너무나 죄송스런 마음에 또 다시 울컥한다.

'각하, 당신은 영원한 한국인의 우상이십니다.

대한민국 건국의 아버지, 온 국민의 아버지. 국부(國父)이십니다. 당파 싸움에 나라가 망하는 것을 보면서 울분을 토했고, 망한 나라를 다시 찾기 위해 하와이로 미국으로 망명 생활을 하면서 독립운동에 매진하신 것을 우리 모두가 잘 알고 있습니다. 일제를 극복하는 길은 오로지 미국과 함께 해야 하고 그들의 힘을 빌려야만 한다는 사실을 냉철하게 꿰뚫어 보셨죠.

2차 대전 직 후 전개된 식민지 국가들의 독립 과정에서 미국, 영국, 중국, 소련을 설득하여 마침내 자유민주주의 대한민국을 건국하셨습니다. 일제가 호령하던 바로 그 곳 총독부 건물에 당당하게 올라서 새로운 한민족 국가 건국을 선포하셨습니다. 조선을 이어받아 5000년 역사를 다시 시작하셨습니다. 평화선(peace line)을 그어 일제와 중공, 북한 김 일성을 물리치고 국토를 확정하셨고, 농지 개혁을 통해 고달픈 농민들에게 먹고 살 일터를 주셨습니다.

그런데, 북쪽 공산당, 남쪽 불순분자들은 끝끝내 대한민국 건설을 부정하고 방해하더니 6·25 남침을 강행해 전국을 전쟁터로 만들었습니다. 각하께서는 곧바로 미국과 유엔 지원을 요청하여 불과 하루만에 유엔군 파견을 이끌어 냈고 전 세계 67개국의 지원을 받아내, 백척간두의 나라를 살려 내셨습니다.

조선 개국 공신인 이성계는 500년 이상 국조(國祖), 큰할아버지 태조(太祖)로서 떠받들어졌는데, 어찌하여 각하는 이렇게 초라하게 외면을 당하고 계십니까?

지난 해, 3·15 부정 선거를 일으켜 국민 분노를 촉발했고 4.19 사태를 유발한 원흉들을 절대 용서할 수 없습니다. 각하를 이렇게 치욕스럽게 만든 '못된 정치꾼', 더 나아 가서 각하가 이룩한 대한민국 건국과 국민 사랑의 공적을 인정치 않으려는 북한 공산당과 그 사주를 받은 좌파 데모꾼들. 도저히 용서할 수 없습니다. 지금 그들을 척결하고 대한민국을 다시 건국하기 위해서 젊은 군인들이 함께 나섰습니다.

제게 힘을 주십시요. 각하께서 건국한 대한민국을 이제 다시 재건(再建)하고자 합니다. 뭐가 뭔지도 모르면서 입으로만 자유 민주를 외치는 자유당, 민주당, 신민당 정치꾼들을 몰아내고, 새로운 청년, 젊은 군인들이 국정을 바로 세우겠습니다. 의식주 문제를 해결해 가난을 벗고, 철저한 교육을 통해 국민을 깨어나게 할 것이며, 공업화와 산업화, 수출 대국을 만들겠습니다.

각하, 다시 우뚝 솟아오르셔서, 오늘 이 순간 저희들의 군사 혁명을 지켜

봐 주십시요. 세계 속에 강성 대국으로, 조선처럼 500년 이상 가는 당당한 대한민국을, 반드시, 일궈내겠습니다.'

"각하, 무슨 생각을 그렇게 골똘히 하십니까?"

옆에 있던 한 장군이 나의 깊은 상념(想念)을 깨운다. 언 듯 눈가를 훔치며 현실로 돌아선다.

"여기 서 계시던 이 승만 대통령 생각나시는가?"

"예. 당연하지요. 지난 해 그토록 요란스럽게 폭파해 버렸지요."

주변의 본부팀 요원들 몇몇이 내 주변으로 모여든다. 모두가 숙연하게 묵념을 올린다.

오늘 우리가 시작한 군사 혁명은 대한민국의 정통을 이어받고, 1948년 건국 이념을 더욱 더 발전시켜 갈 것이다. 이 승만 대통령의 국가 건설을 이어받음과 동시에, 4 · 19에 이은 현 민주당 정부도 이어받아야만 한다. 아무리 못났어도, 험이 많아도 지나 온 우리 역사를 부정할 수 없다. 일제 36년이 원통하긴 하지만 우리는 인정하고 들어가야 한다.

다만, 대한민국을 여전히 부정하면서, 혼란을 부추기고, 끝내 '통일'이라는 미명 속에 공산화하려는 김 일성과 공산당에 대해서는 철저하게 대응할 것이다. 싸움질만 하는 폭력배 이상으로 우리를 괴롭히는 불순분자, 좌파 공산당 세력, 끊임없이 시위와 데모를 일삼는 형편없는 존재들을 모조리 제거할 것이다.

대한민국을 새롭게 일으키기 위해 우리가 나섰다. 이 승만 대통령의 건국 이념을 이어받아 기울어가는 나라를 새롭게 재건한다. 내가 반드시 그렇게 만들 것이다.

내 표정이 여전히 풀리지 않음을 동지들이 가만히 지켜봐 주고 있다.

냉정해져야 한다. 이런 긴박한 순간에 감상에 너무 깊게 빠져들어서는 안 된다. 정신을 차리자.

팔목의 시계를 보니 7시가 되어 간다. 덕수궁과 서울 시청 앞 광장에 해병대 탱크가 기세 당당하게 포진해 있는 것이 눈에 들어온다.

“김 대령. 이제 육본으로 갑시다.”

김 재춘 대령에게 작전 계획대로 혁명 지휘 본부를 육군 본부로 옮길 것을 명했다.

“넷, 알겠습니다.”

남산 지휘부를 해병대 주력군으로 하여금 지키게 하고, 김 대령 차에 올라탔다. 가는 길 용산 일대에는 완전 무장한 혁명군이 당당하게 포진해 있었다. 포병단 병력들이 우리 차를 보고 거수 경례를 붙였다.

장 도영 총장이 새벽에 방첩대로부터 이곳 총장실로 옮겨와 있었다.

'장 총장을 어떻게 다뤄야 할까?' 짧은 단상.

이제는 하나씩 혁명 과업을 완성해가야 한다.

가장 먼저 할 일은 군사혁명위원회를 구성하여 통치권을 장악하고, 혁명군을 전국 비상계엄군으로 바꿔야만 한다. 헌법 상 비상계엄은 장 면 총리가 발동하게 되어 있다. 하지만, 애매한 규정 상 윤 보선 대통령이 발동할 수도 있다. 여차하면 군사혁명위원회 이름으로 비상계엄을 선포할 수도 있다. 현재 장 면 총리는 행적이 묘연하다. 아마도 미국 대사관이나 미군 영내에 머물고 있으리라.

그를 체포하는 일은 이제 글렀다. 그렇다면...

육본 총장실은 벌써부터 부산하다. 한 장군이 김 윤근 장군에게 병력을 동원해서 육본 건물을 포위하도록 지시한다. 건물로 들어서는데 군 선배인 송 석하 장군이 내려온다. 가볍게 눈을 맞추는데, 그가 가까이 다가서면서

“박 장군, 어서 오세요.” 한다.

“선배님, 쏘긴 누굴 쏩니까?”

순간 퍼뜩 놀라며 겸연쩍어 한다. 내가 오기 직전에, 송 장군이 육본 병사들을 지휘하면서 혁명군에 대항하라고 하면서 했던 소리를 전해 듣고 내가 선수를 친 것이다.

“아하, 뭘요. 그냥...” 말꼬리를 흐린다.

마침 미 장성 한 명이 내려서면서 나와 눈이 마주쳤다. 옆에서 귀뜸하기를 미군 고문단장인 하우스 소장이라고 한다. 나를 가리키면서 뭐라고 한마디 하는 것 같다. 그냥 무시하고 2층 총장실로 올라갔다.

송 석하 장군이 우리를 안내하면서,

“자, 권총은 풀어 놓읍시다.” 한다.

순간, 멈칫 했다.

'이게 무슨 의미일까?'

나의 표정을 읽으면서 장 총장에게 화풀이나 하지 않을까 걱정하고 있다. 가까이 있던 포병단 문 재준, 백 태하 등이 언성을 높인다.

“왜 권총을 뺐습니까? 어쩌려고?”

그들의 반응이 이해가 된다. 그들은 지금 안에 있는 장 총장에 대해 몹시 분개해하고 있는 중이다. 혁명군에 대해서 총을 쏘게 한 반혁명 처사에 포병단은 물론 해병대, 공수단 모두가 화가 나 있다. 장 총장을 당장 제거하자는 소리가 옆에서 들려온다.

송 장군은 매우 겸손한 태도를 보이고 있다. 그는 이미 꼬리를 내리고 반쯤은 우리 편이 되어 있었다. 권총을 풀어 문 대령에게 넘겼다.

송 장군의 안내를 받아 김 재춘 대령과 함께 총장실로 들어 갔다. 다른 사람은 비서실에서 대기토록 했다. 빈 방에서 선 채로 잠시 기다리니 장 총장이 허겁지겁 들어선다. 둘이 경례를 붙였건만 본체만체 한다. 불쾌하고 당황스런 표정이 얼굴에 가득하다. 모자를 벗어 책상 위에 소리 나게 '탁' 내려놓더니,

"자, 앉읍시다."

잠시 언짢은 침묵이 흐른다. 순간, 톤을 낮춰 설득 모드로 갈 것인지 아니면 내 본심을 드러내고 강한 톤으로 압박할 것인가 머리를 굴린다. 사실 지금 이 순간, 조금은 당황스럽고 마음이 편치 않다. 직설적으로 나가고 싶어졌다.

장 총장의 숨결이 차분해진 것을 느끼면서, 낮은 목소리로 따지듯이 입을 열었다.

"도대체 왜 그런 겁니까? 헌병을 동원하여 혁명군에게 총질을 하게 하다니."

"미안하게 됐어요. 장 총리에게 보고했더니 혁명군을 막으라고 소리소리 칩디다. 내가 어쩌겠어요. 처음에 30사단 보고를 받고 긴가 민가 하여 박 장군께 전화했지 않습니까? 그리고, 헌병들에게는 차량을 이용하여 막으라고 했지, 총을 쏘라고는 지시하지 않았습니다."

"발 뺌 하지 마세요. 헌병들이 총장 지시가 아니면 어떻게 발포를 합니까?"

"정말입니다. 어쨌든 인명 피해가 나지 않아 다행입니다."

"다행이라는 것이 말이 된다고 생각하십니까? 해병대 기질을 아시지 않습니까? 조금만 확대됐으면 큰 인명 피해가 날 뻔했어요. 그러면 곧바로 내전입니다."

"자, 자. 진정하시고 향후 어떻게 할 것인가 논의해 봅시다. 미국이나 유엔군 측에서는 의심의 눈초리를 보내고 있습니다. 제가 조금 전에 미 8군 사령부에 다녀왔습니다. 매그루더 장군은 내게 진압군 출동을 명하면서, 혁명군 철수를 강력하게 요구했어요. 저도 난감해서 진압군 출동이 어렵다고

구구절절 설명하긴 했지만, 중간에 끼어 있는 나도 괴롭습니다."

"그래도 이건 아닙니다. 전에 보고 드린 바와 같이 군사 혁명은 거의 전 군이 원하던 바요, 전 국민이 고대하던 일입니다. 어쭙잖게 총장 자리에 연연하는 모습을 보여서야 되겠습니까?"

이미 꼬리를 내린 장 총장에게 적당히 엄포를 놓을 필요가 있다. 향후 군사혁명의 완성을 위해 그를 우리 편으로 하는 것이 유리하기 때문이다.

"이제 어쩌실 겁니까?"

"내 생각보다도 박 장군 생각이 어떤 지 알고 싶어요."

"일단 육해공군 참모총장과 해병대 사령관 회의를 개최해 주십시요. 회의를 통해 우리의 혁명을 군 전체 의사로 추인해주시고 곧바로 비상 계엄을 선포해야 합니다."

"그렇잖아도 3군 책임자들을 모두 불렀어요, 금방 도착할 겁니다."

그때 탁자 위의 전화벨이 울렸다. 총장이 받아든다.

"병력 출동을 멈추고, 잠시 기다려 보세요. 내 곧 연락 하리다."

이 한림 1군 사령관이란다. 새벽부터 1군 사령부로 연락하여 반혁명군 동원 논의를 한 것 같다.

순간 화가 다시 치솟는다. 중간에서 이리저리 눈치만 보다가 결정적인 순간에 우리를 배반한 셈이다. 자칫 혁명을 전쟁판으로 만들었을 수도 있다. 생각하면 할수록 아찔하고 어처구니가 없다.

"오늘의 병력 출동은 전 군(軍), 전 국민이 원하는 군사 혁명입니다. 더 이상 주저치 마시고 총장님께서 앞장을 서주십시요. 이미 준비는 다 되어 있습니다."

장 총장이 여전히 결심을 굳히지 못한다. 안절부절 못하다가 그대로 일어나 밖으로 나간다. 시간이 지나도 그가 들어오지 않기에 우리도 같은 층에 있는 혁명지휘부로 돌아왔다. 조금 시간이 흐른 뒤, 부관이 보고하기를 총장실에 3군 지휘관들이 모여 있다고 한다.

비서실과 복도에는 완장을 찬 혁명군이 가득했다. 김 종필 중령이 미리 만든 '혁명군' 완장이 눈에 확 들어온다. 혁명군을 확인하는 것임과 동시에 '비' 혁명군(非 革命軍)이 누구인가를 구별해준다.

엊저녁부터 지금까지 완전 군장으로 출동해 있는 본부의 장교들과 창밖의 병사들이 모두 힘들어 보인다. 지휘관들에게, 병사들에게 아침 식사와 함께 적절한 휴식을 주도록 지시했다.

갑자기 허기가 몰려왔다.

동지들과 함께 장교 식당으로 옮겨서 아침 식사를 하기로 했다.

혁명 전야부터 위험천만한 위기가 내 주변을 엄습하고 있었다. 장면이나 윤보선보다도 먼저 내게 무슨 일이 일어나면 모든 것이 허사로 돌아갈 판이었다. 박종규, 이낙선, 차지철 등 젊은 혁명 동지들이 내 주변을 둘러싸고 엄중한 경호를 담당했다.

계엄령 선포

식사를 하면서도 긴장의 끈을 놓지 못하고 있는데, 옆 자리에 있던 이 석제 중령이 말을 꺼낸다.

“각하, 삼군 사령관 회의를 기다릴 수는 없습니다. 서울과 전국 대도시의 치안과 행정을 혁명군이 장악하기 위해서는 당장이라도 계엄령을 선포해야 합니다.”

“맞습니다. 이미 준비한 비상계엄령 포고문을 제가 지금 지니고 있습니다.”

김 종필 중령이 인쇄된 포고문을 가방에서 꺼내 보여준다. 광명인쇄소에서 혁명공약 인쇄와 더불어 준비한 문건이다.

그렇다. 혁명군 진주와 동시에 치안 확보와 통치권 장악을 위해 최우선으로 추진해야 할 긴급 사항들이 있다. 가장 중요한 것이 비상계엄령 선포다. 혁명군에게 공식적인 권한을 부여하는 일이다.

“지금이 몇 시지?”

“8시가 넘었습니다.”

“그러면, 9시를 기해서 전국에 비상계엄을 선포해.”

“알겠습니다. 일단 전국의 혁명군에게 포고문을 전하고, 중앙 방송국과 주요 일간신문을 통해 공표하겠습니다. 조간은 이미 발간되었으니까 저녁 석간신문에 싣겠습니다. 그리고 신문사 호외로 서울 전역에 뿌리겠습니다.”

“일단 공표하고, 3군 사령관회의나 대통령의 추인을 받으면 됩니다.”

이 중령이 법적 절차를 염두에 두고 있다.

“나도 생각해 봤네만, 혁명을 하는 판에 번거롭게 누구 추인을 받나? 군사 혁명 상태에서는 군사혁명위원회에서 모든 사항을 결정하면 되네.”

“아닙니다, 각하. 우리가 국가 재건을 목표로 내건 만큼 기존 헌법을 완전히 무시하지 않는 것이 좋습니다.”

그러고 보니 맞는 말이다. 민주당 국회와 정부를 없애더라도 기존 국가 체제나 헌법의 핵심 사항은 존중하고 지켜가야 한다. 내각책임제나 양원제 국회를 바꾸더라도 건국이념이나 자유 민주주의 체제, 국민 기본권 보장은 반드시 이어가야 한다.

“계엄령을 발령하여 혁명군이 정국을 장악하고 난 뒤에 3군 사령관 회의나 윤 보선 대통령의 추인을 받는 것으로 함세. 곧바로 시행해.”

행정팀에 지시했다. 5월 16일 9:00시를 기해 전국에 비상계엄을 선포한다. 이제부터 명실상부하게 혁명군이 모든 정국을 장악한다. 추인은 형식적인 절차에 불과할 뿐이다.

8시 30분. 육본 상황실에 혁명군과 장 총장 및 육본 참모들이 모두 모여 앉았다. 장 총장이 오락가락하면서 군사혁명위원회 위원장이 되는 것을 저울질하고, 3군 지휘관들의 혁명 지지를 이끌어 내지 못하고 있는 상황에서 혁명군과 육군 본부 장성급 참모들의 연석회의를 갖기로 한 것이다. 자리가 부족하여 셋 중 하나는 뒤편에 서야만 했다. 허리에 권총을 차고 있는 혁명군 장교들의 서슬이 퍼랬다. 내가 먼저 말을 꺼냈다.

“총장님, 시급한 것이 계엄령 선포입니다. 총장님께서 동의해 주시면 총장님 이름으로 곧바로 계엄령을 선포하겠습니다.”

“글쎄. 그러지 마시고 윤 보선 대통령을 찾아뵙고 허락을 받은 다음에 합시다. 합법적으로 해야 합니다.”

“총장님, 우리가 군사를 동원한 것 자체가 합법 하고는 거리가 멉니다. 이런 상황에서 자꾸만 절차나 합법을 주장하시면 안 됩니다. 혁명의 본질을 이해해 주셨으면 합니다.”

이쯤 되자, 혁명 동지들이 와글와글 언성이 높아진다.

"뭔, 개 뼉다귀 같은 얘깁니까? 혁명은 그냥 혁명이지, 누구 지시를 받아 한 겁니까? 윤 보선이나 장 면이 고분고분하게 우리말을 들어줄 것 같습니까?"

난처해진 장 총장이 자리를 뜨려고 몸을 일으키자, 대혼란이 일어났다. 사방에서 삿대질을 해대면서 언성을 높여 장 총장을 질타한다. 총을 꺼내 당장이라도 쏴 버릴 것처럼 허공에 흔들어 대는 이도 있다. 듣고 있자니 난감하다. '이러면 안되겠다' 생각이 들어 자리에서 일어났다.

"이게 뭡니까? 시정잡배도 아니고. 모두 진정하세요. 우리가 나선 목적은 정권 찬탈이나 남의 이권을 빼앗기 위한 것이 아니지 않습니까? 진정으로 우리나라를 걱정하고, 국가를 재건하고자 하는 것이 아닙니까? 절대 흥분하지 말고, 냉정하게, 이성적으로 행동해야만 합니다."

"자, 자, 진정들 합시다."

여럿이 나의 의견에 동의를 표하며 장내를 진정시킨다. 그 사이에 장 총장이 내 곁으로 와서 나의 팔을 잡아당긴다. 함께 밖으로 나가려는 데, 이곳저곳에서

"뭐야? 왜 각하를 납치하려고 해."

"각하, 따라 나가시면 안 됩니다."

"이런저런 눈치 보지 말고 그냥 밀고 나갑시다."

동지들에게 손을 들어 진정하라고 신호를 보내고 장 총장을 따라 총장실로 이동했다. 이 석제 중령이 내 곁을 지켰다. 마침 장 면 총리의 정치 고문역을 맡고 있는 도널드 휘태커가 총장실에 미리 와 있었다. 장 총장을 보자마자 대뜸 소리를 높였다.

"General Chang. Mobilize the army and suppress the revolutionary army immediately. If you do not suppress it, there will be no US aid to Korea. Suppress it right now. Do you understand?"

군대를 동원해서, 혁명군을 당장 진압하지 않으면 미국의 대한 원조를 모두 끊겠다는 협박이다. 나를 힐끗 돌아보더니 쌩쌩거리면서 총장실을 나갔다. 장 총장이 어이없어 하면서 당황해한다.

"보세요. 병력을 동원해서 혁명군을 당장 진압하랍니다. 아침에 만난 미 8군 사령관도 화가 잔뜩 나 있었어요. 유엔군 사령관으로서 한국군 통솔권을 가지고 있는 매그루더로서는 명령 불복종의 혁명군을 도저히 용서할 수 없다는 태도를 보였어요. 그 역시 군대를 동원해서 박 장군을 체포하고, 혁명군을 당장 진압하라고 언성을 높였어요. 전방 전투 사단 동원을 위해서 매그루더가 1군 사령관 이 한림 장군에게 직접 전화를 합니다."

긴장이 된다. 내가 감지하지 못하고 있는 상태에서 뭔 인가 일이 꾸며지고 있다는 느낌을 받는다. 장 면, 매그루더, 장 도영, 이 한림이 긴밀한 연락 속에 나를 옥죄려 하고 있음이라. 그 중심에 서 있는 장 도영. 반드시 우리 편으로 만들어야 한다.

"총장님, 자꾸만 흔들리지 맙시다. 이제 군사 혁명은 되돌릴 수가 없어요. 우리가 군대를 철수하고 장 면 정부와 민주당 국회에 정권을 인수하는 순간, 여기 있는 모두가 단두대(斷頭臺)로 직행하게 되어 있어요. 알량한 정치꾼들이 우리를 그냥 놔두겠습니까? 군대를 철수하라고 하는 것은 그냥 이곳에서 자폭하라고 하는 것과 같아요. 아까 장교들 분위기 보셨지 않습니까?"

장 총장의 한숨이 길어진다.

마침 김 신 장군을 선두로 3군 총장들이 총장실로 들어선다. 아침 식사를 하고 다시 총장실로 모인 것이다. 장 도영 육군 참모총장, 김 신 공군 참모총장, 이 성호 해군 참모총장, 김 성은 해병대 사령관이 모두 참석했다. 그들과 가볍게, 조금은 서먹서먹한 인사를 나눴다.

장 도영 총장 주재로 회의가 시작되었다.

"아시다시피 지금 현재 혁명군이 서울에 진주해 있습니다. 여기 앉아 계신 박 정희 장군 주도로 병력 출동이 이루어졌습니다. 박 장군께서 상황 설명을 해주시죠?"

나를 지명하기에, 일어나서 간단하게 군사 혁명을 하게 된 목적에 대해 설명하고 3군의 지지를 부탁했다.

"아니 혁명 포고문을 보니 장 도영 총장 이름으로 되어 있던데, 어떻게 된 겁니까?"

이 성호 장군이 의문을 제기한다.

"그, 그게... 제 의향과는 관계없이..."

장 총장이 말꼬리를 흐린다.

"육군이 앞장을 섰다면 우리 해군이 뭔 할 말이 있겠습니까?"

"우리 공군도 다른 이의가 없습니다. 현 정국을 보면 군인들이 나서지 않으면 안 될 분위기란 것은 누구나 다 알고 있어요. 기왕 군이 나섰으면 제대로 한번 해봤으면 좋겠습니다."

김 신 장군은 독립투사인 김 구 주석의 아들이다. 해병대 사령관인 김 성은 장군은 김 동하, 김 윤근 장군이 이미 충분히 설득을 해 놓고 있었다. 휘하의 해병여단이 혁명군으로 동원된 것에 대해서는 불편했을 수 있지만, 이미 오래 전부터 해병대 주도의 군사 혁명까지 논의되어 오고 있던 터다. 잠잠히 침묵을 지키며 혁명 지지 의사를 내비친다.

이 성호 장군은 혁명 지지 여부를 참모들과 다시 한번 더 상의해 보겠다고 하면서 먼저 일어서 회의장을 떠났다.

결정된 것은 없지만, 3군 총장, 사령관들의 묵시적 동의를 얻은 셈이 되었다. 회의 후에 장 총장이 어디선가 전화를 받더니 급히 자리를 떴다. 부관 얘기를 들으니 긴급히 미 8군 매그루더 사령관을 만나러 간다고 한다.

총장실 밖으로 나오니 복도에 유 양수, 장 경순, 한 웅진 등이 두런두런 얘기를 나누고 있었다. 유 장군이 나를 보더니 다가온다. 현재 육군본부 작전참모 차장으로 전쟁기획통제관직을 담당하고 있는 중이다. 흑석동이 집인 유 장군은 오늘 아침 한강 인도교 총격 소리를 듣고 부랴부랴 육본으로 나왔다고 했다.

"박 장군님, 우리의 혁명 소식을 미국과 유엔 사무국 등에도 적극적으로 알리고 설명을 해야 할 겁니다."

"맞아요. 유 장군, 부탁합니다. 지금 장 면 총리와 매그루더 유엔사령관이 긴밀하게 연락을 취하고 있는 것 같아요. 장 총장이 그래서 불려 갔구요."

"제가 미군측과 미국 대사관 쪽에 선을 대 보겠습니다. 직접 그린 대리 대사나 매그루더도 만나 보겠습니다. 그리고 외무부를 통해 유엔 사무총장이나 우방국가들에게도 우리의 의도를 적극적으로 해명토록 조치하겠습니다."

유 장군이 자기 사무실로 떠나고, 나는 한, 장 두 장군과 함께 혁명군 지휘본부로 들어섰다.

"장 장군, 참 할 말이 있어요. 지금 당장 치안국으로 가서 치안국을 장악해 줘요. 치안국장이 되어 전국 경찰 조직을 우리 편으로 만드세요."

"예? 예. 알겠습니다. 당장 실천하겠습니다."

장 경순 장군이 곧바로 밖으로 나간다.

계엄령 선포와 동시에 추진할 일들을 연속해서 전개해 나가야 했다. 포고문 제2호, 제3호, 제4호를 연속적으로 공표하고 실행에 착수하도록 지시했다.

바쁘게 일처리를 하고 있는데 장 총장이 찾는다는 전갈이 왔다. 잠시 일을 멈추고 총장실로 들어갔다.

"박 장군, 매그루더가 펄펄 뜁디다. 케네디 대통령과 국무성에서 예의주시하면서 매그루더에게 문제 해결을 압박하는 가 봅니다. 매그루더와 그린 대리대사가 말을 맞춰서 혁명 반대 의견을 적극 피력합니다. 오늘 아침 조간신문에 현 장면 정부 지지와 군사 혁명에 대한 반대 입장이라는 것을 게재케 했고 미군 방송에서도 연속 반대 의사를 표명하고 있습니다."

"혁명을 되돌릴 수는 없습니다. 현 장 면 총리와 윤 보선 대통령은 물론 미국과 미군측을 적극 설득해 우리의 군사혁명을 지지하도록 만들어 주세요. 저희들이 총장님을 모시고 혁명을 하고자 하는 첫째 목적이 바로 이런 이유입니다. 총장님이 리더가 되어 해 주셔야 할 가장 중요한 역할입니다."

장 총장이 연신 답답해하면서 좌불안석이다. 이때 총장 부관이 계엄령 선포 호외 한 장을 들고 들어와서 보고를 한다.

"총장님, 호외입니다. 조금 전 9시를 기해 총장님 이름으로 전국에 계엄령이 선포되었습니다. 조금 전 방송에서도 보도가 되었습니다."

"<군사혁명위원회 포고(布告) 제1호> 군사혁명위원회는 공공의 안녕 질서를 유지하기 위하여 단기 4294년(1961년) 5월 16일 오전 9시 현재로 대한민국 전역에 걸쳐 비상계엄을 실시한다.

계엄사령관 육군 중장 장 도영. 계엄 부사령관 육군 소장 박 정희. 전방지구 계엄사무소장 육군 중장 이 한림. 후방지구 계엄사무소장 육군 중장 최 경록. 경인지구 계엄사무소장 육군 소장 서 종철. 충남북지구 계엄사무소장 육군 소장 김 계원. 전남북지구 계엄사무소장 육군 소장 김 익렬. 경남지구 계엄사무소장 육군 소장 박 현수. 경북강원지구 계엄사무소장 육군 소장 박 기병. 군사혁명위원회 보도국장 육군 대령 원 충연."

"군사혁명위원회는 위원회령 제1호로서 대한민국 전역에 긍(亘) 하여 단기 4294년(1961년) 5월 16일 오전 9시를 기하여 비상계엄령을 선포하였음. 본관(本官)은 계엄법의 정하는 바에 따라 국내 질서의 유지와 치안 확보 상 필요한 한도내에서 엄정하게 이를 운영할 것임. 국민 제위는 군을 신뢰하고 국가재건을 위한 혁명 과업 수행에 적극적인 협조를 바라면서 다음 사항을 포고함.

1. 일체의 옥내외 집회를 금한다. 단, 종교단체는 제외한다.

2. 수하(誰何)를 막론하고 국외여행을 불허한다.

3. 언론 출판 보도 등은 사전 검열을 받으라. 이에 대해서는 치안 확보상 유해로운 시사 해설, 만화, 사설, 논설, 사진 등으로 본 혁명에 관련하여 선동 왜곡, 과장 비판하는 내용을 공개하여서는 안된다. 본 혁명에 관련된 일체 기사는 사전에 검열을 받으며 외국 통신의 전재도 이에 준한다.

4. 일체의 보복 행위를 불허한다.

5. 수하를 막론하고 직장을 무단히 포기하거나 파괴, 태업을 금한다.

6. 유언비어의 날조, 유포를 금한다.

7. 야간통행 금지 시간은 오후 7시부터 다음날 아침 5시까지로 한다.

이상의 위반자 및 위법 행위자는 법원의 영장 없이 체포 구금하고 극형에 처한다.

단기 4294년(1961년) 5월 16일

군사혁명위원회 의장 계엄사령관 육군 중장 장 도영"

이제 군사 혁명과 군사혁명위원회에 이어서, 장 도영 이름으로 전국에 비상계엄이 발령되었다. 계엄사령관 명단에는 우리의 군사 혁명에 적극적으로 동참한 장군은 물론 '혁명 불 반대'나 반혁명적 태도를 보이고 있는 인물들도 모두 포함되어 있다. 장 총장으로서는 더 이상 빼도 박도 못할 상황에 처한 셈이다.

"참, 난감하네. 나를 이렇게 몰아 부치다니. 내가 이번 혁명을 처음부터 주도한 사람이 되어버렸어요. 박 장군."

"총장님, 이제 더 이상 물러서실 수 없습니다. 저희와 함께 당당하게 앞으로 전진합시다. 새로운 조국 건설에 일등 공신이 되어 주세요."

"어쨌든 계엄령이 선포되었으니 윤 보선 대통령께 추인을 받아야만 합니다. 밖에 있는 총장들과 함께 윤 보선 대통령을 만나러 가십시다."

장 총장 입장에서는 현재의 난국을 벗어나기 위한 방책일 수도 있다. 대통령이 찬성한다면 자신으로서는 더욱 떳떳하게 혁명군 지도자가 될 수 있다. 비록 떠밀리는 형세지만, 혁명군을 대신하여 윤 대통령의 재가를 받아내면 혁명군에게도 명분이 설 수 있다. 이것도 한 가지 방법이라는 생각이 든다.

"그러시죠."

밖으로 나와 혁명지휘부에 들려서, 장 총장과 함께 윤 보선 대통령을 만나러 간다고 알렸다. 3군 지휘관들도 동행하기로 하였다. 나는 김 재춘, 유원식 두 사람을 대동하고 함께 찝차에 올랐다.

"각하, 9시를 기해 전국에 공표한 포고문들입니다."

김 대령이 계엄령과 함께 공표된 포고문들을 내게 건네준다. 혁명 전야 늦은 시각까지 검토하고 검토했던 문건들이다.

<포고 제2호> 금융 동결령. 4294년 5월 16일 오전 9시를 기하여 국내 전 금융기관의 일체 금융을 동결한다. 세부 처리 요항은 추후 공포한다.

<포고 제3호> 공항 항만 봉쇄령. 국내 전 공항 및 항만은 4294년 5월 16일 오전 9시를 기하여 봉쇄하고 다음과 같이 시행한다.

(1) 공항: 가) 국제선의 운항은 제한하지 않는다. 단 대한민국 국적의 소유자는 출항기의 탑승을 일체 금한다. 나) 일체 항공기의 이착륙에는 군의 검열을 받아야 한다. 다) 국내선 운항은 별명이 유(有)할 시까지 금한다.

(2) 항만: 가) 외국 선박의 입출항은 제한하지 않는다. 단, 외국 선원의 상륙과 대한민국 국적의 소유자의 승선을 일체 금한다. 나) 국내 선박은 별명이 유할 시까지 국제 항로 취향을 금한다. 다) 일체의 선박의 입출항에는 군의 검열을 받아야 한다.

<포고 제5호> 금융기관 동결에 따르는 세부 실시 요령으로서 모든 예금의 인출은 1회에 10만환 이하로 제한하는 한편 한 달에 50만 환을 넘지 못한다.

<포고 제6호> 물가의 억제를 위해 일제히 물가는 5월 15일 현재의 시세를 유지케 할 것이며, 매점 매석 행위는 엄금한다. 포고령을 위반한 자는 극형에 처한다.

<포고 제7호> 한국에 주둔하는 외국인에 대한 보호. 각 지구 계엄 사무소장은 관내에 주둔하고 있는 외국군 및 대공사관에 대한 생명 및 재산을 보호하라.

<포고 제8호> 군사혁명위원회 포고 제2호로 공포된 금융동결령 세부 시행요령 중 그 일부를 다음과 같이 실시한다. '군사비의 동결은 이를 해제한다.

손에 들고 있는 포고문의 글귀들이 스물 스물 살아 움직이고 있다. 글자 하나하나가 엄청난 동력으로 내 손아귀를 타고 하늘로 치솟아 오른다. '이게 혁명이로구나!' 실감이 든다.

장 면과 윤 보선, 마음을 읽어라

청와대 접견실로 들어서는데, 대기실에 앞서 도착한 총장들이 그득했다. 그 사이에 현 석호 국방 장관이 눈에 띈다. '이게 웬 일인가' 싶다. 정부 각료들을 모두 체포하라고 했는데 현 장관이 이렇게 활보하고 있다니. 새벽에 보고받은 대로는 장면 총리는 놓치고 현 장관과 한 통숙 체신부 장관 등 몇몇을 체포해서 시청에 연금시켜 놓았다고 했었는데.

"김 대령, 어떻게 된 일인지 알아보게."

김 재춘 대령이 대기실 밖으로 나갔다. 비서관의 안내를 받아 유 원식 대령, 총장들과 함께 접견실로 들어섰다. 조금 있으니 윤 보선 대통령이 집무실 문을 열고 나타났다.

"올 것이 왔구나. 내 이럴 줄 알았어..."

혼자 말로 낮게 뇌까리면서 상황을 받아들이는 분위기가 느껴졌다. 총장들과 일일이 악수를 나눈 뒤 내게로 다가왔다. 꼿꼿한 자세로, 담담하게 악수를 나눴다. 의문스런 눈빛으로 눈에 힘을 주어 나를 쳐다봤다.

"선친은 편안하신가?"

유 대령과 악수를 하면서 그가 말을 걸었다. 검은 뿔 테 안경을 쓴 아담한 체격의 대통령. 이런 상황에서도 권위를 잃지 않으려는 의도가 엿보인다.

"예, 편안하십니다. 감사합니다."

유 대령의 조부가 독립운동을 하신 분이시다. 그래서 윤 대통령과 유 대령 집안이 서로 알고 지내는 사이이다.

윤 대통령의 태도를 보니 만만치 않겠다는 생각이 든다. 이럴 때일수록 침착해야 한다. 총장들의 태도가 불분명한 상태에서 자칫 잘못하면 내가 일방적으로 몰릴 수 있다. '1 대 다수' 구도가 되어 혁명의 의미를 제대로 관철시키지 못할 수 있다. 혁명 동지들이 나를 홀로 청와대로 보내지 않으려고 하는 이유가 바로 이 부분이다. 함부로 먼저 말을 꺼내지 말고, 적당히 무게를 잡아야만 한다.

장 총장이 먼저 말을 꺼냈다.

“대통령 각하, 새벽에 보고 드린 바와 같이 군인들이 혁명을 일으켜 중앙청과 국회의사당, 서울시청, 육군 본부 등을 모두 점령했습니다. 9시를 기해서 비상계엄령을 전국에 선포하였습니다. 여기 있는 박 장군이 선두 지휘관입니다.”

대통령이 나를 다시 정면으로 바라본다. 이렇게 가까이서 뵌 적이 없다. 그도 나를 모르듯이 나도 대통령을 잘 모른다. 서로 다른 사람을 통해, 다른 경로로 전해 듣고 있을 뿐이다.

장 총장이 말을 잇는다.

“어찌 됐든 각하께 누를 끼쳐 죄송합니다. 이제는 사태를 잘 수습해야 할 차례입니다. 장면 총리께서 행방불명이시라서.”†

대통령이 잠시 침묵을 지킨다. 그런 그의 태도 속에는 당황스러움보다는 지도자로서의 묵직함이 담겨 있었다. 내가 끼어들었다.

“각하, 젊은 군인들이 우국충정의 마음으로 혁명을 시도하였습니다. 각하를 모시고 제대로 된 나라를 만들어보겠습니다.”

“젊은 군인들이 목숨을 내걸고 국가를 위해 나서 준 것에 대해서는 감사해요. 그동안 온갖 반정부 시위와 쿠데타 시도가 있었지만 오늘처럼 군인들이 대대적으로 나선 것은 처음입니다. 어찌 보면 우리 정치인과 정부가 제대로 국가를 운영하지 못했기 때문일 겁니다. 그 부분에 대해서는 정말 할 말이 없네요.”

“각하, 이제 군사 혁명을 기정사실로 인정해주시고, 비상계엄령을 추인해 주시면 감사하겠습니다.”

유 대령이다. 대통령이 아무 대답이 없이 장 총장 쪽으로 고개를 돌리며 말한다.

"장 총장, 혁명 포고문이나 비상계엄령이 장 총장 이름으로 발령되었던데요. 어찌 된 겁니까? 오늘 새벽에 나에게 처음으로 군사 쿠데타에 대해 전화할 때만 해도 강력하게 쿠데타군을 제압할 것이라고 하지 않았나요?"

장 총장이 당황한 표정으로 고개를 떨군다. 내가 그를 도와서 나설 차례다.

"각하, 저희들은 처음부터 장 총장을 모시고 정군이나 국가 바로 세우기를 추진해왔습니다. 오늘은 불가피하게 총장께 미리 보고를 드리지 못하고 군대를 동원해서 잠시 착오가 생겼었습니다."

"장 총장이 직접 말씀해 보시지요. 어떻게 된 겁니까?"

장 총장이 제대로 말을 꺼내지 못한다. 잠시 침묵이 흐른다.

"그리고, 지금 함께 오신 각 군 참모총장들 생각은 어떤 것 입니까?"

대통령으로서 좌중을 제압하는 파워가 엄청나다. 참모총장들이 꿔다 놓은 보릿자루처럼 말이 없다.

다들 말이 없자, 대통령이 결론을 내린다.

"지금 내게 군사 혁명을 지지하라, 비상계엄령을 추인하라 하는데 나는 그럴 수 없습니다. 군정권을 가지고 있는 장면 총리를 찾아내서 그에게 부탁하세요."

말을 마친 윤 대통령이 집무실로 휙 나가 버렸다. 어안이 벙벙한 채 서 있던 총장들과 함께 접견실 문을 열고 밖으로 나오는데, 비서관이 급히 나오더니 나를 붙든다. '대통령께서 찾으신다'는 전갈이다. 유 대령과 함께 다시 대통령 집무실로 들어갔다.

대통령이 우리에게 자리를 권했다.

"자, 박 장군. 뭐가 어떻게 되어가는 겁니까?"

그가 진지한 태도로 내게 말을 건넨다. 나는 그동안 진행되어 온 혁명 계획과 진행 상황 전반에 대해 간략하게 보고를 드렸다. 그리고 우리의 군사혁명을 지지해주시고 우리와 함께 새로운 국가 건설에 나서 주실 것을 간곡하게 부탁드렸다.

"박 장군이 말씀하신 대로 지난 해 3·15, 4·19 이후 새로 탄생한 민주당 정권이 정말로 무기력했어요. 지난 1년 동안 시위나 데모만 무성했지 뭐 하나 제대로 진행된 정책이 아무것도 없어요. 나는 물론 몇몇 양식 있는 의원들까지도 걱정이 태산 같았지요. 이런 판국에 젊은 군인들이 나선 겁니다. 정말, 불가피하고, 잘 된 일일 수 있다고 생각합니다."

"그렇게 말씀해 주시니 감사합니다. 혁명을 준비하면서 접촉한 거의 대부분의 장교들이 나라를 걱정하고, 목숨을 걸고서라도 혁명을 해야겠다고 동조하였습니다. 이게 뭘 말하는 겁니까? 고려 말 이 성계 장군의 위화도 회군처럼, 열 두 척 배를 몰고 전선으로 나가는 이 순신 장군처럼 오늘 군대를 이끌고 서울로 들어왔습니다."

갑자기 말이 많아진다. 이러면 안 되는데 또 다시 감상적으로 변해 간다. 간단하게 추스르고 결론을 내야만 한다.

"각하, 저와 젊은 군인들을 믿어 주십시요. 저희들이 각하를 모시고 새 나라를 만들어보겠습니다."

대통령이 지긋이 눈을 감는다. 그의 의중을 읽을 수 있을 것 같다. 엄청난 고민, 함부로 나설 수 없는 대통령으로서의 위치. '오늘은 여기 까지다'라는 생각이 들었다. 유 대령에게 눈짓을 하였다.

"각하, 지금 저희들은 6·25 전쟁할 때처럼 모두 목숨을 걸고 혁명에 나섰습니다. 매그루더나 그린 대사 말처럼 반혁명군을 동원하면 목숨을 걸고 전면전을 할 각오가 되어 있습니다. 가장 강력한 전투 부대인 해병대와 공수특전단이 혁명군 주력입니다. 전방 전투 사단들 중 일부도 전투 태세를 갖추고 서울로 진주할 준비를 마쳤습니다. 각하께서 나서 주셔야 우리 군대끼리 전면전을 하는 사태를 막을 수 있습니다."

유 대령이 내 눈짓을 무시한 채 아직 미진한 듯 목소리를 높인다.

"각하, 아직 마음의 결정을 하지 못하셨을 테니까 일단 미군측의 반혁명군 동원 움직임이라도 막아 주셨으면 좋겠습니다. 미군도 우리가 반공 노선을 취하고 있음을 알고 있으니, 우리끼리 싸우는 최악의 사태는 발생하지 않도록 해주십시요, 자칫 김 일성만 좋아할 일을 벌여서야 되겠습니까?"

"알겠어요."

짤막한 그의 대답 속에 어느 정도 믿음이 가고 있다.

청와대를 나와서 곧바로 육본 혁명 지휘부로 돌아왔다. 작전팀과 요인 체포조를 긴급히 불러 모았다. 김 형욱 중령으로부터 상황 보고를 들었다.

"거사 비밀 누설로 인해 장 면 총리 체포는 물론 정부 요인들 체포, 구금도 대부분 실패하였습니다. 현 석호 장관, 한 통숙 장관 등 극히 일부 장관만이 현재 연금 중에 있습니다. 참 오늘 현 장관이 청와대로 가게 된 것은 장 총장이 박치옥 단장에게 현 정부 각료 중 한 사람이라도 함께 가는 것이 좋겠다고 해서 할 수 없이 놓아준 거라고 합니다. 청와대 갔다 온 뒤에 다시 서울시청에 구금하였습니다."

"저희들이 반도호텔로 쳐들어갔을 때는 장 총리가 금방 도피한 직 후였습니다. 808호실에 있던 장관과 비서진만을 체포할 수 있었습니다. 죄송합니다."

박 종규 소령이다.

"그래서, 지금은 어떻게 하고 있나?"

"총리가 미대사관이나 미 8군 영내로 피신했을 것으로 보고, 탐색 중입니다. 그 외에 장 총리가 갈 만한 곳은 모두 뒤져 봤습니다만 흔적이 없습니다."

행방이 묘연한 장 면 총리. 혁명 동지들이 촉각을 곤두세우고 찾는 중이다. 가장 가능성이 높은 미국 대사관과 사택, 미 8군 영내를 뒤지기가 쉽지 않다. 오늘 아침 오전 4시까지 반도호텔 집무실에 있었다는 점을 고려하면 잠깐 동안에 먼 지역으로 도피할 수는 없었을 것이다. 바로 길 건너에 있는 미국 대사관이나 대사관 관저, 미국인 사택에 있을 가능성이 가장 높다. 3시 이후에 혁명군이 진주하기 시작하면서는 미 8군 영내로 도피하는 것이 거의 불가능했을 것이다.

'장 면 총리는 지금, 어디서, 무슨 생각을 하고 있을까?'

'내가, 그 라면?'

도무지 정보가 없는 상황에서는 그의 마음을 따라잡을 수 있어야 한다. 독심술(讀心術), 관심법(觀心法). 도를 닦던 사람인 궁예가 관심법을 써서 상대방의 마음을 읽어 냈다고 했던가?

그는 일단 몸을 피해서, 혁명군에 사로잡히는 것을 면했다. 일단 성공한 셈이다. 그렇다면, 다음에는? 아마도 장 도영 총장이나 매그루더 사령관, 그린 대리대사, 휘태커 정치 고문 등을 접촉할 것이다. 혁명군이 서울 전역을 장악한 상태에서 차나 도보로 나다니기는 어려울 것이다. 주로 전화를 사용하거나 인편을 활용할 것이다. 체포조에게 장 총리가 갈 수 있는 모든 곳과 미국과 미군 주요 시설을 철저하게 감시토록 지시를 했다.

장 총리는 비록 황망하게 도피했다지만, 자신의 통치력을 발휘하고자 할 수 있다. 도피 직전까지 장 총장을 통해 우리의 군사 혁명을 저지하려고 시도했었다. 어쨌든 그는 노련한 정치인이자 국정을 총괄하는 총리다. 한국군 통수권을 가지고 있는 유엔군 사령관이자 미 8군 총사령관인 매그루더 장군이나 하루 전에 만났던 1군 사령관 이 한림 장군에게 병력 동원을 지시할 수 있다. 그렇다면 그가 어떤 방법을 사용해서 이들과 접촉할 것인가?

혹시라도 그가 정국 주도권을 잃지 않기 위해서 우리 혁명군 측에 직접 접촉을 시도할 가능성은 없는가? 장 총장을 통해서 건 아니면 혁명 동지들 중 누군가를 통해서라도 내게 접촉을 시도할 가능성은 없는가? 그가 적극적으로 나선다면 어떻게 대응하여야 할까? 짧은 순간에 여러 가지 생각이 머리를 스쳐 지나간다.

장 면 총리의 소재나 의중은 미국 그린 대리대사나 매그루더 사령관을 통해 유추할 수밖에 없다. 장 도영 총장과도 연락이 닿아 있을 수 있다. 도피하기 전에 장 총장과 연락을 주고받고 있었기 때문에 도피처에 대해 둘이 교감을 했을 수도 있다.

현재로서는 장 총장에게서 장 면 총리의 행방에 대해 어떤 낌새도 알아채기 어렵다. 어떻게 보면 장 총장도 총리의 행방을 전혀 모르고 있는 것 같다. 급히 도주했으니

장 총리의 행방이 묘연한 것에 대해 적극적으로 대처할 필요가 있다. 박원빈 중령이 말을 꺼낸다.

"각하, 장 총리가 체포될 것을 우려해서 꽁꽁 숨은 것 같습니다. 그렇다면 아예 장 총리를 철저히 도외시하고 혁명을 진행해 가시죠?"

"혹시라도 장 총리가 접촉할 수 있는 접근로를 철저히 통제하는 것도 방법입니다. 청와대, 장 총장 라인, 1군 사령부와 몇몇 반혁명 분위기를 띠고 있는 군단이나 사단 사령부와 연결고리를 감시하고 끊는 겁니다."

김 종필 중령이다.

"그럽시다. 오늘 윤 대통령을 만나 우리 의도를 충분히 설명하고 지지를 부탁드렸습니다. 아직 확답을 듣지는 못했지만 적어도 혁명 반대는 하지 않을 것 같습니다. 장 총리 라인을 철저히 통제하여 고립시킨 뒤, 윤 대통령을 활용하여 혁명을 진행시켜 갈 수 있습니다."

작전팀과 요인 체포조에게 정부 각료, 국회의원, 정당 간부, 정부 주요 보직자, 언론이나 금융, 기업의 주요 감독 대상자를 철저하게 연금 조치하도록 엄명을 내렸다.

마침 아침에 치안국 장악을 명령받고 나갔던 장 경순 장군이 힘차게 문을 열고 들어섰다.

"각하, 아무래도 제가 치안국을 맞는 것보다 헌병대 조직을 활용하는 것이 좋겠습니다. 조 흥만 장군에게도 얘기해 봤더니 흔쾌히 납득을 합니다. 그에게 맡기시죠. 저는 옆에서 각하를 돕겠습니다."

"음, 그래요? 그것도 좋은 방법이네. 어이 부관, 조 흥만 헌병사령관을 연결해 주게."

전화로 조 사령관에게 사정 설명을 하고 치안국을 맡아 달라고 지시를 했다. 그가 흔쾌히 승락을 했다. 혁명군이 출동한 상황에서 전국적으로 곳곳에서 치안 문제가 발생할 수 있다. 얼른 치안, 경찰 조직을 안정화시킬 필요가 있다.

12시경 조 흥만 장군이 치안국 인사명단을 가지고 나타났다. 일별하고 수정없이 그대로 발표하도록 조치했다. 석간신문에 명단이 발표될 것이다.

'치안국장 육군 준장 조 흥만. 서울특별시 경찰국장 육군 대령 이 광선. 경기도 경찰국장 육군 중령 정 수남. 강원도 경찰국장 육군 대령 박 영수. 충북 경찰국장 육군 중령 이 용기. 전북 경찰국장 육군 중령 정 만고.'

부관을 통해 방첩대의 이 철희 장군 호출을 명했다. 전화가 연결되었기에

"이 장군, 나 박이요. 방첩대가 이제는 좀 정신을 차렸나요?"

"죄송합니다. 이 상국과 장 도영이 하도 설치는 바람에 어쩔 수 없었습니다. 면목 없습니다."

"자칫 큰일 날 뻔 했다오. 아직 상황이 유동적이니, 나 좀 도와줘야겠어요."

"말씀만 하십시요."

"이 참에 공산당 간첩과 불순분자를 모두 잡아들입시다."

"무슨 말씀인지 알겠습니다. 공산당 간첩뿐만 아니라, 국회나 정부 및 정당의 반혁명분자, 언론과 학계 및 사회단체의 친공주의자들, 사이비 언론, 회색분자, 중립화 통일론자, 시위나 데모 선동꾼, 각종 반혁명 분자, 깡패, 부정부패자, 부랑자 등 모두 잡아 들여야 할 겁니다. 방첩대가 가지고 있는 정보만 활용해도 충분합니다."

"자유 민주주의를 빙자해서 사회를 어지럽히는 모든 놈들을 잡아들이세요. 부탁합니다."

드디어 뜻한 바 대로 힘을 써 보게 되었다.

시골구석 훈장 선생님 노릇을 때려치우고, 힘을 기르기 위해, 만주 벌판으로 홀홀 단신 떠난 뒤 이제서야 그토록 하고 싶었던 일들을 해 볼 수 있게 되었다. 제법 힘을 쓸 수 있게 되었다.

자, 한번 해 보자 !

깡패 소탕은 시민들에게 피부에 와 닿는 짜릿한 효과를 보여주었다. 무기력한 시민 입장에서 도무지 어쩔 수 없었던 불순분자. 시정잡배들을 일거에 제압할 수 있는 권력은 군부에만 존재하고 있음을 실감하였다.

길고도 먼 5·16

상황이 만만치 않다. 미군 측에서 적극적으로 혁명 반대 입장을 표명하고 장 총장을 통해 진압을 명령하고 있다. 도피해 숨어 있는 장 면 총리가 이들과 접촉하면서 반혁명 전선을 구축하고 있다는 느낌이 짙게 든다. 방금 만나고 돌아온 윤 대통령은 적극적인 반혁명 태도를 보이지는 않았지만 언제라도 변심해서 반혁명 전선에 가담할지 모른다.

이 석제 중령이 매그루더의 미군 방송 내용을 보여준다.

'매그루더 대장은 UN군 총사령관으로서 휘하 전 장병에게 장 면 국무총리가 영도하는 정당히 승인된 대한민국 정부를 지지할 것을 요망한다. 매그루더 대장은 한국군 수뇌들이 정부 당국에 통치권이 즉시 반환되고 군내에 질서가 회복되게끔 그들의 권한과 영향력을 행사하기를 바란다.

General Magruder, in his capacity as Commander-in-Chief of the United Nations Command, calls upon all military personnel in his command to support the duly recognized Government of the Republic of Korean headed by Prime Minister John M. Chang. General Magruder expects that the chiefs of the Korean Armed Forces will use their authority and influence to see that control is immediately turned back to the governmental authorities and that order is restored in the Armed Forces.'

노골적으로 반혁명군의 출동을 요청하고 있다. AFKN으로 오전 내내 방송하고 있다고 한다. 미 대사관도 비슷한 류의 성명서를 발표하였다.

혁명군의 기습 작전에 이어 이제는 우리가 확실히 우위에 서는 방법을 강구해야만 한다. 손자병법의 내용처럼 '적이 공격해 오지 않을 것이라고 믿지 말고, 적이 감히 공격할 엄두를 내지 못할 정도로 우리가 강력해야' 한다. 긴급으로 전체 군사 혁명회의를 소집했다.

"지금 상황이 녹녹치 않습니다. 비상계엄을 선포했다지만 아직 불안한 정국이 지속되고 있어요. 반혁명군을 동원할 수 있는 장 면 총리나 윤 보선 대통령, 미군측이 모두 우리에게 등을 돌리고 있어요. 장 도영 총장은 중간에서 오락가락하면서 우리를 불안케 하고 있습니다. 상황을 재점검하고 더욱 긴장해야만 하겠어요. 우선 전국적인 혁명군 상황은 어떤 가요?"

"각하, 제가 보고 드리겠습니다."

옥 창호 중령이다.

"대구 지역은 이 주일 장군 주도로 오전 3시에 병력을 출동시켜 대구 시내의 경찰국, 도청, 경찰서, 전화국을 모두 점령 완료하고 필요한 통신선을 제외한 모든 통신망을 차단 조치하였습니다. 이어서 도지사 관사, 경찰국장 관사도 모두 장악했습니다. 최 경록 사령관에게도 보고하고 지지를 얻어냈습니다. 하지만 최 장군은 장 총장의 전화를 받았는지 다시 태도가 변해 반혁명적 태도를 보이고 있다고 합니다.

부산 지역은 김 용순 장군 주도로 본부 중대 병력을 이용하여 주요 시설 점령 계획을 진행 중, 7시에 박 현수 군수기지사령관이 산하 지휘관 회의를 개최했습니다. 그는 혁명에 대해 관망 입장을 표하면서 각 부대의 출동 대기를 명한 채 하야리아 미군 부대 고문관 숙소로 잠적했다고 합니다. 9시 비상계엄령 선포를 계기로 혁명군이 계엄사무소 간판을 내걸고 혁명 지지 활동을 하고 있으나 본격적으로 주요 시설 점거를 하지 못하고 있는 중입니다. 오늘 정오 현재 부산 지역은 아직 완전하게 혁명군이 장악하지 못하고 있습니다.

충남 대전 지역은 제3군관구 사령관 김 계원 소장 주도로 5시 혁명 방송을 계기로 관내 모든 병력을 동원하여 도청, 형무소, 전화국, 대전역, 방송국 등 주요 시설을 장악하였습니다. 9시 비상계엄령 선포를 계기로 공식적으로 계엄 상태를 유지하고 있습니다. 논산 제2훈련소 최 홍희 장군도 병력을 동원하여 계엄 상태를 유지하고 있습니다. 충북 청주 지역은 제37사단장 김 진위 장군 지휘 아래 6시에 병력을 동원한 뒤, 순조롭게 계엄 상태를 유지하고 있습니다.

광주, 전남 지역은 제31사단장 최 주종 장군을 필두로 제1군관구사령관 김 익렬 소장, 상무대 전투병과 교육사령관 박 병권 소장, 육군보병학교장 최 창언 소장 등이 주도하여 관내 모든 주요 시설을 장악하고 9시 이후 계엄 상태로 돌입하였습니다.

진해 지구에서는 해군 군의학교장 오 원선 대령과 해병보급단장 한 예택 대령이 함께, 반발하는 진해 해병기지사령관을 연금하고 해군과 해병 지지를 받아 계엄 상태를 유지하고 있습니다."

"문제는 1군 사령부입니다. 상황이 심각합니다."

후방 지역 상황 보고를 듣고 있던 오 치성 대령이 심각한 표정으로 말을 꺼낸다.

"장 총장이 도발적으로 일을 그르친 덕분에 이 한림 1군 사령관과 김 웅수 6군단장, 정 강 8사단장이 반혁명군 동원 준비를 하고 있다고 합니다. 매그루더 미군 사령관이 적극적으로 진압군 동원을 독촉하고..."

순간 대다수 혁명 동지들이 긴장을 한다. 여기저기서 웅성웅성한다.

'무혈 혁명이기를 고대하고 있는 판에 반혁명군이라니. 애매한 입장을 취하던 이 사령관이 기어코 나를 등지는가? 김 소장이야 그럴 수 있다고 쳐도.'

마침 5군단 작전참모 이 종학 대령이 참석해 있다가 발언권을 얻어 나섰다.

"각하, 1군 사령관의 지시로 인해 6군단장 김 웅수와 산하 8사단장 정 강이 진압군 출동 준비를 완료하고 대기 중입니다. 김 웅수 장군은 육사교장 강 영훈 장군의 처남으로서 둘 사이에 반혁명 전선이 구축되어 있다고 생각합니다. 또 3군단장도 진압군 쪽에 서서 출동 준비를 완료하고 있다고 합니다."

긴장이 된다. 하지만 내 뜻대로 되지 않아 답답할 뿐 절망적인 상황이라고는 생각되지 않는다.

“각하, 6군단장이 새벽에 출동했다가 귀대한 홍 종철 대령과 최 원두 중령을 헌병 참모실에 감금 조치했다는 보고가 금방 들어왔습니다.”

김 종필 중령이 긴급 정보를 털어놓는다.

“뭐 야?”

그대로 두어서는 안 되겠다는 생각이 든다.

“이 중령. 5군단은 어떻게 하고 있나?”

“예, 박 임항 군단장께서 각하를 찾아뵙고 지시를 받아오라고 해서 제가 급히 상경했습니다. 사령부에서는 진압군을 편성하라고 불호령이 떨어지고 이웃에 있는 부대들도 움직임이 심상치 않아서 어떻게 해야 할 까 걱정하고 있습니다.”

“으음? 어떤 상황인지 짐작이 갑니다. 이 중령은 곧바로 돌아가서 5사단 병력을 서울로 출동시키세요. 군단장은 현지에 남아서 혁명 동지들과 함께 1군 사령관은 물론 전방 전투 군단과 사단장들을 적극적으로 설득하라고 하고. 혁명을 지지하도록 하면 좋겠지만 안 될 경우에는 중립 상태로 만들라고 하세요.”

이 중령을 회의 도중에 급히 자리를 뜨도록 했다.

“자, 본부의 혁명 동지들이 좀 더 공격적으로 나설 때야. 본부 차원에서 행정 처리하는 일도 중요하지만, 일단 군사혁명위원회와 계엄령을 대국민 선포한 상태이기 때문에 조금 숨을 돌릴 짬이 있어요. 지금 미군이 우리를 불신해서 혁명 진압 입장에 서 있고, 1군 측에서도 일부 반혁명군이 편성되고 있어요. 내가 보기에 대단한 위력은 없어.

우선 육사 기수별로 책임을 할당하여 1군 내 거의 모든 전투 군단, 사단,

포병단의 현장 지휘관들을 포섭해. 현재 분위기로 봐서는 대부분의 현장 부대 지휘관들은 혁명 지지 성향이 강하다고 봐요. 30대 초반의 영관급 장교나 20대 위관급 장교들은 현 시국에 대한 반발과 국가에 대한 충성심이 남달라. 절대 흔들리지 말고 전 군을 우리 혁명 지지로 만듭시다."

강한 어조로 단단히 지시를 했다.

"모두 알겠나?"

"옛 서얼. 알겠습니다. 반드시 해내겠습니다."

혁명 동지들의 힘이 넘친다. '이미 대세는 우리 편이다'라는 자신감이 넘친다.

"1 군 사령부 조 창대 중령과 연결되나? 상황이 긴박하지 않으면 혁명 본부로 직접 올라와 보고하도록 해."

"각하, 좀 전에 조 중령과 통화했습니다. 새벽에 장 총장으로부터 혁명 소식을 접한 이 한림 장군이 미군 수석 고문관 자브란스키 준장과 긴급 회의를 한 뒤, 8시 경에 반혁명군 출동 준비를 산하 각 군에 지시하였다고 합니다. 1군단장 임 부택 소장, 6군단장 김 웅수 소장이 적극적으로 움직이고 있습니다. 1군단 산하 제505 수송단, 보병 1사단, 9사단, 11 사단, 가평 제5전차 대대 등이 출동 준비 완료 보고를 해왔다고 합니다."

보고를 들으면서 입맛이 쓰다.

"오늘 중으로 5사단 병력이 서울로 출동해야 해. 설령 서울까지 출동치 못하더라도 서울 외곽의 의정부, 퇴계원 라인까지 만 움직여도 효과가 클 거요. 그래야만 미군이 함부로 전방 병력을 동원하려고 하지 못할 겁니다. 혁명군이 압도적인 우세를 점할 필요가 있어."

모두가 긴장을 한다. 혁명이 안착을 하려면 1군과 미군의 움직임을 사전에 차단해야만 한다. 그들이 실질적으로 병력을 동원하는 순간 선제적으로 공격에 나설 참이다. 그야말로 최악의 유혈 혁명으로 돌입하게 된다.

"각하, 육사 11기 대위들이 주축이 되어 추진 중인 육사 생도들의 혁명 지지 행진 계획이 강 영훈 교장의 방해로 무산되었습니다. 강 교장은 김 웅수 장군과 함께 반혁명군의 중심에 서 있습니다."

'이게 뭔 소린 가' 싶다. 강 영훈도 현 시국을 제대로 읽지 못하고 있다는 말인가? 평소에 제법 지혜롭다고 생각되는 몇 안 되는 지장(智將) 중 하나라고 여겨왔던 사람이다. 장 총장이나 김 웅수, 이 한림과 말을 섞고 있음이 틀림없다.

회의를 하는 동안에 긴급히 할 일이 생각났다. 혁명군을 서울 전역에 재배치하는 일이다. 곧바로 출동 병력 부대장들을 소집했다. 그리고 김 윤근 장군을 서울 방어군 사령관으로 임명하고 박 원빈 중령을 참모장으로 하여 병력을 재배치하도록 지시했다.

서울시경에 있던 해병대는 점령 지역을 육군 헌병과 경찰에 인계하고 남산에 있는 국회의사당 신축공사장으로 이동 배치했다. 기동 타격 부대의 역할과 함께 남산 일대의 경비와 태릉 방면으로부터 있을 수 있는 반혁명군의 공격에 대비토록 했다. 서울시청과 반도호텔 중심으로 포진했던 공수단은 전 병력을 덕수궁에 집결시켜 시내 요소의 기동 순찰을 담당케 하였다.

제33사단은 예비대인 제100연대는 미아리 고개의 좌우측, 제101연대는 왕십리 다리 좌우측, 제102연대는 중량교 근처 좌우측을 경비하기 위해 이동시켰다. 잔여 포병단과 제32 경비 중대는 사단 본부와 함께 서울 운동장에 집결하여 예비대로서 대기토록 했다. 6군단 포병단은 육본 광장에 주둔하여 혁명위원회의 경비를 계속 담당한다. 제30 사단 병력은 서대문 영천, 녹번리 3차로 지역에 주력을 배치하고 중앙청, 청와대 주변에서 경비 임무를 수행토록 하였다.

청와대를 담당하고 있는 혁명군 정보에 의하면 내가 청와대를 나오고 난 직후에 윤 대통령이 그린 대리대사와 매그루더 사령관을 초치하였다고 한다. 담화 내용을 상세히 알 수는 없지만, 아마도 미군측이 지나치게 과격한 태도를 보이면서 반혁명군 동원을 지시하고 있는 사태에 대한 우려를 표명했던 것 같다.

노련한 정치가인 윤 대통령은 현재 처해 있는 상황을 정확하게 보고 있을 것이다. 우리 혁명군이 결코 만만하지 않다는 점과 결단코 병력을 철수하지 않을 것임을 확신하고 있다. 그런 상황에서 전방 병력을 동원하는 일은 상황을 극단적으로 악화시킬 뿐이라는 사실을 누구보다도 정확하게 판단하고 있다.

정작 놀라운 일은 오후 4시 30분에 일어났다. 부지런히 이곳저곳을 들락거리던 장 도영 총장이 상황실로 들어서더니, 갑자기

"자, 자, 모여들 보세요. 지금 상황에서 최선은 제가 여러분들의 뜻에 따르는 것이라고 생각합니다. 좋습니다. 함께 제대로 된 군사 혁명을 해 봅시다."

옆에 있던 내게 기분 좋은 얼굴로 악수를 청해 온다. 손을 맞잡으며 오히려 내가 당황스러워진다.

'이 양반이 ?'

그동안의 태도가 갑자기 바뀌니 오히려 내가 어안이 벙벙해진다. 그래도 졸이던 가슴이 조금은 시원해지는 느낌이다.

"잘 생각하셨습니다. 이제부터 우리들의 리더가 되셔서 혁명 과업에 앞장서 주십시요."

모두가 기분 좋은 얼굴로 장 총장에게 환호를 보낸다.

이제 우리의 군사 혁명이 명실상부하게 진행될 수 있을 것 같다.

총장이 문을 열고 자기 집무실로 돌아가는 것과 동시에 몇몇이 내 주변으로 모여든다.

“각하, 우리가 그토록 원하던 일이고, 잘 된 일이라고 생각하면서도 왜 그런 지 찜찜하네요.”

김 재춘, 김 종필, 이 석제 모두가 비슷한 표정을 짓고 있다. 그토록 애걸하다시피 혁명군 대장이 되어 달라고 할 때는 주저하고 우물쭈물하더니, 갑자기 태도가 바뀐 이유가 무엇일까? 오늘 중에도 몇 번이나 미군 영내를 들락거렸었다. 반혁명 노선을 취하고 있는 미군측과 '무언의 약속'이라도 한 것이 아닐까?

장 총장이 위원장직을 수락함으로써 오늘 새벽부터 시작된 혁명 군 동원, 군사혁명위원회 선포, 혁명 포고문, 비상 계엄령 관련 건은 절차 상 정당성을 갖게 되었다. 이제부터는 그를 앞 세워 1군의 반발과 미군측의 도전을 극복해야 할 판이다.

장 총장은 군사혁명위원회 의장 겸 계엄사령관으로서 혁명 과업 완수를 위한 정무 관계(政務關係)는 내가 중심 역할을 하고, 계엄 업무에 대한 것은 육군 참모차장 장 창국 중장에게 맡긴다고 결정해 발표하였다.

혁명 첫 날의 하루가 길게 느껴진다. 잠 한 숨 자지 못한 덕분에 피곤이 엄습하며 눈이 제대로 떠지질 않는다. 의자에 앉은 채, 잠시 눈을 붙인다. 군관학교 시절부터 토막잠을 즐겨 왔다. 왁자지껄한 상황에서도 자기 최면(自己催眠)을 걸어 '꿀 잠'을 잔다. 누구도 흉내 내지 못할 나만의 장점이다.

“각하, 미군측의 움직임이 심상치 않습니다.”

머리가 개운해짐을 느끼면서 눈을 뜨는데, 기다렸다는 듯이 김 재춘 대령이 문을 열고 들어섰다.

“미 8군 영내에 있는 동지들의 보고에 의하면 매그루더 사령관이 미 8군 전체에 비상을 발령하고 출동 대기 명령을 발동했다고 합니다.”

서서히 오기가 발동한다.

‘이 작자가 미친 것 아니야? 정말로 해보겠다는건가?’

5.16 군사혁명 1주년 기념식(1962.5.16.)

위기 일발! 5 · 17

부사령관 실에 놓인 야전 침대에서 자는 둥 마는 둥 하다가 새벽에 잠을 깼다. 머리 속이 복잡하니... 상황실로 나오니 탁자 위에 어제 석간과 오늘 조간 신문이 수북이 쌓여 있다.

'뭐라고 했나?' 궁금해서 펼쳐 들었다. 몇몇 기사가 눈길을 끈다.

'... 비교적 키가 작고 매서운 얼굴의 주인공인 박 장군은 청빈하고 정직을 「못토」로 하는 군인으로서 정평이 있어 때로는 불우한 처지에도 놓여있었다 육군본부 작전참모부장에 기용 되었었으나 당시 육군 참모총장 최경록 중장에 의하여 후방으로 전임 되었었다.'(이하 조선일보 1961년 5월 16일 자 조간과 석간)

나를 은근히 불평불만자로 묘사하고 있다. 세상의 평이 그러니 기자로서는 들은 대로 적었을 것이다. 미군과 유엔군측 반응이 몇 가지 실려 있다.

'유엔군 당국은 이날 새벽 전 유엔군에 청색 경계경보를 내렸다. 청색 경계경보는 영내 비상경비를 말한다.'

'미 제8군 사령관 매그루더 대장은 한국 군사혁명에 관하여 불간섭주의(不干涉主義)를 취하고 주한 미군 자체의 경비 강화에 힘쓰며 모든 미군들은 그들의 병영 내에 머물도록 명령하였다...'

'【워싱톤 16일 발 UPI특전(特電)=동양】 '질서 있는 해결 희망' 미(美)의 개입엔 신중성 강조. 미 의회는 16일 발생한 한국 쿠데타에 깊은 관심을 보였다. 미 의회 지도자들은 미국은 동 사태 개입에 신중을 기해야 한다고 언명하였다.

윌리암 풀브라이트 미 상원 외교위원회위원장은 전모(全貌)를 파악하기 전까지는 사태 개입에 미국은 신중을 기해야 한다고 언명하였다. 상원 민주당 원내총무 마이크 맨스필드 의원은 '현재로서는 불간섭책을 택해야 하며 사태의 진전을 주시해야 할 것이라'고 말하고 『유혈 참극(流血慘劇)과 무질서 상태를 극소화』 시킴으로써 동 사태가 해결되기를 바란다고 피력하였다. 상하원의 간부 의원들도 역시 사태가 명백해질 때까지 조급한 판단이나 미국 개입을 삼가도록 경고하였다.'

미국측 반응이 온통 신중 모드다. 그렇다면 현재 매그루더나 그린 대리대사의 행동은 과민 반응이다. 지난해 이 승만 대통령이 학생 시위 사태로 하야할 때 전혀 입장 표명이 없었다. 이 승만 정부의 몰락을 기다린 듯한 태도를 취했던 매그루더와 미 대사관이다. 이 승만 대통령이 쫓겨난 뒤 현재의 민주당 정부 하에서는 금방이라도 공산화가 진행될 듯한 위태위태한 상황이 연속되고 있다.

미국측이 반공산화를 원한다면 당연히 우리의 반공 혁명을 적극적으로 환영해야 하는데, 현재 상황은 그렇지 못하다.

미국 내 정치권의 여론 동향을 보면 매그루더와 그린 대사의 반혁명 노선은 분명이 '경거망동'에 해당한다. 그들의 독단적 판단일 뿐, 한국민 전체의 의사를 반영하거나 미국 여론을 반영한 처사가 결코 아니다.

장 면 총리가 뒤에 있음이 분명하다. 민주당 정부보다도 장 면과의 개인적 친분이 그들을 반 혁명 선 상으로 내몰은 것 같다. 장 총장의 애매한 태도도 그들을 잘못 판단하게 만들었을 것이다.

미국 내 여론이 어떤 가를 분명하게 알았다. 그렇다면 우리의 혁명군이 확실하게 우위를 점하게 되면 매그루더 장군 등은 스스로 꼬리를 내릴 것이다.

눈을 확 뜨이게 하는 반가운 소식이 실렸다.

“【워싱톤 15일 발 UPI=동양(東洋)】 전 한국 육군 참모총장 송 요찬 중장은 15일 서울에서 그의 전 하급자(前下級者)들이 일으킨 군부 쿠데타를 지지하면서 '한국을 공산주의로부터 수호하기 위하여 필요한 것'이라고 말하였다. 송 장군은 장 면 총리와 그의 내각은 머리로부터 밑바닥까지 부패하고 비효율적이었다고 비난하고 '만일 이러한 상태가 계속되면 혼란이 일어나 공산주의자들이 지지를 받고 나라를 장악할 수 있는 길을 열어주게 되었을 것'이라고 말하였다.

최근 해임된 또 한 사람의 전 육군 참모총장 최 영희 중장은 '군부 쿠데타 보도는 믿을 수 없다'고 말하였다. 최 중장은 현재 「죠지 워싱톤」 대학에서 수학 중이다.”

역시 내가 믿고 있는 송 장군이다. 그에 비하면 최 영희는 쪼잔한 소인배에 불과하다.

기사 중에는 '유엔 한국통일부흥위원단이 군부 쿠데타에 의하여 장면 정부가 전복되었다는 사실을 다그 함마슐드 유엔 사무총장에게 보고하였다'는 기사도 있었다.

배가 고파서 뭘 좀 먹어야겠다는 생각이 드는 바로 그 순간, 김 형욱 중령이 벌컥 문을 열면서 들어섰다. 긴급 회의가 필요하다고 나를 상황실로 이끈다.

그의 보고에 의하면 아침 7시. 매그루더가 긴급 참모회의를 소집하였다. 회의를 통해 혁명군의 원대 복귀를 명령하는 동시에 1군 산하 병력 일부와 미군 1개 기갑사단 병력을 동원하여 본격적으로 혁명군 진압을 시도하겠다고 결정했단다. 순간 모든 혁명 동지들이 경악을 금치 못한다.

매그루더는 곧바로 이 한림 사령관과 미군단장 라이언 중장에게 전화 지시를 했다. 미군측에서는 특히 매그루더는 우리의 혁명을 극소수 불평불만 군인들의 반란 정도로 치부하고 있음이 분명하다. 아니면 10여 년 전 내가 봉변을 당했던 '빨갱이 전력'을 여전히 문제 삼고 있다고 보여 진다.

우리가 분명하게 반공 혁명임을 서두에 강력하게 제시했음에도 이를 철저히 무시하고 있다.

아침 일찍, 장 총장이 또 다시 매그루더에게 불려 갔다. 돌아온 장 총장은 매그루더의 강력한 요청이라면서 우선적으로 포병 5개 대대 병력을 즉시 귀대시키겠다고 나섰다. 당연히 혁명군의 전면 철수를 전제로. 나는 이게 뭔 소리인가 귀를 의심했다.

“그게 무슨 소립니까?”

이런 얘기를 부관으로부터 전해들은 문 재준 단장을 중심으로 영관급 지휘관들이 총장실로 쳐들어왔다.

“미군과 1군 내 반혁명 세력이 준동하고 있는 상황에서 우리 포병단을 귀대 조치하겠다니 이게 말이 됩니까?”

백 태하, 김 인화, 구 자춘, 신 윤창, 정 오경 중령 등이 입에 거품을 문다.

“홍 종철 대령이 귀대하자마자 6군단장에 의해 강제 구금되었습니다. 이것도 혁명군을 분열시키고 각개 격파하려는 의도가 아닙니까?”

“아니요. 매그루더는 6군단 포병단이 귀대하는 것을 조건으로 우리의 혁명을 지지하겠다고 말했어요. 내가 누차 확인한 바요.”

“어림도 없는 얘기입니다. 매그루더 의도가 너무 의심스러워요. 우리는 절대 귀대할 수 없습니다.”

그들이 문을 쾅 닫고 밖으로 나가 버렸다. 옆에 있던 나도 어이가 없어 말문을 열지 못하고 있는 사이에 벌어진 일이다.

“총장님, 우리 혁명군 지도자가 되기로 결심을 한 것이 바로 이런 이유때문입니까?”

혁명군 대장이 됨과 동시에 우리의 힘을 빼는 일부터 시작하고 있다. 곰곰이 생각하니 장 총장이 여전히 우리에게 '불량품 뇌관'에 불과하다.

“총장님, 혹시 장 총리 소식을 알고 계십니까? 장 총리가 미군측과 연락하면서 반혁명 전략을 구사하고 있는 것은 아닙니까?”

그의 태도가 의심스러워 슬쩍 질문을 던져 본다.

“아직 오리무중이요. 미군측도 알고 있는 것 같지 않아요.”

전혀 모르고 있는 눈치다.

상황실에서 화가 나서 씩씩거리는 포병단 지휘관들을 달래고 있는데 원주에서 조 창대 중령이 전화를 걸어왔다.

“각하, 사령관이 12사단으로 가서 참모장 황 헌침 준장으로 하여금 1개대대 병력을 1군 사령부 호위를 위해 출동하도록 지시했습니다. 어쩔 수 없어서 12 사단으로 이동 중입니다.”

“그래애? 걱정하지 말고 도착 즉시 박 춘식 사령관에게 보고하고 상의하시게.”

박 사령관은 혁명군 주력 중 하나다. 이 한림이 제대로 상황 파악을 하지 못하고 있음이 분명하다. 그와 통화를 마치고 나자마자 1군 헌병부장 박 태원 대령이 전화를 해 왔다.

"각하, 사령관이 12사단 병력 출동을 명했지만, 저와 정 봉욱, 허 순오, 최 내현 대령, 심 이섭, 박 용기, 엄 병길, 이 종근 중령 등과 함께 사령관을 설득하여 취소토록 했습니다."

"수고했어. 어찌 보면 이를 계기로 12 사단 병력 출동이 자연스럽게 이루어질 수도 있었어. 아쉽기는 하지만 잘 된 일이네. 이 한림이 생각을 바꿨다는 얘기는 1군 사령부 내의 혁명 분위기를 제대로 감지했다는 뜻이기도 해. 하여튼 이 한림 감시 잘 부탁해."

"넷. 충성! 절대 차질 없도록 경계하겠습니다."

이제는 전면전이다. 윤 태일 장군을 불렀다.

"지금 당장 양평 제9사단 사단장으로 부임하여 부대를 장악해 줘야 겠어. 5사단이 의정부 방면의 반혁명군 진입을 차단한다면, 가장 위험한 부대가 9사단일세. 군사혁명위원회 의장 및 계엄사령관 장 도영 이름으로 발령장을 만들어 가시게. 바로 출발해."

"알겠습니다. 그래도 일단 1군 사령부를 거쳐야 할 겁니다. 사령관과 사단장이 서로 말을 맞추고 있을 테니까요."

"당신 판단에 맡기겠어."

그가 기운차게 차에 올라 출발했다. 작전팀에게 지시하여 5사단 병력 출동을 독려토록 지시했다. 미군측이 나서기 전에 확실한 우위를 점해야 한다.

요로에서 수시로 상황 정보가 들어왔다. 김 종필 중령이 1군 내에 배포된 사령관 성명서를 들고 들어왔다.

"<1군 장병에게 고함> 친애하는 1군 장병 여러분. 이미 여러분은 신문 방송을 통하여 바야흐로 격동하고 있는 조국의 현실을 주시하고 있을 것입니다. 이와 같은 긴박한 국가 정세에 감(鑑)하여 군은 국가의 장래와 민족의 보위를 위하여 다음 몇 가지를 애국 청년 장병 여러분의 애국심에 호소하는 바입니다.

1. 여하 한 국내 정치 정세 하에서도 우리의 적은 공산도당임에 변함없으며, 이 적과 대치하여 조국을 방위함이 또한 우리의 기본 사명임을 재삼 명심하여, 전 장병은 현재의 위치를 고수하고 추호의 동요도 없이 대적 경계를 엄중히 하고 교육훈련을 철저히 할 것.

2. 각급 지휘관은 여하 한 정치적 동요에도 엄중히 중립을 견지하여 군 본연의 국토방위에 전심전력할 것.

4294년 5월 17일 1군 사령관 중장 이 한림 ”

엄정 중립을 선언하고 있다. 그가 쉽사리 진압군 편에 서지 않겠다는 의지가 엿보인다. 하지만 혁명 이전부터 그의 태도는 항상 애매하기만 했다. 그의 혁명에 대한 첫 반응에 비춰 볼 때 참모진의 혁명 의지가 어느 정도는 반영된 상태로 보여진다.

이에 앞서 오전 8시, 이 사령관은 12 사단 1개 대대 병력 차출을 지시함과 동시에 6군단 포병단의 귀대 조치, '부대 이탈자 보고'에 대한 육본 건의를 명령했다. 매그루더, 장 총장과 같은 입장에 서 있음이 분명했다. 그의 건의에 따라 육군 본부 인사 참모부장은 1군 내 모든 부대에 이탈자 보고를 지시했다.

6군단 군단장 김 웅수가 발빠르게 부대 이탈자 정보를 육본으로 상신하였다는 보고를 받고는 진한 역겨움이 느껴졌다. 서울에 출동한 6군단 포병 5개 대대의 장교 70 명의 명단과 사병의 계급별 인원이 이탈자로서 1군 사령부 보고를 거쳐 육본으로 보고되었다.

‘당신이 어디까지 내게 비수를 들이밀까 궁금해지는 군. 끝까지 해보자는

거지.'

그는 8사단장 정 강과 함께 반혁명군 출동 준비에 만전을 기하면서 자신 휘하의 포병단 단장과 대대장들을 보직 해임 조치하였다.

오후 늦게 매그루더가 직접 원주로 이 한림을 찾아갔다는 정보가 들어왔다. 40여 분간 둘이 밀담을 나누었다. 결론은 '혁명은 국민 전체의 의사가 아닌 비법적인 행동이니 즉시 진압해야 한다'는 것이었다. 매그루더도 이제는 이 한림으로부터 사령관이 혁명군에 포위되어 있다는 사실을 전해 들었을 것이다. 이 장군이 어느 정도나 적극적으로 매그루더 사령관에게 동조했는가 궁금했다.

매그루더가 자리를 뜨고 얼마 안았다가 윤 태일 준장이 이 사령관을 찾아 갔다. 9사단장 취임을 통보하고 협조를 부탁했다. 물론 혁명의 목적과 필요성, 진행 상황을 전하고 혁명 지지를 부탁하면서. 이 사령관은 완고하게 버티며 불가 입장을 표했다.

윤 장군은 저녁 늦게 상황실로 돌아왔다. 보고를 하면서, 이 장군이 자신이 소외되고 있는 혁명 상황에 '매우 불쾌하다'는 인상을 가지고 있다고 전했다. 그가 나와 직접 협상을 하자는 역제안을 해 왔다고 한다.

'이제 와서 협상이라니'

궁지에 몰린 쥐가 번지수를 잘못 찾고 있는 것 같다. 윤 준장에게는 내일 다시 9사단장 취임을 강행하라고 지시했다.

1군 사령관은 윤 준장이 떠난 직후에 관내 혁명 동지들의 방문을 받았다. 동지들의 간곡한 혁명 지지 설득에 '마지못해서(?)' 200여 명의 전 장병을 연병장에 모아 놓고 혁명 지지를 선언했다.

"<성명서> 본인은 제1군 사령관으로서 군사혁명을 전 장병과 더불어 지지하는 바이다. 우리 제1 군 휘하 전 장병은 왕성한 사기로서 전선 방위 임무에 완벽을 기하고 있다. 또한 본인은 국가와 민족의 장래를 위하여 혁명 완수에 헌신할 것이며 전 장병은 일치단결해 주기 바란다. 4294년 5월 17일. 제1군 사령관 중장 이 한림”

그러나 그의 30여 분간에 걸친 장황한 연설 속에는 혁명에 순응하지 못하겠다는 의지가 드러나고 있었다. 실패한 알제리 군사 혁명을 예로 들면서, '혁명은 좋지만, 우리 야전군의 의사를 물어보지 않았다.' '그러니까 우리 야전군에도 군사혁명위원회가 구성되어야 한다.' '군인은 절대로 정치인이 될 수 없다.' '미국도 이번 혁명을 찬동하지 않고 있다.'

상황 보고를 들으면서 그가 결코 만만치 않음을 인지한다.

“각하, 조 재천 내무부 장관과 오 위영 무임소 국무위원을 부산에서 체포하여 서울로 압송 중입니다.”

어제 오후에 <포고 제4호>를 발령하고 정부 요인 체포에 만전을 기하라고 지시한 효과가 나타나고 있다. 김 용순 장군의 지시를 받은 헌병부장이 동래 대성관에 숨어있던 조 재천 장관을 체포하였고, 오 위영 장관은 그의 집에서 체포하여 무궁화편으로 서울로 압송하였다.

“<포고 제4호> 군사혁명위원회는 조국의 현실적인 위기를 극복하고 국민의 열망에 호응하기 위하여 다음과 같이 포고한다. (1) 군사혁명위원회는 단기 4294년 5월 16일 오전 7시를 기해서 장면정부로부터 일체의 정권을 인수한다. (2) 현 민의원과 참의원 그리고 지방의회는 단기 4294년5월16일 하오 8시를 기해서 이를 해산한다. 단, 사무처 요원은 존속한다. (3) 일체의 정당, 사회단체의 활동은 차(此)를 금지한다. (4) 장면 정권의 전 국무위원과 정부 위원은 체포한다. (5) 국가 기구의 일체 기능은 군사혁명위원회에 의해서 이를 정상적으로 집행한다. (6) 모든 기관과 시설의 운영을 정당화하고 여하한 폭력 행위도 이를 엄단한다.”

전직 장관들을 체포하여 국무회의실로 인치(引致)하였다는 보고를 받았다. 조 재천 내무, 주 요한부흥, 한 통숙 체신, 현 석호 국방, 오 위영 무임소

장관 등이다. 연금이라고 하지만 가족이나 비서진과의 면담이 허용되었고, 주 요한 장관의 경우에는 그린 주한 미 대리대사와 전화 통화할 정도로 자유로웠다. 치료 중인 윤 택중 문교부 장관은 병원에 연금시켰다. 장 총장이 연금 중인 국무위원들을 찾아뵙고 사정 설명을 했다.

부관이 긴급히 방문을 열고 들어섰다.

"각하, 미군에서 헬기를 띄워 서울 전역의 혁명군 분포 상태를 점검 중입니다."

일촉즉발(一觸卽發) 상황이 전개되고 있다는 느낌이 든다. 참으로 많은 일들이 전개되었던 5월 17일 저녁이 길게 드리워지고 있다.

나의 인내심을 극한까지 끌어 올리고 있다는 생각이 든다.

도전을 받으면 받을수록 단단해지고 냉정해지는 인간 박 정희가 내일 5·18을 준비하고 있다.

저녁 식사를 마치고 몸을 쉬고 있는데 유 원식 대령이 나타났다.

"각하, 윤 대통령께서 야전군 사령부와 전투 부대가 진압군 출동 준비를 하고 있다는 보고를 받자마자 친서(親書)를 작성하여 비서진을 두 개로 나누어 직접 지휘관들에게 전달하게 했습니다."

윤 대통령다운 결정이다. 그는 혁명군의 의지와 세력을 충분히 인지하고 있는 상황에서 자칫 벌어질지도 모르는 우리 군대 사이의 내란 상태를 우려하고 있다. 혁명위원회 주선으로 여의도 비행장에서 L-19 항공기를 제공해 주었다.

'이제는 혁명의 8부 능선은 넘어선 것 같다.'

이 한림을 체포하라 !

'두드드드...'

갑자기 머리 위에서 헬리콥터 소리가 요동치듯 들려왔다. 웬일인가 싶어 창밖을 바라보니 헬리콥터가 낮게 떠서 미8군 영내로 가라앉는다. 미군 쪽에서 웅성거리는 소리가 들려온다.

"각하, 이제는 이 한림을 체포할 때가 되었습니다. 미군 움직임이 심상치 않습니다."

오 치성 대령이 급하게 방문을 열고 들어서면서 말을 꺼냈다. 윤 태일, 김 종필, 이 석제, 김 형욱, 박 종규 등 혁명 동지들이 뒤따라 함께 들어섰다. 1군 조 창대 중령까지 모습이 보인다.

"매그루더가 설치는 이유 중 하나가 이 한림을 믿고 있기 때문입니다. 오늘 원주를 다녀온 이후로 8군 전체에 비상을 발하고 병력을 출동 대기시켰습니다. 6군단장 김 웅수와 8사단장 정 강도 완벽하게 출동 준비를 마치고 대기 중입니다. 전화 감청한 바에 의하면 정 강이 이끄는 8사단 병력을 서쪽 홍제동 방면과 동북쪽 미아리 쪽으로 진출시키고, 미 8군 제1기갑 사단이 지원하기로 했답니다. 또 육사 병력을 청량리 방면으로 동원하고, 서울 시내에 있는 미 8군 병력을 총동원하여 육군 본부를 포위 공격하기로 전략을 세워 놓고 있습니다."

오 대령의 보고를 들으면서 모두가 침통한 표정으로 긴장을 한다.

이 모든 것이 육본에 진출해 있는 6군단 포병단을 귀대 조치함과 동시에 18일 새벽을 기해 전격 진행될 예정입니다.

"뭐 얏! 장 총장이 그렇게 강력하게 밀어 붙이던 포병단 철수가 이것과 연계되어 있었네."

김 형욱 중령이 화를 벌컥 내면서 소리친다.

“이게 말이 됩니까? 장 총장이 끝까지 배신을 때리다니!”

모두가 할 말을 잊는다. 미 8군에 대한 화가 장 총장에게로 옮겨 붙었다. 조금 전 7시, 매그루더를 만나고 돌아온 장 총장이 '6군단 포병 5개 대대를 18일 새벽 4시까지 원대로 복귀시키겠다'고 속내를 내보였었다. 그는 미군 측에 갔다 오기만 하면 마음이 변해 우리를 힘들게 하고 있는 중이다. 오늘 하루 동안에도 여러 차례 우리와 부딪치고 있다.

이제는 결단을 내릴 때가 되었다. 장 도영 총장 때문에 혼란이 있었고 결단이 늦어진 감이 있다. 이제 장 총장이 위원장 역할을 하기로 마음을 정했고, 윤 보선 대통령이 친서(親書) 전달을 통해 반혁명군 출동을 저지하고, 잠정적으로 혁명 지지로 돌아선 마당에 주저할 필요가 없다. 머뭇거리다가는 매그루더의 전략에 말려들 것 같다.

오후 8시를 기해 모두 상황실로 집결토록 했다.

“이제 혁명을 완성하기 위한 전쟁을 시작합시다. 반혁명 세력을 척결하고 매그루더를 꼼짝 못하게 족쇄를 채우자구. 자, 지금부터 모두 5개조로 나누어 행동한다.

(제1조)는 김 윤근 장군과 박 원빈 중령이 책임지고 서울 방어 전투태세로 들어간다. 6군단과 8사단, 미 제1 기갑사단 병력 출동에 적극 대비한다. 박 치옥 대령의 공수단과 문 재준 대령 중심의 6군단 포병단은 육군본부를 철통 경계한다.

(제2조)는 김 형욱, 유 승원, 김 동환, 길 재호 등 본부 작전팀과 조 창대, 이 종근, 심 이섭 등 1군 내 혁명 동지들이 주축이 되어 지금 즉시 이한림, 김 웅수, 정 강 체포를 단행한다. 18일 오전까지 모두 체포하여 서울로 압송한다.

(제3조) 윤 태일, 송 찬호, 채 명신, 박 춘식, 이 원엽 등이 중심이 되어

철원 5사단 병력을 퇴계원을 거쳐 서울 동대문 지역으로 이동 주둔하고, 양평 9사단 병력을 왕십리까지 출동시켜 포진한다. 12사단 병력은 원주와 춘천으로 진출하여 전방 반혁명군의 출동을 저지한다. 2군단장 민 기식 장군으로 하여금 춘천 방송국을 점령하고 전방 부대와 국민들께 혁명 지지 방송을 하도록 한다.

(제4조) 장 도영, 유 양수, 김 종필, 장 경순, 한 웅진 등을 중심으로 미군 지휘부와 미 대사관을 집중적으로 공략한다. 매그루더나 그린이 꼼짝도 못할 정도로 묶어 두고 반혁명 세력과 접촉할 수 없도록 방해 공작을 꾀한다.

(제5조) 김 재춘, 유 원식, 이 석제 등은 윤 보선 대통령을 활용하여 반혁명 세력의 준동을 철저히 감시한다. 또 박 종규, 차 지철 등 장 면 체포조는 더욱 철저하게 장 면 총리 체포에 집중한다.

조 중령은 즉시 귀대하여 혁명 동지들과 상의하여 오늘 밤에 이 한림을 체포하여 서울로 압송해. 절대 실수하지 않도록 유의하고."

"충성! 명령대로 수행하겠습니다."

조 중령이 힘차게 경례를 붙이고 먼저 자리를 떴다.

현 상황에서 미군이 자체 병력만으로 혁명군을 공격할 수는 없다. 그렇게 되면 한국군과 유엔군이 정면충돌하는 것으로 미국측으로서는 전혀 고려 대상이 아니다. 미군이 요란스럽게 설쳐대는 것은 외면적으로 우리 혁명군을 위협하기 위한 것일 뿐이다. 중요한 것은 우리 한국군측 반혁명군이다.

"미군이 독자적으로 우리를 공격할 가능성은 없다고 봅니다. 매그루더는 전방 전투 사단을 동원하기 위해 어제부터 1군 사령부를 방문하고 6군단과 8사단을 충동질하고 있어요."

"맞습니다. 우리측 정보에 의하면 정 강 장군이 벌써 부대장들을 소집하여 출동 준비를 완료하고 탄약과 식량 확보까지 마쳤다고 합니다. 21연대를 홍제동 방면으로, 16연대를 청량리를 경유하여 서울 시내로 출동시키기로 전략을 마무리하고 출동 명령만 기다리고 있답니다."

정보통 김 종필 중령이 보고를 한다.

"8사단 쪽에도 우리 혁명 동지들이 많이 있습니다. 정 강의 명령 하나로 병력 출동이 되지는 않을 겁니다. 이미 육사 8기와 9기, 11기 동지들이 암암리에 병력 출동 저지 및 사단장 체포 구금 계획까지 세워놓았습니다."

김 재춘 대령이 자신 있는 목소리를 낸다.

"각하, 장면 총리 비서 중 한 창우라는 작자를 쫓다가 몇몇이 비밀스럽게 반혁명 모의를 하는 것을 발견했습니다. 아직 장 면 총리 행방을 찾지 못해 비밀리에 감시 중에 있습니다."

박 종규 소령이다.

"그래요? 누가 움직이고 있던가?"

"기자 출신인 선우 종원, 조 연하, 김 재순 등이 심 창석 조폐공사 사장 집을 들락거리고 있습니다. 언제라도 잡아들일 수 있습니다."

"장 총리 행방을 찾을 때까지는 기다려야 해. 그들은 분명히 장 총리와 연락하려고 할거야."

김 종필 중령이 예리한 촉각을 드러낸다.

생각지도 않게 갑자기 9사단 포병사령관 황 종갑 대령이 상황실로 나타났다. 그가 전해준 9사단 사정을 듣고 모두가 환호성을 올렸다. 그의 말에 따르면 '1군 사령관의 지시에 따라 9사단 병력이 반혁명군으로 출동할 것'이라는 소문은 전혀 그렇지 않다는 얘기였다. 9사단 분위기는 황 대령과 황병갑 대령, 조 주태 중령 등 동지들의 노력에 의해 이미 혁명 지지로 입장이 굳혀져 있었다. 이들의 설득을 받은 박 영준 사단장까지도 혁명 의지가 확고하여 이 한림 사령관과 의견 대립까지도 불사하고 있다고 한다.

"그것 잘 됐네. 일단 윤 태일 장군이 황 대령과 함께 지금 당장 9사단으로 출발해. 박 사단장과 잘 상의하여 병력 출동을 책임져요."

또 다른 혁명전쟁이 전개되고 있다. 오늘 밤이 고비가 될 것 같다. 반혁명적인 태도를 보이는 요주의 인물들을 체포하고 나면 매그루더로서는 더 이상 설쳐댈 근거를 잃게 된다.

우연치 않게 우리의 짐을 덜어주는 일이 생겼다. 김 웅수와 함께 반혁명 노선을 걷고 있는 강 영훈 육사 교장이 밤 9시경 갑자기 몇몇 헌병 호위를 받으면서 육군 본부에 나타난 것이다. 마침 박 창암 대령, 전 두환, 이 상훈, 손 영길 대위 등 육사 11기생들이 어제 계획했던 육사 생도들의 혁명 지지 선언과 가두 퍼레이드가 강 교장에 의해 저지되었다고 혁명 지휘부에 나타나 푸념과 함께 화를 내고 있던 참이다.

김 재춘 대령이 내 사무실로 들어와 강 중장이 총장실로 들어간 뒤 제법 시간이 흘렀다고 보고를 해왔다. 무슨 말이 오가는지 모두들 궁금해 하고 있었다. 그도 역시 체포 대상자로 분류되고 있었다.

내가 나설 때가 된 것 같다. 총장실을 노크하고 대답도 듣기 전에 문을 열고 들어섰다. 장 총장이 몸을 일으키는데, 강 장군은 소파에 앉은 채 슬그머니 눈을 들어 나를 향한다. 당황하고 불편한 기색이 얼굴 가득하다.

"강 장군님, 오랜만입니다."

그도 마지못해 아는 체를 한다.

"처남 매부 지간에 말이 잘 통하나 보죠? 어제 오늘 왜 그리 바쁘십니까?"

점잖고 말수가 적은 편인 그는 입맛을 다실 뿐 말이 없다.

"한 가지 물어봅시다. 육사 생도들의 혁명 지지 선언을 막았다 지요?"

"육사 생도들은 아직 학생입니다. 그래서 정치적 입장 표명보다는 중립을 지키는 것이 옳다고 여겨서 졸업생들이 생도들을 동원하는 것을 못하게 했어요."

"말은 맞습니다. 그렇지만, 나라가 '공산당 준동에 언제 망할까?' 오늘 내일하고 있는 판에 생도들이 올바른 소리를 하는 것이 정치적 중립과 무슨 관계가 있나요?"

그가 탁자만 바라보면서 말이 없다.

"그리고 처남 김 장군은 왜 그리 또 설치고 있나요? 당신이 부추긴 건 아니요?"

혁명군에 맞서는 것이 얼마나 위험천만인 가에 대해 넌지시 엄포를 놓았다. 손끝이 가볍게 떨리는 것이 보인다. '됐다' 싶어 일어나 밖으로 나왔다. 문 앞에 모여 서 있던 공수단 대위가 나를 쳐다본다. 가볍게 눈짓을 해 보였다.

그 즉시 오륙 명의 공수대원들이 총장실을 덮쳐 강 장군을 체포하여 연행했다. 1군 소식이 속속 상황실로 들어왔다.

원주로 돌아온 조 창대 중령은 즉시 혁명 동지들을 소집하였다. 군사혁명위원회의 사령관 체포 지시를 전하고 대책을 논의했다. 상황실장인 심 이섭 중령이 통신선을 장악한 상태에서 조 중령과 이 종근 중령은 박 용기, 엄병길 중령 등과 함께 사령관 동선을 파악하였다. 그가 관사에서 취침에 들어가 있는 동안 행동을 개시하기로 하였다.

새벽 4시를 기해 헌병 참모 박 태원 대령은 헌병을 모두 철수시키고, 사령관 체포 후 호송을 담당할 병력과 차량을 준비했다. 심리전 중대의 2개 소대 병력을 소리가 나지 않게 동원하여 먼저 반혁명적 태도를 보이고 있던 주번 사령과 본부 사령을 작전 상황실에 연금했다. 정 순오 포병 참모는 고사포 1개 중대 병력을 동원하여 사령부 건물을 포위하고 1개 포대 병력을 동원하여 사령관 관사를 포위하였다.

아침 5시를 넘자 서서히 여명이 밝아 오고 있었다. 체포조인 영관급 장교들이 권총을 허리에 찬 채 헌병들을 대동하고 사령관 침실 문을 두드렸다.

"누구야?" 잠 옷 차림으로 사령관이 얼굴을 내밀었다.

조 중령이 짧고 굵게 한 마디 한다.

"혁명위원회 지시를 받아 사령관님을 모시러 왔습니다."

"뭐야? 나를 체포하겠다고?"

"그렇습니다. 함께 가 주셔야겠습니다."

"무슨 소리야? 어제 내가 혁명을 지지한다고 선언까지 한 마당에 감히 누가 나를 체포해. 너희들은 위아래도 없어. 누구 지시를 받는 거야, 내가 상관인데?"

영관급 장교들은 말씨름을 할 상황이 아님을 알고 있다. 그가 지휘 체계를 말하며 거부 반응을 보이자,

"그러면, 이 마크를 떼어내면 되겠습니까?"

엄 중령이 가슴에 붙은 1군 표지를 떼어내는 시늉을 한다.

체념한 듯 사령관이 주섬주섬 옷을 챙겨 입는다. 헌병 둘이 좌우에서 압박을 하자 신경질적인 몸짓으로 뿌리친다. 최대한 예의를 지키라는 지시에 따라 그가 대기시켜 놓은 KAHQ1 찝차에 스스로 타도록 배려했다.

새벽 4시에 차를 몰고 퇴계원 방면으로 5사단 병력 출동을 마중하러 나섰다. 새벽 2시에 철원을 출발한 병력은 미군 헬리콥터가 상공에서 감시하는 와중에도 차질 없이 퇴계원까지 진출하여 왔다. 때 마침 퇴계원 헌병검문소에 1군 부사령관인 윤 춘근 장군이 대기하고 있다가 채 명신 사단장을 막고 나섰다. 둘 사이에 언쟁이 붙었다. 바로 그 순간 나와 함께 군사혁명위원회 본부팀이 도착을 했다.

"1군 사령관의 병력 출동 금지 지시를 어기고 병력을 동원한 것은 명령 불복종으로 총살감이요. 당장 군대를 원대 복귀시켜요!"

"무슨 말이요? 우리는 군사혁명위원회 의장이자 계엄사령관인 육군 총장의 지시에 따른 겁니다. 누가 명령 불복종인가 따져 봅시다."

내가 나타나자 둘 사이의 언쟁은 금방 끝이 났다. 채 장군이 내게 꼿꼿한 자세로 경례를 붙여왔다.

"수고했어요. 멈추지 말고, 병력을 서울로 들이세요."

5사단 병력이 서울로 다시 출발하는 것을 확인하고 앞서 차를 달려 육본으로 돌아왔다. 사무실에 도착하자마자, 오 치성 대령이 반갑게 다가선다.

"각하, 이 한림 장군을 체포 완료했습니다."

"수고들 했네. 곧바로 압송 조치하고 제5군단장 박 임항 장군으로 하여금 즉시 1군 사령관직을 인수인계 받도록 명령하게."

이 장군은 그 즉시 서울로 압송되어 덕수궁 앞에서 김 형욱, 김 동환, 박 배근 중령에게 인도되어 수감되었다.

묵은 체증이 내려가는 분위기다. 제법 편한 숨이 쉬어진다. 이제는 김 웅수와 정 강이다.

1군 사령관을 체포하여 구금한 상황에서 김 웅수와 정 강이 독자 행동으로 나가기는 어렵다. 그들도 이미 청와대와 조선호텔, 육본, 1군 사령부의 상황이 종료되었음을 알고 있을 것이다. 이렇게 된 마당에 그들이 섣불리 나설 수는 없다. 함부로 나섰다가는 그 즉시 체포, 구금행이다.

군단장이나 사단장이 병력을 동원한다고 하더라도 실무 대대장이나 중대장 차원에서는 이미 병력동원 자체가 불가능해졌을 것이다. 혁명 동지들이 치밀하게 사전 작업을 해놓았기 때문에 내부적으로는 중대나 대대 병력 동원 자체도 불가능해져 있다.

1군 사령관 체포와 함께 5사단 병력 출동이 완벽하게 이루어짐으로써 이제는 혁명군이 상황을 압도하게 되었다.

장 면, 마지막 국무회의

혁명 3일차.

몸이 천근만근 무겁기만 하다. 상황실 모든 동지들이 뜬 눈으로 연신 밤을 새우고 있다. 한 치 앞도 예상하기 어려울 정도로 긴장이 지속되다 보니 모두가 녹초가 되어 있다.

밥도 먹히질 않아서 그냥 커피 한 잔으로 때우고 있다.

부관이 라디오를 들고 들어오더니 주파수를 맞춰서 춘천 방송국을 대준다.

"친애하는 2군단 장병 여러분. 조국의 격동기에 있어 본관은 제2군단 관하 전 장병과 더불어 군사 혁명을 진심으로 지지하며, 현재 반공 보루의 가장 중요한 지역을 방어하고 있는 우리의 이 중대한 책임을 완수하기 위하여, 전 장병이 일치 단결로서 군 본연의 임무에 전력을 다할 것을 바라는 바입니다. 또한 우리는 군 · 관 · 민이 일치단결하여 혁명 후의 질서를 유지하여 헌신적으로 조국을 재건하는 데 이바지하여야 하겠습니다.

4294년 5월 18일, 제2군단장, 육군 중장 민 기식"

민 장군의 목소리가 카랑카랑하고 자신만만하다. 내 심정을 그대로 표현하고 있다. 방송을 들으면서 다시금 총기(聰氣)가 살아났다. 허리를 펴고 맨손 체조를 해본다.

박 창암 대령이 긴급으로 전화를 걸어왔다.

"각하, 육사생도들의 혁명 지지 가두 퍼레이드가 아침 9시부터 시작될 겁니다. 전 두환, 이 상훈, 이 동남, 손 운익 대위 등 11기생들이 적극적으로 추진한 결과입니다."

"좋았어. 나는 어디로 가면 되지?"

"생도들이 지금 차에 올라서 육사 교정을 출발했습니다. 9시부터 동대문에서 정렬한 뒤 종로 거리를 행진할 예정입니다. 각하께서는 10시에 시청 앞으로 나오시면 됩니다."

본부 행정팀을 소집하여 육사 생도들의 가두 행진 지원 방안에 대해 논의했다.

"김 익권 준장 인솔 하에 육사 생도 806명, 기간 장교 402명이 군악대를 앞세워 9열 종대로 행진합니다. 이미 헌병대 병력과 경찰 백차를 준비해 놓았습니다. 앞뒤에는 혁명군 완장을 찬 공수부대 병력이 호위를 할 겁니다."

김 재춘 대령이 보고를 한다. 어제만 해도 다소 침체되어 있던 상황실 분위기가 급반전되었다.

"각하께서는 장 위원장님과 함께 시청 앞 광장에서 환영사를 하시면 됩니다."

육사 생도의 거리 행진을 보려고 수많은 인파가 길가로 몰려들었다. 단정하고 군기가 엄정한 젊은이들의 가두 행진은 엄청난 환호성을 불러 일으켰다. 총칼을 든 군인들이 점령했던 서울 시내 거리 분위기를 산뜻한 예복을 갖춰 입은 육사 생도들이 압도하고 있었다.

모두가 '새로운 희망'을 보고 있었다. 혁명이 살벌한 전쟁 같은 모습에서 벗어나서 국민 모두에게 희망을 주는 미래로 전환되는 순간이었다. 이 멋진 상황이 방송 취재를 통해 시시각각 전국으로 퍼져 나가고 있었다.

회의를 얼른 마무리하고 무작정 거리로 나가고 싶어 졌다. 차를 타고 시청 앞에 멈춘 뒤 세종로 방향으로 걸었다. 요란한 군악대 소리에 맞춰서 힘찬 육사 생도들의 군화소리가 들려왔다. 짜릿한 전율이 온 몸을 타고 엄습한다.

아끼는 검정 라이방을 꺼내 눈을 가렸다. 젊은이들의 멋진 모습에 눈이 부시기도 했지만 자칫 나약한 눈물이라도 보일 까봐, 맨 눈으로 서 있기가 어려웠다.

육사 생도와 기간 장교들, 혁명군과 헌병대 및 경찰이 집결한 시청 앞 광장은 그야말로 인산인해(人山人海). 구경을 나온 서울시민들이 구름처럼 몰려들어 환호성과 함께 박수갈채를 보냈다. 장 도영 위원장과 함께 연단에 올라섰다. 생도 대표의 혁명 지지 선언에 이어서 격려사를 하는 장 위원장도 감격에 겨웠는지 목소리가 쩌렁쩌렁 했다. 오랜만에 혁명 동지들의 얼굴에 웃음꽃이 활짝 폈다.

깔끔한 제복을 입은 젊은 사관생도들의 지지 행진은 무게 중심을 혁명군 쪽으로 기울게 만들었다.

연단에서 내려오니 박 종규 소령이 긴급하게 나를 찾았다.

"각하, 장 총리 행방을 알아냈습니다."

"그래애? 어딨어?"

"혜화동 칼멜 수녀원에 숨어 있었습니다. 오늘 새벽에 경향신문사 사장 한 창우가 찾아가는 것을 뒤쫓아 가서 알아냈습니다. 그런데 미국 대사관과 미8군 쪽에서도 장 총리를 동시에 찾아갔습니다. 그래서 체포는 엄두도 못 내게 되었습니다."

"으음 체포는 불가능하지. 일단 두고 봅시다. 뭔가 반응이 나오겠지."

"알겠습니다. 충성!"

식을 마치고 육군본부로 돌아오니, 장 총리의 행정고문인 휘태커가 긴급하게 장 도영 위원장을 찾는다는 전갈이 왔다. 장 위원장이 급하게 미대사관으로 출발했다.

박 소령 보고대로 미국 대사관측에서 장 면 총리와 만났고, 장 도영 장군을 불러서 뭔가 상의하려는 것 같았다. 기다려 보기로 했다.

12시가 다 되어 사무실로 들어온 장 위원장이 나를 찾았다.

"박 장군, 장 총리를 만났어요. 여태 칼멜 수녀원에 숨어 있었다는 군. 혁명 상황을 묻기에 내가 지금까지의 진행 상황을 말씀드렸어요. 그리고 얼른 나와서 사태를 수습하시라고 했어요."

"어제 오늘 매그루더와 긴밀하게 통하고 있었던 건 아닌가요?"

"그건 물어보질 못했어요. 어쨌든 얼른 나오셔서 혁명군에게 정권을 넘겨야 한다고 했죠."

"순순히 응합디까? 역정 내지는 않고?"

"이미 모든 것을 체념하고 포기한 듯해요. 얼굴도 초췌하고 딱해 보입디다. 참, 내게 신변 보장을 요청해서, 전혀 걱정 마시라고 했어요."

혁명군을 칼멜 수도원으로 급파하여 장 총리를 중앙청으로 모시도록 조치했다. 국무회의실에 연금되어 있는 장관들과 함께 긴급으로 국무회의를 개최하도록 요청하면서. 가택 연금 중이던 국무위원들도 모두 중앙청으로 조치했다.

장 면 총리와 함께 정 일형 외무, 조 재천 내무, 김 영선 재무, 현 석호 국방, 주 요한 부흥, 태 완선 상공, 오 위영 무임소, 한 통숙 체신, 정 헌주 국무원 사무처장 등이 회의 테이블에 둘러 앉았다.

장 면 총리를 중심으로 둘러앉은 장관들은 드디어 뭔가 탈출구가 마련될 것 같다는 안도의 한숨을 내쉬고 있었다. 모두 피곤한 기색이 역력했다.

"총리님, 그동안 고생 많으셨습니다. 이제 뭔가 결단을 내셔야 합니다."

조 재천 장관이 먼저 입을 열었다. 총리가 아직 얼떨떨해 하고 있다.

"도대체 일이 어쩌다가 이 지경에 이르른 것입니까?"

정 외무 장관이 언짢은 투로 말을 꺼냈다.

"모두가 제 불찰입니다. 할 말이 없습니다."

"장 도영 총장이 간사하게 이중 플레이를 한 게 아닙니까?"

정 장관이 밀어붙인다.

"잘은 모르겠지만 장 총장은 제게 진심이었던 것 같아요. 16일 저녁부터 저와 통화하면서 혁명 세력을 출동 저지시키려고 무진장 애를 썼어요. 현 장관도 옆에서 보셨지 않습니까?"

"그건 사실입니다. 총리께서는 매그루더 사령관과도 통화하면서 혁명군 출동 저지에 최선을 다하셨습니다. 끝까지 집무실을 지키시면서 혁명군 저지에 노력하시다가, 혁명군이 들이닥치기 직전에서야 겨우 몸을 피하셨습니다. 그래서 미 대사관이나 8군 영내로 피신하시지 못하고 수녀원으로 도피할 수밖에 없었습니다."

"총리께서 장 총장을 너무 믿었기 때문에 이런 사태가 생겼을 수도 있습니다. 장 총장이 사태를 너무 순진하게 보는 바람에 이런 사달이 났어요. 쯧쯧." 오 장관이 혀를 찬다.

"뭐라고 해도 할 말이 없습니다. 피신 중에도 매그루더 장군과 연락하면서 혁명 저지를 위해 백방으로 애를 써 봤습니다. 하지만 장 총장도, 미 8군도, 이 한림 1군 사령관도 혁명군을 진압할 역량이 부족했어요. 달리 보면 군 장교들의 우리 정부에 대한 불신과 혁명 의지가 우리의 예상보다도 훨씬 강력했다고 봐야 합니다. 고위급 장성들 몇몇을 제외하고, 거의 모든 장성과 영관급, 위관급 장교들이 혁명군 편에 서 있었어요. 병사들이야 지휘관들의 명령에 따를 뿐이고."

이쯤에서 국무위원들은 할 말을 잃는다. 3월 위기설, 4월 위기설을 겪으면서 시위와 데모가 전국을 뒤덮고, 국회의 민주당과 신민당의 대립과 싸움 때문에 하고자 하는 정책을 제대로 시행해 본 것이 거의 없었다.

"무엇보다도 제가 박 정희 장군을 제대로 알아보지 못한 것이 최대 실책이라고 생각합니다. 그를 국방부 장관으로 기용하자는 이들이 적지 않았고, 하다

못해 육군 참모총장으로라도 발탁해서 군대 문제를 해결하는 것이 급선무라고 했는데... 오 장관께서도 부산에서 박 장군을 겪어 보시지 않았습니까?"

"좋은 말씀입니다. 저도 미국 순방 중에 박 정희라는 인물에 대한 질문을 여러 번 받았었습니다. 그의 군 내 신망이 남다르다는 것을 그 때 알 수 있었지요." 김 영선 장관이다.

"그는 양지만을 찾아가는 다른 장성들과는 달리 불의를 참지 못하고, 사리사욕을 찾기보다는 청렴결백하다고 소문이 자자해요. 그를 미리 발탁해서 우리 편으로 했다면 지금과 같은 사태는 발생하지 않았을 겁니다."

때 늦은 후회지만, 향후 어떻게 할 것인가를 결정하는데 참조할 만한 부분이다.

"윤 대통령께서도 첫 눈에 그의 사람 됨됨이를 간파하셨다고 합니다. 대화 몇 마디하고 나서는 그를 위해 반혁명군 출동을 저지하는 친서를 작성해 전 군에 돌렸다고 합니다. 좀 전에 통화했어요."

장 면 내각의 마지막 국무회의는 '첫째, 5월 16일 9시, 육군 참모총장 명의로 선포된 비상계엄령을 헌법 제72조에 따라 추인하고 둘째, 정치적, 도의적 책임을 느껴 국무위원 전원이 총사퇴 하며 셋째, 정권을 군사혁명위원회로 이양 한다'고 결의하였다. 이어서 오후 3시 30분에 윤 보선 대통령의 목소리로 비상계엄 선포가 이루어졌고, 정권 인계가 공표되었다.

이로써 공식적으로 군사혁명위원회가 대한민국 정권을 인수하게 되었다.

소식을 듣자마자 장 위원장과 함께 중앙청으로 직행했다. 몇몇 핵심 영관급 장교들이 동행했다. 국무회의실로 들어서니 허탈하고 피곤한 표정의 장관들이 옹기종기 모여 있었다. 장 위원장이 애써 웃으면서 인사치레를 하는 것을 가만히 옆에서 보조했다. 복도로 나와서 곧바로 동행한 작전팀 동지들에게 지시를 했다.

"정중하게 댁으로 모셔라."

장 면 정부의 정권 이양 소식은 곧바로 미국에도 전해졌다. 사태 추이를 엿보고 있던 미국무부도 보올즈 국무차관 성명을 통해 군사혁명위원회를 정식으로 승인한다고 선언하였다.

오후에는 장 도영 총장이 정중하게 김 웅수 6군단장을 위원회로 불려 올려, 혁명군이 구금 조치했다. 정 강 8사단장은 보직 해임과 함께 체포, 구금하여 반혁명군 출동 계획을 완전히 소멸시켰다.

전국적으로 우리의 혁명을 지지하는 목소리가 울려 퍼졌다. 곳곳에서 혁명 지지를 선언하는 단체들의 모임이 잇달아 열렸다. 전쟁 폐허를 딛고 재건과 부흥에 힘쓰던 국민들은 혼란스러웠던 정치와 불순분자들의 끊이지 않는 시위와 데모에 지쳐있었다.

제 3 부

국가 재건?
한번 해보자.

국가 재건을 향하여

아침 일찍 부관이 공군사관학교 생도들의 시가행진에 대해 보고를 해 왔다.

공군사관학교 교장 박 지석 준장이 공사 참모들과 전 장병, 그리고 공군사관학교 생도 363명을 인솔하여 시가행진을 하기로 했다. 8시에 공군 본부에 집결한 뒤, 9시 10분에 GMC 트럭과 군용버스에 분승하여 용산역으로 출발한다. 이들은 용산역 앞에서 하차하여 대열을 정비한 뒤 육군 군악대를 앞세우고 시가행진을 시작한다. 전대장(戰隊長) 김 완수 생도가 선두에 서서 대열을 이끌고, 10시 30분에 세종로 네거리에 도착하여 결의문 낭독과 함께 군사 혁명 지지 결의 대회를 갖는다. T-33 Z 항공기도 상공에서 시위비행을 한다. 행사 후, 생도들의 행진은 종로, 을지로를 거쳐 장충동까지 간 다음 끝내기로 하였다.

어제 육사 생도들의 혁명 지지 시가행진이 전국적으로 큰 반향을 일으킨 것을 생각하면 오늘(5월 19일) 공사 생도들의 시가행진도 더 없이 의미 있는 지지 선언이 될 것이다. 진해 해군사관학교 생도들도 내일 중으로 부교장 임 우빈 대령 인솔 하에 부산 거리 행진을 시도하여 부산역에서 혁명 지지를 선언하기로 되어 있다.

혁명 첫 날부터 향군 단체, 중고등학교와 대학생, 각종 단체들의 혁명 지지 선언이 잇따르고 있다. 그들은 우리가 부패하고 무능력한 민주당 정부를 몰아내고, 공산당 불순분자의 시위 데모 선동을 분쇄하고, 깡패가 좌우하는 정치판을 정화해주기를 바라고 있다. 온 국민이 제대로 된 국가, 대한민국을 만들어주기를 열망하고 있다.

군사 혁명이 9부 능선의 고비를 넘어섰다. 이제 마지막 10%는 혁명의 완성 작업이다. 지금까지의 모든 노력은 이제부터 전개될 10% 혁명 과업을 위한 것이다. 새로운 국가 건설, 반공 태세 확립, 빈곤 타파와 경제 발전,

국민 복지 증진이다.

이제부터, 시작이다. 나의 혁명은

첫 작업은 윤 보선, 장 면 정부를 정식으로 이어받아 새로운 정부를 창조하는 일이다. 군사혁명위원회를 정식으로 출범시켜, 혁명 의지를 담은 헌법을 새롭게 제정하고 제대로 일을 할 수 있는 정부 조직을 만들어야 한다. 부정에 찌들고 구태의연한 행정에 몸을 담고 있는 행정 공무원도 젊고 유능한 젊은이로 교체해야만 한다.

혁명 초기, 오래 전부터 군사혁명위원회를 어떻게 구성할까에 대해 많은 고민을 해 왔다. 혁명 핵심 세력을 포함하여, 전 군을 대표하고, 필요할 경우에 민간인도 포함시켜 30여명 수준으로 결성하고자 한다. 그리고 소위원회를 두고 업무 분담을 하여 실질적으로 활동하는 위원회를 만들어야 한다.

사실은 혁명을 준비하면서, 혁명 기간 내내 고민해 오고 있는 또 다른 핵심 화두(話頭)가 있다.

내가 추구하려는 혁명의 대안은?

기존 정권의 부정인가? 새로운 국가 건설인가?

군사 혁명은 기존 통치 시스템을 근본적으로 부정하는 거사다. 장 면 정부를 부정하고, 모든 헌법 체제를 넘어서려는 행위가 우리의 군사 혁명이다. 우리는 장 면이나 윤 보선은 물론 민의원, 참의원, 사법 체제를 모두 부정한다. 새로운 나라를 만들고자 한다.

내가 추구하는 군사 혁명은 고려를 멸하고 조선을 건국한 이 성계를 모토로 한 것이다. '고려'로 상징되는 구 통치 집단을 모두 제거하고, 정의롭고 건실한 젊은이들로 새로운 국가를 만들어 보고 싶다. 나폴레옹이 젊은이들을 내세워 세계 일등 국가로 발돋움했듯이, 일제가 젊은 엘리트 관료들을 내세워 세계 최강 국가로 우뚝 솟아난 것처럼, 그런 대한민국을 만들어 보고 싶다.

혁명은 통치 체제를 근본적으로 쇄신하는 것이며, 동시에 구체제 인물 모두를 제거하고, 기존 정치 경제 질서를 새롭게 재편하는 것이다. 양반 상놈의 신분 질서를 타파하고, 지주와 소작인, 농노 관계를 뒤집어엎고 토지와 재산의 새로운 분배를 시도한다. 이미 기득권층이 되어 있는 민주당 정치꾼들, 부정부패와 함께 부귀를 누리는 재력가들, 능력은 없으면서도 권력을 장악하고 있는 관료들. 모두가 우리의 척결 대상이다. 절대 다수의 가난한 농민, 품팔이 노동자, 거지같은 실업자를 위해, 나는 그들의 희망이 되고자 한다.

그렇다면, 1948년에 새롭게 출범한 '대한민국'을 없애고, 이 승만 대통령을 부정하려는 것인가?

아니다. 그건 절대 아니다. 어렵게 출범한 대한민국이, 김 일성 공산당 침략으로부터 수백만 명이 목숨을 걸고 지켜 낸 지금의 조국이, 너무 안스럽지 않은가? 대한민국이라는 이름으로 탄생한 지 불과 10여 년이다.

혁명 동지들을 규합하면서, 혁명군을 동원하면서 어느 정도 의견 일치를 본 것이 있다. 우리 대한민국은 더 없이 소중하다는 사실, 역사는 결코 거스를 수 없다는 사실, 현재가 아무리 불만족스럽더라도 지속적으로 수정하고 발전시켜 가야만 국가와 민족이 발전할 수 있다는 사실이다.

그래서 재건(再建, reconstruction)이다.

"각하, 군사혁명위원회를 3시에 소집해 놓았습니다."

김 재춘 대령이다. 회의 직전에 안건을 최종 확인할 필요가 있다.

"김 대령, 핵심 멤버들 긴급 회의를 가집시다. 소회의실로 9시까지 모여 주세요."

김 동하, 김 윤근, 김 재춘, 김 종필, 이 석제, 오 치성 등 10명 내외의 주요 인물이 소회의실에 모여 앉았다.

"자, 3시 회의에 앞서 최종 안건 정리를 하고자 여러 분들을 불렀습니다.

한 가지씩 확인하고 넘어 갑시다. 먼저 군사혁명위원회 명칭을 국가재건최고회의로 고치는 것에 대한 의견을 말씀해 주세요."

"재건이라는 말이 전쟁 복구 냄새가 나긴 합니다. 각하께서 확실한 의지를 가지셔야만 다른 사람을 설득할 수 있을 겁니다." 오 치성 대령이다.

"재건이라는 말은 여러 가지 의미로 새길 수 있어요. 우선은 1948년 건국, 헌법을 다시 바로 세운다는 뜻입니다. 우리가 건국하면서 세계 최고의 헌법을 만들었어요. 그런데 1공화국과 2공화국을 거치면서 정치가 엉망이 되고 행정도 무엇 하나 제대로 역할을 하지 못했어요. 그러다보니 헌법 정신이 제대로 구현되지 못했고... 이것을 바로잡는 의미가 있지요. 두 번째는 이 승만 대통령의 국가 건설 노력을 다시 이어가는 의미가 있어요. 지난해에 학생 의거로 하야하시기는 했지만 이 대통령은 어쨌든 대한민국 건설에 최고로 공이 큰 분입니다. 6·25 공산당 남침을 이겨낸 것도 오로지 그 분의 영도 때문이지요. 전쟁 후 국가 재건, 부흥 노력도 눈물겹기만 했지요. 셋째는 민주당 정권 시기에 도래한 공산당 불순분자의 침투, 그로 인한 국력 쇠퇴, 정치와 행정의 무기력화를 다시금 재건한다는 의미도 있답니다."

말이 길어진다. 이미 몇 사람에게는 내 속내를 털어 놓고 갑론을박(甲論乙駁)을 해 본적이 있다.

"더 큰 시야로 보면 멸망한 조선을 이어서 한민족의 유구한 역사를 다시 재건하여 이어간다는 의미도 있습니다. 도무지 받아들이기 어려운 일제 36년 통치를 넘어서서 한민족 전통 국가를 재건하려는 것입니다."

김 종필 중령이다. 이런저런 말들이 있었지만 모두 수긍하고 넘어가는 분위기다.

"그러면 군사혁명위원회를 국가재건최고회의로 변경하는 것에 대해서는 의견 일치를 본 것으로 하겠습니다. 사실 '군사'라는 용어를 '국가'로 대체하면 우리가 하는 일이 군인들이 하는 것이라는 편견을 극복할 수 있고, 외부 민간 명망가나 전문가를 함께 할 수 있어요. 또 향후 자연스럽게 민간으로의 정권 이양을 꾀할 수도 있구요."

"맞습니다." 모두들 찬동 의견을 표한다.

"위원 구성에 대해서는 이견이 없으신가요? 김 장군이 많이 수고해 주셨죠?"

"예. 육해공군과 해병대, 장군급과 영관급, 육사 기수별 배분, 혁명군과 작전팀, 행정팀을 골고루 신경을 썼습니다. 서로 양보하려는 분위기가 있어서 인원 구성에 큰 어려움은 없었다고 생각합니다."

김 윤근 장군이다. 이어서 이 석제 중령이 한 마디 한다.

"저희 육사 8기는 투표를 통해 선발하였습니다."

"최고위원 뿐만 아니라 바로 구성할 내각 명단에도 많은 인물이 필요합니다. 또 정부 산하기관, 지방 시도지사에도 사람이 필요합니다. 거의 모든 혁명 동지들이 한 자리씩 책임을 맡아 주셔야만 합니다."

첫 혁명위원회 회의 개최

오후 3시에 소집된 회의에서 국가재건최고회의가 결성되고 위원이 발표되었다. 의장 장 도영, 부의장 박 정희 외 30명의 위원이 임명되었다.

- **국가재건최고회의 위원**:
  육군 중장 장 도영. 육군 소장 박 정희. 육군 중장 김 종오. 육군 중장 박 임항. 공군 중장 김 신. 해군 중장 이 성호. 해병 중장 김 성은. 육군 소장 정 래혁. 육군 소장 이 주일. 육군 소장 한 신. 육군 소장 유 양수. 육군 준장 한 웅진. 육군 준장 최 주종. 육군 준장 김 용순. 육군 준장 채 명신. 육군 준장 김 진위. 해병 준장 김 윤근. 육군 준장 장 경순. 육군 준장 송 찬호. 육군 대령 문 재준.

육군 대령 박 치옥. 육군 대령 박 기석. 육군 대령 손 창규. 육군 대령 유 원식.
해병 대령 정 세웅. 육군 대령 오 치성. 육군 중령 길 재호. 육군 중령 옥 창호
육군 중령 박 원빈. 육군 중령 이 석제.
(고문) 예비역 중장 김 홍일. 해군 소장 김 동하.

회의 중에 '재건' '최고회의' 등 명칭에 대해서 몇몇이 문제 제기를 하기도 하였다. 하지만 적극적으로 의미를 전달하고 설명함으로써 큰 문제없이 그대로 추인되었다. 또 위원 명단에 대해서도 몇몇 인사에 대해서는 호불호(好不好)가 있었지만 내가 적극적으로 밀어붙였다.

다음 날(5월 20일) 제2차 회의를 통해 분과 위원회 구성을 위한 간사 1명씩을 정하였고, 이어서 내각 명단을 결정해 발표하였다.

■ **분과 위원**:
행정 오치성. 내무 박원빈. 재무 문재준. 법무 이석제. 외무국방 유양수.
문교 손창규. 건설 김진위. 농림 정세웅. 상공 유원식. 보건사회 길재호.
교통 김윤근. 체신 옥창호. 공보 송찬호. 공안 한웅진.

최고위원 선서식　　　　　　내각 장관들

■ **내각(內閣)**:
내각수반 장도영(육군중장). 외무 김홍일(예비역중장). 내무 한신(육군소장).
건설 박기석(육군대령). 보사 장덕승(공군준장). 교통 김광옥(해군대령)
재무 백선진(육군소장). 법무 고원증(육군준장). 국방 내각수반 겸임.

문교 문희석(해병대령). 농림 장경순(육군준장). 상공 정래혁(육군소장).
체신 배덕진(육군준장). 사무처장 김병삼(육군준장). 공보부장 심흥선(육군소장)

이어서 최고위원 중 내각 장관으로 부임한 사람을 다른 인물로 대체하였다. 최고위원 중 한 신, 정 래혁, 장 경순, 박 기석, 고문 김 홍일, 김 동하를 면직하고 대신 김 재춘(육군 대령), 홍 종철(육군 대령), 김 형욱(육군 중령), 김 제민(육군 중령), 오 정근(해군 중령), 김 동하(예비역 해병 소장)를 임명하였다.

5월 21일 12시, 국가재건최고회의 의사당에서 혁명 내각의 각료 취임식이 거행되었다. 의사당 단상 후면에 국가재건최고회의 위원 32명이 자리하고, 전면 좌우로 각료 14명이 앉았다. 김 홍일 외무 장관으로부터 차례로 장 의장에게서 각료 선서를 하고 임명장을 받았다.

"각료 선서. 나는 국군의 빛나는 애국정신에 입각하여, 반공체제를 강화하고 부패와 구악을 일소하여 민족정기를 바로잡음으로써 국토통일을 위한 실력 배양에 힘쓸 것이며, 국가경제발전에 총력을 경주하여 국가의 독립과 민족의 자유를 수호하고 나아가 국제연합 및 우방국가와의 유대를 더욱 굳게 하며, 국난을 극복할 것을 자(玆)에 엄숙히 선서합니다."

나는 마지막 순서로 '대한민국 만세!' 삼창을 힘차게 선창하였다. 내외신 기자와 장병 200여명이 동석하였다.

국가재건최고회의 상임위원회를 구성하기 위하여 5월 22일에는 위원장을 다음과 같이 임명하였다.

■ 분과 위원장

법제사법위원장 이 석제. 내무위원장 오 치성. 외무국방위원장 유 양수.
재정경제위원장 이 주일. 문교사회위원장 송 찬호. 교통체신위원장 김 윤근
운영기획위원장 김 동하.

상임위원장으로 내가 취임하여 실질적으로 국가재건최고회의를 이끌게 되었다. 핵심 8인 위원회가 구성되었다. 가장 적극적으로 군사 혁명을 나와 함께 주도했던 김 종필 중령은 전면에 나서지 않고 중앙정보부 창설 준비에 매진하도록 지시했다.

분과 위원과 함께 내각 요원들을 상황실로 불러 모았다. 장 도영 위원장 겸 내각 수반의 인사말에 뒤 이어 내가 마이크를 넘겨받았다.

"이제 진정으로 혁명 과업 수행에 나서게 되었습니다. 여러분들이 가장 책임 있는 선봉(先鋒)입니다. 여러분들의 노력에 의해 우리의 군사 혁명이 완성될 수 있습니다. 몇 가지 당부 말씀을 드리고자 합니다.

첫째, 담당 부서를 완벽하게 장악 하십시요. 부처 업무를 빠른 시일 내에 파악해 주시고, 세부 국과별 업무와 재정 상태, 인적 구성, 구체적인 세부 정책 진행 사항을 확실하게 이해해야만 합니다. 여러분들이 스스로 지혜로운 장관이 되어야만 합니다. 그리고 부처 직원들과 온전하게 한 몸이 될 수 있도록 솔선수범해 주세요.

둘째, 항상 겸손하고 예의를 지켜야 합니다. 정부 각 부처는 군대가 아닙니다. 군대처럼 일방적으로 명령만 해서는 안 됩니다. 공무원들은 대부분 오랜 기간 동안 해당 업무에 종사하여 많은 것을 알고 있는 경력 전문가입니다. 간혹 무능력하고 부패한 공무원이 있긴 하지만 근본적으로 현직 공무원들을 존중하고 배려하십시요.

셋째, 절대로 부패하지 마세요. 권한을 쥐었다고 청탁을 들어주거나 이권에 개입해서는 안 됩니다. 우리의 혁명 정부는 부정 부패에 물들지 않은 청렴 결백함이 최고의 덕목입니다. 지난 정부의 문제는 모두 부정부패로 인해 발생했습니다.

넷째, 혁명 정부가 결정한, 올바른 정책과 지시에는 무조건 따라 주셨으면 좋겠습니다. 지난 정부를 보면 말만 많았지 행정을 통한 실천이 적었습니다. 군사 정부는 젊은 엘리트 군인들이 이끌어 가는 정부입니다. 명령과 지휘 체계가 일사불란해야만 합니다.

다섯째, 정치와 언론은 걱정하지 마십시요. 저를 비롯한 최고회의에서 모든 것을 책임지고 방패막이 역할을 해 드리겠습니다. 우리 대한민국이 가지고 있는 최대 약점이 바로 '말만 무성한, 무능력한 정치와 언론'입니다. 여러분들은 혹시라도 정치에 발을 들여 놓거나 정치적 판단에 따라 우물쭈물하지 않기를 기대합니다."

모두가 심각하게 나의 말을 경청한다.

이들이 나의 '위대한 대한민국 건설'의 첨병(尖兵)이요, 나의 분신(分身)이다.

국가 재건 비상 조치법

5월 19일 저녁 8시 30분, 윤 보선 대통령이 대통령직에서 하야 하겠다는 성명서를 주요 신문과 방송사로 발송하였다.

"나는 지금 대한민국 국민 앞에 대통령직에서 물러날 것을 결심하고 이를 성명(聲明)하는 바입니다. 원래 부덕한 이 사람이 국가 원수직에 있어 온 이래 국민 여러분의 마음과 생활을 평안치 못하게 한 책임이 크고 군사혁명이 발생되도록 이르게 한 국가적 모든 현실을 나의 친애하는 국민 여러분에게 부담시키게 된 것을 생각할 때 다만 죄송스러울 뿐입니다.

금반(今般) 군사혁명이 발생하면서 나는 무엇보다도 귀중한 인명의 희생이 없기를 바랐으며 순조롭게 수습되기를 희망하였습니다. 다행히 하늘은 우리를 도와서 무사히 이 나라의 일을 군사혁명위원회의 사람들이 맡아서 보게 하였으며 국민 여러분이 또한 커다란 기대를 가지고 있다는 것을 알게 된 나는 지금 안심하고 이자리를 물러가겠습니다. 아무쪼록 군사혁명위원회의 사람들은 그 소신과 충성을 다하여 이 나라를 발전시키고 이 국민을 하루 속히 궁핍에서 건져내어 주기를 바라며 나의 친애하는 국민 여러분이 적극적으로 이에 협력해주실 것을 간곡히 부탁하는 바입니다.

단기 4294년 5월 19일. 대통령 윤 보선."

갑자기 군사혁명위원회에 비상이 걸렸다. 윤 대통령의 하야가 위원회 활동에 어떤 영향을 미칠 것인가를 두고 논란이 일었다. 법제사법분과위원장인 이 석제 중령이 오 치성 대령 등 몇몇 위원들과 함께 급하게 내 방으로 들이 닥쳤다.

"각하, 지금 대통령이 하야를 하면 혁명 정부가 하는 일에 문제가 생길 수 있습니다. 혁명 정부가 새롭게 국제적 승인을 얻어야만 하고, 각종 외교 문서의 법적 효력이 사라집니다. 외교적 공백 상태에서 북쪽 공산당이 침략을 한다면 타국이 한국을 지원할 국제법상 근거가 사라지게 됩니다."

"그런 가?"

법 전문가인 이 중령이 다급하게 몰아친다. 대통령의 하야를 번복시켜야만 한다고 속을 끓인다. 국회가 없어진 상황에서 대통령의 하야를 받아들일 공식적인 국가기관은 국가재건최고회의다. 최고회의에서 그의 하야 의사를 받아들이지 않는다면 어떻게 되는가?

뒤늦게 소식을 듣고 허겁지겁 나타난 장 도영 의장도 얼굴이 사색이 다되어 있었다.

"박 장군, 이게 말이 됩니까? 말려야 합니다. 아직 국가재건최고회의가 법적으로 안정화되지 못한 상태에서 대통령까지 없어지면 큰 일 납니다."

나는 윤 보선 대통령의 역할은 이미 끝이 난 것이라고 생각하던 중이었다. 장 면 국무총리가 합법적으로 정권 인계를 한 마당에 대통령의 존재는 별 의미가 없다. 이제는 국가재건최고회의가 비상계엄 상황에서 통치권을 행사하면 된다.

"뭐, 그리 걱정할만한 일은 아니라고 생각합니다."

지금 내 머리 속에는 긴급하게, 동시다발적으로 수행해야만 할 중요한 일이 가득 차 있다.

"정 그러시면 윤 대통령께 다녀오시죠? 저는 할 일이 많아서."

장 의장은 기어코 나를 끌고서 함께 청와대로 향했다. 떨떠름한 표정으로 우리를 맞는 대통령. 애걸복걸하다시피 하야 번복을 요청하는 장 의장. 그 둘의 대화를 옆에서 지켜보다가 '급한 일이 있어서 먼저 일어 선다'고 말하고 사무실로 돌아와 버렸다.

장 의장은 다음 날(5월 20일) 아침 일찍 다시 청와대를 방문하여 대통령 설득에 나섰다. 하지만 그는 요지부동, 번복 의사가 없었다. 오후에는 김용식 외무부 사무차관과 파견관 최 대령이 대통령 설득에 나섰지만 역시 실패하였다.

오후 늦은 시각에 장 의장과 함께 다시 청와대를 찾았다. 하야 성명을 발표하고 하루도 안 돼서 금방 번복하는 것은 윤 대통령으로서도 자존심이 상하는 일이다. 이제 하루 정도가 경과했으니, 또 '버틸 만큼 버티는 시늉'이라도 했으니 '마지못해서 하는' 모습을 갖춰드리면 설득 당할 것 같은 예감이 들었다. 엊그제 혁명 직후에 진솔한 대화를 통해 혁명 지지를 이끌어 냈던 만큼, 나의 진심을 보여드리고 새롭게 출발하는 국가재건최고회의를 지원해 주실 것을 간곡하게 말씀드리며 설득하였다.

시간이 좀 걸리기는 했지만, 대통령은 마지못한 듯한 태도를 보이면서 마침내 오후 5시를 기해 대통령직 하야를 번복하는 성명서를 발표하였다. 나와 장 의장이 배석한 자리에서 기자들을 불러 놓고. 최고회의로서는 한 숨을 돌린 셈이다.

국가재건최고회의 본부를 민의원 사무실로 옮기는 작업이 한창이다. 청와대에서 돌아와 새로 꾸며진 부의장실로 들어서니 어제 오늘 신문이 가지런하게 놓여 있었다. 퍼뜩 눈에 띄는 기사가 있다.

'한국 정부 재 승인 절차 불요. 영 외무성 대변인 언명.【런던 십팔일발 로이타=동화(同和)】 금주의 한국 군사혁명과 장 정부 사퇴에도 불구하고 한국 정부 재승인 절차는 필요치 않는 것으로 본다고 영국 외무성 대변인이 18일 당지(當地)에서 열린 기자 회견에서 말하였다.' (조선일보 4294.05.19.)

이 석제 중령을 불러 기사 내용을 보여주었다.

"글쎄요?"

"이 중령, 내 생각에도 대통령 하야에 따른 승인 문제는 그리 걱정할 것이 없어 보여. 어쨌든 대통령이 하야를 번복하고 국가 원수로서 재직하고 있게 되었으니 다행이긴 하네."

이제 좀 더 근본적인 문제로 들어가야 한다.

"이 중령, 국가재건최고회의가 출범했지만 아무런 법적 근거가 없어요. 기존 헌법이 정지되어 있는 상황에서 빠른 시일 내에 헌법 개정 작업을 해야 겠어. 이 중령이 책임지고 헌법 전문가들을 초빙해서 국가재건최고회의 규정과 헌법 초안 작업에 들어가 주시게."

"잘 알겠습니다. 제가 알고 있는 법률 전문가 몇 분을 초청해서 각하와 함께 자리를 만들어 보겠습니다."

명석하고 추진력이 있는 이 중령은 불과 며칠 사이에 주요 대학의 법률 전문가 10여명의 명단을 내게 가지고 나타났다. 유 진오, 한 태연, 황 산덕, 문 홍주, 김 도창, 박 일경, 윤 천주, 서 일교, 신 태환, 김 운태 등 유명 교수들의 이름이 보였다.

"이 중령, 위원 구성은 알아서 하시고, 지금 김 종필 중령 쪽에서도 특별법을 만들어 보고 있으니 함께 상의하여 잘 만들어 줘요."

이 중령은 서울대 한 태연 교수와 이 병두 변호사를 초빙하여 법제팀과 함께 작업을 시작하였다.

며칠 뒤 김 종필, 이 석제 두 사람이 특별법 초안을 만들어 가지고 내 방에 찾아왔다. 법안 명칭을 '국가재건최고회의 특별법'으로 하고 총 50여개 조항으로 구성되어 있었다. 김 중령이 정보부 차원에서 만든 법안과 적당히 조합한 것이다.

"각하, 일단 헌법을 대체할 상위법을 만든 뒤에 그 속에 국가재건최고회의를 두는 것으로 하는 것이 좋아 보입니다."

이 중령이 문제 제기를 한다. 나도 그것이 타당성이 있어 보였다.

"상위법을 '국가재건비상조치법'으로 하여 핵심적인 것만을 담고, 나머지 대부분을 국가재건최고회의법 속에 넣으면 됩니다."

"좋아요. 그렇다면 국가재건비상조치법(國家再建非常措置法)을 먼저 만들어 봅시다."

국가재건비상조치법의 제1조에는 최고회의 설립 목적과 근거를 제시하고, 제2조에는 최고통치기관으로서의 지위를 명확히 하였다. 제4조에는 최고위원 규정을, 제9조에는 최고회의가 국회의 권한 대행 규정을, 제12조, 제13조, 제14조에는 내각 통제와 조직에 관한 규정을 두었다.

■ **국가재건비상조치법(요약):**

(제1조) 대한민국을 공산주의의 침략으로부터 수호하고, 부패와 부정과 빈곤으로 인한 국가와 민족의 위기를 극복하여 진정한 민주공화국으로 재건하기 위한 비상조치로서 국가재건최고회의를 설치한다.

(제2조) 국가재건최고회의는 5·16 군사혁명 과업 완수 후에 시행될 총선거에 의하여 국회가 구성되고 정부가 수립될 때까지 대한민국의 최고 통치기관으로서의 지위를 가진다.

(제3조) 헌법에 규정된 국민의 기본적 권리는 혁명 과업 수행에 저촉되지

아니하는 범위 내에서 보장된다.

(제4조) ①국가재건최고회의는 5·16 군사혁명의 이념에 투철한 국군 현역 장교 중에서 선출된 최고위원으로 조직한다. ②최고위원의 정수는 20인 이상 32인 이내로 한다. ③최고위원의 선출은 최고위원 5인 이상의 추천에 의하여 재적 최고위원 과반수의 찬성으로써 한다. ④최고위원은 내각수반과 군무를 제외한 다른 직무를 겸할 수 없다. 단 의장인 최고위원은 내각 수반을 제외한 타직을 겸할 수 없다.

(제8조) 국가재건최고회의에서 일정한 범위를 정하여 위임 받은 사항을 처리하기 위하여 국가재건최고회의 상임위원회를 둔다.

(제9조) 헌법에 규정된 국회의 권한은 국가재건최고회의가 이를 행한다.

(제11조) 대통령이 궐위되거나 사고로 인하여 직무를 수행할 수 없을 때에는 국가재건최고회의 의장, 부의장, 내각수반의 순위로 그 권한을 대행한다.

(제14조) ①내각은 내각수반과 각원으로써 조직한다. ②내각수반은 국가재건최고회의가 이를 임명한다.

(제24조) 헌법의 규정 중 이 비상조치법에 저촉되는 규정은 이 비상조치법에 의한다.

(부칙) ①이 비상조치법은 공포한 날로부터 시행한다. ③비상조치법 시행 당시의 군사혁명위원회와 국가재건최고회의의 영과 포고는 이 비상조치법 또는 이 비상조치법에 의한 법률과 동일한 효력을 가진다.

이어서 국가재건최고회의법 조항 검토에 들어갔다. 법에서는 '(제3조) 상임위원회는 국가재건최고회의에서 위임받은 사항에 관하여 국가재건최고회의의 권한을 대행한다. 상임위원회는 분과의원장으로 구성한다. (제4조) 상임위원장은 부의장이 이를 겸한다.로 규정하였다.

현재 긴급하게 추진 중에 있는 재건국민운동본부 설치에 관한 근거를 법 제15조에, 중앙정보부 설치에 관한 근거를 법 제18조에, 수도방위사령부 설치 근거를 제23조에 삽입하였다.

그동안 군사혁명위원회와 국가재건최고회의에서 추진하고 있는 모든 포고(布告)와 령(令), 정책과 지시 사항에 대한 법적 근거를 마련한 것이다. 윤보선 대통령의 하야에 대해서도 대비책을 마련하였다.

6월 6일 국가재건최고회의를 개최하여 두 법안을 결의하고 이어서 공포식을 거행하였다. 이 법을 통해 현행 헌법의 일부 조항을 정지시켰고, 혁명과업이 완수되고 총선거를 통해 새롭게 헌법을 제정하고 국회를 구성할 때까지 국가재건비상조치법과 국가재건최고회의법이 대한민국의 최고 통치법으로 존재하게 되었다.

비상조치법 제정 작업이 진행되는 과정에도 긴박하게 혁명 과업 수행이 진행되고 있었다.

법제사법위원장인 이 석제 중령이 기발한 아이디어를 냈다. 미국측에서 현 혁명 정부의 색채에 대해서 지속적으로 의심을 품고 있는 상황에서 공산당 불순분자, 보도 연맹원, 정치 깡패 소탕전을 벌리기로 한 것이다. 우리의 혁명 목적이 공산화가 아니라 자유민주 반공 군사 혁명임을 명확히 하고자 한 것이다. 새로 등장한 군부가 부패한 정치 사회를 일신하는 효과를 볼 수가 있었다.

'깡패 27명 군재(軍裁)에. 서울시 경찰국은 18일 하오에 검거한「깡패」54명 중 27명을 군법회의에 회부하고 나머지 27명은 즉결 재판에 회부하기로 결정했다(5.20.)'

'용공인사(容共人士) 15명 구속. 전방 지구 계엄당국에서는 20일 현재 강원도 춘천, 원주 양 지구에서 용공적인 이른바 혁신계 인사 15명을 구속하였다.(5.21.)'

'친공 용공 분자(親共容共分子) 철저히 숙청(肅淸). 불만과 부패 뿌리 뽑고. 한 신 내무부 장관 훈시. 20일 상오 9시. 취임식을 가진 한 신 내무장관은 취임사를 통하여『군사혁명은 방공 체제를 재정비하여「유엔」헌장을 준수하고 우방 국가와의 유대를 공고히 하여 구 정권의 부패와 구악을 제거함으로써 민생고를 타개하려는 데 그 목적이 있다』 고 말한 다음 네 가지 방침을 직원들에게 훈시했다. 一. 용공 및 친공 분자의 철저한 숙청으로 치안 확보를 기하자. 二. 불만과 부패를 근절하고 공정한 인사행정을 실시하여 신상 필벌 주의로 나가자. 三. 사회적 도의심 앙양을 기하자. 四. 직업 관료제를 확립함으로써 신분 보장에 만전을 기하자. (5.21.)

'용공 분자 2,014명 검거. 조 흥만 치안국장은 용공 및 친공 분자 숙청 문제에 대해서 『군경 전 수사기관을 총동원하여 검거한 결과 22일 밤11시 현재, 전국에서 2014명을 검거 조사 중』 이라고 말했다.(5. 22.)'

국가재건최고회의에서는 그동안 제멋대로 설치며 정치와 행정은 물론 사회 일반에 큰 해악을 끼쳤던 깡패들을 검거하여 포승줄로 묶은 뒤 서울 시내에서 조리돌림을 시켰다. 이들은 일제 시대 김 두한처럼 '깡패가 마치 독립투사인 것' 처럼 영웅시 되던 사회 분위기에 편승하여 각종 이권과 비리에 관계하면서 패악질을 일삼던 망나니들이었다. 이들에 대한 검거와 처벌은 수많은 국민들에게 오랜 갑갑증을 일거에 해소시키는 청량제 역할을 하였다.

" '깡패 생활 청산하겠다.' 이 정재 선두로 200명이 시가 행렬. 21일 하오 2시 경, 서울 시내에서는 이색적인 깡패들의 행렬이 있었다. 동 행렬은 깡패 두목 이정재를 선두로 약 200명 가량의 깡패들이 군경의 호위를 받으며 덕수궁을 출발 줄을 지어 시내 중심가를 일주했는데 이들은 모두 거국적이고 역사적인 5·16 군사혁명을 맞아 험악했던 과거를 참회하고 있는 듯이 보였다.

『나는 깡패입니다 국민의 심판을 받겠읍니다』『깡패 생활 청산하고 바른 생활하겠읍니다』『우리의 젊은 몸과 마음을 국가에 헌신하겠읍니다』 등의 「푸라카드」를 든 이들 깡패와 「히라이」들은 가슴에다 「신회순」(용강파) 「엄흥섭」(개고기) 「김수응」(까게) 「이의영」(돼지) 등의 이름표를 붙이고 시내를 일주하며 과거를 청산하고 새 국가 건설에 몸과 마음을 바칠 것을 다짐하였다."(5.22.)

'범법자 총 2만 2,007명, 깡패 4,200명. 치안국 발표에 의하면 군사혁명 후 일주일 동안 전국 경찰에서 적발한 깡패, 경제사범, 통금위반, 교통사고 및 교통법규 위반, 풍기 문란, 무허가 판잣집, 부정전력 사용 등 사회의 암적 존재였던 모든 범법자 수는 총 2만 2,007명으로서 하루 3,100여 명씩 적발했다는 것이다. 그 중 가장 사회의 독소가 되어 있던 깡패가 4,241명이나 걸려들었는데 그 중에는 서울시내의 깡패 두목들을 비롯하여 3.1당 깡패 부두목 김수철 등 그 일당 7명이 일망타진 되었고 진남포 깡패 부두목 노병선, 「똥바가지」 깡패 부두목 김 송본 등 일당 10명도 끼어 있다.'(5.23.)

조선일보에 날자 별로 실린 내용이다. 국민들이 오랜만에 가슴 시원한 소식을 듣게 되었다. 소식과 함께 통쾌한 혁명 정부를 기대하리라.

혁명 정부는 군만이 할 수 있는 강력한 치안 확보를 최우선으로 실행에 옮겼다. 깡패 소탕, 시위와 데모 근절을 일시에 단행함으로써 시민들의 불안함과 억울함을 일시에 해소시켜 줄 수 있었다.

청량음료와 같은 시원함을 온 국민들에게 선사함으로써

'과연 군대가 나서니까 안전해지고 조용해지는구나'

라는 기분이 들게 해 주었다.

또 국회 중심의 정치를 규제한 것도 정치 당사자들을 제외한다면 대체로 환영하는 분위기가 느껴진다. 장 면 정부의 무능력을 한탄해 마지않던 국민들은 내각을 총사퇴시키고 혁명 정부에서 발 빠르게 포고문을 발표하고 행정 집행에 나서는 것을 유의 깊게 지켜보고 있는 중이다.

국가 발전이나 경제 개발과 같은 과제는 시간을 가지고 치밀하게 추진해 가야만 한다. 일단 군사 혁명에 성공하고 초기 조치를 완료한 만큼 좀 더 차분하게 중장기 전략을 추진해가야 한다.

국가 발전 전략 구상

시간이 흐를수록 엄청난 압박감이 몰아친다.

혁명 거사 계획을 짜고, 동지를 규합한 뒤, 마침내 군사 혁명을 시도하여 완성 단계에 도달하였다.

'이제는 좀 마음 편하게 쉴 수 있을까?'

좌우를 돌아보지만 전혀 빈틈이 보이질 않는다. 조금도 여유가 없다.

5월 15일, 혁명군을 이끌기 위해 급하게 집을 나온 뒤 여태 내자에게 전화 한 번 하지를 못하고 있다. 사무실 야전 침대에서 잠을 청하고, 며칠째 군화도 제대로 벗어 보지를 못했었다. 어제 비로소 영수가 보내온 내복을 받아 갈아입었다.

긴박하게 돌아가는 혁명 전선이 벌써 일주일 째 이어지고 있다. 최고회의를 구성하고 위원별로, 위원회별로 업무 분담을 꾀하였다. 내각을 구성하고 각급 기관장을 임명하여 역량껏 혁명 과업을 추진하도록 만들었다.

모두가 책임감 있게 맡은 바 일에 열심이다. 충성심 강하고, 열정적이며, 업무 추진력이 대단하다. 6·25 전쟁에서 고지 점령을 위해 목숨을 걸고 '돌격 앞으로' 외치던 그 때처럼 '전율을 느낄 정도로' 강렬한 인상을 보여주고 있다. 어디 하나 빈틈이 없을 정도로 모두가 매진하고 있는 마당에, '내게 조금이라도 여유가 있을 것' 같은데, 전혀 그렇지가 않다.

회의실에서는 물론, 사무실에 홀로 가만히 앉아 있는 상황에서도 '머리가 터질 듯' 생각하고 판단할 일이 폭주하고 있다. 모든 분야, 위원회, 부처, 기관의 일이 내게로 집중되고 있다. 군사 혁명을 총지휘한 원죄(原罪 ?) 때문에 모든 사항에 대한 최종 결재를 내가 감당해야만 한다.

혁명을 함께 하고, 지금 혁명 과업 수행의 최전선에 나서 있는 모든 현역 군인들은 전혀 해 본 적이 없는 일에 맞닥뜨려 있다. 간혹 스스로 원해서 일을 하는 이들도 있다지만 대부분은 내가 일방적으로 등을 떠밀어서 맡긴 일들을 감당하고 있다.

'아는 것보다도, 모르는 것이 더 많을 것이다.'

'권한은 주어졌지만, 그것을 어떻게 써야 하는 줄 알지 못하는 이도 많을 것이다.'

'정치나 행정이나, 장관이나 도지사나, 기업인이나 교수나 선생님 노릇이 그렇게 쉽다면, 현역 군인들이 나설 게 뭐 있었겠나? 그냥 놔둬도 잘 되었을 텐데.'

곰곰이 생각해 보면 지금 최전선에서 뛰고 있는 혁명 동지들, 대다수 군인들이 '뭐가 뭔 지 모르고 당황해하거나, 멋모르고 설치고 있을 수 있다.'

생각하면 할수록, '긴장해야 한다. 긴장하라!' 나를 몰아친다.

전방 7사단장 시절에 가까이 접했던 70 후반 할머니가 할아버지를 먼저 떠나보내시고는 내게 푸념을 한 적이 있었다.

"장군님, 자식들이 내게 왜 이럽니까? 나를 가만 두지를 않네요."

무슨 소리인가 자근자근 들어 보았더니 알만했다. 이 할머니는 치매기도 조금 있었고, 일을 많이 해서 허리도 제대로 펴지를 못하고 운신(運身)을 마음대로 하지 못했었다. 그래서 할아버지가 옆에서 보살펴야만 일상 생활이 가능했었다. 그러던 중에 갑자기 할아버지가 먼저 세상을 떴다. 장례를 치르고 난 그 직후부터 할머니는 정신을 차릴 수가 없을 정도로 많은 일을 스스로 감당해야만 했다.

객지로 나가 살던 일곱 자식들이 모두 자기에게 다가와서는 '오늘은 무엇을 드셨냐?' '몸은 어떠시냐?' '토지세는 어떻게 하실 거냐?' '안골 큰 밭떼기에는 무슨 작물을 심을 거냐? ' '그 땅은 누구에게 줄거냐?'

'그동안 지네들 사느라고 나를 본체만체도 안 하던 것들이, 왜 갑자기 내게 관심이 많아진 걸까?'

면서기도 나타나서는 '할머니, 할아버지 사망 신고 하셔야죠?' 하고, 동네 이장도 매일 찾아와서는 '동네 천렵 추렴을 하려고 하는데 참가하실 거죠?' 묻는다.

모든 것을 할아버지가 처리해 주었었는데 이제는 혼자 감당하란다. 할머니는

"내가 머리가 돌아 버릴 것 같아요. 나 빨리 죽으라고 하는 것 같네요." 하소연한다.

지금 내가 바로 그런 신세가 되었다.

장 면 총리를 면직시키고, 윤 보선 대통령을 뒷방으로 몰아냈다. 국회의원 모두를 감금해서 재갈을 물리고 정부 부처 모든 장관, 시장과 군수, 기업체 사장들을 쫓아 내거나 족쇄를 채웠다. 쫓겨난 그들이 모두 나를 바라보면서 외치는 것 같다.

"그래, 그 잘난 네가 한번 다 해봐라."

갑자기 겁이 덜컥 난다.

심호흡을 하고, 다시금 정신을 가다듬어 본다.

'정신을 차려야 한다' '내가 스스로 무너져서는 안 된다.'

혁명을 통해 그토록 하고 싶었던 국가 발전에 관한 일들을 하나씩, 차근차근 해내야만 한다. 국가 발전의 장단기 전략을 세워 차근차근 추진해 가야 한다. 아니다. 동시다발적으로 한꺼번에 처리해가야만 한다.

모두가 나만을 쳐다보고 있다. 아니, 모든 것을 내가 앞장서서 방향을 정하고, 목표를 세워 조율해 가야 한다. 자칫 어느 한 곳이라도 삐끗하거나 누구 하나라도 엉뚱한 짓거리를 하면 큰 일 난다. 혁명 직전 민주당 정부보다도 못한 상황이 전개되어서는 안 된다.

군 생활 중 특정 목표나 전략을 수립하고 적극적으로 실천해 가는 일은 사실 내가 가장 자신하는 영역이었다. 하지만 이제는 군사 분야가 아니라 국가 전체와 관련된 업무다. 젊은 혈기에 일단 군사 혁명을 하기는 했지만 정치, 행정, 경제, 농업, 공업, 교육, 사회 복지 어느 하나도 만만한 게 없다. 온 정성을 다해 전력 투구해야만 어느 한 영역이라도 따라잡을까 말까 한다.

자, 어쩔 것인가?

그냥 장 도영 의장에게 떠넘기고, 영관급 팔팔한 젊은이들에게 맡겨 버리면 어떨까? 나는 그저 뒷짐 지고 생색이나 내면서, 굿이나 보고 떡이나 먹으면 어떨까?

아버님께서 그러셨듯, '속으로만 썩어 문드러지는' 소극적 성격이 다시 도지는가? 사령관이 되어 도전적으로 장병들 앞에 나서기 전까지는 언제나 남 앞에만 서면 쪼그라들었다. 어제 오늘만 해도 육사 생도들의 거리 행진을 바라보면서 남에게 감정을 들킬까 염려되어 검정 라이방을 껴야만 했다.

소심한 성격으로 인해, 조금만 흥분되어도 가슴이 벌떡거리고 얼굴에 감정이 드러난다. 호불호(好不好)나 화(火), 분노의 감정이 적나라하게 얼굴로 몸짓으로 드러나는 소심한 순진형 인간이 바로 나다.

이 타관 상사로 하여금 차를 대라고 해서 올라타고 한강변을 무작정 달리게 했다. 남한강을 따라서 양평까지 시원하게 달렸다. 짙푸른 초여름의 신선함이 얼굴을 때린다. 가슴 속의 불, 불안한 감정이 조금은 사그러드는 듯했다.

오늘은 만사 제끼고 신당동 집으로 들어갔다. 오랜만에 부인 영수의 얼굴을 보면서 편안해진다. 아이들도 가까이 다가와 아는 체를 하면서 안긴다. 가족의 편안함이 이런 것이구나 느껴진다.

국가 발전 전략을 짜야만 한다. 일단 큰 골격으로 방향 설정을 하고 목표를 세워 보기로 한다.

- **정치판:** 일단 모든 정치인들의 정치 활동을 규제하고, 좌파식 분열주의

자를 가려낼 필요가 있다. 대한민국 발전을 위해 근본적으로 해가 되는 인사는 당분간 자유로운 정치 활동을 하지 못하게 하고 싶다. 혁명 정부가 어느 정도 안정이 되었다고 생각되는 시점이 되면 헌법 정신에 따른 자유 민주 정치를 곧바로 허용해야 한다. 오래 걸리지 않을 것이다.

- **농촌 빈곤 해결:** 1950년 전쟁 직전 실시한 농지 분배로 인해 전국의 농민들이 모두 자기 땅을 가졌다. 하지만 농토가 적어서 아무리 열심히 농사일을 하더라도 입에 풀칠하기가 쉽지 않다. 농업 생산량을 늘리는 일이 급선무다. 인력만으로는 한계가 있기 때문에 집집마다 소 한 마리씩은 보급해야 하겠다. 하지만 전쟁으로 인해 거의 모든 소나 돼지가 사라졌다. 미국 원조 물자로 가축을 받아서 증식하고 있지만 아직 숫자가 그리 많지 않다. 영농 기계화를 적극적으로 추진해 가야 한다. 농촌 인구를 줄이는 방법이 최선인데 그러기 위해서는 유휴 노동력을 도시의 공장으로 뽑아 내야 한다.

농업은 항시 모자란다. 보리고개를 넘기려면 사정이 조금 나은 이웃으로부터 빚을 내야 한다. 매년 쌓인 빚이 고리대가 되어 수많은 농민을 옥죄고 있다. 아직도 농지 상환금을 다 갚지 못한 농가가 태반이다. 농어촌 고리대와 밀린 토지 상환금 문제를 시급히 해결해야만 한다.

- **실업자 구제:** 민주당 정부에서도 실업자 구제, 농촌 소득 증대를 위해 국토개발사업을 벌렸다. 하지만 재정이 빈약한 상태에서 추진되는 국토 개발 사업이나 농촌 소득 증대는 한계가 있다. 공장을 만들어 제품을 생산해서, 외국으로 수출을 하도록 해야 한다. 수천 년 대한민국은 농업에만 매달려 왔다. 농업 생산량이 일정 수준으로 한계 지워져 있는 상태에서 국민의 빈곤은 대를 이어 오늘날에 이르르고 있다. 공산품 생산과 수출, 무역 증대가 우리의 갈 길이다.

- **경제 발전:** 혁명 후, 한국은행 금고를 보니 너무나 돈이 없다. 국가 재정의 50% 내외를 미국 등 선진국의 원조 물자로 채우고 있는 상태다. 이승만 자유당 정부, 장 면 민주당 정부를 그토록 무능력하다고 비난했었던 내 자신이 부끄러울 정도로 우리 한국의 현실은 가난하다.

경제 발전을 위해서는 일단 투자할 돈을 마련해야 한다. 먼저 부정축재자들의 재산을 몰수한다. 정부의 모든 지출을 줄이고 절약해서 투자 자금을 만들어야 한다. 미국에 애걸복걸하더라도 원조나 차관을 늘리도록 만들어야 한다. 일본에 대해서도 협상을 통해 손해 배상금을 받아내고 필요할 경우에는 원조 차관을 빌려야 한다.

- **공업화:** 일단 일본이나 미국 등으로부터 수입되는 생활필수품을 국내 공장에서 만들어 충당해야 한다. 경공업 제품을 만들어 수입 대체를 하면 달러를 절약할 수 있다. 석탄이나 중석 등 광물질 생산과 수출도 중요하지만 우리 스스로 가공하여 질 좋은 공산품을 만들어야 한다. 공업화를 통해 실업자를 구제하고, 국민 소득 증대를 꾀해야 한다. 적극적으로 수출 증대를 꾀해야 한다. 공업화를 위해서는 우수한 전문 인력이 필요하다. 이를 위해 전문 기술자, 과학자 육성 교육이 뒷받침되어야 한다.

- **행정:** 구태의연한 유교식 행정이나 일제의 수탈 행정 방식을 벗어나야 한다. 테일러의 과학적 관리법, 능률성과 효과성을 최대로 하는 행정 관리 방식을 도입해야 한다. 미국에서 능률 행정을 배운 젊은 군 장교들을 행정 현장에 파견하여 모든 정책 과정과 행정 관리를 현대화해야 한다. '되는 것도 없고, 안되는 것도 없는' 유교식 행정은 더 이상 없어야 한다. 피지배 계급으로서, 수탈을 받는 입장에서 어거지로 순종하던 일제 시대의 피동적 행정 방식도 사라져야 한다. 직위 분류제를 시행하여 직무와 직책이 일치하게끔 만들고, 책임 행정을 구현케 해야만 한다. 얼렁뚱땅 식의 행정이 아니라 제대로 된 행정 운영 절차를 만들어 예측 가능한 행정을 펼쳐야 한다.

- **부정 부패 일소:** 지난 민주당 정부까지의 대한민국은 철저히 부패 공화국이었다고 해도 과언이 아니다. 모든 영역에서 곪을 대로 곪아 있다. 법정의가 지켜지지 않고, 원칙도 없다. 누구 하나 바로잡으려고 나서질 않고 있다. 그저 '관행'이 최고로 여겨져 잘못된 현실을 바로잡으려 하지 않았다. 부정축재자 검거, 부정 행위자 체포로부터 부정부패 척결에 나서려고 한다. 이미 깡패 소탕전에서부터 시작되었다. 새로 책임을 맡아 부임한 군 장교들

에게 신신당부하여 이권에 개입하지 말고 부정 청탁을 들어주지 말라고 단속을 했다. 아무리 작은 것이라도 부정행위는 절대로 용서치 않을 것이다.

- **반공, 김 일성 공산당 척결:** 대한민국 발전을 위해서는 반드시 북한을 추종하는 공산당, 좌파 세력을 척결해야만 한다. 공산주의는 교묘한 언변과 수단 방법을 가리지 않고 우리 사회의 낙오자, 상대적으로 열악한 사람, 노동자, 가난한 농민, 불만 세력을 충동질하고 자극한다. 물질적으로는 아무런 지원도 하지 않으면서 그저 말로만 자극을 하여 화를 내게 만든다. 해방 후 좌익 게릴라, 빨치산들, 6·25 전쟁을 거치면서 공산당은 우리의 최대 위험한 적임이 밝혀 졌다. 민주당 정부가 무너진 것은 바로 좌파 불순분자, 공산당 사주 때문이다. 북한 김 일성이 존재하는 한 항상 우리를 교란시키고 혼란스럽게 만들 것이다. 현재는 우리보다 조금 더 잘 산다고 기고만장해 있다. 하지만 공산주의는 지유민주주의를 넘어서기 어렵다. 태생적으로 공산주의 집단 경제는 성장에 한계가 있다.

생각이 공산당 김 일성에까지 이르르고 보니 퍼뜩 김 종필 중령이 추진하고 있는 중앙정보부 창설 과정이 궁금해졌다. 중앙정보부는 공산당 척결을 위해 반드시 필요하다. 전쟁 전후로 정보가 얼마나 중요한 지 절실하게 깨달았다. 부정축재자 검거나 깡패 소탕은 물론 경제 개발 전략 수립이나 외국의 정치 행정, 경제 발전 정보 수집까지 전방위적으로 역할을 해내야만 한다.

사무실로 출근하자마자 김 종필 중령을 호출했다.

"김 중령, 어떻게 되어 가나?"

"예, 각하. 8기 동기생 중심으로 중앙정보부 창설 작업을 차근차근 진행해 가고 있습니다. 최 영택, 서 정순, 이 영근, 고 제훈, 석 정선 등이 함께 하고 있습니다. 각하께서도 아는 인물들입니다."

"그래, 아는 사람들이군. 이 후락 장군도 정보부 창설에 대해 많은 지식을 가지고 있을 게요. 찾아뵙고 도움을 요청하시게."

"그렇잖아도 벌써 만나 뵙고 자료를 넘겨받았습니다."

"무엇보다도 시급하니까, 이삼일 내로 함께 검토합시다. 최고회의법으로 근거 규정은 만들어져 있으니까."

"알겠습니다."

중앙정보부는 내가 구상하는 국가 발전 전략 수립은 물론 향후 추진 과정에서 중요한 역할을 하게 될 것이다. 미국의 CIA와 영국의 MI, 소련의 KGB처럼 제대로 된 조직을 만들어 운영하고 싶다.

중앙정보부: 김일성을 잡아라

김 일성이 설치는 꼴을 그대로 봐 줄 수가 없다. 호시탐탐 우리 한국을 엿보면서 혼란을 조장하고 끝끝내 적화 통일을 해보겠다고 별 짓을 다하고 있다.

김 일성은 지난 해 4·19 혁명 이후 지금까지 수없이 많은 간첩을 파견하여 우리의 정치, 사회 혼란을 극대화하고 있다. 경찰과 검찰, 방첩대에서 불철주야(不撤晝夜) 눈을 부릅뜨고 간첩을 잡아내고 있지만 감당이 안된다. 휴전선을 넘어서, 또 해안선을 타고서 공산당 간첩들이 스멀스멀 국내로 침투하고 있다. 최근에는 조총련(朝總聯)이라는 일본 내 거점을 만들어 두고서 간첩을 양성하여 현해탄을 건너보내고 있다.

첩보에 의하면 4·19 혁명 직후에 북한의 문화부 내 대남 공작 책임자들이 대거 처벌을 받고 아오지 탄광으로 쫓겨났다고 한다. 3·15 부정 선거 이후 극도의 혼란 속에서 4.19 학생 운동이 일어났고, 그 여파로 이 승만 정권이 몰락을 했는데, 이를 기회로 남한 폭동을 촉발시키지 못했기 때문이다. 대남 연락부장이었던 어 윤갑, 박 일영, 임 해의 판단 착오로 좋은 기회를 놓쳤다고 김 일성이 대로 (大怒)했다. 김 일성은 1950년 20만 이상의 군대를 동원하여 침략 전쟁을 펼쳤지만 유엔군 참전으로 목적 달성을 하지 못했다. 그는 그 이후 피폐한 남한이 기력을 회복하지 못하게 만들고, 지속적으로 정치 사회 혼란과 분열을 조장했다. 그러다가 마주친 남한 공산화의 최적기, 4·19 혼란을 이용치 못해 분통을 터트렸다.

더욱 가관인 것은 우리가 일으킨 군사 혁명에 대해, 깜짝 놀란 김 일성은 새로 결성한 노동당 중앙위원회 산하 남조선국이나 홍 명희를 위원장으로 하고 있던 조국평화통일위원회에 대해서도 극도로 심한 욕설을 퍼부었다고 한다.

김 일성은 4·19 이후 남한 내의 공산화 혁명 분위기를 괄목할 정도로 고조시켜 가고 있었다. '철부지' 학생들을 촉발시켜 남북한 학생 연대와 통일을 부르짖게 만들고, '혁신'이라는 이름으로 정치 사회를 혼란에 빠뜨리고 있던 좌파, 불순분자들을 동원하여 중립화 통일, 미군과 유엔군 철수, 자주 독립을 부르짖게 만들었다. 국내에서 암약하고 있던 간첩들을 전방위적으로 움직여 노동자 파업, 각종 시위와 데모를 촉발시켰다. 남한의 공산화 전략이 순조롭다고 생각하던 바로 그 순간, 우리의 군사 혁명이 등장했기 때문에 화가 치민 것이다.

김 일성의 공산화 전략 중 탁월한 것은 위장 평화 공세와 불평불만자의 선동, 혁신이라는 이름으로 정치 사회 엘리트들을 앞세워 국가를 흔드는 방법이다. 김 일성의 공산화 방식이 국내 혁신계나 젊은 정치인, '정의로워지기를 갈망하는' 일부 몰지각한 대학생들에게 그대로 받아들여져 장 면 민주당 정부를 못 살게 굴었다. 김 일성은 1960년 7월 선거에서는 친북 성향의 국회의원을 다수 당선시켜 국회 교섭단체를 구성하고자 시도하였다. 민주당의 압승으로 공산당의 우리 국회 진출이 좌절되긴 했지만, 얼마나 놀랄만한 사건이었던가.

우리가 군사 혁명을 하게 된 가장 근본적인 이유가 장 면 정부의 통치력 부재, 정치 사회 혼란이었는데, 이것은 바로 전쟁 살인마 김 일성이 만들어 놓은 '업적'에 해당한다.

대한민국의 가장 큰 장점이 자유요, 민주다. 그러나 공산당 김 일성과의 대적에서는 가장 큰 약점이 바로 자유요, 민주다. 자유와 민주에는 '책임'과 '주인 의식'이 수반된다. 그래서 함부로, 제 마음껏, 자유나 민주를 부르짖거나 주장하기가 어렵다. 항상 절제해야 하고, 상대방을 배려해야 하기 때문이다. 양식 있는 자유인, 민주 시민은 '100%보다는 80~90%의 자유와 민주'를 맥시멈(maximum)으로 하고 최선으로 여긴다.

그런데 말이다. 자유와 민주를 자기 마음대로 100% 주장하고 설쳐대는 이들이 있으니 바로 불평불만자, 좌파, 우리 대한민국을 어지럽히려는 공산당, 간첩들이다. 깡패들도 그 중 하나다. 진보라는 이름으로, 혁신이라는 단어로 그럴듯하게 포장하여 대한민국의 자유와 민주를 최대한 즐기면서, '어리석은 다수 민중'을 선동한다. 공산주의자들은 민주나 평등, 복지와 같은 긍정적인 용어보다는 차별, 불평등, 가난, 환경 파괴와 같은 부정적 용어에 집중한다. 이런 부정적 용어는 보통 인간의 비평, 비판, 불만족, 개선, 혁신, 시위, 행동이라는 단어와 접목되어 인간을 극단적 충동으로 몰아간다. 공산주의자들은 감정 촉발 기제(機制)를 잘 알고 교묘하게 이용한다. 군중 속에서 보란듯이 분신(焚身)을 하게 만들고, 갑자기 누군가를 공격해서 피를 보게 만든다. 그리고는 슬그머니 군중 속에서 사라진다. 그 다음은 애매한 군중들의 난동과 시위로 이어진다.

'애매한 군중' 속에는 똘똘하다는 야당 정치꾼, 제법 창조적이고 현명하다는 지식인, '불의를 참지 못 한다'는 언론인, '그냥 단순하게 용감한' 청년들이 포함된다. 후진국일수록 이런 애매한 군중이 많다. 지금의 우리 한국이 그렇다.

그래서 답답하고 짜증나며, 밉다. 민주당 소장파 청조회나 야당인 신민당, 정의롭다고 해대는 청년단, '뭣 좀 안다고 설치는' 대학생들. 그들의 주장이나 행태는 김 일성이 좋아하는 바로 그것이기에. 김 일성은 북조선 전 인민을 하나로 틀어쥐고서 노예화한 뒤, 맹렬하게 국토 건설에 나서게 하면서, 남한 적화 통일을 꾀하고 있다. 그런 사람을 비난하기는커녕 오히려 같은 편인 '선량한' 윤 보선, 장 면을 비난하면서 벼랑 끝으로 내몬다.

도저히 용서할 수 없다. 우리 대한민국을 못살게 굴고, 끝내 멸망시키려고 안달을 하는 북 조선, 김 일성. 그리고 공산당 세력들.

머리를 들어 허공을 보면서, 힘껏 좌우로 흔들어본다. 끝없이 빨려 들어가는 불쾌한 상념의 터널을 빠져나오기 위해서다.

비서관을 통해 김 종필, 최 영택, 석 정선 등 중앙정보부 준비팀을 불러들였다. 자택에서 반 연금 상태에 있는, 79부대를 운용했던 이 후락 장군도 들어오도록 했다. 그동안 진행된 모든 서류를 들고서 정예 멤버가 내 방으로 들어섰다.

"어떻게 돼 가나? 이제 마무리 해야지?"

"이제 초안이 거의 다 만들어졌습니다. 오후쯤 보고 드리려던 참입니다."

김 중령이다.

"각하, 방첩대에서 채집한 정보에 의하면 조총련계 간첩들이 대규모로 서울로 잠입했다고 합니다. 이번 군사 혁명 주축들이 대부분 평안도와 함경도 출신 장군, 영관급 장교들이라는 것을 알고서는 적극적으로 접근하여 포섭에 나선 것으로 판단됩니다."

방첩대 최 영택 중령이다.

"김 일성이는 남한 내 정치 사회 현황과 인물들에 대한 정보를 완벽하게 파악하고 있답니다. 장 도영, 이 주일, 박 치옥, 문 재준, 김 재춘, 이 석제 등 혁명 핵심 요원들의 북한 내 친인척, 출신 지역과 성분에 대한 정보는 물론 해방 후 한국 내에서의 군 경력, 가족 상황, 친인척 관계까지 모두 다 꿰고 있답니다."

"맞습니다. 오늘 이 석제 중령의 얘기를 듣고 정신이 번쩍 들었습니다. 우리가 좀 더 서둘러야겠습니다." 사복을 입은 석 정선 중령이다.

모두가 석 중령의 입을 바라본다.

“아, 글쎄, 육사 4기로서 불만을 품고 월북했던 김 해식이라는 놈의 편지를 받았다지 뭡니까? 깜짝 놀라서 펼쳐 봤더니 그 속에 신의주에 계시는 이 중령 아버지 사진이 들어 있더랍니다. 얼마나 놀랐던지, 손이 덜덜 떨리더랍니다.”

김 일성이 벌써 우리 혁명위원회, 국가재건최고회의 명단을 확보하고 그와 관련된 모든 정보를 가지고 있다는 얘기다. 정신이 번쩍 든다.

전쟁 전, 육사로 나를 찾아왔던 이 재복이가 생각났다. 내게 인생 막장의 맛을 보게 만들은 인물. 지금까지도 치가 떨리는 그 인물과 같은 놈들이 간첩이 되어 또 다시 내 주변에 어른거리기 시작하고 있다. 가슴이 탁 막혀온다.

“내 이 놈들 수법을 잘 알지. 아마도 그들의 포섭 대상자 명단을 보면 나와 장 도영 이름이 제일 위에 있을 거요. 김 일성이가 마음대로 만든 명단을 들고 남파되어 이리저리 뿌리고 다닌다고 생각해 봐. 우리를 죽이려 드는 좌파 언론인들은 물론 같은 혁명 동지들조차도 서로 의심하고 적대시할 거야. 포섭은 논외로 치고, 그 명단 하나만으로도 혁명군을 사분오열되게 만들고 전 국민을 혼란 속으로 끌어들일 거야.”

“맞습니다. 제가 알기로는 이 중령 말고도 몇몇 혁명 동지들에게도 간첩들이 접촉을 시도하고 있는 것 같습니다. 지금 상황이 매우 혼란스럽기 때문에 최고회의는 물론 치안국이나 내각, 시도지사 중 어느 하나라도 걸려들면 건국 초기 국회 푸락치 사건과 같은 일이 발생할 수 있습니다.”

석 정순 중령이 얼굴을 붉히며 나선다.

“우리가 중앙정보부를 만들려는 첫째 목적이 김 일성을 잡는 것입니다. 우리의 국가 안보는 교활한 김 일성과 공산당 침략을 막는 것으로부터 출발해야 해요. 김 일성이를 놔두고는 대한민국의 국가 안보를 보장할 수 없어. 지구 상에서 김 일성과 공산당이 우리 주변에 존재하는 한 대한민국은 편치 않을 겁니다.

중앙정보부가 이 역할을 충실하게 할 수 있어야 합니다. 제가 좀 과격하게 김 일성이를 잡아야 한다고 했지만, 사실은 그가 생존해 있는 한 그는 대한민국을 분열시키기 위해 간첩을 내려 보낼 것이고, 정치 사회 혼란을 유발할 거요. 우리 주변에서 공산당 논리에 빠져든 언론인, 정치인, 대학생, 청년, 노동자, 불만 세력이 우리의 심장을 향해 총칼을 들이댈 겁니다."

공산당 빨갱이에 한이 맺혀, 말이 격해진다.

중앙정보부 창설의 제일 목표가 김일성의 적화 야욕을 막는 것이며, 그가 내려 보내는 간첩을 잡는 것이고, 공산당 논리에 추종하여 대한민국을 어지럽히는 불순분자, 좌파, 불평불만자를 세상으로부터 격리시키는 일이다.

"20세기 전 세계 거의 모든 국가의 국가 안보는 공산당 격퇴입니다. 1917년 레닌이 공산당 혁명을 시작한 이후로 모든 국가 공동체는 '노동자 농민을 위하고, 평등을 실천한다'는 공산주의자의 도전을 받게 되었어요. 2차 대전 이후 식민지로부터 독립한 모든 나라는 공산국가가 되었거나 아니면 공산당 세력의 도전을 받아 국가 안보가 불안한 상태에 있어요. 하다 못해 히틀러의 제3제국이나 일본 제국주의 조차도 공산주의자와의 싸움에 힘겨워했지요.

그래서 오늘날의 국가 안보는 어김없이 공산당과의 싸움입니다. 공산당과의 싸움에서 진 나라는 모두 공산당 일당 독재 국가가 되었어요. 국민 개개인의 자유와 민주가 사라진 거죠."

내가 너무 심하게 말을 토해내니, 모두들 쥐 죽은 듯 조용하다. 이 후락 장군이 틈새를 보아 말을 꺼낸다.

"북한 공산당과의 싸움을 제대로 하기 위해서는 미국 CIA의 도움을 많이 받아야만 합니다. 그동안 국무원 산하의 중앙정보연구위원회라는 이름으로

CIA의 정보 조직과 운용 상황을 면밀히 검토해왔습니다. 몇몇 실무자 교육도 병행하고 정보 교류도 해오고 있는 중입니다. 중앙정보부가 초기 정착하는 과정에 조금은 도움이 될 겁니다."

김 중령이 인쇄된 문건인 중앙정보부 설립 안을 위원들에게 배포하고 설명을 시작했다.

"일단 꼭 필요한 사항만을 법 조항에 포함시켰습니다. 첫째, 기능(機能)을 '국가안전보장에 관련되는 국내외 정보사항 및 범죄수사와 군을 포함한 정부 각 부 정보 수사 활동을 조정 감독'하는 것으로 했습니다. 둘째, 직원(職員)으로는 부장, 기획운영차장, 행정차장, 지부장, 수사관 등을 두는 것으로 했고 부장과 차장은 최고회의의 동의를 얻어 의장이 임명하는 것으로 했습니다. 셋째, 중앙정보부 부장은 소속 직원과 다른 기관의 정보 수사 직원을 지휘 감독할 수 있게 했고 넷째, 중앙정보부 직원은 모두 수사권을 갖는 것으로 했습니다. 이 수사권의 행사에는 검사의 지시를 받지 않는 것으로 정했습니다. 다섯째, 중앙정보부 직원은 업무 수행을 위해 필요한 협조와 지원을 모든 국가기관으로부터 받을 수 있도록 했습니다."

문건을 보니 급하게 만든 느낌이 짙다. 조항 하나하나에 대해서 논의하려면 또 다시 많은 시간을 들여야 할 것 같다. 일단 이들의 노력을 인정하고 들어가기로 하고, 몇 가지 눈에 띄는 것들에 대해서만 좀 더 논의해 보고 싶어 지적을 하고 나섰다.

"'기능'이라고 표현했지만, 중앙정보부가 하는 일에 대해서 좀 더 구체적으로 나열해 둘 필요가 있지 않을까요? 너무 상세하게는 못하더라도 '국가안전 보장에 관련되는 것'들이 무엇인지 몇 가지 예시적으로라도 나열해보는 것이 어때요?"

"그러잖아도 그 부분에 대해서 많은 논의가 있었습니다. 어떻게 해야 할까 고민이 많습니다."

이 영근 중령이다.

"잘못하면 중앙정보부가 모든 일에 관여하는 것으로 비칠 수가 있어요. 꼭 해야만 할 업무를 나열하는 방식이나 '이런 것은 해서는 안 된다'는 금지 조항을 조문에 포함시켜 보세요."

"각하, '꼭 이것만을 하라'는 나열 방식이 포지티브(positive) 방식이고, 반대로 '이런 것만은 하지 말고 다른 모든 것은 해도 된다'는 방식이 네거티브(negative) 방식이라고 합니다. 현재는 혁명 시국이고 모든 것이 불투명한 상태이기 때문에 가능하면 후자의 네거티브 방식을 택하는 것이 좋아 보입니다."

김 중령이 내가 알아듣도록 설명을 한다.

"'국가안전보장에 관련되는 국내외 정보사항, 범죄 수사, 군을 포함한 정부 각부 정보 수사 활동을 조정 감독'이라는 한 문장 속에 모든 것을 담았습니다. 전략적으로 간결한 것이 좋다고 위원 모두가 합의한 사항입니다."

믿고 맡기려 하지만, 조금 떨떠름하다.

"미국이나 영국, 프랑스, 독일 등 선진국의 정보부 법규를 참조해 보세요. 조금은 더 탄탄한 법규가 되었으면 해요."

"알겠습니다."

"이왕 논의하는 김에 몇몇 선진국 정보부 조직과 활동 방식에 대해 누가 설명 좀 해주세요."

나도 정보국 일을 많이 해 본 경험이 있어서 어느 정도는 선진국 정보기구의 운영 실태를 알고 있기는 하다. 하지만 중앙정보부를 새롭게 설립하는 마당에 좀 더 꼼꼼하게 챙겨보고 싶어졌다.

중앙정보부는 나의 혁명 과업을 수행하는데 더없이 중요한 조직이 될 것이다. 단순히 김 일성 잡는 데만 사용될 것이 아니라 국내 치안 확보, 주요 정책 결정을 위한 정보 수집, 정책 피드백 등에 큰 도움이 될 것이다.

중앙정보부: 중심을 잡다

"미국은 해외 정보 수집을 전담하는 CIA와 국내 수사를 전담하는 FBI가 공존하면서 국가 정보 업무를 담당하고 있습니다. 현실적으로는 두 기관 모두 국내외 정보 수집과 분석, 수사 역량을 갖추고 있습니다. 미국은 이 두 기관 이외에도 안보 차원에서 국가 정보를 다루는 기관이 여럿 있습니다."

김 중령이 미국 정보기관에 대해 간략하게 설명을 했다.

"현재 우리 한국과 가까이 있는 것이 해외 정보 파트인 CIA입니다. 우리가 북한을 상대하기 위해서는 CIA 모델을 많이 연구해야 할 겁니다. 하지만 간첩 수사와 관련해서는 CIA와 FBI 두 기관을 합친 형태의 중앙정보부가 필요합니다. 전 세계를 커버하는 큰 나라인 미국과는 달리 우리는 정보 수집 분석과 수사 기능을 하나로 합한 기구가 더 적합합니다."

석 정선이다. 정보 분야에서 두각을 나타내던 인재다. 항명 사건으로 불행하게 옷을 벗어 지금은 민간인 신분이지만 조만간 정보부로 복직 시켜야만 할 것이다.

"이스라엘의 모사드(MOSSAD)도 연구해볼 만한 조직입니다. 이스라엘 국가 차원에서 만이 아니라 전 세계에 퍼져 있는 유대인 관련 정보에 대해서도 막강한 역량을 갖추고 있지요. 특징 중 하나는 적극적으로 해외 공작을 수행한다는 점이지요. 이스라엘은 국내와 주변 아랍 국가들을 대상으로 한 강력한 공작 기구로서 신벧(SHIN BET)도 가지고 있습니다."

그렇다. 우리가 수동적인 관점에서 간첩 침략에 대한 대응만을 고민하고 있지만 사실은 좀 더 능동적으로 원점 타격 등 국가 안보 차원에서 해외 공작을 벌리는 능력도 가져야만 한다.

갑자기 6 · 25 직전, 육군 정보국에서 일하던 시절이 생각났다. 1950년 5월, 6월 3 · 8선 일대의 긴박한 적정(敵情) 정보 수집과 분석을 하던 순간을 결코 잊을 수 없다. 피난민들을 통해 수집하던 공산군의 상황은 치밀한 남침 준비 상황이었다. 민간인의 후방 소개(疏開), 정예 군대의 국경 집결, 분주한 차량 이동 소리, 무전을 통한 감청 등 모든 수단을 동원한 정보 수집 결과는 며칠 내 침략 전쟁 발발 가능성이었다.

육본을 통해 국방부와 경무대에 보고를 올렸지만 윗선에서는 사태의 심각성을 깨닫지 못하고 있었다. 정보의 정확성 못지 않게 정보의 신뢰성, 활용 가능성이 중요하다는 사실을 깨닫게 해 준 사건이었다.

"중앙정보부는 정보 관련 능력과 함께 대외적 신뢰성이 뒷받침되어야 만합니다. 물론 요원들의 국가에 대한 충성심과 지혜롭고 강인한 정신적, 육체적 역량이 기본이 되어야 하구요. 우리 한 가지 씩 따지고 들어가 봅시다."

- **국외와 국내 정보:** 중앙정보부의 활동 공간을 국내와 국외로 구분할 것인가 여부다. 현재 국내 정보 담당 조직으로서는 치안국이나 정보국, 경찰 정보과, 방첩대 등이 존재한다. 하지만 특별히 해외 정보 담당 기관이 없다. 이제 국외 정보 전담 기구로서 중앙정보부가 역할을 해야 한다. 그럴 경우에 중앙정보부가 국내 정보에 대해서도 함께 다뤄야 할 것인가의 문제가 발생한다.

"중앙정보부의 활동 영역을 국외와 국내로 구분 짓는 것은 불가능하다고 생각합니다. 현해탄을 넘나드는 간첩들은 한국과 일본, 북한을 제 집처럼 드나들고 있습니다. 이들을 추적하고 대적하기 위해서는 중앙정보부의 활동 무대가 국내외 모든 지역이 되어야만 합니다."

최 영택 중령이다. 맞는 말이다. 일본에 있는 조총련이 북한 간첩의 행동 거점이라면 중정의 활동 무대도 당연히 한국과 일본 전역이 되어야 한다. 현재는 중공 국경이 폐쇄되어 있어 접근이 불가능하지만 중정의 요원들은 중공까지도 활동 무대로 삼아야 할 것이다. 원점 공작 차원에서는 북한 지역도 활동 공간이 되어야 한다.

1950년 전쟁 전, 나와 육본 정보국의 정보 역량이 한계를 보인 것은 중공과 소련, 북한 내부에 관한 정보가 전혀 없었다는 점이다. 38선 주변의 정보 수집과 분석에는 최선을 다했지만, 막상 김 일성과 박 헌영을 앞장 세워 자유 대한민국을 멸망시키고자 했던 모스크바 소련, 스탈린에 관해서는 깜깜했었다. 스탈린에 관한 정보가 있었다면 6.25 전쟁을 일어나지 않게 했을 수도 있다.

또 1950년 10월, 중공군 참전에 대한 것도 마찬가지다. 장 개석 국민당과 전쟁에서 승리한 모 택동의 중공군은 금문도를 거쳐 대만 점령에 전력 투구하다가 어느 날 갑자기 군대를 돌려서 압록강과 두만강을 넘었다. 이에 관한 정보가 전혀 없었다. 우리는 물론 미국 CIA 조차도 이를 눈치 채지 못했다.

중앙정보부의 활동 무대는 국경이 있을 수 없다. 지금 당장은 서울 주변의 국내이지만 국가 안보를 위해서는 국토 전역, 바다를 건너 일본, 휴전선을 넘어 북한까지 모두 활동 영역 내에 포함되어야 한다. 우리의 국력이 커감과 동시에 중공과 소련, 미국이나 영국, 동남아시아 모든 권역이 활동 무대가 될 것이다. 규정 속에 특별히 활동 영역을 국외로 하거나 국내로 한정한다는 표현을 넣을 필요는 없다.

- **정보 수집과 분석:** 요원을 활용한 정보 수집과 분석(HUMINT), 전화나 무전기 등 정보 통신 기기를 활용한 정보 수집과 분석(COMINT)이 동시에 필요하다. 2차 대전 당시 영국과 독일의 정보 전쟁, 진주만 폭격을 계기로 촉발된 미국과 일본의 정보전을 보면 정보부는 국가의 모든 역량이 집중되는 곳이다. 국력이 곧 정보력이다. 해방 전후로부터 지금까지 미국의 정보 당국은 우리의 정보력 증대에 많은 도움을 주고 있다.

"우리의 정보 수집과 분석 능력은 미국이나 소련, 영국 등 선진국에 비해 보면 아직 걸음마 단계에 불과해. 79 부대에서 하려고 했던 미국 정보부와의 교류를 더욱 활발하게 추진할 필요가 있어요. 법 규정에 요원 교육이나 기술 개발에 관한 것도 포함시킬 것인가 고려해 봅시다."

- **정보원:** 중정이 창립된다면 직원은 방첩대나 경찰국, 검찰의 정보통들

을 대거 채용해야 한다. 그리고 이들을 체계적으로 교육시켜 향후 지속적인 정보 역량 증대로 이어지게 만들어야 한다. 필요할 경우에는 외국에서도 요원들을 발굴해서 정보부 직원화해야 한다. 정보원의 활동 부대가 국내를 넘어 해외가 될 경우에는 영어와 현지 언어에 능통해야만 한다. 현지인 수준의 언어 실력을 갖추게 만들어야 한다. 또 정보 공작을 하게 될 경우에는 강인한 체력과 함께 무력, 호신술을 할 수 있어야 한다. 당연히 총기 사용 능력, 폭파 능력, 간첩 활동, 화생방 능력도 갖추어야 한다.

"현재 방첩대나 해병대, 공수부대에서도 총기 사용이나 전투력 강화 훈련을 수행하고 있습니다. 하지만 첩보원, 정보 요원 훈련은 또 다릅니다. 우리가 빨리 성장하기 위해서는 미국이나 영국, 프랑스, 독일, 이스라엘 등 세계 최고 수준의 정보부 도움을 받아야만 합니다. 우리끼리만 설치다가는 그저 우물 안 개구리 신세를 면하지 못할 겁니다."

김 중령이다. 이 후락 장군, 석 정선 중령 등 모두가 고개를 끄덕인다.

"정보원은 장교, 직업 군인처럼 신분 보장을 해 주고, 위험수당을 많이 주어야 할 겁니다. 해외 근무자의 경우에는 현지 수준에 맞는 생활, 근무 여건을 만들어 주어야 해요."

중앙정보부 부장은 국가재건최고회의에서 임명하는 것으로 한다. 혁명 정부가 아닌 평시에는 중앙정보부를 대통령 소속으로 하고, 부장은 대통령이 임명하면 된다. 이때 중정의 정치적 안정을 꾀하기 위해서는 부장의 임기를 정해서 대통령의 진퇴와 무관하게 할 필요도 있다. 하지만 국가에 대한 충성이 곧 최고 통치권자에 대한 충성이 되어야 하기 때문에 임명권자인 대통령 임기와 병행하는 것도 고려 대상이다.

- **정보 공작(情報 工作):** 정태적 정보 수집과 분석 차원을 넘어 능동적인 정보 공작도 중정의 활동 영역에 포함시켜야 한다. 국가 안보를 위해 사후적 대처보다도 우선시해야 할 것이 사전적 대처다. 6·25 전쟁을 막기 위해서는 침략에 대비한 무기 체계 개편 이전에 공산당 수뇌부에 대한 교란

과 파괴 공작이 우선시되었어야만 한다. 하지만 38선만 바라보면서 정보 활동을 하다 보니 원천적 정보 공작에 대해서는 엄두도 내질 못했다. 최근 김일성 공산당의 간첩 침략도 수동적 입장에서 대처하기에 급급하다 보니 항상 수세에 몰리고 있다. '공격이 최선의 방어'라는 진실을 외면해서는 안된다.

중앙정보부 활동 내용에는 능동적 정보 공작이 포함되어야 한다. 물론 이런 항목은 법규에 표현하지 않더라도 암묵적으로 존재하는 것으로 새겨야 할 것이다.

- **정보의 신뢰성 확보:** 정보는 무한대로 생성되고 무한대로 수집될 수 있다. 중요한 것은 그 속에서 핵심의 진실된 정보를 채집하는 일이다. 그래서 정보 요원은 매우 치밀하고 지혜로운 사람이어야 한다. 지능지수가 높고, 분석력, 상황 판단력, 전후 맥락 연결력, 미래 예측력이 남다르게 좋아야 한다. 정보의 진실성이 곧 신뢰성이다. 정보 수집 및 분석 도구가 과학화하면 할수록 정보의 신뢰성이 좋아질 수 있다.

"중앙정보부가 제대로 활동하기 위해서는 충분한 재정 지원이 필요합니다. 현재 상황을 보면 국가 예산 지원에는 한계가 있습니다. 국회의원들이 중앙정보부 활동을 긍정적으로 고려해서 충분한 예산을 배정해 주어야만 하지만, 결코 녹녹치 않으리라 생각합니다. 지난 자유당 정부 시절 김 창룡 방첩대나 그 이후의 경찰, 검찰의 대간첩 작전에 대해 불만을 가진 의원들이 많습니다."

김 중령이 벌써부터 걱정이다.

"중정 예산은 공개되는 부분도 있지만 뭐에 쓸 것인지 모르게 비밀스러워야 할 게요. 기업이나 민간 차원에서도 조심스럽게 재정 지원을 받아야만 할게요."

- **비밀성 유지:** 중정의 존재나 요원들의 면면, 활동 모두가 비밀스러워야 하고 노출되어서는 안 된다. 정보 요원이 노출되는 순간 활동 제약이 일어난다. 그런 면에서 중앙정보부의 규정이 지나치게 상세해서는 안 된다. 모

든 정보 요원은 이름이나 사진, 주거지, 활동 내용이 노출되지 않도록 신경을 써야 한다. 재직 중은 물론 퇴직 이후에도 자신의 활동 내역을 공개해서는 안 된다. 엄격한 사후 비밀 유지가 이루어져야 한다.

- **수사권:** 중앙정보부 및 직원의 수사권은 매우 중요한 부분이다. 단순히 정보 수집과 분석, 그리고 관계 부처에 송부하는 정도로 역할을 제한할 것인가? 아니면 정보활동 현장에서 수집, 분석, 수사가 거의 동시에 이루어져야 할 것인가? 간첩을 전제로 고려하면, 의심되는 간첩을 직접 포박하여 감금하고, 범죄 여부에 대해 수사할 수 있어야만 한다. 수사권이 없는 정보 수집과 분석은 한계가 있다.

민주 국가의 경우에는 수사권과 기소권을 분리하여 전자를 경찰에, 후자를 검찰에 주는 방식을 취한다. 경찰이 갖는 수사권을 중앙정보부도 가져야만 한다.

"수사권 항목은 중정 규정에 꼭 필요한 것입니다. 이것이 있어야 간첩을 잡을 수 있습니다."

최 중령이다. 방첩대에서 간첩을 잡아 본 경험을 가지고 있다. 중정 법규에 중정 직원의 수사권을 명시해야 한다. 다만 중앙정보부 모든 직원이 수사권을 갖기보다는 '수사 업무에 종사하는' 요원들에 대해서만 부장이 수사권을 부여하는 방식으로 규정을 만들었다.

- **정보 감독, 조정, 통제권:** 중앙정보부 설치 목적 중 하나가 국가 정보기관들의 정보활동에 대한 조정, 통제, 감독이다. 각 부처나 기관, 경찰과 검찰, 군에서 수집하거나 소유하고 있는 정보를 요구하고, 조정하며 통제하는 권한은 매우 중요하다. 국가 정보는 이를 수집하는 사람이나 상황에 따라 내용이 달라질 수 있다. 보는 관점에 따라 평가가 달라지고 취사선택에 차이가 발생한다. 그래서 중앙정보부 차원에서 최종적으로 비교, 평가, 종합하는 역할이 필요하다. 이를 위해 여러 정보기관이나 정보 담당자들을 지휘하고 통제할 수 있어야 한다.

- **초법적(超法的) 권한:** 중앙정보부의 국가 정보활동은 아직 발생하지 않은, 미래 상황을 전제로 하는 경우가 많다. 발생하지도 않은 미래 상황을 미리 예견하여 법으로 정해 놓을 수가 없는 경우가 자주 발생한다. 이런 경우에 중정은 국가 안위를 위해 법을 뛰어 넘는 행위를 해야만 한다. 예를 들면, 요인 암살을 모의하는 간첩이나 댐을 폭파하려는 불순분자를 사전에 체포하고 제거하는 일도 가능해야 한다. 해외 정보활동의 경우에는 현지 국가의 법규는 고려해야겠지만 우리 국내법으로는 적절한 통제 자체가 불가능하다.

중정의 초법적 행위는 자칫 권력 남용을 부르고, 공정성과 정당성을 상실할 경우에는 국가에 크나큰 폐해를 안겨줄 수도 있다. 음지에서 활동하는 만큼 합법적 통제가 불가능할 수 있기 때문에 중앙정보부 자체로 안전장치, 통제 장치를 마련해 두어야 한다.

- **중앙정보부의 소속:** 군사 혁명 정부에서는 국가재건최고회의 산하에 중앙정보부를 설치하도록 하였다. 평화 시라면 대통령 소속의 직할 조직이면 좋다. 각종 정보기관을 지휘 통제할 수 있으려면 중앙정보부가 최고 통치권자 직속기관으로서 정보에 관한 한 최고의 법적, 정치적 권력을 보유해야 한다. 부처 간의 장벽을 넘나들 수 있는 권한이 존재해야 한다.

국가에 따라서는 독립위원회 형태로 국가정보위원회를 설치하고 그 산하에 중앙정보부를 두기도 한다.

논의 내용을 토대로 중앙정보부법을 재고하도록 지시했다. 하지만 김 종필, 최 영택, 석 정선 등 핵심 요원들의 반론도 만만치 않다.

"각하, 지금은 모든 분야에서 불확실성이 높습니다. 너무 구체적으로 법규를 만들기보다는 어느 정도 융통성이 많은 형태가 좋아 보입니다. 그리고 실질적으로 일을 해 가면서 수정하고 보완하는 것이 바람직합니다."

"저도 그렇게 생각합니다. 이 승만 대통령께서도 정보기구의 필요성을 인지하시고 미국 CIC(= Counter Intelligence Corps) 지원을 받아 대한관찰부(大韓觀察府)를 만들려고 시도했었습니다. 2억 300만환의 예산도 배정하고, 1948년 7월부터는 미국 CIC 지원을 받아 정보요원 300명을 교육시키기도 했습니다. 하지만 설립 근거법이 국회에서 통과되지 못했고, 신문과 방송 등 여론의 반대에 직면해서 결국 포기하고 말았습니다."

"우리가 조직하려고 하는 중앙정보부에 대해서 대다수 정치인들이나 국민은 이것이 국가 발전에 얼마나 중요한 지를 잘 알지 못합니다. 한두 좌파 인사가 좋지 않은 사례를 들어 비난하기 시작하면 주변에서 모두가 동조하고 나서 반대를 합니다."

알만 했다. 일단 법 제정 자체가 중요하다. 국가재건최고회의법 제18조에 '공산 세력의 간접 침략과 혁명 과업 수행의 장애를 제거하기 위하여 국가재건최고회의에 중앙정보부를 둔다.'고 규정한 것만도 대단한 발전일 수 있다. 혁명 공약에서 선언한 바와 같이 혁명 과업이 완수되었다고 판단되면 곧바로 민정 이양을 하게 될 것이다. 민정 이양과 함께 새로 시행될 헌법 속에 중앙정보부가 안치될 수 있으려면 정치권과 일반 국민의 반발을 넘어서야만 한다.

이들의 말도 옳다는 생각이 든다. 최소한의 조항만을 담은 간결한 중앙정보부 법을 만들어 시행하면서 추이를 보아가면서 수정 보완해 가는 것도 방법일 수 있다.

"무슨 얘기인지 잘 알았어요. 하지만, 오늘 우리가 얘기한 것들을 최대한 고려해줬으면 해요. 그리고 곧바로 조직에 착수하고 요원 선발 등 행동을 개시하세요. 내가 재무팀에게 추가경정예산 편성에 대해서도 보고를 받아 볼께요."

"그리고 김 일성의 침투 공작이 이미 시작된 것 같으니 중앙정보부가 능동적으로 대처하세요. 최고위원들과 각료, 군 지휘체계에 대한 공격을 사전에 차단해 줘요."

"알겠습니다."

중앙정보부는 앞으로 내가 추진해 가고자 하는 많은 일을 해내는데 반드시 필요한 조직이다. 기존 정치권의 반발을 사전에 차단하고 향후 정치와 행정을 우리가 추구하는 방향대로 이끌어 가기 위해서는 중정이 적극적으로 나를 지원해 주어야만 한다. 또 타국의 군사 혁명 사례를 보면 조만간 혁명군 내부 분열이 일어날 수 있다. 혁명군의 내부 분열은 혁명 실패로만 국한되지 않을 것이다. 6.25 이상의 내란이 일어나고, 국가 패망으로 치달을 수 있다. 그래서 중앙정보부가 나와 최고회의를 위해 제대로 움직여야 한다.

마지막으로 한마디 하지 않을 수 없다.

"중앙정보부는 혁명 정부의 안정화와 향후 국가 발전 추진에 더없이 중요합니다. 하지만 중정이 권한을 많이 가지면 가질수록, 또 비밀스런 정보를 많이 소유할수록 자칫 오버(over)하고 부패할 가능성도 높아집니다. 저는 중정을 최대한 존중하고 활용할 것입니다. 하지만 중정이 '국가와 국민'이 아닌 특정 권력자 개인의 이해만을 위해 중심을 잃는다면 없는 것만도 못합니다. 중앙정보부는 국가와 국민에 대한 충성, 부정부패로부터의 청결, 정치적 중립이 절대적으로 요구됩니다. 절대로 이런 엄정한 존립 목적의 초심을 잃지 않아야 합니다."

정보팀 회의를 마치고 점심 식사. 오후 3시 최고회의가 열렸다. 북한 간첩단의 최근 움직임에 대해 간략하게 보고를 하고 주의를 당부했다.

"최근 정보에 의하면 북한 간첩단이 혁명 요원들에게 공작 차원에서 접근하고 있답니다. 아마 이미 접선이 이루어진 분들도 계실 겁니다. 결코 경거망동하시지 말고, 곧바로 치안국이나 방첩대에 알려주세요. 각 최고위원과 각료, 주요 기관장들에 대해서는 치안국과 방첩대를 활용하여 지금부터 신변 보호 조치를 취하도록 하겠습니다. 새롭게 출범할 중앙정보부도 대간첩 작전에 투입될 것 입니다."

여럿이 웅성거리며 걱정스런 분위기다.

"지금 시국이 매우 위태위태합니다. 최고위원과 각료, 혁명군 지휘관들이 굳건하게 일치단결해야만 김 일성 공산당의 침투를 막아낼 수 있습니다."

부디 혁명군을 동원해서 한강 다리를 건널 때의 충성심이 약해지지 않기를 기대해 본다.

제기랄. 혁명을 누가 한 거야?

전국적으로 군사 혁명에 대한 지지 추세가 폭발적으로 전개되고 있다. 온 국민이 우리의 군사 혁명에 대해 거는 기대가 이럴 정도일 줄을 예상치 못했다. 최고회의에서 비상계엄령을 해제하고 경비계엄으로 전환하였다. 1차적으로 군사 혁명이 완성되었음을 자신하는 조치였다. 계엄이 풀리자 각종 단체와 기관, 학교에서 혁명 지지 시위, 선언이 더욱 활발해졌다.

5월 28일, 중앙정보부법을 들고 장 의장 방을 찾았다. 그동안 진행된 과정을 설명하고 최고회의에 상정해야겠다고 보고했다. 장 의장은 많은 관심을 표명하면서도 곧바로 결재를 하지 않는다. 법 내용이 그리 상세하지 않아서 손쉽게 일별하면 전모를 알 수 있는데도 불구하고 내 눈치를 본다.

오후에 김 종필 중령이 진행 상황이 궁금해서 다시 나타났다. 장 의장 반응을 전해주고 너무 조급해하지 말라고 달랬다. 그는 그에 장 의장 사무실로 다시 찾아갔다. 되돌아 나온 김 중령의 얼굴색이 편치 않아 보였다.

"각하, 장 의장께서 뭔가 다른 생각을 가지고 있는 것 같습니다."

"그래애? 나도 뭔가 찜찜했지만, 그렇게까지는 생각하지 않았는데."

"중앙정보부 설립 자체에 대해서는 반대하지 않지만, 중정 설립을 자기 템포대로 가져가고 싶어 하는 태도였습니다. 제가 파악한 정보에 의하면 그가 인천 지구 방첩대장을 지낸 김 일환 대령을 부장에 앉히려는 것 같습니다."

그의 말을 듣고 잠시 생각에 잠긴다. 장 의장이 시간이 흐를수록 국가재건최고회의와 내각을 자기 주도화 하고 싶어 한다는 느낌을 받고 있다. 권한이 주어진 만큼 그 권한을 좀 더 적극적으로 행사하고 싶어 진 것이다.

일단 중앙정보부 법규에 대해서는 장 의장 결재를 받아냈다. 미룰 일이 아니었기 때문이다. 김 종필을 중앙정보부장으로 임명하는 안에 대해서도 밀어붙였다. 김 부장은 이미 조직 구상을 마치고 있었기에 곧바로 내게 인사 명단을 제시했다. 행정관리처장 이 영근, 기획운영처장 서 정순, 총무국장 강 창진, 해외담당 제2국장 석 정선, 수사담당 제3국장 고 제훈, 교육담당 제5국장 최 영택, 통신실장 김 태진, 비서실장 김 봉성, 고문 신 직수, 장 태화, 김 용태.

김 부장의 치밀한 준비와 운영 계획에 찬사를 금치 못한다. 군사 혁명의 일등 공신으로서 다른 보직을 사양하고 대신에 중앙정보부를 차고앉은 이유가 있다. 우리가 추진하고 있는 군사 혁명은 어느 한 부분만을 생각해서는 결코 성공할 수 없다. 국가의 정치와 행정, 사회, 문화 전체를 총괄하여야 한다. 그래서 중앙정보부의 역할이 중차대하다. 그와 나 만이 이런 상황을 절실하게 인지하고 있다고 여겨진다.

군사 혁명을 육군 참모총장인 장 도영 이름으로 추진해 오다 보니 혁명 후 자연스럽게 군사혁명위원회 의장으로 추대되었고, 또 다시 새로 개편된 국가재건최고회의 의장이 되었다. 혁명 주체가 내각을 장악하다 보니 의장이 당연히 내각 수반까지 이어졌다. 내각 장관들을 임명하는 과정에서 그는 국방부 장관직을 겸하고자 하는 욕심을 부렸다. 현재 그는 국가재건최고회의 의장, 내각 수반, 국방부 장관, 육군참모총장을 겸하고 있다.

나로서는 군사 정부의 실권을 핵심 혁명 주체가 장악하고 있는 상태에서 의장이나 수반, 장관 등 거창한 직위가 전혀 눈에 들어오지 않고 있다. 혁명 후 국가 재건 업무에 골머리를 썩이고 있는 중이기 때문에 더욱 더 '정치'나 '감투'에 관심이 없다. 정신없이 추진되고 있는 업무에 한가로운 생각을 할 여력이 없다. 그저 그런가 보다 하고 있는 중이다.

그런데 장 의장은 조금씩 나의 생각과 다른 모습이 감지되고 있다. 자기에게 집중되고 있는 각종 감투에 대해 전혀 사양할 줄을 모르고 있다. 국가재건최고회의 의장이면 그 산하의 자잘한 보직은 다른 사람에게 맡기는 것이 순리다. 내각 수반은 그렇다 치더라도 국방부 장관이나 육군참모총장은 당연히 다른 사람에게 맡겨야 한다. 그런데 그는 그러지 않고 있다. 그가 국방부 장관이나 육군 총장을 겸직하고자 하는 또 다른 의도가 있는 것 같다.

5월 30일, 신문 지상에 한국은행 총재 유 창순, 산업은행 총재 이 필섭, 농업은행 총재 박 동규, 재무부 차관 이 한빈 명단이 발표된 것을 보고 조금은 마음이 편치 않았다. 나와 상의하지 않은 상태에서 장 의장이 일방적으로 결정하여 발표한 것이다. 지난주에 있었던 장 의장의 미국 케네디 대통령 방문 서한 전달 과정과는 달리 부의장인 내가 제대로 파악치 못한 사안이다.

김 부장이 말한 중앙정보부장 건에 신경이 쓰인다. 들리는 소문에는 나와 사전 조율 없이 8월 15일을 기해서 정권을 민정으로 이양할 계획이라는 말도 했다고 한다. 미국 방문을 통해 케네디 대통령을 만나고, 케네디 대통령의 친서를 받고 이에 화답하는 상황이 전개되고 있는 중이다.

최고위원들과 김 부장, 정보팀, 내각의 장관들이 두런두런 내게 말을 걸어온다.

"장 의장 직함이 너무 많은 것 아닙니까? 모든 것을 차고앉았다고 벌써부터 자기 뜻대로 하려는 것 같아. 누구 맘대로 군대 복귀, 민간 이양 얘기를 하는 거야?"

"의장과 수반이 되었으면 총장과 장관은 내 놔야 하는 게 아니요?"

"제기랄. 혁명을 누가 한 거야?"

불만이 나오기 시작하니 샘물 솟듯 했다. 어찌 보면 새로운 기구를 만들고 법규를 제정하는 과정에서 치밀하게 살피지 못한 탓일 수 있다.

"각하, 최고회의 의장이 다른 직함을 겸하지 못하도록 법안 내용을 바꿔야 합니다."

이 석제 위원장이 제안을 해 왔다.

그래야겠다는 생각이 든다. 하지만, 최고회의 법안 규정을 개정하려면 최종적으로 의장의 의사를 물어야만 한다. 어찌 보면 법안 개정 없이도 당사자가 '욕심을 부리지 않으면' 만사가 해결될 수 있다. 장 의장을 만나 의견 조율을 하려고 마음을 먹었다. 그런데 내가 나서기도 전에 육사 8기생들이 먼저 움직였다. 지난 해 군 항명 사건의 주역인 그들이 혁명을 주도하고 있기에, 이런 중요한 사안에 대해서도 자기 책임 의식 하에 움직이고 있었다. 김 부장과 이 석제 위원장이 앞장을 섰다.

이 위원장은 장 의장 방으로 찾아가 단도직입적으로 문제 제기를 하고 내각 수반직과 총장, 장관 직함을 내려놓도록 종용했다. 장 의장은 불쾌한 반응을 보였다. 지금까지 모두가 자기를 혁명 지도자로 옹립하고 '지도를 받는 것'으로 진행해 온 것이 아님을 깨닫는 순간이었다.

장 의장은 가까운 혁명 동지들을 만나서도 자신의 억울함, 수반 직 사퇴의 불가. 총장직 유지를 말하면서 눈물을 보이기까지 했다. 틈을 내서 장 의장 방으로 들어갔다.

"의장님, 사실 지금 진행되고 있는 혁명 과업이 너무나 어마어마합니다. 혁명 동지 모두가 나서서 한 가지 씩 역할을 하더라도 해야 할 일이 넘쳐납니다. 최고회의 의장과 내각 수반을 겸직하시는 것이 많이 힘드실 겁니다. 더군다나 국방부 장관과 육군참모총장을 겸직하시는 것은 더욱 모양새가 좋지 않습니다."

"무슨 말씀인 줄 잘 압니다. 다 내려놓고 군으로 돌아가서 저는 그냥 총장 역할이나 하렵니다."

"그러지 마세요. 각하께서 의장직에 계시기 때문에 지금 혁명 과업이 계획대로 잘 추진되고 있는 겁니다."

얘기를 하다 보니, 그가 엄청 머리를 굴리고 있다는 생각이 든다. 8월 15일 민정 이양 이야기가 나오고 있는 것을 감안하면 그는 현재 혁명 정부가 추진하고 있는 모든 일을 3개월 시한의 일과성(一過性)으로 보고 있음이라. 내가 목숨을 내 걸고 군사 혁명을 단행한 것이 '어린애 투정부리듯, 장난하듯 저지른 일' 정도로 비치고 있다. '이건 아니다'는 생각이 든다.

"의장님. 겸직에 대한 우려는 모든 동지들이 가지고 있는 생각입니다. 아마도 국민 대부분도 같은 생각일 겁니다. 최고회의 의장직과 아울러 내각 수반직 정도만 맡아 주세요."

장 의장은 마지막 순간까지도 승락을 하지 않는다. 침묵이 길어진다. 그런 그의 모습이 내 말을 부정하지 않는 것으로 새기고 방문을 열고 나왔다.

최고회의법을 준비 중인 이 석제 법제사법위원장을 중심으로 법안 개정 작업에 돌입했다. 드디어 6월 6일 국가재건비상조치법을 공표하였고 의장의 겸직 제한 규정을 공개하였다.

'제6조. ④ 최고위원은 내각 수반과 군무를 제외한 다른 직무를 겸할 수 없다. 단 의장인 최고위원은 내각 수반을 제외한 타 직을 겸할 수 없다.'

법 공표식 직후에 내각과 군 수뇌부 인사 조치가 6월 6일 자로 공표되었다.

육군 중장	장 도영 면(免)	국방부장관 겸 육군 참모총장
국방부 사무차관	신 응균 보(補)	국방부 장관 대리
육군 중장	김 종오 보	육군참모총장
육군 소장	김 점곤 보	연합 참모본부 총장 대리 겸무

그랬다가 곧바로 6월 12일자로 송 요찬 예비역 중장을 국방부장관에 임명하고, 신 응균 직무대리를 면직시켰다. 송 장군이 미국에서 귀국하는 것을 고려한 것이다. 그리고 6월 22일에는 재무부 장관에 김 유택 전 주영

대사를, 건설부장관에 서울대학교 신태환 교수를 임명하였다. 전 재무부 장관 백 선진 소장과 전 건설부장관 박 기석 대령은 군으로 복귀하였다.

6월 10일에는 중앙정보부법이 공식적으로 공표되어 5·16 이후 비공식적으로 활동하던 중정이 법적 근거를 갖게 되었다. 군사혁명위원회의 산하 기구로 활동을 시작한 만큼 중앙정보부는 이미 초헌법적 권한을 행사하기 시작하고 있었다.

김 종필 부장은 장 도영 의장이 육사 5기로 인천지구 방첩부대장이었던 김 일환 대령을 움직이고 있다는 정보를 쥐고 있었다. 장 의장이 자기의 신의주 동중학교 후배인 김 대령을 중앙정보부 부장으로 앉히려 한다고 의심했다. 중정팀은 혁명 직후부터 요인 체포와 구금, 반혁명 분자의 색출에 적극적으로 나서고 있었다.

"각하, 김 일환이를 반혁명 혐의로 체포하여 구금했습니다. 각하에 대해 공공연하게 비판을 하고 다니면서 은근히 세력을 규합하고 있어서 그냥 놔두고 볼 수 없었습니다."

"무슨 소리야? 장 의장과 가까운 인사를 말도 없이 체포하면 어떡해. 그러잖아도 겸직 문제로 신경이 날카로울 텐데."

"아닙니다. 그 놈은 혁명에 참석도 하지 않았으면서 혁명 정부를 헐뜯고, 분열시키려 하고 있습니다. 각하를 비난하면서, 은근히 장 의장을 내세우는 것이 두 분 사이를 이간질하려는 것 같아요. 이런 놈들을 가만히 내버려 두면 혁명 위원회가 금방 내분으로 치닫게 될 겁니다."

김 부장의 판단을 믿으면서도 다른 한편으로는 지금 이 순간 장 의장을 자극할 필요가 없다고 생각된다.

"아니야, 당장 풀어줘요. 내가 장 의장 신세를 많이 지고 있어. 장 의장과 내가 대립하는 것 같은 인상을 줘서는 안 돼요. 일단 풀어주고 잘 감시해."

김 대령은 곧바로 풀려났다. 장 의장으로서는 현재의 분위기가 결코 자기 템포대로 가고 있지 않음을 실감했을 것이다. 이 사건과 함께 겸직 금지 권유가 장 의장을 낙담하게 만들고 그로 하여금 '위치 선정'에 대한 고민에 휩싸이게 만들었다.

8기 중심의 핵심 혁명 세력이 중앙정보부를 중심으로 '힘'을 내보이기 시작한 느낌이다. '정보가 힘'이라는 원리를 군 장교 초기부터 실감하고 있는 30 초반의 젊은 장교들의 움직임이 든든하면서도 조심스럽다.

군사 혁명 초기에는 전반적인 국가 상황이 매우 불투명하고 불확실하다. 기존 민주당 정권과 함께 북한 공산당 세력, 좌파 불순분자의 준동이 수면 아래에서 살아 움직일 수 있다. 그래서 중앙정보부나 헌병대, 방첩대, 치안국의 역할이 더 없이 중요하다. 수면 위에서 활동하는 최고회의와 내각이 제대로 작동하게 하기 위해 수면 아래에서 이들이 잘 움직여줘야만 한다. 최고회의의 활동에 필요한 정보를 적시에 수집, 분석하여 제공하고 혁명 주체들의 활동 상황에 대한 점검, 추진 업무의 진행 과정에 대한 객관적 평가, 국민 반응의 확인 등 할 일이 많다.

김 부장과 중정 핵심 요원들을 불러 넌지시 한 마디 했다.

"최고회의와 내각, 내부와 외부 모두 잘 살펴 주시게. 조금이라도 허튼 짓을 하는 사람이 있어서는 안 되네. 권력을 쥐었다고 '무당 칼 춤 추듯 설치면' 큰일 나지."

"잘 알겠습니다."

모두가 자신만만하다. 이런 기백이 중앙정보부의 존재감을 높인다.

"참, 각하. 혹시 문경보통학교 시절 제자 중에 전 세호라는 학생을 아십니까?"

"글쎄, 알 것도 같은 데... 왜 그러시나?"

"이번에 치안국에서 조총련계 공산당 간첩 한 놈을 잡았는데 각하의 제자라면서 봐 달라고 한답니다."

갑자기 불쾌한 기분이 든다. 전쟁 전 이 재복이나 공산당 만주 군관학교 선후배들이 나를 포섭하려고 달려들던 정경이 눈에 선하게 떠오른다. 분명히 김 일성이 내려 보낸 놈일 것이다.

"나 신경 쓰지 말고 알아서 처리하시게."

부정(不正)을 정의(正義)로: 부정 축재 처리법

어떤 행동이 자주 일어나고 익숙해지면 습관이 된다. 습관이 더욱더 편안해지면 전통이 되고 문화가 되며, 마침내 정상이 된다. 정상(正常)은 일상(日常)이 '옳고 바르다(=正義)'는 뜻이다. 과연 그럴까?

미국 원조 물자로 인천 연안 부두에 군부대 건축 자재로 쓰일 목재 100개 묶음이 도착한다. 그러면 부두 노동자들이 그 중 1개를 빼서 항만 비용으로 사용한다. 군수사령부나 군단에 도착한 뒤에는 또 다시 99개 묶음 중 1개를 빼낸다. 사단이나 연대에 도착해서는 또 다시 1개를 빼낸다. 건축업자가 다시 1개를 빼내고, 마지막 단계의 현장 소장도 1개를 빼돌린다. 최종적으로 공사 현장에 도달하면 처음 100개 묶음이 80~90개 수준까지 쫄아 든다. 이것을 가지고 공사를 하는 인부들은 또 다시 부실한 공사에 매달린다.

최전방 야전부대 근무 시절, 사병 취사장에 자주 들려 점검을 하곤 했다. 소고기국이라는 데 국속에 고기 건더기가 보이질 않는다. 취사병을 족쳐 보면, '저 위에서부터 곶 감 빼먹듯이 빼돌려서, 그렇습니다' 한다.

현재 한국은 이런 상황이 정상이다. 내가 잘 알고 있는 군 사례를 들었을 뿐이다. 정치, 행정이나 기업, 교육 현장이나 농어촌 사정이 거의 비슷하다. 민주당 장 면 정부를 탓하기 이전에 대한민국 모두가 이런 일상이 정상화되어 있다. 한국인의 현 수준 문화가 이렇게 저질스럽다. 이런 문화를 근본적으로 바꾸지 않는 한 대한민국의 발전을 기대하기 어렵다.

그래서 군사 혁명이다. 일상화된 저질 문화를 근본적으로 타파하는 방법이 오직 우리의 군사 혁명 밖에 없다. 경제 발전, 국가 발전을 논하기 이전에 '부정이 정의가 되어 있는' 우리의 문화를 바꿔야만 한다. 한국인의 생각과 행동을 바꾸고, 그들이 익숙해 있는 고질적인 병적 문화를 타파해야 한다. 그런 문화에 받을 딛고 서 있는 정치와 행정, 군대와 기업, 교육을 근본적으로 개혁해야 한다.

이 석제 법제사법위원장과 이 주일 재정 경제위원장을 사무실로 불렀다.

"부정축재처리법 제정이 어떻게 되어갑니까?"

"민주당 장면 정부에서 제정한 부정축재처리법(1960.4.15.)을 토대로 새로운 법을 만들고 있습니다. 대상자와 시기, 액수를 최종 조율 중입니다."

이 석제 위원장이다.

"기존 법 내용을 보면 대상자 범위가 매우 축소되어 있습니다. 장면 정부에서 제출했던 안이 민의원과 참의원 심의 과정을 거치면서 많이 확대되긴 했습니다. 장 면 정부는 1960년 3·15 부정 선거에 3,000만환 이상의 기부금을 낸 사람으로서 최근 3년간, 부정축재액이 민간인 1억 환, 공무원 5천만환 이상인 자로 하여 국회에 제출하였습니다. 이것이 최초 민의원 논의과정에서 1955년 1월 1일 이후 1960년 4월 26일까지, 일반인 3억 환, 공무원 5천만 환으로 수정, 확대되었다가 또 다시 참의원 논의 과정에서 대상자가 대폭 축소되어 통과되었습니다. 정치인들은 어떻게 해서든 대상 범위를 좁히려고 애를 썼습니다."

이 주일 위원장도 고민이 많은 얼굴이다.

장 면 정부가 최종 공표한 부정축재특별처리법 내용을 보면, '부정 축재라 함은 서기 1960년 3월 15일에 실시된 대통령 부통령 선거를 위하여 집권당에 자진 삼천만환 이상을 제공하거나 조달한 자 또는 공무원 및 정당인으로서, 부정선거에 관련한 사실이 현저한 자'로 규정하였다. 그리고 대상 기간은 '1960년 4월 26일 이전 5년'으로 한정하였다.

"부정축재자 처리 문제는 매우 복잡합니다. 대상 시기와 재산 액수를 정하는 것이 쉽지 않을 거요. 징벌적 차원에서 대상자 범위를 넓힐 수도 있지만 자칫 국민 경제 자체를 위축시켜서는 안 됩니다. 하지만 그동안 자행되었던 정치와 행정, 군대와 기업의 비리를 바로잡기 위해서는 조금도 빈틈을 보여서는 안 됩니다."

"각하, 이 법의 핵심은 대상 시기와 부정 축재액 하한선입니다. 첫째, 대상 시기는 장 정부 법안처럼 최근 5년으로 하는 방식이 대상자 범위를 중간 수준으로 할 수 있습니다."

이 석제 위원장의 설명과 내가 알고 있는 바를 토대로 하면, 장 면 정부 법은 3·15 부정 선거 관련자를 염두에 두고 진행되어 이전 3년으로 했다가 국회 논의 과정에서 이전 5년으로 확대되었다. 하지만 이런 기간 설정은 매우 임의적이다.

"이 승만 자유당 정부 시절의 부정 부패를 척결하기 위해서는 건국 후 지금까지 모든 시기를 포함할 필요가 있습니다. 하지만 전쟁 전은 국내 상황이 매우 불투명하고 법제도 제대로 구비되어 있지 못했기 때문에 제외하고, 전쟁 이후 재건, 부흥 과정에서 발생한 비리만 고려합시다. 미국 등 외국 원조물자, 그리고 정부 행정 처리과정에서 빚어진 비리 정치인과 공무원, 이들과 협잡한 기업인들을 중점으로 하면 거의 대부분을 잡아낼 수 있습니다."

"물론 군 장성들의 비리도 포함해야 지요?"

"당연합니다. 군사 혁명이 제대로 성공하기 위해서는 우리 군 자체가 부정부패가 없이 청정해야만 합니다. 다 들 아시잖아요. 군 내 비리가 얼마나 만연되어 있는지."

"그러면 대상 시기는 1953년 정부 수복 이후를 기준으로 하면 좋겠습니다. 또 부정 축재액 하한선을 어느 정도로 할까요?"

언제나 실무적으로 꼼꼼한 이 석제 위원장이다.

"구체적인 액수는 관계자 회의를 통해 정하세요. 내가 그것까지 신경 쓸 여력이 없어요."

국가재건최고회의를 열어 긴급하게 '부정축재 처리 요강'을 만든 것이 5월 28일이다. 동시에 거물급 부정축재자 28명을 잡아들였다. 젊은 최고위원들의 일처리는 막힘이 없었다. 옳다고 결정한 일에 대해서는 조금도 주저함이 없이 실천 행동에 나섰다. 이번 부정축재자 구속도 내가 '어찌 해야 하나?' 고민하고 있는 와중에 전광석화처럼 진행되었다.

- **일반인 부정축재자**(12명): 이 병철(삼성물산사장, 제일제당사장, 제일모직사장), 이 정림(대한 양회사장), 정 재호(삼호방직사장), 설 경동(대한산업사장), 백 남일(전태창방직사장), 남궁 련(극동해운사장), 이 용범(전대동공업. 극동연료사장), 조 성철(중앙산업대표), 이 양구(동양시멘트사장), 함 창희(동립산업사장), 최 태섭(한국유리사장), 박 흥식(화신산업사장).
- **공무원 부정 축재자**(12명): 김 태선(전서울특별시장), 백 두진(전재무부장관, 국무총리), 김 영선 (전재무부장관), 안 정근(전전매청장), 김 만기(전사세청장), 임 흥순(전서울특별시장), 송 인상(전재무부장관), 서 정학(전치안국장), 유 태하(전주일대사), 박 찬일(전대통령비서), 곽 영주(전경무관), 김 정호(전국방부경리국장, 민의원).
- **군인 부정축재자**(5명): 양 국진(전제3군단장), 백 인협(전제6군단장), 엄 홍섭(전육군공병감), 백 남권(전논산훈련소장), 이 용운(전해군참모총장).

부정 축재 혐의로 잡혀 들어온 사람들의 면면을 보면, 기업인들은 모두 내노라 하는 국내 재벌들이다. 그들의 혐의에 대해서는 내가 아는 바가 별로 없다. 하지만 공무원이나 군인 혐의자들의 비리에 대해서는 나도 익히 알고 있다. 군 장성들의 경우는 대부분 양식 있는 젊은 장교들의 지탄 대상 인물들로서 군 항명 파동을 일으키고 혁명까지 치닫게 만든 원인 제공자이기도 하다.

제6군단장이었던 백 인엽은 관내 포천읍에 지인을 시켜 대동식품공사라는 회사를 만들게 하고 두부와 콩나물을 독점 납품케 했다. 그리고 매달 납품 총액의 10~15%를 수뢰하였다. 그 외 부식 납품 업체로부터도 마찬가지로 상납을 받았다. 또 부대 소유 차량을 이용하여 외부 후생 사업을 하여 수익금을 만들어 사용하기도 하였다. 그는 모두 부대 공금, 후생비용으로 사용했기 때문에 문제가 없다고 주장하지만 그 중 상당 부분이 그의 사적 부정 축재에 사용되었다는 혐의를 받았다. 부대 차량을 이용한 후생 사업에 대해서는 국민 지탄이 심해서 군 정군 차원에서 금지시킨 일이다. 육군 공병감이었던 엄 홍섭은 부당한 방법으로 귀속 재산을 불하 받았고, 상가 시범 사업으로 건축을 하는 과정에서 부대 장병과 덤프 트럭을 불법으로 사용하고 인건비와 차량 운영비 등을 착복했다는 혐의를 받았다.

"각하, 부정축재자 구속이 너무 급하게 이루어진 것은 아닙니까? 잘잘못에 대해 정확하게 판명이 난 다음에 구속했어야 하는데 말이죠."

김 종필 부장이다.

"글쎄, 나도 미처 생각 정리를 못한 사이에 담당자들이 그렇게 했네요."

"공무원이나 군 장성들의 비리에 대해서는 이미 항간에 많이 알려져 있어서 저도 충분히 이해가 갑니다. 하지만 기업인들에 대해서는 떠도는 소문만으로는 판단하기가 어렵습니다. 좀 더 신중하게 다뤘어야 합니다. 우리가 경제 개발 계획을 수립하고자 하는 마당에 분야별 선두 기업, 기업인들을 잘 구슬려서 우리 편으로 만들어야 하는데."

"맞는 말이요. 일단 이렇게 되었으니 기다려 봅시다. 빠른 시일 내로 문제 해결을 하고 정상화시킵시다. 이번 일을 계기로 기업인 하나하나, 산업체별 기업들 하나하나에 대해 심각하게 검토를 해보려고 합니다."

"참, 구속자 명단에는 없는데 부정축재 기업인 선두 주자는 당연히 이 병철 삼성 사장입니다. 지금 일본 동경에 머물고 있다고 합니다. 언질을 주시면 제가 귀국을 종용해 보겠습니다."

'그렇게 하시라' 고개를 끄덕였더니, 그가 바로 일어나 밖으로 나갔다.

5월 29일에는 부정축재처리위원회를 구성하고 위원 7명, 자문위원 3명, 조사 단원 22명을 발표하였다. 곧바로 정책 주진에 돌입하였다. 조사단은 영관급 장교들과 감사원 직원이나 사세청(司稅廳) 세무 공무원들로 충원하였고, 기업인 조사단과 공무원 조사단으로 구분하였다.

(부정 축재 처리위원회)
(위원장) 이주일. (위원) 김진위, 송찬호, 김윤근, 유원식, 정세웅, 이석재.
(자문위원) 최호진 등 3인. (조사단) 단장 이정순 대령 등 8명.
(조원단) 검사관 최영배 등 14명

이 주일 위원장이 일의 진척 과정을 보고하여 왔다.

"각하, 부정축재자로 잡아들인 기업 사장들로부터 재산 자진 헌납 약속을 받아냈습니다. 억압적으로 하기보다는 군사 혁명의 취지를 설명하고, 향후 추진하게 될 경제 발전을 위해 헌신해 줄 것을 간곡히 설명하고 도움을 요청했습니다."

"그랬더니 모두 순순히 따라 주던 가요?"

"그럴 리가 있습니까. 모두가 한참 고민을 하면서 시간을 끌었죠. 하지만 최고회의가 국회는 물론 장 면 총리나 각료들, 사법부 판사들까지 모두 사표를 수리하는 마당에 별 도리가 없음을 알았겠죠. 한두 사람이 우리의 제안을 받아들여 각서에 서명을 하기 시작하자 모두가 따라서 결론을 내더군요."

"기업인들을 협박해서 재산을 몰수하는 것만이 능사는 아닙니다. 그들은 우리가 못하는 일, 우리가 가지고 있지 못한 '돈 버는 재주'를 가진 사람들입니다. 아마 혁명 과업이 본궤도에 오르게 되면 그들을 앞장 세워야만 할 겁니다. 절대 예의 차리는 것을 잃지 말고, 정중하게 대하세요."

"잘 알겠습니다. 여기 그들이 서명한 각서와 결의문이 있습니다."

'**부정축재 기업인 전 재산 자진헌납 결의문**. 금반(今般) 5월 16일 대망하옵던 군사혁명으로서 과거의 허다한 폐풍을 총 일소함과 아울러 새 나라 새 건설을 위하여 주야 노고하시는 국가재건최고회의 위원 각위(各位)와 국군장병 제위께 대하여 진심으로 경의와 사의를 표하는 바입니다. 좌 기인(左記人) 등은 과거 여러 가지 과오에 대하여 혁명위원 각위 및 국민 제위께 사과하는 바이오며 오등(吾等)은 자이(玆以) 결심하고 각자가 소유하고 있는 재산 일체를 국가 재건을 위하여 자진 헌납할 것을 결의하는 바입니다. 오등(吾等)은 이 길만이 사회의 비난의 적(的)이 된 죄책의 일부를 속죄하는 것으로 확신하오며 양심적인 국민과 그리고 오등 가족들에게 끼친 불명예스러운 오점을 불식하기 위하여 미력이나마 오등은 재건 대열에 참여할 수 있는 기회를 마련하여 주시면 조국의 번영을 위하여 멸사봉공할 것을 자이 결의하는 바를 올리나이다.

1961년 6월 5일.

/기(記): 동립산업진흥주식회사사장 함 창희, 삼호방직주식회사사장 정 재호, 대한양회공업주식회사사장 이 정림, 한국유리공업주식회사사장 최 태섭, 대한산업주식회사사장 설 경동, 중앙산업주식회사사장 조 성철, 극동송해운주식회사사장 남 궁련.

국가재건최고회의 의장 귀하.'

6월 14일, 부정축재처리법과 시행령이 공표되었다. 법안 세부 내용은 다음과 같다.

(부정축재의 범위)

(1) 부정공무원: 1953년 7월 1일(수복) 이래 1961년 5월 15일에 이르는 사이에 국가 공무원, 정당인 및 국가요직에 있은 자로서, 그 지위와 권력을 이용하여 국가재산을 횡취(橫取)하여 5천만 환 이상의 재산을 축적한 자.

(2) 부정 이득자: (위 기간 사이에) 기업인, 상인 혹은 국민 중에서 아래 각 항의 하나에 해당하는 재산상의 이득을 얻은 자. 가) 국공유 재산이나

귀속재산의 매매계약 취득 또는 임대차 계약으로 인하여 1억환 이상의 이득을 취한 행위. 나) 부정한 방법으로 30만 달러 이상의 정부 또는 은행 보유 외환의 대부 또는 매수를 받은 행위. 다) 금융기관으로부터 융자를 받아 1억환 이상의 정치자금을 제공한 행위. 라) 국가 또는 공공단체의 공사 청부나 물품 매매의 입찰에 있어서 담합 또는 수의계약을 하거나 관허 사업의 인허가를 부정하게 얻어 2억환(누계) 이상의 이득을 취한 행위. 마) 외자 구매 외환 또는 그 구매 외자의 배정을 독점함으로써 2억 환(누계) 이상의 이득을 취한 행위. 바) 조세에 관한 법률에 위반하여 2억 환(누계) 이상의 국세를 포탈한 행위. (3) 재산 해외 도피자: 2만 달러 이상의 재산을 해외로 도피시킨 자.

(처리 방법)

(1) 부정 공무원에 대하여는 부정 취득액을 환수하고 체형(體刑)을 가할 수 있다.

(2) 부정 이득자에 대해서는 부정 이득액을 산정하여 이를 환수한다. 단, 조세 포탈자에 대해서는 벌금형을 병과한다. 이미 환수 능력이 없는 자에 대하여는 체형을 가할 수 있다.

(3) 재산 해외 도피자에 대해서는 도피 재산을 몰수하고 체형을 과한다.

(처리 기한)

(1) 부정 공무원 재산 해외 도피자는 향후 3개월 이내에 조사 처리를 완료한다.

(2) 부정 이득자는 향후 1개월 이내에 조사처리를 완료한다.

처리 기한을 짧게 못 박은 것은 장 면 정부의 일처리가 한없이 늦어진 것에 대한 국민의 실망을 고려한 것이다. 소위 자유와 민주를 내세운 정부의 행정 처리가 '거의 무능력에 가까울 정도'로 늑장을 보여 국민 모두가 답답해하고 정부를 무능력하게 보도록 만든다. 군사 정부는 기본적으로 추진력 있는 '젊은이'들이 정치와 행정을 담당하고 있다. '빠른 결정, 빠른 실행'을 통해 가시적 성과를 내는 것을 목표로 삼고 있다.

같은 날, 최고회의는 '부정 축재자 자진 신고'를 권하는 내용을 공표하였다.

(부정축재자 자진 신고) 1961. 6. 14.

1) 부정 공무원, 부정 이득자, 학원 부정 축재자

2) 신고 기한: 1961년 6월 23일 한.

3) 신고서식 배부, 신고 접수 및 지도 장소: 부정 공무원 분(分)은 서울특별시청 4층, 부정이득자 분 및 학원 부정축재자 분은 구 민의원 예결위원회 사무실.

이 병철 삼성을 만나다

주요 기업인들이 구속되고 얼마 후 재산 자진 헌납 결의문을 제출하는 긴박한 상황이 전개되고 있을 즈음에 이 병철 삼성 사장은 일본에 나가 있었다. 최고회의 방침과 기업인들의 소식을 전해들은 이 사장이 인편을 통해 이 주일 부정축재처리위원장에게 각서를 제출하였다(6월14일).

내용을 보면,

'소생은 귀 부정축재처리위원회의 조사가 완료되시는 대로 탈세 및 기타 부정 축재에 대한 벌과금을 귀 위원회에 환원함은 물론이고, 기동(起動)이 허락되면 즉시 귀 위원회에 출두하겠사오며, 그 외에도 소생의 재산이 국가 재건에 필요하다면 조국에 제공, 협조하겠음을 서약하오며, 소생의 여차한 결심은 이미 비(鄙) 본사 전 중역에게 전달하여 본사 중역회에 소생의 권리 행사 일체를 위양하였사오니 소생은 그 결의에 순응할 것과 귀 위원회의 명령에 성의를 다하여 복종함을 서약함으로써 이 각서를 제출합니다.

삼성물산 사장 이 병철'

상황 판단이 빠른 이 사장 다운 태도를 보였다.

10일간의 공고 기간 동안 많은 기업인과 공무원들이 자진 신고를 하였다.

기업인 44명, 공무원 13명이 자진 신고를 했는데, 앞서 체포된 기업인과 공직자 이외에도 여럿이 포함되어 있었다. 사태의 진전을 가늠해 볼 때 자신들에게도 똑 같은 압박이 가해질 것을 감지하고 있었을 것이다.

(기업인 44) 김 지태(부산일보, 조선견직), 김 용성(한국제지), 최 태석(한국유리), 이 양구(동양제과, 동양시멘트), 조 성철(중앙산업), 이 한원(대한제분, 한영방직, 국제손해보험), 조 홍제(제일제당), 허 정구(삼성물산), 조 홍제(효성물산), 김 철호(기아산업), 김 노성(대한방직), 홍 재선(금성방직), 백 남일(태창방직), 홍 규가(태창방직), 최 완원(태창직물), 함 정희(신진흥업), 김 연규(대한중기), 이 원만(한국 나이롱), 정 성식(동방제사), 이 동환(원주 잠업), 이 택주(삼화고무), 김 진황, 정 상희(제일화재해상보험), 배 동식(한국다이야), 구 인회(락희화학, 반도상사), 홍 석우(한국교과서), 신 경호(조선방직), 이 병준(민중서관), 송 영수(전주방직), 허 정(극동연료), 정 석계(대동공업), 이 광우(한국강업), 탁 임조(대한생사), 구 영회(근영물산), 윤 수동(해안창고), 이 수우(삼화물산). 기존 검거자 12명 포함.

(공무원 13) 강 경옥(전참의원의원), 고 이기붕(민의원의장). 기존 검거자 중 양 국진, 이 용운, 박 찬일, 곽 영주, 백 남권, 김 정호, 임 흥순, 백 인엽, 암 홍섭, 송 인상 등 포함

부정 축재자 선별과 액수 산정 작업은 매우 어려운 문제였다. 불법과 탈법을 합법적인 행위와 구별해 내는 일도 쉽지 않았다. 김 일성이 농지 개혁하듯이 기업주들로부터 재산을 강제로 몽땅 몰수해 버린다면 오히려 손쉬울 것이다. 하지만 기업인들은 목숨을 내걸고 고지 탈환에 나서는 군인처럼 '돈을 벌기 위해' '목숨을 걸듯이' 온 정성을 다한다. 주어진 법의 테두리 내에서 최선을 다하고, 더 나아가서 비리를 조장하는 정치인과 야합하거나, 부정부패에 물든 공무원들의 입맛에 맞추기 위해 어쩔 수 없이 불법의 길로 들어선 이들도 많으리라. 기업인들의 기업 활동 자체가 '불법이 정상화되어 있는' 우리 현실에서, 누가 누구를 탓 하랴.

걸려든 기업주들만 '재수 옴 붙었다' '재수 없게 개똥을 밟았네' 한탄을 하는 것처럼 들린다.

자유민주주의 국가에서 돈이 많은 것이 죄가 될 수는 없다. 오히려 존경을 받을 만 한 일이기도 하다. 비리와 부정부패에 관련된 정도에 대한 처벌은 불가피하다지만 그들이 노력을 통해 축적한 재산 모두를 죄악시해서는 안 된다.

6월 27일 오전 회의를 마치고 잠시 쉬고 있는데, 박 태준 비서실장의 안내를 받고 이 병철 삼성 사장이 내 방으로 들어섰다. 단아한 선비 같은 모습이 첫눈에 들어온다.

"어서 오십시오. 동경에 계셨다면서요?"

문 쪽으로 나가서 손님맞이를 한다.

"어제 저녁에 귀국했습니다."

"아직 여독이 풀리지 않으셨겠군요. 이리 앉으세요."

탁자 소파에 마주 앉았다. 비서관이 차를 내왔다.

"한국 소식을 전해 듣고 많이 놀라셨죠?"

"예, 좀 놀랐습니다. 하지만 '올 것이 왔다'는 생각이 들긴 하더군요. 그동안 나라 상황이 너무 혼란스러웠습니다. 정치가 불안하니 우리 기업인들도 사업하기가 매우 어려웠고요."

"휴전선이나 지켜야 할 군인들이 나선 것도 사장님 생각과 같습니다. 이제는 그런 혼란이 없을 겁니다. 경제 발전을 위해서는 기업인들이 안정적으로 경제 활동을 해야만 합니다."

"그러시다면서 어째서 기업인들을 모두 잡아들이셨습니까? 각하께서도 우리 기업인들을 모두 도둑으로 보시는 겁니까?"

"아니, 그게..."

갑자기 말문이 막힌다. 뭐라고 설명을 해야 하나 순간적으로 당황을 했다.

"군인들이 전쟁을 치르듯, 우리 기업인들도 산업 현장에서 목숨을 걸고 피 말리는 전쟁을 치릅니다. 밖에서 보면 대충 사기나 치고, 불법으로 돈만을 챙기는 것으로 알기 쉽습니다. 그렇지 않습니다. 오랫동안 고민을 하고 생각을 해서 사업 계획을 세우고, 이리저리 돈을 끌어다 대서, 공장을 짓고, 인부를 채용해서 물품을 생산합니다. 만든 물건은 적절한 값을 매겨 시장에 내다 팔아야 합니다. 기업주 한 사람이 정치, 행정, 경제, 노동, 고용, 복지 모든 영역을 커버해야 합니다."

내가 가장 취약한 '돈 버는 일'에 대해 일장 연설을 한다.

"기업인들을 부정과 비리의 시각으로만 보는 것은 문제가 있습니다. 사업을 하기 위해 정부 법규를 뒤지고, 정부 지원과 외국 차관 자금을 받기 위해 정치권과 정부 관료들에게 굽신거리는 것은 '도둑질'이 아니라 기업을 일구고 좋은 상품을 생산하여 시장에 팔기 위한 간절한 몸부림입니다. 우리 기업인이 상품 생산을 하지 않으면 국민들은 무엇을 가지고 생활을 합니까? 지금 구속되어 있는 기업인들이 없었다면 우리는 모든 물품을 해외에서 수입해다 써야만 합니다. 그럴 돈이 어디 있습니까?"

대화의 내용과 템포에서 이 사장에게 압도당하는 느낌이 든다. 고개를 끄덕이면서 듣고 만 있을 수는 없다.

"맞습니다. 저도 기업인들의 눈물겨운 노력에 대해 경의를 표합니다. 하지만 모든 기업인이 이 사장님처럼 올바른 기업 정신을 가지고 있다고는 생각치 않습니다. 개중에는 정치권에 줄서기 위해서 후원금을 대고, 저리(低利)의 차관 지원을 따내기 위해 공무원들에게 청탁을 하며, 어떻게 해서든 세금 덜 내려고 온갖 짓을 다하는 사람들도 많습니다."

"저희 기업인들은 정치와 행정에 꼼짝을 못하는 신세입니다. 이리 가라면 이리 가고 저리 가라면 저리 가야 합니다. 그저 시키는 대로 따라야 합니다. 세금 얘기가 나왔으니 말씀입니다만, 일본이나 미국에 비해 우리의 세금이 너무 많습니다. 6·25 전쟁과 그 이후 부흥 과정에서 책정된 높은 세율이 아직도 그대로 유지되고 있습니다. 이 높은 세금을 다 감당하면서 사업을 한다는 것이 얼마나 어려운지 아시는지요?"

"으음... 사실 거기까지는 아직 파악치 못하고 있습니다."

대화가 한쪽 방향으로 흐르는 듯한 느낌을 받는다. 주제를 내가 원하는 방향으로 유도해보기로 한다.

"제가 여쭤 보고 싶은 것이 몇 개 있습니다. 전 국민 중 60% 정도가 농민인데 너무나 가난합니다. 어떻게 하면 우리 농촌의 가난을 극복할 수 있을까요?"

새로운 주제에 대해 조금 생각하는 것 같더니 이내 말문을 연다.

"우리 농촌의 가난 문제는 쉽게 극복하기 어려울 겁니다. 농촌 가난은 수백 년 동안 대물림해 내려오고 있지요. 저도 초년에 싸전가게를 운영했던 경험이 있습니다. 배곯는 사람이 안타까워 쌀 한 줌 주어보지만 '언 발에 오줌 누기' 밖에 안 됩니다. 농촌 가난 문제는 종합적인 경제 계획, 국가 발전 차원에서 접근해야만 합니다. 농촌 유휴 노동력을 도시 공장으로 빼내고, 생산성을 늘리기 위해 축력이나 기계를 들여야 하며, 농경지를 넓혀야 합니다."

공장을 많이 지어서 농촌 유휴 노동력을 흡수하고, 농촌 기계화를 추진하며, 품종 개량과 농법 개선, 개간을 통한 농지 확대 등에 대해서는 나의 생각과 일치한다.

"그래서 농촌 가난 극복과 함께 경제 발전을 하기 위해서는 기업을 살려야 합니다. 지금처럼 성공적인 기업주들을 구속해서 재산이나 몰수하려는 정책을 가지고는 불가능합니다. 언감생심(焉敢生心), 말도 꺼내지 마십시오."

적당히 혼이 나고 있다.

“우리가 경제 발전을 하려면 어느 것부터 손을 대야 할까요?”

“일단은 정치가 안정되어야 합니다. 일본을 보면 의회에서는 매일 싸운다지만 자민당이 든든하게 버티고 있어서 행정이 안정화되어 있습니다. 정치가 기업을 도와주지는 못하더라도 방해하거나 걸림돌이 되어서는 안 됩니다. 민주당 정부 들어서 민의원이다 참의원이다 둘로 나뉘어 싸우고, 내각책임제라고 해서 대통령과 국무총리가 서로 대립하고 있습니다. 양원제와 내각제 하에서는 행정이 정치 바람에 따라 춤을 춥니다. 기업이 정부를 바라보고 무슨 일을 할 수가 없습니다.”

“경제 발전을 위해서는 무엇보다도 공장을 많이 세워 좋은 물품을 만들고, 무역을 활성화해야 합니다. 일단 생활필수품 수입을 대체하기 위해서 경공업 제품 생산에 힘써야 합니다. 그와 동시에 내다 팔 수 있는 좋은 물건을 많이 만들어야 합니다. 광물자원이나 캐서 파는 정도 가지고는 만년 후진국 신세를 면치 못할 겁니다.”

기업인으로서 정치와 행정을 대하는 시각을 알 수 있을 것 같다. 내가 추구하고자 하는 원대한 대한민국 발전도 정치 안정으로부터 시작해야만 한다. 정치가 앞장을 서지는 못할망정 발목을 잡지 않도록 만들어야 한다.

“알겠습니다. 오늘 많이 배우고 깨달았습니다. 바로 회의가 있어서, 오늘은 여기까지 하십시다. 다음에 제가 충분한 시간을 가지고 모시도록 하겠습니다.”

“그런데, 기업주들 구속은 어떻게 하실 생각이십니까? 가능하시다면 금명간에 석방해주시면 안 되겠습니까? 연로하신 분들도 있어서요.”

“알겠습니다. 그렇게 하겠습니다.”

비서실장을 통해 댁으로 정중히 모시라고 지시를 했다. 그런데 '지금은 메트로 호텔에 연금 상태에 있다'고 귀뜸을 한다. '아차' 싶다.

“곧 바로 댁으로 모셔다 드리게.”

부정부패처리위원회 회의가 6월 29일 오후 3시에 회의실에서 열렸다. 조사단장인 이 정순 대령이 그동안의 진행 상황에 대해 간략하게 보고를 하였다.

“부정 비리의 정도가 심한 기업인과 공직자들이 대부분 자진 신고를 거쳐 재산을 국가에 헌납하는 것으로 각서를 제출했습니다. 환수 금액은 매우 어려운 작업인 데도 불구하고 전문가들의 도움을 받아 착실하게 진행 중에 있습니다. 또 지난번에 논의했던 재산을 현금으로 헌납하는 대신에 공장을 지어 헌납하는 방안에 대해서도 심도 있게 검토해 가고 있는 중입니다.”

“전 재산 헌납 의사를 표명한 기업인들은 더 이상 구금 상태를 이어갈 필요가 없어 보입니다. 그래서 조만간 석방할까 생각 중입니다.”

이 주일 위원장이다. 대다수 위원들이 공감 의사를 표명한다. 기업인들 구속을 통해 당사자들은 물론 전국의 모든 기업인과 경제 활동에 임하는 사람들에게 충분히 경각심을 심어 주었다고 생각한다. 이제는 그들이 국가를 위해 기업 경영과 경제 발전에 최선을 다하도록 여건을 조성해주는 일이 필요하다.

다음 날 6월 30일자로 구금되어 있던 기업인 대부분을 석방하였다. '경제계의 불필요한 불안을 조속히 제거하고, 계속적인 산업 위축을 완화하며 경제순환을 호전시켜야 하고, 구속 해제자의 업체가 대체로 유리, 시멘트, 방직, 해운 등 주요 기간 산업체라는 점을 고려' 하였다.

부정축재처리위원회는 8월 13일, 일반인 부정축재자 27명에 대하여 1차로 최종 통고액을 결정하였다. 이후에 10월 26일자로 이루어진 개정 법률과 환수절차법 공포와 함께 다시 수정하여 최종적으로 30개 기업에 대해, 49,435,767,235환을 최종 결정하여 통고하였다.

공무원 부정축재자에 대해서는 9월 16일 날자로 34명에 대해 1차 통고액을 결정하였다. 34명 중에는 고발자 20명, 불고발자 14명, 이미 혁명재판소에서 양형 판결을 받은 자 5명이 포함되어 있었다. 12월 20일자 최종 결정액은 32명에, 7,506,267,427환이었다.

부정축재자 처리 문제는 속전속결이 관건이다. 현재 빠른 속도로 진행시켜 가고 있는 제1차 경제개발 5개년 계획의 원년을 1962년 1월 1일로 잡고 있기 때문이다. 상공업, 수출입 무역 분야의 목표 달성을 위해서는 현재 구속되어 있는 기업인들을 앞장 세워야만 한다. 그들에게 부정부패 연결고리를 끊게 하는 것과 함께 이제는 영역별로 책임을 할당해서 국민을 위해 경제 발전에 힘쓰도록 종용해야만 한다.

군사 정부로서는 이 병철 사장의 말대로 정치를 안정화시켜 주는 것이 최우선이고, 다음은 올바른 기업인들을 적극 지원하여 그들이 성과를 내도록 만드는 것이다. 기업인들은 물론 장 면 민주당 정부에서도 관건은 정치와 언론의 '말잔치 공세' '사사건건 발목을 잡고 나서는 행태'를 막아내는 일이었다. 우리 군사 정부에서는 반드시 정치 안정화를 이끌어 낼 것이다.

지난 10여 년간 국가 건설과 전쟁, 그 후 복구와 부흥 과정에서 경제인들도 고생이 많았을 것이다. 밑바닥에서부터 발로 뛰면서 사업을 시작하고 돈을 벌려고 애를 썼을 것이다. 원조 자금과 물자 배분 과정에서 정치인이나 관료들의 눈치를 보며 밀착해야 했었다. 자연스럽게 부정한 돈이 오가고 불법 행위도 적당히 저질렀을 것이다.

외부에서 생각하는 부정부패 행위라는 것이 그들에게는 '영업 방법'이고 '생존을 위한 필사적인 노력'이며 '기업 성장 전략 중 하나'였을 것이다. 군사 정부에서 부정부패행위자라고 몰아 부치는 것에 대해서 '적당히 억울한 마음'이 있을 것이다.

기업가들의 마음을 다시 되돌려, 그들의 기업 경역 능력을 정당한 방법으로 발휘할 수 있게 만들어야만 한다. 우리의 경제 개발 목표를 위해서는 반드시 그들을 앞장 세워야 한다.

국가 재건: 국민운동

대한민국이 일어나려면 국민 모두의 힘이 필요하다. 겨울철 고드름 길게 늘어선 양지 처마 밑에서, 하릴없이 햇볕만 쬐고 있는 그런 무기력한 농민들이 '불끈' 일어서 생산 현장으로 달려가야 한다. 양재천 다리 밑에서 거적때기 천막을 치고 웅크려 있는 거지같은 실업자들이 눈에 핏발이 설 정도로 강렬한 의지를 가지고 공장으로 달려야 한다. 청계천 다닥다닥 판자촌 아낙이 방직 공장으로, 도로 건설 현장으로 힘차게 나서야 한다.

그동안 우리 한국인은 너무나 힘이 없고 비참한 나날을 지내 왔다. 일제 시대 모든 것을 빼앗기고 농노, 노예처럼 소작인으로, 공장이나 관공서 심부름꾼으로 살아왔다. 이제 새 나라 독립 국가가 되었다고 기지개를 펴보려 했지만, 여전히 궁핍하기는 마찬가지다. 침략꾼 일제를 욕해보지만 그렇다고 19세기 조선의 국민들은 평안했던가?

이런 한국을 '어찌 해 보겠다'고 군사 혁명을 일으켰다. 막상 일을 저질러 놓고 주변을 돌아보니 답답하기도 하고 혼란스럽다. 장 면 정부를 쫓아내고 군인들이 행정부를 장악했다. 국회의원을 잠재우고 정치를 최고회의가 가져왔다. 사법 정의를 실현해 보겠다고 혁명재판소를 열고 혁명 검찰부를 만들었다. 젊은 군인들이 모두가 한자리씩 차지하고 나서서 뭔가를 열심히 하고 있는 중이다. 눈앞에 가시적 성과가 나타나고 있는 듯 보인다. 부정축재자를 잡아넣고, 지난 선거 부정행위자를 재판에 넘겨 처벌한다. 목을 움 추린 공무원들 앞에 '거만할 정도로' 우뚝 서서 호령을 하고 있다.

'그러면 그 다음은?'

'나만의 고민일까?'

다들 정렬이 넘치고 활기에 차 있는데, '그 다음, 그 다음에 다음'을 보고자 하는 나는 불안하고 겁이 난다. 자 이 젊고 활력이 넘치는 동지들의 힘을 어떻게 도몰아 인도하여 조국 대한민국의 발전으로 유도할 수 있을까?

국가 발전이 그렇게 쉬운 것이라면 이전의 이 승만 대통령이나 장 면 총리가 왜 제대로 해내지를 못했을까?

생각하면 할수록 머리가 지끈거린다. 소파에 깊숙이 파묻혀 어깨 힘을 빼니 저절로 한 숨이 나온다. 지긋이 눈을 감았다 떠본다. 주변을 돌아보니 여전히 나 혼자다. 갑자기 어린 시절 상모리 뒷산에 올라서 트럼펫을 불던 장면이 떠오른다. 신나는 개선 행진곡을 불면서도 처량하기만 했었다. 나 홀로 북치고 장구치면서 군사 혁명을 통해 뭔가 해보려고 설치고 있는 것은 아닌가?

퍼뜩 정신을 차리고, 혁명 전에 만들었던 국민운동 관련 문건을 꺼냈다. 지금 우리 혁명 동지들이 벌이고 있는 모든 일들은 '국민을 만나기 이전에 해야 하는 사전 정비 작업'일 뿐이다. 정치를 안정시키고, 행정을 바로 세우며, 사법 정의를 실천하는 것은 내가 본격적으로 실천해 가고자 하는 국가 발전의 기본 토대 구축 작업이다. 경제 발전을 위해 필요한 자금을 마련하고, 경제 개발의 핵심 세력을 분별해 내며, 일선에서 뛸 인재들을 발굴해 내기 위함이다.

그리고 다음은, 무엇보다도 무기력증에 걸려 있는 노동자와 농민, 구태의연한 관성에 찌들어 있는 관료와 군인, 청년들을 각성시켜 혁명 동지로 만드는 일이다. 그들이 나서 주어야만 가난을 극복하고, 공산주의자들의 선동에 휩쓸리지 않으며, 긍정적인 한국의 미래를 건설해 나갈 수 있다.

혁명군을 환영하는 국민들의 환호성을 들으면서, 젊은 군인들의 헌신적인 노력과 부정부패를 척결하고자 하는 활동에 대해 국민들이 성원하는 눈빛을 보면서 '희망을 본다.' 대부분 국민들이 우리를 적극 지지하고 있다는 사실을 분명하고 절실하게 느낄 수 있다.

국가재건최고회의에서는 6월 10일, '재건국민운동에 관한 법률'을 제정하여 공표하였다. 재건 국민운동(再建國民運動)이란 '전국민이 청신한 기풍을 배양하고, 신생활 체제를 견지하며, 반공 이념을 확고히 하기 위하여 용공 중립사상의 배격, 내핍생활의 여행(勵行), 근면 정신의 고취, 생산 및 건설 의식의 증진, 국민도의의 앙양, 정서 관념의 순화, 국민 체위의 향상을 위한 범국민 운동'을 말한다. 전 국민의 의식과 생활 태도를 근본적으로 개선하고자 하는 국민운동이다.

법 제정 당시, 장 도영 의장이 적극적으로 의견을 내서 관철시킨 항목이 서두에 있는 '용공 중립사상의 배격'이다. 사전에 준비했던 초안의 항목 중에는 없었는데, 혁명 공약과 함께 사회 전체적으로 만연되어 있는 공산주의나 사회주의 사상, 국가 중립화 방안에 대해 적극적으로 국민을 설득해야 한다는 생각이었다. 일리가 있다고 생각 되어 법안에 추가하였다.

재건국민운동본부장 유진오(왼쪽), 차장 이찬형(오른쪽)

최고회의에서는 명망 있는 고려대학교 총장 유 진오 박사를 재건국민운동본부장으로 임명하고 이 찬형 육군 준장을 차장에 임명하였다. 그리고 6월 12일, 서울운동장에서 윤 보선 대통령, 국가재건최고회의 의장과 부의장, 정부 각료, 삼군 참모총장, 주한 외교사절단과 7만여 시민이 참석한 가운데 국가재건범국민운동 촉진대회를 거행하였다. 이 대회에서 결의문과 실천 과제가 제시되었다.

<국가재건범국민운동 결의문>

1. 인간의 개성과 창의를 기만하는 용공적 중립주의 사상은 일체 배격한다.
1. 국민 수준에 적응하여 일체의 사치와 허영을 일소하고, 내핍생활을 통한 신생활운동을 강력히 실천한다.
1. 일함으로써 정당한 대가를 받는다는 모토 하에 근로정신을 발휘하여 일체의 무위도식배를 근절한다.
1. 국민생활의 향상을 위하여 건전한 생산의식과 건설 정신에 철저한다.

1. 퇴폐된 국민도의를 재건하여 명랑한 복지사회를 건설한다.

1961년 6월 27일자로 재건국민운동 본부 직제를 제정, 공표하고 이어서 6월 30일 부로 각급 촉진회 회칙이 만들어졌다. 조직 체계를 보면 본부 산하에 서울시와 각 도 지부를 두고, 시군으로부터 말단 리동(里洞) 단위까지 촉진회를 두었다. 하부조직으로 각 반에 재건국민방(再建國民坊)을 두었다. 본부와 지부에는 공무원을, 시군구 및 읍면동 촉진회에는 1명씩의 유급 상임위원을 두는 한편, 재건국민방에는 남녀 지도원 각각 한 명씩을 두어 실전 지도를 담당하게 하였다. 지부장과 각급 촉진회장을 행정기관장, 도지사, 군수, 면장이 겸임토록 했다.

국민운동은 중앙 차원의 지도적 조직만이 아니라 마을 단위의 기초 조직이 활성화되어야 만 소기의 성과를 낼 수 있다. 유 본부장을 포함한 실무진, 최고회의 위원들 중 관계자 회의를 소집하였다.

"유 총장님, 바쁘신 와중에도 국가재건국민운동 본부장을 맡아 주셔서 감사합니다."

"아닙니다. 제게는 더 없는 영광입니다. 제가 최고회의의 정책 의도에 맞게 일을 해 낼 수 있을까 걱정이 됩니다."

"이 국가재건 국민운동은 반드시 성공해야만 합니다. 향후 경제 발전, 국가 발전은 이 운동을 통해 국민 모두를 깨어나게 한 경우에만 성공할 수 있습니다."

실무 책임자가 나서서 국가재건 국민운동 실천 방안과 향후 추진 계획에 대해 설명을 하였다.

"국가재건국민운동 1차 년도인 금년은 법률 제정과 조직 체제 구축, 연차별 활동 계획을 수립하고 의욕적으로 1차 사업을 전개해 갈 예정입니다. 2차 년도인 1962년에는 1차 년도 사업 내용을 점검, 평가하고 새로운 사업 발굴과 국가재건 국민운동을 모든 지역, 직장, 학교까지 확대할 것입니다. 3차 년도에는 안정적이고 지속적인 국민운동화 하는데 역점을 둘 예정입니다."

그가 제시한 1차 연도 실천 사업 계획은 다음과 같았다.

<재건국민운동본부 실천사항>

1) 용공 중립 사상의 배척: 공산주의의 실제 내막을 국민 특히 청년 학생층에게 알리고, 중립 사상의 이적성을 경각시킨다. 그 방법은 신문 잡지 라디오 팜플렛 등 매스커뮤니케이션과 계몽반을 이용한다. 강연회 개최, 학생들에 대한 펜팔 운동 보급, 외국 지식인들과의 서신활동 전개.

2) 내핍 생활의 려행(勵行): 절제 생활의 려행(전기 수도 사치품 등의 소비를 억제함은 물론 의복을 간소화한다. 신 생활복과 같은 것을 만들어 입도록 권장하기 위해서는 입법조처도 고려한다). 잡곡 혼식, 가정에 고용인(머슴, 식모 등)을 두지 말 것, 가정주부의 가계부 작성, 고급 요정 출입금지, 부녀자의 귀금속 장신구 착용의 자숙, 근거리 보행, 폐물 이용, 미신 타파, 관혼상제 등 의식의 간소화.

3) 근면 정신의 고취: 사무 능률의 향상, 국민 개로(皆勞) 의식의 보급, 국민 저축운동의 전개(자립생활이 기틀을 세우도록 한다). 전 국민에게 '재건합시다' 라는 구호를 인사로 부르게 한다, 도박의 금지, 자진 봉사대의 장려, 부녀단체의 적십자반을 편성하여 탁아 및 노유(老幼) 보호.

4) 생산 및 건설 의식의 증진: 창의, 발안력(發案力)의 앙양, 협동정신의 증진, 학교 단위로 학생 금고를 설치하여 저축을 장려한다, 직장별 보험과 반별 저축 운동 장려.

5) 국민 도의 앙양: 환경의 정화, 공중도의 앙양(무임승차 일소, 보행 규칙의 이행), 직장 도의의 앙양(각 직장의 출퇴근 시간 엄수와 관념 강조), 부정부패의 일소(축첩, 뇌물 수수 등 구악을 뿌리 뽑아야 한다), 봉사정신의 양양, 가족계획(각자의 환경과 생활력에 적응토록 조절).

6) 도시와 농촌학교의 자매학교 결성.

7) 정서 관념의 순화: 건전한 예술적 취미의 권장, 건전한 집단 오락의 조장, 건전한 국민가요의 제정 보급, 지역적 향토문화의 개발 선양, 일상용

어의 순화.

8) 국민 체위 향상: 국민적인 체조의 제정 보급, 건전한 운동 정신의 확립, 체육단체의 건전하고 민주적인 육성 발전, 국민보건의 증진. 재건 체조 보급을 각 직장과 학교별로 실시한다.

"너무 장황하게 보고하지 말고 요점 위주로 하시고, 질의 응답 시간을 가집시다."

실무자가 너무 의욕적으로 내용을 설명하려고 하니 시간이 너무 많이 걸린다. 보고 있던 이 찬형 장군이 나선다.

"일단 참고 자료를 보시면 사업 전반에 대한 내용이 나와 있습니다. 간단하게 줄이면 7월 말까지 전국 모든 단위의 조직을 마치고 권역별로 촉진대회를 개최하려고 합니다. 8월 말까지 시도별, 대학별로 농어촌 순회 계몽강연대를 조직하여 출범시키고, 9월 중으로 관혼상제의 표준 준칙을 제정하여 보급하고, 의식주 생활 간소화를 위한 간소복 제정 보급, 국민 체조 보급을 완료할 예정입니다. 아울러 문맹 퇴치를 위한 국민 교육, 도시와 농어촌 자매결연 운동, 가족계획 계몽 운동을 병행해 추진할 예정입니다."

"수고하셨습니다. 국민 재건운동은 전 국민의 자발적인 노력에 의한 국민개조 운동입니다. 정부 정책처럼 국가가 나서서 하는 형태여서는 한계가 있습니다."

"잘 알고 있습니다. 그래서 재건국민운동 첫 해에는 민간 조직화를 시도하되, 정부 행정 조직이 적극적으로 지원을 해야만 합니다. 하지만 이는 어디까지나 뒤에서 지원하는 것이지 앞장서서 이끄는 형태는 아닙니다. 조직도가 그림으로 나와 있습니다. 조직 정비가 이루어지고 나면 곧바로 일선 행동 조직으로서 청년단과 부녀회를 마을마다, 직장마다 모두 결성하려고 합니다. 아마도 9월 말까지는 청년단과 부녀회 결성을 끝내고 이들을 재건국민운동의 전면에 내세워 핵심 동력으로 삼으려고 합니다."

"좋은 생각입니다. 재건 국민운동은 풀뿌리 민주주의 운동입니다. 우리가 자유 민주주의를 한다고 하면서도 국민 개개인은 정작 무엇이 자유인지, 무엇이 민주인지를 잘 모릅니다. 지난 자유당, 민주당 시절을 생각해 보면 자유와 민주는 그저 정치인들이 국민들을 자기 마음대로 조종하면서, 투표장에 들어가서 '후보자에게 도장을 찍는 것이 자유이고 민주'인 양 만들어버렸습니다. 또 길거리에서 시위하고 데모나 하는 것이 자유이고 민주인 것처럼 알고 지내왔습니다. 이번 기회에 이런 무지몽매한 자유 민주 의식을 확 뜯어 고쳐야 합니다."

"맞습니다. 1948년 헌법 제정 당시에 참여했던 저도 사실 우리 실정에 미국식, 영국식 자유 민주주의가 과연 가능할까 고민을 많이 했습니다."

유 진오 본부장이다. 그는 건국 당시의 우리 국민 수준을 잘 알고 있었다. 80% 가까운 이들이 '낫 놓고 ㄱ 자도 모르는' 문맹(文盲)이었고, 절대 다수의 국민이 하루 먹거리도 없어서 배를 곯는 상태에 있었다. 자기 이름도 읽고 쓸 줄 모르는 이들이 어떻게 후보자 이름을 구별해서 투표를 하며, 입에 풀칠도 하기 어려운 사람이 어떻게 자기 지론을 내세우고 자기 주장을 할 수 있었겠는가?

"그래서 국민재건 운동을 통해 문맹을 없애고, 기본적인 의식주 문제를 해결하여 참다운 자유 민주주의를 해보려는 것입니다. 저는 너무나 절실합니다. 우리 한번 잘 해 봅시다."

또 다시 감상주의에 빠져드는 느낌을 받는다. 재건 국민운동과 관련해서 하고 싶은 말이 너무나 많다.

"국민들을 깨어나게 하기 위해서는 조선 시대 말부터 이어지고 있는 패배주의나 허무주의를 벗어나야 합니다. 우리가 흥겨울 때 어깨춤을 추면서 부르던 아리랑이 지금은 처량하게 늘어지며 한탄하면서 부르는 노래가 되었습니다. 한국인의 상징 노래가 '미아리 눈물 고개를, 철사줄에 두 손 꽁꽁 묶인 채로, 북으로 끌려가던 포로'를 보면서 부르는 절망가(絶望歌)로 불리고 있습니다. 씩씩하게 2/4박자로 부르는 건전 가요를 만들어 국민 모두가 '떼 창' 하도록 해야겠습니다.

의복은 또 어떻습니까? 하얀 바지저고리 입고서 논밭으로 나가는 농민을 보면서 속이 탑니다. 그런 걸리적거리는 옷을 입고 무슨 일을 합니까? 일본인들 몸뻬가 훨씬 일하기에 편합니다. 우리도 그런 간편복을 만들어 보급할 필요가 있습니다. 하루 이틀 먹을 것도 없어서 식구들이 굶는데도 불구하고 온갖 빚을 내서 잔치를 하고 장례를 치르며, 명절 차례를 지내고 있습니다. 조율이시(棗栗梨?), 홍동백서(紅東白西)가 무슨 의미가 있습니까? 이제는 이런 형식주의를 벗어버려야 합니다.

서울이나 부산이나 온통 판자촌, 거적대기 천막집 투성이 입니다. 비가 오면 천장이 새고, 청계천 변 거지들은 떠내려 갈 걱정이 태산입니다. 시골에 가 보세요. 흙으로 대충 지은 집들이 태반입니다. 도시나 시골이나 온 천지에 쓰레기가 날아다니고, 서울 골목길 어디를 가도 똥 덩어리가 굴러다닙니다. 이게 우리 현실입니다.

모든 것을 새롭게 바꾸지 않으면 우리 한국은 희망이 없습니다. 정치인들이, 관료들이, 또 혁명을 한 군인들이 아무리 떠들어 봐도 '되는 일 하나도 없는' 현실이 지속될 겁니다."

한번 봇물이 터지면 끝없이 밀려드는 법이다. 내가 너무 나서면 실무자들이 할 일을 하지 못한다.

"저는 여러분들만 믿습니다."

유 본부장과 이 장군에게 회의를 지속하도록 부탁하고, 나는 먼저 일어나서 밖으로 나왔다.

머리도 식힐 겸 덕수궁 뜰을 거닐었다. 임진왜란을 겪고 난 뒤 이곳에 거쳐하면서 정사를 돌봤던 광해군의 중화전(中和殿)을 거쳐 고종이 황제로 즉위했던 석조전(石造殿), 이등박문에게 강제로 을사조약을 체결당했던 중명

전(重明轉)을 그냥 편하게 돌아본다.

역사란 무엇인가? 전통이란 것은 어떻게 만들어져서 어떻게 후대로 이어져 가는가? 짧은 시간에도 많은 생각이 머리를 스쳐 지나간다. 좀 전 회의에서는 관혼상제의 예절에 대한 보고가 있었다. 쉽게 보면 '너무나 거추장스러운' 예절이라는 것을 왜 그리도 지키려 하고 있을까? 미국이나 영국과 같은 선진국에도 우리처럼 전통적인 관혼상제가 있겠지?

지난봄에 우연히 성균관을 찾았다가 몇몇 유학자들을 만난 적이 있다. 성균관장인 김 창숙 옹과도 가볍게 인사를 나누고, 임 창순, 홍 찬유, 김 원태, 윤 길중, 이 가원 등 젊고 의욕적인 유학자들과 잠깐 서서 담소를 나눴었다. 전통 관혼상제, 명절 차례에 대해 궁금한 것을 물어 보았었다.

"제사 지낼 때 예법이 매우 엄격한데 이를 간소화할 방법이 없겠습니까?"

"제사는 허례허식보다도 정성이 우선입니다. 정한 수 한 사발 떠 놓고 예를 올려도 충분합니다. 그리고 제사 지내는 이의 사정에 맞게 예물을 차리고, 여건에 맞는 대로 절을 드리면 됩니다."

라는 답을 들었다. 그들은 의외로 깨어 있었고 전혀 답답하게 느껴지질 않았었다. 그 이후로 전통 관혼상제를 어떻게 현실화하고, 국민들의 생각과 행태를 발전 지향적으로 만들 수 있을까 고민해 왔다.

재건국민운동 본부에서는 표준 의례 제정을 위해 1961년 8월 5일, 시안 기초위원을 선발하였다. 이 희승, 이 관구, 이 은상, 김 재준, 김 동화, 김 규영을 위원으로 선발하여 곧바로 초안 작업에 들어갔다. 8월 19일 초안을 만든 뒤 공청회, 여론 조사를 거쳐 9월 19일 공표하였다. 그 이후 실천을 위해 소책자를 만들어 배포하고, 10월을 새 생활 실천의 달로 정해 전국적으로 새로운 표준 의례 준행을 계도하고 나섰다.

다음과 같은 몇 가지 항목은 매우 획기적인 시도였다.

(혼례) 혼사는 사주와 궁합에 구애됨이 없이 한다. 신랑 신부의 호적 등본

및 건강진단서의 교환이 있어야 한다. 약혼식이나 약혼 잔치는 폐지한다. 납폐(納幣)는 일체 폐지한다. 청첩은 극히 가까운 친척 및 친지에 한 한다. 특히 공직에 관한 청첩은 절대 금한다. 신랑 신부는 평상복을 입는다. 가족 이외의 친척 및 지인을 상대로 하는 잔치는 일체 폐지한다.

(상례) 부고(訃告)는 호상자(護喪者)의 명의로서 극히 가까운 친척 및 친지에게만 한다. 관청 및 일반직장 명의나 공직에 관련된 부고는 일체 금한다. 성복제(成服祭)와 명정(銘旌)은 폐지한다. 망인의 직계비속 남자는 정결한 평상복에 마포 두건을 쓴다. 망인의 직계비속 여자는 정결한 평상복에 마포대를 허리에 두른다. 상복은 장일(葬日)까지만 한다. 망인의 직계비속을 제외한 유복친(有服親)은 다 같이 흑포 완장을 왼팔에 두른다. 3일장을 원칙으로 한다. 우제(虞祭) 및 졸곡(卒哭)은 폐지한다. 상식(上食) 및 삭망(朔望)은 폐지한다. 소상(小喪), 대상(大喪), 선사(禪祀)는 폐지한다. 상주 및 조객의 호곡(號哭)을 없앤다.

(제례) 기제사(忌祭祀)는 조부모, 부모 2대 봉사를 원칙으로 하고, 제주가 승안(承安)한 조상은 제주의 당대만 봉사할 수 있다. 무후(無後)한 친족은 최근친자가 제주 당대에 지낼 수 있다. 기제사의 일시는 기일(忌日) 일몰 후에 지낸다. 원단(元旦)과 추석 기제사(忌祭祀)의 봉사(奉祀) 범위는 대상위(對象位)로 한다. 묘사의 대상 범위는 2대까지로 한다. 모든 제사에는 망인이 생전에 좋아한 극히 간단한 음식물을 진설할 수 있다. 공화(恭花)로서 제물을 대신할 수 있다. 모든 제례 절차는 단헌 단배(單獻 單拜)하고 묵념 후에 다시 단배한다. 제사에는 추도문 또는 축문을 읽을 수 있다. 제복은 평상복으로 한다. 신주(神主)는 사진으로 대신하고 모든 신주(불천위 포함)는 폐지한다.

(성연 盛宴) 혼, 상, 제, 회갑 등 모든 의식에 있어서 가족 범위를 넘는 성연은 일체 폐지한다.

(축의 및 부의) 친척이나 극히 가까운 친지의 간단한 정성의 표시만으로 한다. 공직 관계로 인한 축의 및 부의는 일체 금한다.

실로 엄청난 내용이다. 더없이 마음에 든다. 표준의례 준칙을 공표하고 난 직후에 기초 위원들을 청진동 고급 식당으로 모셨다.

"대단히 감사합니다. 모두들 고생 많으셨습니다."

진심으로 감사의 인사를 드렸다. 모두들 큰 일을 해냈다는 자부심이 얼굴에 내비치고 있었다. 다부진 선비인 일석(一石) 이 희승 교수가 먼저 입을 열었다.

"의장님, 최고회의에서 해보자고 해서 만들기는 했습니다만, 국민들이 어떻게 볼까 걱정이 됩니다. 관혼상제는 오랫동안 이어져 내려오는 것이라서 바꾸기가 쉽지 않습니다. 관에서 나서서 이래라저래라 한다고 해서 국민들이 말을 듣지 않습니다. 아니 인간 본능적으로 어쩔 수 없는 것을 법으로 못하도록 막는다고 해서 막아지지 않을 겁니다."

그의 말씀이 이해가 간다. 부모님이 돌아 가셔서 울음이 복받쳐 나오는데 '졸곡을 하지 마라' 한다고 되겠는가? 축의금, 부의금을 하지 말라고 하는데, '몇 년 전에 나는 네 아들 혼사 때 축의금을 5만환 갔다 주었는데, 너는 안 가져 올거냐?' 하는 수가 생겨난다.

"무슨 말씀이신 지 잘 알겠습니다. 적극적으로 계몽하고, 지도자들이 솔선수범하면서 국민 전체로 확산시켜 보겠습니다."

"저는 의장님이나 최고회의에서 하려는 일에 적극 찬성합니다. 다만 관혼상제는 정부가 나서서 억지로 강요한다고 해서 되는 일이 아닙니다. 일제시대에도 한민족의 고유 풍습을 강제로 없애지 못했어요. 지금 국민들 중에는 군사 혁명에 대해서도 적당히 색안경을 쓰고 지켜보는 이들이 적지 않습니다."

노산(鷺山) 이 은상 교수이시다. 그는 진정으로 우리의 군사 혁명에 대해 걱정을 하고 있다.

"최고회의에서 너무 많은 일을 벌리고 있는 것 같아요. 너무 크고 방대하게 일을 벌이다 가는 자칫 죽도 밥도 아닌 상황을 만들게 될 지도 모릅니다. 관혼상제도 잘못 손을 대면 실패로 끝나기 십상입니다. 제 생각에는... 성공할 수 있는 단 한 가지 방법이 있긴 합니다."

"그것이 뭡니까?"

솔깃하다. 관혼상제만이 아니라 재건국민운동에서 벌이는 거의 모든 일이 지금 똑 같은 운명에 처해 있다.

"국민들이 일하고, 돈 버는 재미에 정신없게 만들면 됩니다. 먹고 살기 바쁘면, 관혼상제나 퇴폐풍조, 허례허식 모든 문제가 해결됩니다."

듣고 보니 정답이란 생각이 든다. 국민정신을 개조하여 청신한 기풍을 갖게 하는 것과 동시에 공장을 지어 일자리를 만들어 주고, 의식주를 넉넉하게 해주면, 여러 가지 문제들이 눈 녹듯이 사라질 것이다.

"교수님들께, 앞으로 더욱 많은 지도 편달을 부탁드리겠습니다. 감사합니다."

노 교수님들의 가르침이 투명하게 가슴에 와 닿는다. 세파에 물들지 않은 선비의 기상이 전해져 온다.

국민 운동: 희망을 열다

무교동 국수집에서 성천 유 달영 교수를 만나 식사를 했다. 내 눈높이 키에 다부진 몸매를 지니셨다. 눈빛이 형형하다.

"교수님, 이렇게 시간을 내주셔서 감사합니다. 교수님께서 쓰신 책 '새 역사를 위하여: 덴마크의 교육과 협동조합'을 감명 깊게 읽었습니다. 유럽 제국을 돌아보고 전쟁 후 눈부신 발전상에 대해 예리하게 파헤치셨더군요."

"뭐 별로 염치없습니다. 그냥 생각나는 대로 적었을 뿐입니다. 빠르게 발전해 가는 유럽 여러 나라들을 보면서, 참으로 부럽더군요."

"저도 교수님과 동행해서 함께 돌아봤으면 어땠을까 생각해 보았습니다. 여러 국가 중 덴마크의 발전상을 특히 상세하게 서술해 놓으셨어요. 척박한 히드 황무지를 옥토로 바꾼 원동력이 교육과 협동조합에 있다는 말씀이시죠?"

"그렇습니다. 그 밑바탕에는 덴마크 사람들의 강렬한 열정과 노력이 있고, 정치 행정가나 농촌 지도자들의 헌신적이고 솔선수범하는 역할이 자리하고 있었죠. 참으로 놀라웠습니다. 우리도 그래야만 합니다."

"교수님께서 말씀하신, '운명은 약한 자에게는 매우 가혹하고, 강한 자에게는 더욱 나약하다' 라는 세네카의 말과 함께 '우리가 사대사상과 노예근성의 굴레에서 벗어나 우리의 이상과 우리 성실과 우리의 노력과 우리의 실천력을 강화할 때에만 우리를 압박하는 검은 운명은 비로소 약해질 것이다'라는 말씀이 아직도 뇌리에 생생합니다."

유 달영 교수는 김 윤근 장군이 그의 책과 함께 내게 추천을 해주었다. 그의 책에는 유럽 여행담과 함께 덴마크의 국가 발전에 대한 내용이 상세하게 서술되어 있다. 내가 특히 마음에 든 것은 우리 한국의 현실에 대한 예리한 비판과 기성 정치인이나 관료는 물론 국민 모두를 향해 질타하는 간결하고 명쾌한 목소리다. 내 속마음을 그대로 표현해 놓은 것 같은 착각에 빠져서 한 순간에 책을 다 읽어버렸다.

"아하, 그나저나 오늘 좀 더 고급스러운 식당으로 모셔야 하는데 죄송합니다. 제가 평소에 가락국수를 좋아하는데, 교수님 책을 읽다 보니 교수님께서도 저처럼 국수를 좋아하실 것 같아서 이곳으로 모셨습니다."

"아주 좋습니다. 저도 시골 국수틀집에서 걸대에 줄줄이 걸어 놓은 가락국수 하얀 가닥을 뜯어먹던 생각이 납니다. 오독오독, 얼마나 좋았습니까? 제가 듣기로는 우리 의장님께서도 농부의 아들이시라서 이런 것을 좋아하신다고 들었습니다."

"교수님이 꼭 제 스타일입니다. 그래서 긴급히 뵙자고 모셨습니다."

유 교수께서 내 입을 빤히 쳐다본다.

"사실 군사 혁명을 통해 최고회의를 구성하고, 재건국민운동을 활발히 펼치고 있지 않습니까? 한순간에 국가 전체를 총체적으로 환골탈퇴시키려고 하다 보니 어려움이 많습니다. 특히 농촌이 문제입니다. 절대 다수 국민이 농민이고 농촌에 거주하고 있는 상황에서 농촌이 깨어나고 발전해야만 한다고 생각합니다. 교수님께서는 대학 교육은 물론 수원 서둔벌에 평화농장을 만들어 몸소 실천하는 농업인이시라고 알고 있습니다. 그 유명한 심 훈의 '상록수' 실제 모델인 최 용신과 함께 농촌 계몽 운동에도 평생 몸을 바치셨다고 들었습니다."

김이 모락모락 나는 국수가 한 사발 가득 담겨 나왔다. 함께 소리 내서 국수를 먹으면서 얘기를 계속했다. 유 교수는 우리 농촌의 실상과 문제점을 정확히 꿰뚫고 있으면서 어떻게 하면 발전시킬 수 있을까에 대해 많은 고민을 하고 있었다. 당연히 해결책에 대해서도 다양한 방법론을 얘기해주었다. 협동조합이나 4-H운동, 자력갱생을 위한 저축과 상부상조 등에 대해 일가견을 가지고 있었다.

"유 교수님, 오늘 긴급히 만나 뵙자고 한 것은 재건국민운동 본부장을 맡아 주셨으면 해서 입니다. 지금 본부장으로 계시는 유 진오 박사는 초기 설립 과정에서 법규와 조직, 전국적인 체제 구축에 많은 일을 하셨습니다. 이제는 본격적으로 농촌 살리기 운동을 펼쳐야 합니다. 교수님이 최적격이라고 생각합니다."

잠시 생각하는 듯하더니,

"기회가 닿으면 언제라도 제 역할을 할 자세는 되어 있습니다. 다른 분이 잘 하고 계시는데 구태여 제가 나설 필요가 있을까 합니다만..."

"아닙니다. 유 박사님께서도 그동안 수고를 많이 해주셨고, 학교일에, 다른 여러 가지 일이 있어서 조금 쉬시고 싶어 하십니다. 진심으로 부탁드립니다.”

유 교수는 나의 진정성을 받아들여서 기꺼이 제2대 본부장직을 맡기로 승락을 했다. '소신껏 해보시라' 말씀을 드리고 관료나 군인들의 관여를 최소화하리라고 다짐을 했다. 유 교수와 굳게 악수를 하면서 국가 재건의 의지를 다지고 헤어졌다.

유 본부장은 초기의 관 주도 국민운동을 자율적 국민 운동화 하는데 많은 노력을 기울였다. 읍, 면, 동, 부락 단위의 촉진회와 함께 재건청년회나 재건부녀회를 활성화하는데 주력하였다. 조직의 장을 주민 호선으로 전환하였다.

전 방위적으로 국민운동을 전개하면서 시간이 흐를수록 초조해지는 면이 있다. 주도하는 입장에서 할 수 있는 모든 일은 즉각적으로 빨리 빨리 해내고 있지만, 문제는 국민들의 반응이다. 혁명 군인들이나 공무원들이야 중앙에서 시키는 대로 따라할 수밖에 없다지만 농민이나 학생, 노동자, 길거리 뜨내기들을 억지로 강요하는 데는 한계가 있다.

젊은 학생이나 청년들은 그래도 반응이 빠르다. 새로운 질서를 확립하기 위해 원칙을 세우고 밀어붙이면 대개는 따라온다. 학교나 마을, 기업체별로 청년단이나 부녀회를 만들게 하고 지도자를 세워 일을 추진하면 제법 가시적인 성과를 낸다. 하지만 농어촌 주민이나 노인들은 사고방식이나 행태를 쉽게 바꾸지를 못한다. 관혼상제와 같은 풍습을 현대화하는 작업은 의욕만큼 효과가 나타나질 않는다. 생활 방식이나 근로 태도의 선진화, 혁명 과업에 대한 순응적 태도 변화가 어렵기만 하다.

국민 재건복 보급, 허무적이고 퇴폐적인 일제 시대 음악을 벗어나기 위한 국민가요 보급, 문맹을 벗어나기 위한 국민 한글 문자 교육, 사치와 향락 풍조를 바꾸기 위한 건전 문화 운동, 국민 건강 증진을 위한 식생활 개선이나 국민 체조 보급 등은 동시적으로 추진해가야 하는 핵심 사업들이다.

국민복 제정은 일제 시대 국민복이나 중공과 북한의 인민복처럼 실생활에 편리한 옷을 입게 하는 것이다. 공산주의를 욕하지만 그들은 우리보다 한발 앞서서 국민복을 제정하여 보급했다. 일제 시대의 국민복, 몸뻬는 일하는데 참으로 편리했다. 농부가 하얀 바지 적삼, 치마 저고리를 입고서 어떻게 일을 할 수 있는가? 그런 복장으로 우리의 농민들은 수천년 동안 농사를 지어 왔다.

요즈음 최고의 활동복은 군복을 검게 물들여 입는 것이다. 고무신에 비해서 군화는 얼마나 실용적인가? 학생들에게 보급되기 시작한 난닝구와 빤스가 최고의 국민복이 되고 있는 중이다. 학생 운동회를 보면 난닝구와 빤스만을 입고 뛰고 달린다. 얼마나 경쾌한가. 점차 체육복이 보급되면 전 국민이 체육복을 입고 들판으로 나설 것이다. 이게 실용이고 국민운동이다.

현재 대다수 한국인의 가슴에는 허무주의(虛無主義)가 속 깊이 자리하고 있는 것 같다. 허무주의는 모든 현실을 부정적으로 본다. 문경 보통학교 교사 시절에 우연히 쇼펜하우어(Arthur Schopenhauer)의 염세주의론을 읽다가 기겁을 한 적이 있다. 어떻게 그리도 모든 의지의 현상을 부정적으로 보고 있던지. 어머니의 사랑도, 열심히 공부하여 좋은 학교에 들어가는 것도, 죽자 사자 일해서 돈을 많이 버는 것도 모두 허무한 일이고 쓸모가 없다고, 그는 주장한다. 불교의 공수래공수거(空手來空手去)나 도교의 무위자연(無爲自然) 사상도 마찬가지다. 눈앞의 현실을 부정적으로 보기 시작하면 자기의 존재는 물론 주변의 모든 여건, 미래 상황이 불투명하고 의심스럽다. 이런 사람은 아무런 희망을 발견하지 못한다.

허무주의에 깊숙이 빠져 있는 국민들을 희망의 세계로 이끌기 위한 과업이 국민 재건 운동이다. 국민들의 선한 의지, 긍정적 인성을 현실의 의식주 생활에 새롭게 구현해야 한다.

국민가요 보급 운동은 허무적인 음악, 일제풍의 연가(戀歌)를 벗어나고자 하는 노력이다. 가장 활발하고 도전적이어야 할 연고대 대학생들이 무교동 술집에서 막걸리를 먹고 부르는 노래를 듣고 한심하기 짝이 없다는 생각을 한 적이 여러 번 있었다.

'이 풍진 세상을 만났으니 너의 희망이 무엇이냐, 부귀와 영화를 누렸으면 희망이 족할까. 푸른 하늘에 밝은 달 아래 곰곰이 생각하니, 세상만사가 춘몽 중에 또 다시 꿈같도다. 담소 화락에 엄벙덤벙 주색잡기에 침몰하랴, 세상만사를 잊었으면 희망이 족하다.'

'황성 옛터에 밤이 되니 월색 만 고요해, 폐허에 서린 회포를 말하여 주노나 아 ~ 외로운 저 나그네 홀로이 잠못 이뤄, 구슬픈 버래 소래에 말없이 눈물져요 성은 허물어져 빈터인데 방초만 푸르러, 세상이 허무한 것을 말하여 주노나 아 ~ 가엾다 이 내 몸은 그 무엇 찾으려, 덧없는 꿈의 거리를 헤매여 있노라'

날씨가 싸늘해지던 늦가을 저녁, 구 상, 이 병주 등 민간인 지인들과 함께 무교동 막걸리집을 찾았다. 매일 업무에 시달리다 보면 그 좋아하는 술도 제대로 맛보기가 어렵다. 오늘은 만사 제켜 놓고 풀어지기로 했다. 지인들로부터 우리가 하고 있는 혁명 과업에 대한 국민 반응을 들어보려는 의도도 있다.

"잘들 계셨는가? 오늘은 또 얼마나 내 험담을 하실 런가?"

"뭐, 미리 차단막 치지 마세요. 여기 있는 이들 모두 박 의장이 하고 있는 일들에 대해 적극 성원을 보내는 중입니다. 그동안 복장이 터질 정도로 답답하던 일들을 속 시원하게 해주니까 더 없이 기분이 좋습니다."

막걸리를 사발에 가득 부어 한 잔씩 들이켠다. 누런 양은 주전자는 닷 되들이 큰 것이다. 금새 마음이 통해 왁자지껄해진다.

"박 의장님, 우리 집 노친네께서 박 의장을 죽일 듯이 욕을 합디다."

뭔 일인지 알 것 같다.

"'세상에 어떤 미친놈이 증조, 고조 제사도 못 지내게 하느냐'고 노발대발입니다. 내가 노친네 설득하느라고 애 많이 썼습니다."

"나도 걱정이 많습니다. 관혼상제는 쉽게 바뀌지 않을 겁니다. 특히 상례, 제례가 문제입니다."

"도의 교육, 반공 교육, 문맹 교육이 엄청나게 많아질 것 같던데요. 저도 시에서 특강 부탁이 와서 오케이를 했습니다. 국민 교육은 먹고 사는 것 못지않게 급하고 절실한 문제입니다. 조선 시대 한자를 사용하던 시기에는 한 세대가 먹고 살기 바빠서 자식 교육을 못 시키면 그 다음 세대 부터는 영원히 까막눈 가족으로 변해 버렸습니다. 어려운 한자, 한문을 더 이상 배울 기회가 없어지는 거죠. 우리들 일제 시대에는 일본말 배우느라고 한국어를 제대로 못 배웠어요. 지금 80% 가까운 문맹은 조선 시대로부터 일제 시대를 거쳐 오는 동안에 몇 세대가 글을 모르고 살아왔기 때문에 나타난 현상입니다."

"주변 사람을 둘러보면 참으로 딱한 사람들이 많습니다. 누가 글씨로 '내가 너를 죽이겠다'고 써서 보여 줘도 그냥 '헤헤' 웃어넘기는 사람이 태반입니다. 최고회의에서 국민학교, 중학교를 많이 세우고, 교사도 양성해야 하고, 교과서도 만들어야 합니다. 참으로 할 일 많습니다."

재건 국민운동본부에서는 1961년 12월 11일부터 1962년 4월 말까지를 문맹 교육 강조기간으로 정했다. 두 차례에 걸쳐서 문맹자 수를 조사하는 한편, 자연부락 단위로 문맹 교육반을 설치하고 청년회, 부녀회, 학생회원, 현지 학교 교사 등이 솔선하여 교육을 전개하였다. 그 방침을 보면. 첫째 19세 이상 문맹자를 대상으로 하고 19세 미만자에 대하여서도 가급적 실시한다. 둘째, 사업의 일반 추진체는 국민운동 본부 산하 리, 동 재건청년회와 부녀회가 담당한다. 셋째, 자연 부락 단위로 학급을 편성하며 가급적으로 남녀별, 연령별로 한다. 넷째, 한글 외에 간단한 산수 및 정신교육을 실시하며 국어 과목은 전 교과과정 중 70% 이상을 차지한다. 다섯째, 입영 예정 문맹자를 우선적으로 취급한다. 여섯째, 농번기 등 부득이한 경우에는 지부 실정에 따라 교육 중단 기간을 설정할 수 있다. 일곱째, 재건 학생회는 자율적인 참여를 원칙으로 하고 방학 중 단체적으로 또는 개인적으로 향토의 문맹교육에 참여한다.

문맹 교육 이외에도 화요 강좌, 도의 함양 교육을 다양하게 실시하고 있다.

교육 요원들에 대한 전문가 교육도 중앙 교육원 차원에서 집중적으로 시행하였다. 강의 내용으로는 1961년 1차 년도에는 민주정치의 원리, 공산주의 비판, 신생활 운동, 국사, 도의 정서 및 윤리, 지도요령, 재건운동론, 지역 사회 개발(농촌운동), 혁명 정신 등을 중심으로 하였다. 2차 년도인 1962년도에는 인간 개조(정신 개조), 사회 개조(협동심 및 주체 의식 앙양), 경제 재건, 향토 재건 사업(재건청년회 및 부녀회 지도를 위한 실기), 복지 사회 건설(생활개선 및 생활수준 향상), 실무(보안교육, 문서정리, 교수법, 강의 및 토의 방법, 교육 심리학 등), 내무 생활(과외 활동) 등을 교육하기로 계획하고 있다.

“여기 계신 문인, 기자, 학자님들께서 적극적으로 교육 사업에 참여해 주시길 부탁드립니다. '뭐가 뭔 지 알아야 면장을 하고' 손가락셈이라도 할 줄 알아야 경제 활동을 할 수 있어요. 영국, 프랑스, 미국에서부터 시작된 민주주의라는 것은 기본적으로 읽고 쓸 줄 아는 엘리트들이 하는 정치 활동입니다. 최근에는 국민 전체의 투표권까지 주어지는 것이 만주주의이기 때문에 모든 국민이 지혜로워져야만 합니다. 문서를 볼 줄 알아야 하고, 책을 줄줄 읽고 이해할 수 있어야 합니다.”

술대접을 높이 받쳐 들고서, '건배!'를 외친다. 비슷한 연배의 청장년들이라서 목소리도 제법 컸다. 가을밤이 깊어져 간다.

업무가 조금 잦아든 수요일 오후, 차에 올라타서 서울 근교로 달리게 했다. 1호선 국도를 따라 영등포를 거쳐 안양, 수원으로 달렸다. 지지대 고개를 넘어 서울 농대 근처 서호(西湖)와 작물 시험장을 지난다. 가을걷이가 끝난 들판에 황혼이 깃들고 있었다. 수원역 앞에 있는 설렁탕집을 찾아 들어갔다. 운전수와 함께 따끈한 탕을 맛있게 먹었다. 역 앞은 온통 음식점에, 여관, 유락촌이다. 어두워지면서 예쁘게 차려 입은 '색시'들이 집안의 등을 밝히고 거리로 나서기 시작한다.

의외로 '색시'들의 얼굴에는 화색이 돈다. 먹고 살기 힘들어 죽을상을 하고 있는 게 아니다. '이제부터 살판났다'는 인상이다. 밤은 온전히 그들의 세상인가 보다.

차를 타고 다시 왼편으로 광교산을 바라보면서 풍덕천으로 향했다. 이제 제법 어두워졌다. 서서히 불이 켜지기 시작하는 동네 마을로 무작정 들어섰다. 사람들이 두런두런 어느 한 집으로 몰려들고 있었다. 호롱불이 환하게 켜져 있는 큰 집 마루에 옹기종기 부녀자, 할머니들이 모여 앉아 있었다. 아이를 끌어안고 젖을 물리는 이도 있다. 마루 한쪽 벽에는 적당한 크기의 칠판이 달려 있다.

차 속에서 잠시 기다리는데, 운전병이 공부가 시작됐다고 알려 왔다. 먼발치에서 잠시 지켜보기로 한다. 젊은 선생님과 학생인 부녀자들이 인사를 나누고, 공부를 시작한다. 한글 국어 공부 시간인가 보다.

기역, 니은, 디귿, 리을... 선생님이 먼저 말하면 일동이 따라서 읊는다. 발음을 위해 입모양을 설명하면서 열심이다. 한 시간 가까이 시골 농부들이 공부하는 모습을 지켜본다.

잠시 휴식 시간에 군화를 벗고 마루로 올라갔다. 모두가 뭔 일인가 휘둥그레 눈을 굴리는데, 간단하게 내 소개를 했다.

"나, 박 정희입니다."

모두가 깜짝 놀란다. 개중에는 내 손을 덥석 잡으면서 반가워하는 이들도 있다.

"고생이 많습니다. 배울 만하십니까?"

"예, 재미있어요. 못 배운 한을 풀 수 있을 것 같습니다."

활달한 사람들이 적극적으로 호응을 한다.

"잘 배우셔서, 좋은 책도 많이 읽으시고, 자식들에게 편지도 써보세요. 알고 나면 세상이 달라 보일 겁니다."

모두가 큰 소리로 '알겠습니다. 열심히 배우겠습니다.' 외친다. 그들의 마음이 내게 진정으로 다가온다. 그들과 인사를 나누고 헤어지면서 선생님을 잠깐 밖으로 불러냈다.

"지금 대학생이신 가요?"

"예, 수원에 있는 서울 농대 임학과 생입니다. 집이 이 곳 용인 수지라서 농촌 계몽, 국어 교육에 자원했습니다."

"감사합니다. 잘 해봅시다. 참 나도 일제 시대에 보통학교 선생님을 하면서 어린아이들에게 한글을 가르쳐 본 경험이 있어요. 그냥 기역, 니은, 디귿 식으로 가르치기 시작하면 학생들이 금방 까먹고 힘들어 해요. 그 보다는 가, 나, 다, 라, 마, 바 로 가르쳐 보세요. 훨씬 따라 하기가 쉬워요.

그리고 이것들을 연결해서 '가다', '나다', '바다' 식으로 가르쳐요. 그리고 여기에 받침을 하나씩 붙여 가면서 가르치면 좋습니다. 예를 들면, 가에 ㅇ을 붙이면 '강', 나에 ㅁ을 붙이면 '남', 그래서 '강남'이 되고, 어에 ㅁ을 붙이면 '엄,' 여기에 '마'를 붙이면 '엄마' 식입니다. 학생들이 금방 이해하고 관심도 생기고 빨리 배웁니다. 한번 해 보세요."

"예, 감사합니다. 그렇게 해보겠습니다."

대학생인 선생님을 격려하고 차에 오르면서 주머니를 뒤져서 천 원짜리 몇 장을 손에 쥐어 주었다.

오늘 차량 드라이브가 제법 기분 좋게 이어지고 있있다.

농촌은 온통 빚더미

우리의 농촌이 너무나 침울하다.

점점 더 더워지는 한 여름 땡볕 아래 늘어지는 풀잎처럼 무기력하다. 먹거리 걱정으로 하루해가 저무는 절량농가나 기아 농가는 논외로 치더라도, 그런대로 살만한 농가의 잔칫집이나 시골 장터 막걸리집을 가 봐도 매가리가 없다. 장년 농부의 박장대소(拍掌大笑)도 어딘가 모르게 허전하고 젊은 아녀자의 깔깔깔 웃음소리도 힘이 없다.

유월 보리고개를 넘기느라고, 또 겨우겨우 그 어려운 고개를 넘어서서도 마음 편하게 숨을 쉬거나 기운차게 웃지를 못한다. 왜 그런가?

혁명 직전 5월 초에 서울대 정 병학 교수가 충청도 농촌 실태 조사를 하면서 보고 듣고 느낀 사실을 적은 신문기사를 본 적이 있다. 우리 농촌의 어려운 사정을 정확히 파악하고 있었다(조선일보. 1961.5.3.).

"'농촌 사정을 조사하러 오셨다구요? 그래 여지껏 우리 사정을 몰라서 우리와 나라꼴이 이 모양이 되었단 말입니까? 백 번 천 번 조사해 보십시오. 무슨 소용이 있겠습니까? 명색이 정치합네 하는 자들이 정신 차리지 않을 바에야.'

이 말은 충남 논산군 광석면 갈산리 노상에서 만난 어떤 젊은이가 부락 사정을 묻는 필자에게 쏘아붙인 첫마디였다. 논산평야 한 모퉁이에 자리 잡은 이 일대는 그래도 비교적 괜찮으리라고 생각되었건만 막상 부락에 들어가 보니 예상했던 바와는 아주 딴판이었다. 약 180호 갈산 부락에는 이미 60여 호가 절량(絶糧)이 되고 그 중 10여 호는 2~3일이나 끼니를 못 끓여서 식구 전체가 드러눕게 될 정도의 기아 농가(飢餓農家)라 했다. 그 근방 도로공사에 나갔던 부락 극빈자(絶糧農民)들은 그래도 '이 일이 달포는 계속되어 끼니를 이어갈 수 있으리라'고 생각했으나 그것도 단 하루밖에 못

나가게 되어 보리쌀『석 되』얻어먹은 외에는 다시는 아무런 소식도 없으니 목숨 이어가기가 절망적이란 말이었다.

지나가던 수 명의 청년들이 길을 막고 하는 말이 '아저씨는 서울서 오셨어요? 농촌 구경을 하시니 기분이 어떻습니까? 그래 잘 살게 될 무슨 수가 있을 것 같습니까? 우리 집 식구들도 이틀째 굶는 판입니다. 이래 가지고 무슨 애국입니까! 도적질이라도 해야지!' 갑자기 핏대를 올려 버럭 고함을 쳤다."

알만 했다. 내 어릴 적에 보았던 일제 시대 구미 상모리, 칠곡 사정이 여태껏 이어지고 있다. 내 나라, 내 정부가 들어섰는데도 불구하고 우리 농촌 사정은 전혀 나아진 것이 없다. 더욱이 전쟁을 치르면서 초토화된 농촌이 10년이 다 되어가는 지금껏 깨어나질 못하고 있다.

사실 나는 우리 농촌의 현실, 빈곤의 실태와 원인, 어떻게 하면 빈곤에서 벗어날 수 있는지를 누구보다도 잘 알고 있다. 농촌 소득은 좀처럼 늘리기 어렵고 한번 빚더미에 들어서게 되면 영원토록 빚의 굴레에서 벗어날 수 없다는 사실을 그래서 고민이 많다.

/농촌 소득 총량의 법칙:

'(농촌 소득) = (농산물 생산량) X (농산물 가격) = (일정액)'

농민들이 죽어라고 애를 써서 농사를 지어 수확량을 늘리면, 수요-공급의 법칙에 따라 농산물 가격이 폭락한다. 반대로 흉년이 들어 농산물 수확량이 적어지면, 시장에서 농산물 가격은 오히려 높아진다. 그래서 곱하고, 곱하면 총액이 똑 같아진다. 농민들에게는 풍년이나 흉년이나 그게 그거요, 도찐 개찐이다.

농부들은 경험칙으로 알고 있다. '농림부나 농촌지도소 직원들의 말을 들어 특정 품목 재배를 하면 반드시 망 한다'는 사실을. 뭔 소리인가? 어느 해에 참깨나 마늘 가격이 높아 특정 농가의 소득이 높아지면, 이를 좋게 본 농촌지도소에서는 여러 농가에 참깨나 마늘 농사를 권한다. 그러면 다음 해에는 그 품목의 재배 농가가 많아지고, 가을에 수확량이 늘고 그에 따라 가격이 폭락한다. 오히려 지도소 말을 안 듣고 다른 들깨나 양파 농사를 한 집은 대박을 친다. 그래서 노련한 농부는 '농촌지도소에서 하라는 것과 반대로 하면 성공한다'고 말한다.

그렇지만, 그래 봤자다. 농가의 농토가 한정되어 있는 상황에서 농민들은 매년 거의 비슷한 수준의 소득을 창출하면서 살아간다. 어느 경우든 농부는 최선을 다하지 않을 수 없다. 사시사철 기후에 맞춰서 씨 뿌리고 김매고, 수확을 해야만 한다. 일년 내내, 평생 동안 허리 한번 제대로 펴보지 못한 채 일만 하지만 생활이 좀처럼 나아지질 않는다.

웬만한 농부도, 위정자도, 나도 어떻게 하면 농촌 소득을 늘릴 수 있는지에 대해 잘 알고 있다. 경작지를 늘리고, 수확량을 많게 하며, 높은 값으로 팔 수 있으면 된다. 그런데 세종대왕 시절부터, 영정조 시대를 거쳐, 일제 시대, 그리고 우리의 자유당, 민주당 정부까지 어느 누구도 해내지를 못했다. '아는 것과 실천하여 성과를 내는 것은 전혀 다른 얘기다.'

'농민들이 소득을 올리기 위해 하는 모든 행동은 빚더미 속으로 들어가는 지름길이다.'

우리 농촌의 가구당 경작지 면적은 참으로 작다. 미 군정과 이 승만 대통령 시기에 농지 개혁을 통해 전국의 거의 모든 농민들에게 자경지(自耕地)를 갖도록 했다. 일제시대의 소작인(小作人) 위치를 벗어나게 한 탁월한 정책이었다. 하지만 5~10명의 가족들이 농사지어 먹고 살기에는 턱없이 농토가 작다. 자작이면서도 추가로 소작을 해야만 겨우겨우 가족 먹거리를 해결할 수 있다. 온 가족이 나서서 논 김매기를 네 번, 다섯 번 해보지만 벼 수확량은 별로 늘지 않는다. 냇가 황무지를 개간하기 위해 하루 종일 삽으로 땅을 파 엎고 돌을 걸러 내지만 늘어나는 농토는 손바닥 만할 뿐이다. 학교에 가야 할 아이들까지 모두 내몰아서 풀을 베고 거름을 만들어보지만 소출은 늘지 않는다.

노동력 하나라도 보태려고 죽자 사자 아들만을 낳아 대고, 국민학교도 안 보내면서 일을 시켜보지만, 농가 소득은 좀처럼 늘어나지 않는다. 오히려 배고프다고 먹을 것을 달라고 보채는 '새끼'들은 왜 그리도 잘 들어서는지? 돼지 새끼 치듯이, 병아리 까듯이 '먹을 입'만 늘어나고 있다.

<표 1> 농지 개혁 전후의 경작지 규모별 비율

경작지 규모 \ 년	1945	1955	1960
0.3 ha(900평) 미만	10.4 %	5.8 %	5.3 %
0.3 ha(900평)- 0.5 ha(1500평)		12.2 %	11.4 %
0.5 ha(1500평)-1.0 ha(3000평)		29.2 %	27.9 %
1.0 ha(3000평)-2.0 ha(6000평)	40.0 %	35.9 %	37.0 %
2.0 ha(6000평)-3.0 ha(9000평)		15.9 %	17.3 %
3.0 ha(9000평) 이상	26.4 %	1.0 %	1.2 %

농산물 생산량 증대를 위해서는 비료 시비(施肥)와 수리시설 이용, 축력 이용, 좋은 우량종자 구입, 농기구 구입, 노동력 구매 등이 필요하다. 그런데 이 모든 비용은 현금이나, 쌀이나 보리와 같은 현물로 충당해야 한다. 곡물 수확을 통해 주가로 획득한 소득이 투입된 비용을 충당할 수 있어야만 빚을 지지 않는데, 농촌 소득 일정량의 법칙에 따르면 거의 불가능하다. 결국 조금 사정이 나은 대농으로부터 차입을 해서 충당해야 하는데 이때 이자율이 월 3~5부(%) 정도로 매우 높다. 농민이 노력을 하면 할수록 빚이 늘어나는 구조다. 봄 철 쌀 한 가마니가 가을철에 한 가마니 반이 되는 상황에서 소출 증대가 과연 50% 이상씩 늘어난다는 보장이 있는가?

농촌에서는 단연코 빚을 지지 않아야만 생존할 수 있다. 월 이자율이 3부가 넘는 상황에서 1년 만에 갚지 못하면 다음 년도에는 복리(複利) 식으로 이자가 폭증한다. 1950년도에 농지 개혁을 통해 경작지를 받았던 농가 중 1/3 정도가 10년도 안돼서 남에게 토지를 팔아야만 했다. 1959년 기준으로 전체 농가 152만 1,241만 호 가운데 45만 3,409호 정도가 자기 토지를 잃었다. 조선 시대에는 소수 양반이, 일제 시대에는 못된 일제 지주가 소작농을 착취했다고 믿지만, 개명천지 지금 이 순간의 자유민주주의 국가에서는 누가 우리 농민들을 강제로 착취하고 있는가? 아니다. 농촌 구조가, 농업 경제의 기본 속성이 '독립해서 홀로 살아가기 어려운 세상'이다.

영농에 들어가는 비용과 함께 자식 대학 등록금, 병원 치료비, 결혼 비용 등이 빚을 낳게 하는 원인이다. 이와 함께 춘궁기에 모자라는 식량을 충당하기 위해 이웃에서 곡식을 빌린 경우도 만만치 않다. 혹시라도 '섰다판'이나 '도리 짓고땡'과 같은 노름이라도 했다면 패가망신은 따 놓은 당상이다.

복리로 늘어가는 빚을 갚기 위해서는 온 가족이 머슴처럼 품을 팔거나 고리(高利)로 사채를 빌려야 하고, 입도선매(立稻先賣)를 해야 하며, 끝내는 자기 소유 토지를 값싸게 팔아 넘겨야만 한다. 불어나는 이자를 감당할 수 없어서 벼를 심기만 해도 입도선매로 팔아야 한다. 토지를 몽땅 내주어도 갚을 수 없는 빚 때문에 야반도주(夜半逃走)하는 사람들이 곳곳에서 나타나고 있다.

농촌 소득 총량의 법칙을 뛰어 넘어 진정으로 농촌 소득을 증대시키기 위해서는 순수 경작 활동 이외의 추가 가외 소득원이 있어야만 한다. 양잠이나 과수 재배, 원예, 특용 작물 재배 등을 통해 벼농사나 보리농사 수준을 넘어서게 만들어야 한다. 국토건설사업이나 조림사업처럼 추가 소득을 얻을 수 있는 공공 사업을 활성화해야 한다. 그리고 농어촌에 남아도는 유휴 노동력을 산업단지의 공장 지대로 빼내 새로운 직업 활동을 하게 만들어야 한다. 좁은 농토에 많은 인구가 목숨을 거는 상황에서 얼른 벗어나야만 한다.

최근에 전라도 덕유산 자락 농촌 지역을 돌아보다가 기가 막힌 사연을 들었다. 친한 이웃 친구 빚보증을 섰다가 패가망신한 정씨 얘기다.

"친구 모친이 병이 들어서 오랜 기간 병원 치료를 받았어요. 그 친구는 이리저리 땅을 떼어 팔다가, 5년 전에 당장 먹을 것이 없어서 또 병원비에 보태려고 쌀 두 짝을 읍내에서 가장 잘 산다는 김 씨 한 테서 월 3부 이자로 꾸었지요. 김 씨는 친구가 갚을 여력이 없는 것을 알고서 보증을 한 명 세우라고 했대요. 친구가 내게 하두 간절하게 보증을 서 달라고 해서 마음

에 내키지 않았지만 도장을 찍어 줬어요,

그런데 어찌 되었는지 아십니까? 이자에 이자가 늘기 시작하더니 지금은 2가마가 4가마가 되어 버렸어요. 그 친구는 지난 해 말에 어머니를 떠나보내고 나서는 어느 날 갑자기 야반도주를 해버렸어요. 얼마나 놀랐게요.

김 씨는 보증을 선 내게 빚 독촉을 해댔어요. 애꿎게 내가 빚꾸러기가 된 거요. '보증 잘못서서 망하게 생겼다'고 안사람에게 온갖 소리를 다 듣다가 참을 수 없어서 한 쪽 땅을 팔았어요. 땅을 판 돈을 가지고 김 씨 집엘 찾아 갔다오. 그런데 요상한 것이 내가 갈 때마다 그자가 집에 없어요. 나중에 알고 보니 내가 빚을 갚지 못하도록 요리조리, 이런 핑계 저런 핑계를 대고 피한 겁니다. 아직도 빚을 갚지 못하고, 이자만 늘어나고 있다오."

이런 놈도 있다. 정씨 얘기는 그 빚쟁이 김씨가 '내가 가지고 있는 노른자 문전옥답(門前沃畓)을 빼앗으려고' 그 짓을 한 거란다.

빚의 굴레. 일단 빚을 지기 시작하면 빚꾸러기는 빚쟁이에 예속되지 않을 수 없다. 고마운 마음에 또는 죄송스러운 마음에 고개를 숙여야 하고 항상 굽실대야만 한다. '당장 빚 갚으라'는 소리가 곧 '너 죽어라'하는 소리와 같이 들린다. 어릴 적 상모리, 아버지는 늘 다른 빚쟁이들에게 고개를 숙이고 다니셔야 했다. 빚에 더욱 쪼들리면 빚쟁이 집에 가서 머슴 노릇을 하면서 조금씩 까 나가야만 한다. 그래도 빚이 줄지 않고 되려 늘어나면 '값싸게라도' 가지고 있는 옥답을 팔아야만 한다. 그 이후부터는 말할 것이 없다. 자기 몸뚱이를 머슴으로 파는 것과 아울러 '어린 딸을 양반집 첩으로 파는' 영화 스토리 같은 일도 가끔씩 일어난다.

어떤 못난이는 이렇게 말한다.

"땅 마지기 하나도 없으니 오히려 시원하다. 세금 낼 일 없고, 농사지으려고 종자 걱정, 비료 걱정, 품앗이 걱정할 필요가 없으니."†

이게 바로 중세 유럽의 농노요, 중국이나 우리 조선 시대의 노비요, 머슴이다.

그런데 농지 개혁 이후에 불과 10년 만에 새롭게 소작인이 늘고 있고, 노비들이 생겨나고 있다. 자유 시장 경제에서 농촌이 처한 비참한 현실이다. 농어촌의 '부족' 현상으로 인한 고리채 빚이 우리 농촌의 생활 안정을 해치고 있다.

5월 23일, 장 경순 농림부 장관 취임 후 처음으로 농림부 국과장이 참석한 가운데 농정에 대한 보고를 받았다.

"금년에는 하곡(夏穀)이 예년에 비해 풍작이 예상됩니다. 도입 양곡과 함께 농어촌의 기근 문제가 조금은 풀릴 것으로 예상됩니다."

담당 국장이 보고를 했다.

"우리 농촌은 풍년이 들어도 걱정입니다. 기껏 많이 생산해 놨더니 하곡 가격이 하락하면 무슨 소용이 있습니까? 더군다나 외국에서 들여와야 하는 도입 양곡도 적지 않으니."

하곡 생산량이 늘어나는 것만을 본다면 전체 국민 입장에서는 바람직한 일이다. 하지만 농촌의 소득 증대나 고리채 문제 해결은 기대하기가 어렵다.

"맞습니다. 그래서 하곡 수매량을 늘리려고 합니다. 가격을 지난 해 수준 정도로 하면 어떨까 고려 중입니다."

장 장관이 추가 설명을 한다. 담당 국장으로 하여금 진행 중인 정책 내용에 대해 간략하게 브리핑을 하게 했다.

"금년도 하곡은 766만 9천석(千石) 정도가 수확될 것으로 보입니다. 이는 평년작에 비해서 21%, 작년도에 비해서 6.4%, 증산계획보다는 2.3% 증수(增收)입니다. 그런데 국토건설 사업용 양곡이 계속 방출되어 하곡 수확기에 일시에 많은 수량이 시장에 나옴으로써 하곡 가격 하락이 예상됩니다. 그래서 금년에는 이 하곡 가격 하락을 막기 위해서 각 도청 소재지의 정맥 시가가 1가마니 당 1만 800환을 하회하는 경우에 한하여 이를 매상하여 가격을 적정선으로 유지하고자 합니다. 매입할 하곡은 대맥(大麥, 보리)과 나맥(裸麥. 쌀보리) 두 종류로서, 그 목표량은 50만 석으로 하고 한 농가당 대맥은 20가마니, 나맥은 10가마니를 상한으로 합니다. 가격은 대맥 2등품이 석당 17,000환, 한 가마니에 3,690환, 나맥은 1 가마니에 5,860환으로 정하려고 합니다."

"좋은 방향입니다. 하지만 하곡 매입에 필요한 양곡 관리특별 회계 예산이 얼마나 있나요?"

"재원이 충분하지는 않지만 일단 긴급히 지출해야 할 사안이라고 생각해서 우선을 두려고 합니다."

재원이 충분치 않으리라는 것은 불을 보듯 뻔하다. 임시방편으로 '아랫돌 빼서 윗돌 괴듯' 하는 것이다. 일단 농가 소득 보전을 위해 애를 쓰고 있음은 분명하다.

"농촌 현실이 참으로 암담합니다. 혁명 정부, 최고회의에서 하고자 하는 여러 사업 중 농어가 소득 보전, 농어촌 고리채 문제 해결은 매우 중요한 현안입니다. 하곡 수매와 아울러 추곡 수매, 더 나아가서 농어가 전체의 소득 증대에 더욱 힘써 주시길 바랍니다."

이렇게 말은 해보지만 장관이나 국과장 선에서 해결 가능한 일이 아님을 안다. 나 역시도 자유당, 민주당 정부의 정치인이나 총리가 립 서비스하는 것처럼 되어 버렸다.

"참, 고리채 정리 사업은 혁명 정부의 주요 현안입니다. 어떻게 되어 갑니까?"

"예. 세 번째 보고드릴 내용이 내일 최고회의 안건으로 올릴 농어촌 고리채 정리 법령에 대한 것입니다."

실무 국장이 보고하는 내용을 듣다가 다음 일정이 있어서 자리를 떠야 했다. 장 장관에게 이 주일 등 최고회의 위원들에게도 문건을 보여드리고 사전에 의견을 구할 것을 부탁했다.

빚, 고리채 정리

절량농가와 기아 농가에 대한 문제는 식량 증산으로만 해결 가능한 일이다. 물론 전쟁 복구 과정에서 미국 등 선진국으로부터 원조 물자로 들여오던 옥수수나 밀가루, 빵을 농어촌에 배급하여 춘궁기를 모면하는 것도 어느 정도는 도움이 되었다. 하지만 이제 원조 물자에도 한계가 있어 우리 스스로 식량 증산을 해내지 못하면 안 된다. 농어촌 문제는 모든 문제가 뒤엉켜진 실타래처럼 복잡하다.

1961년 현재, 우리나라의 국토 면적은 9,931,709정보(町步) 인데 대하여 경지면적은 2,079,859정보로서 21%에 불과하다. 국토 전체 면적 중 임야와 비농경지 비율이 79%로서 국토 이용률이 극히 저조하다. 1953년부터 1961년까지 경지 면적 확장은 불과 6.4% 정도 불과하다. 이런 추세는 베이비붐 세대의 급격한 인구 증가를 감당하지 못하여 필연적으로 호당 경지면적 영세화를 초래하고 있다. 시간이 흐르면 흐를수록 농촌 사정은 악화된다는 의미다. 1957년에 농가 가족 1인당 경지면적이 1.48단보(段步)였던 것이 1961년에는 1.41단보로 줄어들었다.

<표 2> 호당 농가 인구 및 경지 면적 (출처: 한국군사혁명사. 제1집.상. 1071. 1963년)

구분 / 연도	호당 농가 인구 (인)	호당 경지 면적			가족 1인당 경지 면적(단보)
		답(畓,논) (단보)	전(田,밭)(단보)	계 (단보)	
1957년	6.16	5.44	3.68	9.12	1.48
1958년	6.20	5.45	3.70	9.15	1.48
1959년	6.22	5.35	3.61	8.96	1.44
1960년	5.99	4.48	4.26	8.74	1.46
1961년	6.23	5.23	5.23	8.81	1.41
1962년	6.10	6.10	4.99	8.42	1.38

농어촌 빚의 내용을 찬찬히 들여다볼 때 가장 치욕스럽고 난감한 것이 식량 부족으로 인한 것이다. 당장 먹거리가 없는 상황에서는 식량을 가진 사람에게 '목숨을 담보로라도' 쌀이나 보리를 꾸어 먹어야 한다. 그런데 이

식량으로 인한 빚의 이자가 참으로 높다. 봄철 춘궁기에 쌀 한 가마를 얻어 먹으면 가을에 한 가마 반을 갚아야 한다. 5부 이자인 셈이다. 농촌 소득 일정량의 법칙에 의하면 1년이 지나면 5부씩의 마이너스가 발생하는 셈이다. 소농 입장에서는 5년 이내에 '탈탈' 털고 손을 들어야만 한다.

농지 개혁을 통해 모든 농민이 자경지(自耕地)를 가졌다고 정부에서는 자랑을 하지만 농촌 현실은 전혀 낙관적이지 않다. 빈곤의 악순환으로 인해 소농들은 몇 해를 견디지 못하고 불하 받은 농지를 또 다시 팔고 머슴이나 소작인 신세로 전락하고 있다. 중농도 견디지를 못하고 소농으로, 또 다시 소작농 위치로 타락해진다. 일제 시대나 조선 시대 때 악용되었던 반분제(半分制), '5 대 5 제'가 다시 유행하고 있다.

이런 상황에서 부를 늘리고자 하는 약삭빠른 업자들이나 부농들은 몰락하는 소농들의 토지를 싼 값으로 사들이고 있다. 절량농가의 절박한 심정을 이용하여 부를 축적하고 있다. 골고루 분배되었던 농지가 몇 해 만에 다시 소수 몇몇의 소유로 통합되고 있다.

농어촌 고리채 정리를 위한 최고회의가 5월 24일 아침 이른 시간부터 시작되었다. 농림부 장관의 총괄 보고에 이어서 의원들의 질의 응답이 시작되었다.

"농어촌의 고리 빚을 정리한다는 점에서는 적극 찬성합니다. 하지만 이 정책이 성공할 수 있을까요? 농어촌의 채권 채무 관계라는 것이 얼마나 복잡한 지 아시지 않습니까?"

"시행 세칙을 통해 구체적인 내용을 정할 예정입니다. 일단 모든 채권 채무가 아니라 연이율 2할 이상인 악성 채무 관계만을 신고 대상으로 할 겁니다."

담당 국장의 답변을 들으면서, 더없이 조심스럽다.

"제가 알고 있기로는 거의 모든 채권 채무가 월 3~5부(分)로서 연이율로

치면 4~5할(割)이 넘을 겁니다. 그 규모가 어마어마할 거예요. 문제는 예산입니다."

"채무자에게는 농업은행을 통해 연이율 1할 2부의 저리 융자금을 지불하고, 채권자에게는 농업은행이 원금에 연 2할 이자를 추가 지급하는 농업금융채권을 발부해줍니다. 이 채권은 2년 거치 5년 동안에 지불 완료합니다. 이자율 차액인 연이율 8부와 행정 처리비용은 국가에서 감당해야 합니다."

"농어촌의 채권 채무 관계가 공인된 문서로 이루어지는 경우도 있지만 상당수가 구두 약속이나 간단한 쪽지 서명으로 이루어지고 있습니다. 그리고 공공연하게 진행되지 않고 대부분 은밀하게 진행되기 때문에 제대로 신고가 이루어질까 걱정입니다."

내가 걱정하는 부분에 대해서 실무자도 충분히 공감하고 있었다. 너무 장고하기보다는 일단 방침을 정해 공포하고 신고를 받아보는 것이 좋겠다고 생각을 했다.

최고회의에서는 1961년 5월 25일 정오를 기해 농어촌 고리채 정리령(農漁村高利債整理令)을 발표(공포령 12호) 하였다.

1) 농어부(農漁夫)를 채무자로 하는 연이율(年利率) 2할(20%)을 초과하는 채권, 채무(현금 및 현물)를 농어촌 고리채로 규정하고 본령에 의하여 정리한다.

2) 농어촌 고리채 채권자의 채권 행사는 이를 일단 정지하고, 변제 기한은 세칙에 명시한다.

3) 농어촌 고리채의 채권 채무자는 관계 기관에 이를 신고하여야 한다.

4) 전항의 신고를 하지 아니한 채권자의 채무 변제 청구권은 신고하지 아니한 채권액의 한도까지 이를 소멸한 것으로 간주한다.

5) 신고한 농어촌 고리채에 대하여는 이를 심사하고, 농어촌 고리채로 확정된 금액에 대하여는 정부 보증 융자금으로 채무자 부담 원칙 하에 이를 연차적으로 변제 정리토록 한다.

6) 본 영에 위반하는 자는 엄벌에 처한다.

정리령 공포에 이어서 구체적인 세부 작업에 들어가 마침내 7월 14일에 시행령을 공포하였다. 정부에서 예상하고 있는 농어촌 고리채 규모는 무려 800억 환에 달했다. 8월 5일부터 신고를 받았는데 처음에는 서로 눈치를 보면서 신고액수가 좀처럼 늘지 않았다. 8월 23일까지 불과 191억환 만이 신고 되었다. 여러 가지 이유가 있겠지만, 농어촌 채권 채무가 구두로 은밀하게 진행되는 관행 때문이거나 아니면 그동안 정부 정책에 대한 불신이 커서 공연히 '긁어 부스럼 만드는 것'이 아닐까 하는 노파심이 작용했을 수 있다.

비서실장이 신문 한 장을 들고 들어왔다(조선일보 1961.8.23.).

"인정(人情) 앞에 얽힌 딱한 사연. 고리채 신고 마감 하루 앞 둔 김해군의 경우. (채무자: '급할 때 쓰곤 차마?') (채권자 측: 본전(本錢)이나 찾자고 통사정).

고리채 신고 마감 날인 24일을 앞두고 지금 농촌은 마치 「빚」 잔치 「붐」을 일으키고 있다. 군읍면 직원들은 도 당국이 할당한 고리채 추정액 달성을 위해 밤낮을 가리지 않고 각 부락에 출장나와 신고치 않는 고리채를 캐내며 신고를 받기에 갖은 수단을 다하고 있다.

경남도의 경우를 보면 농가 매 호 당 3만환 꼴로 추정하면 무려 81억환의 고리채가 농어촌민들이 사용한 셈이다 21일까지 신고하게 된 것이 목표액의 불과 2할인 2,990여만 환에, 신고자수는 621명이다. 농민들이 지닌 고리채의 성질은 형형 각색이다. 신고치 않고 있는 채권채무자들의 사정은 그들이 지닌 고리채가 자녀의 생명을 구한 것, 자녀들의 진학비에 사용한 것, 큰일 치를 때 이용했던 종류의 성질이기 때문에 차마 신고하기를 주저하는 인정에서라는 것이다.

어느 주민의 말에 의하면 이곳의 고리채는 그 채권자가 대개 품팔이하는 노동자와 행상인들이 푼푼이 모은 기 만 환씩의 돈을 대농가에서 빌려 쓴 것이 많다고 한다. 딱한 사정에 대해 동정이 앞서고 당국의 눈을 피해서 뒷구멍으로 해결되는 경우도 있지만 신고치 않으면 채권 채무의 권리가 소멸되는 반면 50만환 이하의 벌금형까지 받게 되는 현행법의 처벌을 두려워한 일부 채권자는 고민에 싸여 채무자에게 통사정을 하며 빌려준 본전만 받아내기에 사력을 다하고 있다.

대동면 「암막」 부락에 거주하는 박씨는 지난 3월 24일 그의 부친 장례비가 없어 이웃에 사는 김 씨부터 월 5부 이자로 10만환을 꾸어 쓴 것이 이번에 신고하게 됨으로써 양가는 원수처럼 되어버렸다."

신문 기사 내용을 보는 순간,

'아, 이 정책은 반드시 실패하겠구나.'

생각이 들었다. 채권 채무 관계의 양상이 너무나 복잡 미묘해서 군대식으로 단칼에 베어낼 수 없겠다. 정상적으로 생각할 때는 채권자는 대부분 부자이고, 채무자는 당연히 가난한 사람이어야 한다. 그런데 기사 내용을 보면 그 반대이다. 정부가 오히려 약자를 궁핍으로 몰고 부자를 옹호하는 셈이 된다. 또 빌려줄 여력도 없는데 채무자가 애걸복걸하는 바람에 빌려주었다가 갑자기 돈을 떼일 상황에 처한 경우도 비일비재하다.

농림부 보고를 들으니 일부 채권자 입장에서는 연이율도 낮아지고, 2년 거치 5년 분할 상환을 받는 것에 대한 불만이 많다고 한다. 그럴 수도 있겠다 싶었다. 채권자가 거부(巨富)라서 충분한 자금을 소유하고 있는 경우라면 그래도 낫겠지만, 자금 사정이 좋지 않고 또 당장 며칠 내로 사용처가 있는 돈이나 현물을 대여한 경우라면 재권자도 채무자 못지않게 궁색할 것이다.

8월 26일자로 의장 담화를 발표하였다.

"혁명 정부에서는 오랫동안 농어촌 피해의 원인이고 농어촌 발전의 암이었던 고리채를 정리하여 명랑하고도 희망에 찬 농어촌을 만들고자 한 것입니다. 일부에서는 이 법의 취지를 잘 모르며, 또 이웃 간에 의리나 인정에 끌려 신고를 하지 않는 경향이 있었습니다. 법 시행에 적극적인 협조를 해 주신 채권자 여러분에게 혼란을 최소한으로 덜어드리기 위하여, 그 상환 기간을 2년 거치 5년 분할 상환에서 1년 거치 4년 분할 상환으로 단축하고, 1만 환 이하는 1년 내에 상환하도록 하겠습니다."

최고회의 차원의 강력한 의지 표명과 함께 농림부에서 적극적으로 홍보하며 권유를 하고, 전국 지방 행정기관과 재건국민운동 조직을 활용하면서 신고액수가 점차 늘어나 예상액의 거의 80%에 달하는 540억 환 수준에 도달하였다.

농어촌 문제 해결을 위해 정부에서도 1961년 내로 200억 환에 달하는 영농자금을 집중 방출하였고, 하곡 수매가격 안정화, 관수비료 전량을 외상으로 판매하는 정책을 적극적으로 시행하였다.

농어촌 고리채 정리 업무와 영농 자금 관리, 그리고 농어촌 협동조합 업무 전반을 체계화하는 작업의 일환으로 8월 15일자로 농업은행을 농업협동조합으로 통합시키는 조치를 취했다.

국가재건국민운동의 추진 작업과 함께 농어촌 고리채 정리 문제가 동시에 폭주하며 골머리가 아프다. 일단 '칼을 뽑았으니 무우라도 잘라야 할 것' 아닌가. 실패를 눈앞에 두고서도 정해 놓은 목표 수준까지는 일단 가 봐야 하겠다. 하지만, 군대식으로 몰아 부치기만 해서는 안 될 것 같은 위기감이 엄습해온다.

농어촌 고리채 문제를 푸는 가장 시급한 방법은 농어촌 소득을 증대시키는 일이다. 그 중 하나가 양잠과 황초(黃草) 담배와 같은 특용작물 재배를 통한 소득 증대다. 최근에 농촌에 보급되기 시작한 엽연초 경작은 보리나 쌀보리와 같은 하곡보다도 많은 소득을 올릴 수 있다고 한다. 엽연초는 국가에서 전량 수매를 하기 때문에 농민으로서는 판매 걱정이 없다. 정부에서 적정 단가를 매겨 수납을 하면 농촌 소득을 어느 정도는 보전해 줄 수 있다. 양잠의 경우도 밭둑이나 제방뚝에 뽕나무를 심어서 누에를 키우면 농가의 가외 소득 증대에 크게 기여할 수 있다. 지속적으로 양잠과 엽연초 재배 농가 숫자와 면적을 증대시켜 가야만 할 것이다.

닭을 기르거나 돼지, 소를 기르는 축산업도 가계 소득에 크게 기여할 수 있다. 소를 기르게 되면 자녀의 대학 등록금을 소를 팔아서 납부한다는 의미의 '우골탑(牛骨塔)'도 실현 가능하고 닭들이 꼬박꼬박 낳는 달걀을 잘 모으면 국민학교나 중학교, 고등학교 학비는 물론 가끔씩 발생하는 병원비도 충당할 수 있다. 축산업을 잘하는 농민은 돼지 새끼치기나 송아지 낳아 기르기, 병아리 부화, 개 새끼 치기 등을 통해 짭잘한 농가 소득을 올리기도 한다.

최근에 농촌 마을마다 스피커를 달고, 앰프를 설치하여 라디오 방송을 들을 수 있게 하고 있다. 라디오 방송이 침체되어 있던 농촌 마을을 들썩이게 하고 있단다. 듣던 중 반가운 소리다.

저녁 식사 후 다시 사무실로 들어왔다. 농어촌 고리채 정리 사업에 대해 다시한번 곰곰이 정리해보고 싶어 졌다.

'농어촌의 고리 빚을 어떻게 하면 속 시원하게 정리할 수 있을까?'

지금 진행 상황을 차분히 되짚어 보면, 목표 달성이 어려워 보인다. 내가 다른 업무에 바빠서 적극적으로 챙기지 못하면 조만간 흐지부지 될 것이 명약관화하다. 올 한 해 반짝 시도해 봤다가 내 년에는 안 된다고 그냥 내려놓을 것 같다.

'적당히 체면치레만 하고 빠져나와야 하는가? 군사 혁명을 추진하면서 공언한 말이 있어서, 하기는 해야겠는데'

'김 일성이처럼 무자비하게 채권자의 권한을 정지하고, 채무자의 빚을 일순간에 없는 것으로 해버리면 어떨까? 빚쟁이들은 화를 낼 것이고, 빚을 진 채무자들은 좋아하겠지?'

다른 나라의 군사 혁명을 보면 김 일성이처럼 무자비한 경우가 적지 않다. 그렇게 일단락 짓고 난 뒤 새롭게 경제 발전을 잘 해내면 되지 않을까 싶기도 하다.

피식 웃음이 난다. 인간 박 정희가 조금 힘들다고 모든 것을 포기하는 듯한 상상을 하고 있다. 어림도 없다. 이럴려고 혁명을 한 것이 아니다. 힘이 들더라도 포기는 없어야 한다.

100% 성공할 수 없는 일이지만, 일단 절박한 농촌 사정을 조금이라도 완화시키기 위해서는 현재 추진 중인 고리채 정리 작업을 지속해야 한다. 그리고 원천적인 문제 해결에 총력을 기울이자.

식량 문제를 해결해야 한다. 그래서 춘궁기를 없애야만 해마다 반복되는 먹거리 생계형 빚더미를 사라지게 할 수 있다. 1차적인 농업 정책은 온 국민의 굶주림을 없애는 일에 집중해야만 한다.

낮은 이자로 빌려 쓸 수 있는 농업 자금, 생활 밀착형 금융을 충분하게 확보해야만 한다. 기본적인 의식주 문제 해소를 넘어 '살기 위해 불가피하게 소요되는 비용'을 충당하는데 필요한 자금을 농어민들이 수월하게 빌려 쓸 수 있도록 해야 한다.

농촌 인구를 줄여야 한다. 출산율을 낮춰서 폭증하는 농촌 인구 증가세를 둔화시켜야 하고, 공업단지나 산업 시설을 많이 만들어 유휴 노동력을 뽑아내야 한다. '입을 줄이고' '소득은 늘리는' 정책이 필요하다.

생각에, 생각이, 꼬리를 물고 나타난다.

이전의 위정자들도 이런 고민을 했을 것이다. 오백 년, 육백 년 동안 어느 위정자도 해내지 못한 일인데, 내가 과연? 감당할 수 있을까?

포기하려 다가, 다시금 정신을 차리다 보니, 은근히 오기가 발동한다.

이제는 수성(守成)이다

혁명군을 동원한 지 한 달이 지나가고 있던 6월 중순. 출근을 서두르는 나를 잡아 세우더니 부인 영수가 한마디 한다.

"많이 힘드시죠? 숨 좀 돌려 가면서 일하세요."

웬 일인가 싶어서 그의 얼굴을 쳐다본다. 걱정하는 눈빛이 역력하다. 지난 한 달 동안 노심초사하면서 일에 몰두해 있는 나를 지켜보면서 마음이 편치 않았을 것이다. 매일같이 밤늦게 퇴근해서, 오자마자 잠에 떨어지고, 새벽에 깨어나서 또 하루 일을 생각하면서 엎치락뒤치락하는 나를 지켜보는 일이 고생스러웠을 것이다. 아이들 얼굴 한번 제대로 볼 새가 없이 지내고 있는 내 모습에서 혁명 과업이 어떻게 되어 가는가 궁금하기도 할 것이다.

"알았어요. 모두가 열심으로 자기 맡은 바 일을 해주고 있어서 별로 힘들지 않아요. 나는 중요한 일들만 챙기면 돼요."

"저도 알아요. 최고회의에서 하는 일들이 어느 것 하나 힘들지 않은 게 없을 겁니다. 각하 혼자서 모든 일을 책임지시려 하지 말고 '나눠 주고, 조금 설렁설렁' 하셔요. 서두른다고 다 되는 것도 아니고 조금 천천히 간다고 해서 안 되는 일도 없는 법입니다."

너무 완벽주의에 빠져들어 있는 게 아닌가 싶기도 하다. 설렁설렁해도 될 일을 하루 종일 내내 곱씹고 되새기며 고민하는 것은 아닌가도 싶다. 다른 사람들을 보면 모두가 일을 수월하게 해내고 있는 것 같고 별로 고민도 하지 않는 것 같다. 이래도 저래도 결과가 같은 거라면 내가 너무 정력을 낭비하는 셈이다.

내가 너무 앞장서서 설쳐 대면 다른 실무자들은 그냥 서서 시키는 일만 하게 되어 있다. 그래서는 안 된다. 내 한 머리보다는 수많은 이들의 지혜를 동원해야만 혁명 과업, 국가 발전을 추진하는데 유리하다. 옆에서 지켜보는 부인네 눈에도 내가 일에 몰두하고 너무 홀로 책임지려는 듯한 태도를 보이고 있는 것이 드러나고 있음이라.

"알겠습니다. 충성!"

거수경례로 경의를 표하고 차에 올랐다.

여덟 시면 사무실로 출근한다. 곧바로 정보부 보고를 받고, 그 이후 비서실장이 오늘 하루 일과를 챙겨준다. 사무실로 들어서기 직전에 잠시 차 속에서 생각을 정리한다.

5·16 혁명 후 한 달을 정신없이 보내면서 혁명 전에 구상했던 많은 일들을 동시다발적으로 추진하고 있다. 이제는 군사혁명 정부가 제대로 체제를 구축하고 본격적으로 일을 해 나가고 있는 중이다. 지금부터는 단기간에 해치울 일들이 아니라 중장기적으로, 긴 호흡을 가지고 추진해야 할 일들이 대부분이다.

머리맡에 두고서 자주 읽는 당 태종의 언행, 통치 철학을 담고 있는 「정관정요(貞觀政要)」 한 귀절이 생각났다.

태종 정관 13년 봄 정월. 태종이 주위 신하들에게 물었다.

"창업(創業)과 수성(守成) 중에 어느 것이 더 힘들까요?"

그러자 혁명을 함께 했던 방 현령은 '군웅이 활개 치던 어지러운 시기에 병력과 전략을 잘 구사하여 전국을 평정하는 일이 참으로 힘들지요. 당연히 창업이 어렵습니다.' 했다. 그러자 위징이 말하기를 '자고로 간난한 어려움을 겪고 이겨내지 못한 창업주는 없습니다. 그러나 잠시 안일함에 빠져 나라를 패망에 이르게 하는 이들은 많습니다. 그래서 수성이 더 어렵습니다.' 고 대답했다.

태종이 말하기를

"두 공의 말씀이 참으로 옳습니다. 현령은 나와 함께 천하를 평정하느라고 온갖 죽을 고비를 넘기면서 겨우겨우 목숨을 부지했으니 당연히 창업이 어렵다고 할 것이요. 하지만 일이 이미 이루어지고 난 지금에 와서는 위징이 말한 수성이 어렵다는 말이 참으로 중요한 말씀이니 모두들 삼가하고 신중해야 할 겁니다."

고 했다. 모든 신하들이 머리를 조아려,

"폐하의 말씀이 옳습니다. 온 나라의 복입니다." 고 예를 차렸다.

〈貞觀十三年〉春正月, 上嘗問侍臣 創業與守成 二者孰難? 玄齡曰草昧之初 與群雄並起 必須較其才力而後臣之, 是創業難矣。魏征進曰自古帝王莫不得之於艱難, 失之於安逸。守成難矣。上曰二公之論皆是。玄齡與吾共取天下出百死得一生 故知創業之難。事旣往矣。魏徵以守成之難, 方當與諸公謹愼。玄齡等拜曰陛下之言及此 四海之福也。

그동안 너무 숨 가쁘게 달려왔다. 이제는 호흡 조절을 하여 숨 고르기를 하고 현재 나와 혁명 정부가 처해 있는 상황과 위치를 정확히 재점검해 봐야겠다.

- 발 앞의 돌뿌리를 조심해라.

너무 서둘러 장단기 정책에만 치중하다 보면 자칫 바로 눈앞에 있는 장애요인을 보지 못할 수가 있다. 국가 발전이라는 궁극적인 목표, 이를 위한 국민 재건 운동, 5개년 경제개발계획, 정부 조직과 법 체제 정비, 부정부패 척결, 농어촌 고리채 정리, 지지부진한 부정 선거 재판의 완성 등 모두가 거대하고 중장기적으로 실천해 가야만 할 주제들이다, 금방 끝나지 않을 주제들이기에 내 시선은 항상 먼 미래를 보고 있어야만 한다.

'다음은? 그 다음은?... 또 그 다음에, 다음은?'

하지만, 당장 내 몸 가까운데, 내 주변에서 나를 어렵게 만들 일들이 적지 않다. 일만 생각하느라고 먹는 것을 소홀히 하거나 술과 담배에 찌들어 살면 안 된다. 어느 한 순간에 내 건강이 무너지면 '만사 휴(萬事 休)'다.

하루에도 수많은 건에 대해 최종 결정을 해야 하는데, 어느 하나라도 판단을 착오하여 엉뚱한 결정을 내리면 큰일이다. 긴장하고 또 긴장하며 하루하루를 보내고 있다.

언제 쓰러질 지 모를 정도의 압박, 스트레스

혁명 동지들을 앞장 세워 정부 각 부처는 물론 사법부, 각급 공공기관, 지방 시도를 책임지우고 있다. 그런 사람들 중 어느 하나라도 '형편없는 짓'을 해서 전 국민의 지탄을 받는 상황이 발생한다면 혁명 정부가 일순간에 전 국민의 공격 대상이 될 수 있다. 아무리 군대를 동원해서 막으려 해도 막을 수 없는 상황이 생겨날 수 있다.

더욱 무서운 상황은 호시탐탐 혁명 정부 전복을 꾀하는 반혁명 세력, 김일성의 사주를 받는 공산 세력이 나와 혁명 정부를 공격해 오는 일이다. 6~70만 대군 중에 불과 수천 명이 군사 혁명을 주도했다. 이런 사실을 알고 있는 군 지휘관 누구라도 우리와 비슷한 혁명을 흉내 낼 수 있다. 내가 보기에는 전혀 성공할 가능성이 없는 얘기지만, '적당히 어리숙한' 사단장이나 연대장급 중 누구라도 일을 저지를 수가 있다.

전 세계 수많은 군사 혁명에 대해 조사하고 공부하던 과정에서 알아 낸 사실 중 하나가 혁명군 내부의 반란 사건이다. 적지 않은 군사혁명군이 내부에서 권력 다툼을 벌여 자멸하거나 서로 권력 쟁취를 위해 죽고 죽이는 사태가 발생했음을 알고 있다.

우리 혁명군 내부에서도 이런 일이 발생할 수 있다. 한 시도 마음을 놓을 수 없다.

'발 앞의 돌부리?'

8시면 정확히 김 종필 부장이 내 방을 들어선다. 정보부 차원에서 내게 긴밀하게 보고할 일을 비공식적으로 알려주는 일상적 일과다.

"어서 오시게."

비서실 직원이 출근 전이라서 내가 곤로에 불을 켜고 주전자에 물을 끓여 커피를 탔다.

“각하, 중앙정보부 체제가 완벽하게 구축되었고 부서별로 맡은 바 일을 잘 해 가고 있습니다. 정치인들의 움직임이나 반체제 인사들, 대학생들의 움직임에 대해 예의 주시하고 있습니다. 부정축재처리나 국가재건국민운동 등의 진행 과정에 대해서도 챙기고 있구요.”

“빼놓지 말아야 할 것이 우리 혁명군 내부입니다. 각급 기관에 파견되어 나가 있는 혁명 동지들의 부정부패를 감시하고 업무 추진 상황에 대해서도 살펴주세요, 자칫 방심하다 가는 큰 일 날 수 있어요.”

“잘 알겠습니다. 참, 장 의장에게서 특별히 이상한 점이라도 발견하시지 않으셨나요?”

“아니요? 뭐 이상한 낌새라도 있습디까?”

김 부장이 가볍게 고개를 기울인다. 비서실 직원이 출근했다고 문을 열고 얼굴을 내민다. 김 부장이 일어나 오후에 다시 들르겠다고 하면서 문을 열고 나갔다. 오늘 오후 3시에 중앙정보부 업무 보고 일정이 잡혀 있었다.

10시에 최고회의 상임위원회가 열렸다. 오늘은 김 홍일 외무부장관이 국장 몇을 대동하고 업무 보고를 하기로 되어 있었다.

“최근 주요국 대사 신규 발령을 순조롭게 진행 중에 있습니다. 지난 10일에 정 일권 주미 대사의 아그레망이 도착하여 12일자로 공식 발령을 냈습니다. 주영 대사로는 김 용식씨를 임명 예정입니다.”

김 장관이 꼭 필요한 사항에 대해서만 간략하게 보고를 이어갔다.

군사 정부에서는 미국, 미군, 그리고 유엔군사령부와의 관계가 매우 중요하다. 한국군에 대한 지휘 통솔권을 가지고 있는 유엔군사령관의 지시가 없이 단행된 부대 이동이었기 때문에 한시 바삐 군 지휘 통솔권을 정상화시킬 필요가 있었다. 수도 방위를 위해 출동군 병력을 재편성하여 서울특별시 전역 방위를 담당하는 수도방위사령부를 구성하여 최고회의 산하에 배치하고 나머지 병력을 귀대시켰다. 그리고 5월 26일 자로 일부 특수부대를 제외한 모든 군 통수권을 유엔군사령관에게 복귀 조치하였다. 수도방위사령관으로 김 진위 장군을 임명하였다.

5 · 16 이후 미국과의 관계는 긴장의 연속이었다. 거사 당일 새벽만 해도 미국 그린 대리 대사와 매그루더가 이끄는 미군과 유엔군은 혁명군에 적대적이었었다. 장 면 총리와 장 도영 총장과 연계되어 혁명군 출동을 저지하려 했고 혁명군 출동 이후에는 이 한림 1군 사령관과 일부 반혁명 사단 병력을 동원하려고까지 했었다. 하지만 우리 혁명군의 병력과 의지가 남달랐고, 전 군 및 국민의 혁명 지지 추세를 감지한 미국 정부는 그린 대사와 매그루더 사령관에게 경거망동하지 말고 중립을 유지하라는 엄명을 보냈다.

ACTION: OPERATIONAL IMMEDIATE May 17, 1961
FROM: CJCS WASH DC
TO: CINCUNC SEOUL KOREA
INFO: CINCPAC FROM CJCS Exclusive for General
1. Ref your request for guidance, there has been consultation between Defence, State and JCS. All recognize the extreme difficulty of your position, but agree that it is important that you carefully avoid statements or actions which involve your interference in the internal affairs of ROK unless required by your basic mission to preserve security of ROK against external or internal Communist attack. Also agree that likelihood is remote of Chang Myon reasserting his constitutional powers. In any event, you should not act in such way as to open yourself to charge that you, as CINCUNC, are Acting Prime Minister's battles for him.
RALPH L. CHAMBERS CWO USA admin. Assistant to Chairman.

혁명 직후부터 미국은 우리의 군사 정부를 신뢰하고 적극 지지하기로 방침을 정한 것으로 밝혀졌다. 미국으로서는 전 세계에서 벌어지고 있는 반미, 친소 공산주의 계열의 군사 혁명에 극도의 경계를 펼치고 있었다. 이런 와중에 등장한 한국의 군사 혁명에 대해 깜짝 놀란 상태에서 예의 주시하였다. 우리가 확실하게 반공, 친미, 친 유엔 노선을 걷는 것으로 믿게 된 미국은 케네디 대통령은 물론 국무성, 국방부 모든 관련 기구에서 혁명 지지로 방침을 굳혔다.

그들의 판단에 장 면 정부를 그대로 두었다가는 기필코 한국이 공산화의 길로 들어서거나 아니면 지속적으로 불안한 정국이 유지될 것으로 보았을 것이다. 유엔군 지휘를 받는 군사 정부라면 그들로서는 최선의 선택이라고 판단했을 수도 있다.

지난 달 5월 18일. 미국무부 차관 보울즈의 공식적인 군사 혁명 지지 성명 발표에 이어서, 군사혁명위원회와 매그루더 유엔군 사령관 사이에 비상사태 수습을 위한 협의가 진행되었다. 19일자로 미8군 사령관 매그루더의 정보관 몰 대위가 우리측 군사혁명위원회에 접촉을 시도해 왔다. 나는 김종필 중령이 적임자라고 생각해서 통역 김 경업 소령을 붙여서 아침 일찍 8군 사령부실로 보냈다.

김 중령이 사후 보고한 바에 의하면 미군측에서는 매그루더 대장, 정보국장 콘 대령, 정보관 몰 대위가 참석했다. 매그루더가 대전협정을 들먹이면서 쿠데타로 인한 사태는 군 지휘권을 일탈한 불법행위이기 때문에 당장 혁명군을 본대로 복귀시켜야 한다고 강한 톤으로 말했다. 이는 그동안 장 총장이 전해주었던 것과 같은 내용이라서 별로 놀랄 것도 없었다. 김 중령은 매그루더의 톤이 어느 정도 약해져 있음을 감지하고 좀 더 확실한 어조로, '우리의 군사 혁명을 인정할 것'과 '혁명군을 원대 복귀시키되, 치안을 담당할 헌병 5개 중대와 1개 사단 규모의 수도방위사령부를 군사혁명위원회 산하로 둘 것'을 제안했다. 몇 차례 협의를 거쳐 5월 26일자로 한미 공동 성명을 발표하였다.

'(1) 국가재건최고회의는 유엔군 사령관에게 모든 작전 지휘권을 복귀시켰음을 이(玆)에 성명하며, 유엔군 사령관은 공산 침략으로부터 한국을 방위함에 있어서 만이 작전 지휘권을 행사한다.

(2) 유엔군 사령관은 현재 서울시에서 근무 중인 제1해병여단 및 제6군단 포병단의 원대 복귀를 지시하였다. 이는 전에 수행하던 전선 방위 군사력을

복귀시키기 위함이다.

(3) 유엔군사령관은 제30사단, 제33사단, 제1공수전투단 및 전방부대로부터 추가적인 5개 헌병 중대를 국가재건최고회의 통제 하에 둔다.

1961년 5월 26일. 국가재건최고회의 의장. 유엔군 사령부 사령관'

미 국무성에서는 우리 한국에 대한 지원 정책을 휴전 상태의 한국군 지원 우선 방침에서 경제 개발 지원 쪽으로 방향을 선회하기 시작했다. 국방부 주도로 한국군 지원에만 초점을 맞추다 보니 한국 경제가 북한 경제보다도 못한 상황이 지속되어 이것이 오히려 한국 내부의 불안 요인으로 작용한다는 점을 간파하고 있었다. 미국 국무성에서는 군사 정부가 적극 추진하려고 하는 경제 개발 계획에 기대를 갖고 있으며 아울러 군사 방위 분야 지원도 지속할 것이라고 천명하였다.

케네디 대통령의 서한이 5월 26일에 도착하였다. 5월 16일에 장 의장이 케네디 대통령에게 보낸 서한에 대한 회신이다.

'본인은 미국 정부를 대표해서 자유세계의 제원칙에 따라 한국민의 복리를 증진할 결의를 표명한 군사혁명위원회 의장의 메시지에 명시된 공약을 미국 정부는 찬성하는 바입니다. 또한 정권을 민간인에게 이양할 의도를 표명한 데 대하여 우리 정부는 만족스럽게 생각하는 바입니다. 미 합중국은 다년간 대한민국과 친밀한 관계를 유지하여 왔으며, 한국 정부와 국민이 건전하고 번영하는 경제를 성취하고 민주주의 발전과 국방력을 통하여 자유를 유지하려는 노력을 돕고자 힘써왔습니다. 미국 정부는 양국간의 전통적인 우호관계가 지속될 것과 우리 양국이 한국과 자유세계의 복지와 힘을 증진하는 데 계속 협조할 것을 확신하는 바입니다.'

곧 이어서 29일에는 한국 사태에 관한 미국 정부의 공식 성명이 미 국무성 공보관에 의하여 발표되었다. 그리고 6월 3일에는 미 국무성 대변인이 조만간 한미 고위 정상회담을 추진하겠다고 발표하였다. 이로써 우리의 혁명 정부에 대한 미국측의 입장이 정리되었다. 대외적 불확실성이 해소되면서 이제는 국내 문제에만 집중할 수 있게 되었다.

미국에 민간인 친선 사절단을 파견하여 좋은 효과를 보고 있는 중입니다. 영락교회 한 경직 목사, 동아일보 최 두선 사장, 이화여대 김 활란 총장 등을 워싱턴으로 보내 국무성과 국방성, 그리고 미국 의회, 언론기관을 두루두루 방문하여 현 정부에 대한 설명과 홍보를 부탁했습니다. 또 자유우방 및 중립국을 포함한 83 개국에 친선 사절단 파견 작업도 순조롭게 진행 중에 있습니다.

외무부의 업무 추진 능력이 돋보이는 순간이다.

"참으로 잘 하셨습니다. 정부의 공적인 관계 못지 않게 민간 차원의 접촉도 중요합니다. 대표단이 귀국하는 대로 우리 위원들과 식사 자리 한번 마련해 주시죠. 미국 사정 좀 들어 보게. 어쨌든 대미 관계, 국제 외교 관계가 원만히 풀리고 있어 다행입니다."

6월 12일. 미국 상원 외교분과의원회에서 극동담당 국무차관보 매카나기가 미국의 대한 군사 원조와 관련하여, '미국의 대한 원조는 최근의 군사혁명에도 불구하고 한국 자체의 군사력을 유지하고 미군 각 사단 및 기타 유엔 부대의 계속적인 주둔을 위해 긴요하다'고 증언했다. 이는 케네디 대통령이 추진하고 있던 45억불 대외 원조 및 수권(授權) 승인을 요청하기 위한 증언 과정에서 나온 말이다.

또 6월 14일에는 맥나마라 미 국방부 장관과 램니치 합동참모본부 의장도 국회에 출석하여 대한 군원의 긴요성을 강조하였다. 풀브라이트 외교분과 위원장이 '경제적으로 미개발국가에 대하여 소총이나 전차보다도 오히려 식량이나 직업을 알선해주는 것이, 공산주의의 위협을 보다 쉽사리 방지하는 방법이라고 생각하지 않습니까?'라는 질문에 대해서 램니티 의장은 '경제적, 정치적인 안전보장을 확립하기에 앞서 군사적 안전보장을 유지해야 하는 것은 절대적으로 필요 불가결한 일'이라고 답변했다.

6월 20일. 정 일권 주미 한국대사가 미국 대통령에게 신임장을 제정(提

呈)하였고, 이어서 미국의 신임 주한대사 Samuel D. Burger도 6월 24일 서울에 도착하여 업무를 개시하였다.

미국은 향후 우리의 혁명 과업 수행과 한국의 발전을 위해 가장 중요한 요소 중 하나다. 지금까지 지속되고 있는 대한 원조 물자와 유엔군 운영에 따른 안정적인 국방력 유지 차원만이 아니라 경제 사회 발전에 필요한 자원과 재정 차관 도입, 과학 기술 육성과 지원, 공업 발전, 상품의 수입과 수출, 전문 인재 교육 등 모든 영역에서 선진 미국의 지원을 필요로 한다.

절대로 미국과 척(隻)을 지거나 미국의 외면을 받아서는 안 된다.

혁명 정부 차원의 지지뿐만 아니라 나 개인 차원에서도 미국과 가까워질 필요가 있다. 조만간 케네디 대통령과도 정상 회담을 성사시켜야만 한다.

미국과의 관계가 긍정적인 방향으로 술술 풀리는 것 같아 더없이 기분이 좋다. 위원들과 함께 점심 식사를 하고 커피를 마시면서 오랜만에 허리를 펼 수 있었다. 하지만 그것도 잠시. 오후 3시에 시작된 중앙정보부 보고를 받으면서 또 다시 속이 뒤집어졌다.

"그렇게 심각한가?"

"예. 장 도영 의장 주변으로 육사 5기생들이 모여들어 뭔가 일을 꾸미고 있는 것 같습니다."

수사를 담당하는 고 제훈 제3국장이다.

"각하, 장 의장이 국방부 장관과 참모총장직을 내려놓기 싫어했던 원인과 맥이 통하는 깃 같습니다."

이 영근 처장이 의미 있는 말을 한다.

"'같습니다'라는 표현을 쓰면 안 돼. 확실하지 않으면 말도 꺼내지 말게. 이게 얼마나 심각한 문제를 유발할 지 잘 알지 않는가?"

김 부장은 물론 모든 사람이 더욱 더 심각한 얼굴이 되어 간다.

안타깝다, 장 도영

장 도영 의장에 대한 고민이 깊어진다.

지난 10여 년간 그와 나의 관계는 더없이 각별하다. 내가 어려울 때 기꺼이 나를 도와주었고 그가 필요로 할 때 나 또한 기꺼이 그와 함께 근무를 자청했다. 서로 돕고 돕는 관계로 군 생활을 지속해 왔다. 금번 군사 혁명의 준비 단계부터 그에게 진심으로 혁명 필요성에 대해 설파하고 동참을 권유했었다. 그는 내 말에 적당히 수긍하면서 5 · 16까지 이르렀다.

그런 그가 이제는 내게 큰 걸림돌로 작용하고 있다.

오늘 중앙정보부 보고를 들으면서 '그대로 두었다가는 자칫 큰 일을 저지를 것 같은' 위기를 느꼈다. 혁명 당일부터 그가 취했던 행동들을 다시금 곰곰이 되새김질해본다. 그는 나의 인내 한계점을 서서히 벗어나고 있다.

장 도영은 나보다 7살이 연하다. 평북 용천 지주 출신으로서 일제 시대에 일본 유학까지 했던 사람이다. 일제 말기와 해방 직후에 김 일성 공산당을 피해 남하하는 등 어려움을 겪었다. 하지만 그는 군사영어학교 입학이라는 행운을 얻어 32살에 중장으로 진급할 정도로 승승장구한다. 같은 고향 출신인 이 응준 참모총장의 도움을 많이 받았다. 해방 정국, 모든 여건이 불안하고 어렵던 시기에 그는 가장 빠르게 행운을 잡아 '안정적인 한국인'으로 자리매김했다. 6 · 25 전쟁 중에는 비록 승패의 부침이 있었지만 승장(勝將)으로 인정받아 자유당 정권, 민주당 정권을 거치면서 지금 최고의 자리에 올라있다.

그는 항상 나보다 앞선, 서열이 높은 상관이었다. 그는 기본적으로 사납거나 모난 성격을 지닌 사람이기보다는 두루두루 원만한, '모두에게 칭찬을 받고 싶어 하는' '모범생'이고자 했다. 기독교인이면서 영어도 제법 잘 했다. 정치력도 있어서 여러 사람과 친밀한 관계를 유지하고 있었다.

'그런데, 장은 지금 그가 어떤 위치에 올라 있는지 잘 모르는 것 같다.'

군사혁명 정부에서 장 도영은 국가재건최고회의 의장직과 내각 수반직을 겸하고 있는 중이다. 그는 지금 (이 승만 대통령 + 윤 보선 대통령 + 장 면 총리 + 국회 민의원 의장 + 국회 참의원 의장 + 헌법재판소장 + 대법원장 + 계엄사령관) 등 모든 사람을 합친 것과 같은 권한을 가진 존재다. 대한민국 전체에서 가장 강력한 권한을 가진 존재다. 이제 38살 청년이

그런데도 만족을 하지 못하는 것 같다. 지난 달 말에 국가재건비상조치법을 제정하는 과정에서 그가 보였던 행동은 '과욕(過慾)' 그 자체였다. 이런 최고의 위치에 오른 마당에 그는 굳이 국방부 장관직과 육군참모총장직을 겸임하고 싶어 했다. 혁명 주체 동지들 모두가 나서서 말렸지만 그는 말을 듣지 않았다. 영관급 장교들이 거의 협박조로 설득을 하고, 마침내 강제적으로 '최고회의 의장은 내각 수반직 이외에는 타 직을 겸할 수 없다'는 조항을 넣은 다음에서야 그의 욕심을 막을 수 있었다. 또 상식적으로 의장이 상임위원회 위원장을 겸하는 관례를 깨고 '상임위원회 위원장은 최고회의 부의장이 겸한다'로 조문을 넣어 그의 군사 정부 장악 의도를 차단시켰다.

이제 그의 진심에 대해, 또 그의 참된 인간성에 대해 곰곰이 다시 생각해야 할 것 같다.

십여 년 그와의 관계를 되짚어 보면 그는 '나에 대한 존경심(尊敬心)'이 부족하다. 그저 시키는 일을 잘 해내는 하급 장교, 농촌 빈민 출신 꼬맹이, 항상 나보다는 자신이 우월하다는 의식이 많았던 것 같다. 나를 앞세워 본 적이 없다. 허 정 과도 정부에서나 지난 장 면 정부에서 그는 나를 국방부 장관이나 육군참모총장으로 추천할 생각을 전혀 하지 않았다. 항상 자신이 앞서야 한다는 생각만 했을 것이다.

군에서는 일단 덩치가 커야 유리하다. 백병전을 생각하면서, 눈 아래로 내려다보이는 이들은 대체로 만만해 보인다. 그는 항상 나를 배려하고 포용해야만 하는 '약자(弱者)'로 여겼을 것이다. 나는 적당히 그의 그런 '배려'에

익숙하게 대응해 줘야 했다. 물론 인간 박 정희의 '지혜로움'과 '내적 당당함'을 그가 눈치 챘을 수는 있다.

혁명 준비와 실천 과정에서, 또 현재 진행되고 있는 혁명 과업 수행 과정에서 그는 이런 마음 자세로 나를 대했다고 보여 진다. 그가 보였던 애매한 태도는 인간 박 정희가 추구하려는 원대한 대한민국의 미래를 보지 못하고 있기 때문이다.

처음 군사 혁명에 대해 의견을 묻고 나의 의지를 표현했을 때나 혁명 계획 초안을 보여주었을 때 그가 했던 말들이 아직도 생생하다.

'알겠습니다. 박 장군 의도를 충분히 들었습니다. 저도 동감입니다.'

'일단 정군 차원에서, 장 면 정부에 경각심을 주는 정도로 합시다.

'제가 좀 더 기다려 달라고 하질 않았습니까? 저도 다 생각이 있습니다.'

'너무 성급합니다. 너무나 무모합니다.'

그는 지금 이 순간까지도 나의 진면목을 보지를 못하고 있다. 어디까지나 자기에게 의지해야만 하고, 자기의 배려에 고마워해야 하며, 언제까지나 자신에 순응하는 하급 장교로 남아있어야만 하는 존재로 나를 보고 있다.

너무나 안타깝다. 그토록 오랜 기간 동안 나와 함께 근무하고 인간관계를 맺어 왔음에도 불구하고 그는 나를 잘 모른다. 그래서 지금까지 '실수'를 연발하고 있다.

혁명 전야부터 방첩대로 몰려가서, 술 한잔 먹고 난 뒤의 허세를 부리면서 우리 혁명군 이 곳 저 곳으로 전화를 하고 화를 내댔다. 윤 보선, 장 면, 매그루더와 그린 대리대사 등 미국측과 함께 반혁명군을 만들어 적극적으로 대항하려고 했다.

5 · 16 새벽, 한강 다리에서 나를 향해 총을 난사했다. 아무리 좋게 봐 줄려고 해도 봐 줄 수가 없다. 그 때 한강다리를 걸어서 건너던 나는 자칫 헌

병의 총탄에 쓰러졌을 수도 있다. 얼마나 아찔하고 화가 치밀었던지!

내 속내를 다 보여줘 가면서까지 설득하고 하소연했건만 그는 이런 엉뚱한 짓을 하고 말았다. 혁명군이 서울로 진주해서 중앙청과 육군본부, 주요 공공기관을 모두 장악한 상태에서도 그는 미군측과 연락을 취하면서 또 이한림과 김 응수, 정 강, 강 영훈 등과 연락하면서 혁명 방해 공작을 벌렸다. 우리가 본인을 혁명군 지도자로 옹립하고 일을 추진하고 있는 마당에도 우리를 척결하기 위한 일에 정성을 들이고 있었다.

혁명 후 그는 내게 용서를 빌지 않았다. 그러고도 지금 이처럼 떳떳하고 기고만장해 있다. 군사 혁명의 완성을 위해, 혁명군의 단결을 위해 나와 핵심 혁명 동지들이 극도로 참고 있음을 그가 알기나 할런가.

5월 24일, 최고회의와 한 마디 상의도 없이 미국 케네디 대통령과 회담을 위해 미국을 방문하겠다고 기자 회견을 했다. 벌써 내가 안중에도 없다. 5월 28일 비상계엄을 경비 계엄으로 바꿨다. 자신이 계엄사령관이고 내각 수반이다. 당연히 자기에게 권한이 있다. 하지만 혁명 정국이 여전히 불안하고 언제라도 반혁명군이 출몰할 수도 있는 상황에서 최고회의에서 상의하지 않은, 내게 전혀 귀뜸도 한 적이 없는 조치를 단행했다.

이쯤 되면 그는 이미 나를 넘어서고 있다. 수천 명 혁명 동지들이 목숨을 걸고 단행한 군사 혁명 정부가 온전히 장 도영 손아귀에 들어가 있는 것처럼 보인다. 신문을 보고 방송을 대하는 전 국민, 미국, 유엔 모든 회원국들이 장 도영의 입만을 바라보고 있다.

5월 30일. 장 도영은 AP 통신과 기자회견을 통해 '8월 15일 전후에 민정 이양을 할 수 있다'고 밝혔다. 그는 진정 군사 혁명의 목적이나 일정에 대해 모르는가? 아니면 의도적으로 무시하고 있는 것인가? 민정 이양은 자칫 잘못하면 모든 혁명 과업을 일시에 수포로 돌아가게 할 수 있다. 그야말로 프랑스 혁명 당시의 단두대를 연상케 하는 일이기도 하다. 나를 비롯한 핵심 혁명 동지들을 모두 사지로 몰아넣을 거사를 자기 혼자 마음대로 하겠다고 천명했다.

이쯤 되면 장 도영을 도저히 용서할 수 없다.

생각에, 생각을 거듭하면서 마음이 모질어지고, 얼굴이 굳어진다. 이빨을 꽉 물게 만든다.

"각하, 지난 월 초부터 지금까지 내각 수반실과 참모총장 공관에서 육사 5기 중심으로 잦은 모임이 감지되고 있습니다. 지난번에 한번 잡아넣었다 풀어준 김 일환과 내각수반 비서실장 이 회영, 서울지구 방첩대장 이 희영 중심으로 동지 포섭이 진행 중입니다. 최고위원 헌병감 문 재준 대령, 최고위원 공수단장 박 치옥 대령, 감찰위원장 최 재명, 최고회의 의장 비서실장 안 용학, 내각수반 비서실 보좌관 이 성훈, 구황실재산관리 사무총국장 노 창점, 방 자명 중령과 김 영우 중령 등 방첩대 멤버들과 평북 출신들이 모여들고 있습니다. 장 도영 의장과 학병 동기인 최고위원 송 찬호도 참석했답니다."

중정 실무국장이 심각하게 보고를 했다.

"총장직 사퇴 파동 직후부터 시작된 듯합니다. 적당히 넘길 일이 아니라고 생각합니다."

김 종필 부장이 나의 결심을 기다린다.

6월 3일. 최고회의를 마치고 장 도영 의장은 장관직과 총장직 겸직 금지 조항을 포함한 법 규정(안)이 통과된 것에 대해 불쾌해 하면서 극렬하게 거부 반응을 보였었다. 당시 그를 진정시키기 위해 의장실로 찾아온 최고위원들이 있는 앞에서 큰 소리를 질러 댔다.

"이게 말이 되냐? 나를 로보트로 만들 셈이냐? 실권은 하나도 없는 의장이나 내각 수반이 무슨 소용이 있어? 허수아비지."

"어디 일방적으로 법 조항을 만들어 넣어! 절차대로 전체 표결을 거쳐야지. 이렇게 얼렁뚱땅 하지 말고 정식으로 표결을 하자고. 표결하면 내 표가 더 많아요. 이건 무효야, 비상조치법을 새로 만들어야 해."

이 석제 법사위원장의 일처리가 꼼꼼하고, 장 의장의 직함이 너무 많다는 사실에 대해 모두가 인지하고 있던 차라 의장 겸직 금지 조항에 대해서는 큰 논란 없이 최고회의 결정이 이루어졌다. 회의 석 상에서는 아무런 말도 못하더니 자기 방으로 돌아간 다음에 불같이 화를 낸 것이다.

함께 있던 유 원식 대령 등 몇몇이 그의 화를 삭이느라고 애를 먹어야 했다. 그 날 저녁 장 의장은 용산 육군참모총장 공관으로 최고위원 유 원식, 송 찬호, 문 재준, 박 치옥 등을 불러 모았다. 이들은 모두 평안도 출신 최고위원들이다. 문 재준 대령과 박 치옥 대령은 혁명군 동원의 핵심 공로자이다. 그런 그들을 왜 따로 총장 공관으로 불러 모았는가?

"당신들 혁명은 왜 했어? 박 정희나 김 종필에게 이용당한 것 아냐?"

"왜 그리 화가 나셨습니까? 이용당하긴 왜 이용을 당합니까? 혁명은 오로지 제 의지대로 한 것입니다."

박 대령이 다소 의외라는 듯이 말을 꺼냈다.

"박 장군이 김 종필과 육사 8기생들을 앞세워 나를 거세시키려고 작전 중 일세. 오늘 겸직 금지 조항 통과가 시작이라고 보네. 내가 만만해 보이는가 봐. 이러면 안 되지."

"김 종필이가 좀 설치는 것 같긴 합니다. 하지만 아직 염려할 단계는 아니라고 봅니다. 우리 헌병대나 감찰위원회, 방첩대도 만만치 않습니다. 여차 하면 한번 잡아넣죠 뭐."

문 재준 대령이 자신감을 보인다.

"한번 붙어 볼까? 박 정희와 일 대 일로. 나도 동원할 군대가 있어. 서울 전체를 피바다로 만들 수도 있어, 까짓 거."

듣고 있는 송 찬호, 유 원식, 문 재준, 박 치옥은 순간 전율을 느꼈다. 그가 이토록 화를 내면서 박 장군과 일 대 일 대결까지 염두에 둔 발언을 하다니.

다음 날 저녁 육사 8기 동기인 김 형욱 중령과 홍 종철 대령이 총장 공관을 찾았다. 김 중령이 전하는 바에 의하면 장 도영은 여전히 화가 나 있었고, 대화 중에 나의 '빨갱이 전력'을 들춰내면서 반감을 표시하였다고 한다.

이들의 이 날 대화 내용은 참석자들의 입을 통해 외부로 흘러나왔다. 장 도영이 솔직하게 아무 얘기나 할 수 있다고 믿고 있는 최고위원이나 혁명 동지들이 평안도 출신의 5기생들이다. 이들은 장 도영 의장과 동년배 친구 사이이거나 비서실에 근무하는 동기들의 꾐에 빠져 이 날 장 의장에게 불려갔다고 보여 진다. 혁명 동지 5기생 중에 김 재춘, 이 원엽, 채 명신, 윤 태일 등은 장 도영 의장과 특별히 가까이 지내는 사이는 아니었다. 그들은 나의 혁명 의지를 의심치 않았고, 군사 혁명의 목적의식이 뚜렷했다. 장 도영 의장으로 인한 혁명 주체들 사이의 분열을 결코 상상도 하지 않을 사람들이다.

정보부 요원들의 보고를 들으면서 사태가 더욱 확산되기 전에 장 의장과 관련 최고위원들을 만나보기로 했다. 그들은 내가 정보 누출을 시켜 그들의 정보 업무를 방해할까 염려가 되어 당분간 일상적인 접촉 이외에는 따로 만나지 말 것을 권유했다.

"내게 맡겨 주게. 조금 시간을 주고."

빈 시간을 내서 이 주일, 김 재춘, 이 석제 최고위원을 내 방으로 불렀다. 정보부 내사 내용을 중심으로 간략하게 내가 걱정하고 있는 부분에 대해 말을 꺼냈다.

"저도 들어서 조금 알고 있습니다. 5기생들 중에 혁명군을 동원했던 사람들이 장 의장 주변에 몰려 있는 것 같습니다. 하지만 고향 친구고 선후배이다 보니 장 의장이 자연스럽게 불러서 푸념 비슷한 얘기를 나눴을 수도 있습니다."

김 대령이다.

"저도 정보팀에게 들어서 알고 있습니다. 문제는 김 일환, 이 희영, 이 회영, 김 영우, 방 자명 등 방첩대 쪽 인사들이 장 의장 화를 돋우면서 조금은 강직하면서 다혈질인 문 재준이나 박 치옥, 송 찬호 등을 충동질하는 지도 모릅니다."

5기인 김 대령은 거론되고 있는 동기생, 인물들의 됨됨이를 잘 알고 있다. 그는 혁명위원회 활동에서 조금 소외된 듯 한 인물들이 장 의장 주변에 모여 있는 것을 걱정한다.

"각하, 혁명 동지들을 함부로 의심해서는 안 됩니다. 문 대령이나 박 대령과 같은 경우에는 어느 자리에서나 솔직 담백하게 말하는 버릇이 있잖습니까?"

이 석제 중령의 말에 이 주일 장군도 고개를 끄덕인다.

"문제는 장 의장일세. 그동안 우리가 장 의장을 내세워 혁명을 추진해 오고 있는데 최근에는 조금 엇박자가 나는 부분이 많아졌어요."

모두가 수긍하는 눈치다.

"일단 좀 더 지켜보기로 합시다. 장 의장은 조만간 내가 만나서 조용히 얘기해 보겠습니다."

그렇게 찜찜하게 자리를 파했다.

인간은 누구나 욕을 먹기보다는 칭찬을 받고 싶어 한다. 하지만 해야 할 말과 행동을 하지도 못하면서 그저 '헤헤'거리는 것은 문제가 있다. 용단을 내릴 때가 가까워졌다는 느낌이 짙어 진다.

읍참마속(泣斬馬謖), 내게도

20일 아침 김 종필 부장이 핵심 요원 둘을 데리고 나타났다.

“각하, 문 재준 헌병감이 이제는 병력을 동원하여 중앙정보부를 공격하고 각하를 위태롭게 만들려는 거사 계획까지 마련한 것으로 생각됩니다.”

순간 불쾌한 감정이 욱 하고 솟아오른다. 여러 가지 일에 초조하게 매달리다 보니 어떤 일이 마음먹은 대로 되지 않으면 불쾌한 감정이 거침없이 생겨난다. 참을성이 없어지고 있다. 화가 나면 억지로 참아 넘기기 위해 수없이 담배만 빨아댄다.

김 부장이 그동안 은밀하게 내사했던 내용을 요원들을 시켜 상세하게 보고 토록 했다.

장 의장 겸직 금지 조항이 통과된 직후부터 그들은 수시로 모여서 불만을 토로하기 시작했다. 6월 4일 아침에는 내각 수반 비서실장실에서 이 회영 실장이 최 재명, 이 성훈, 이 원엽 대령 등을 불러 놓고 중정(中情)에서 김 일환과 오 제도를 구속한 것에 대해 불만을 토로했다. 이것이 장 도영 의장 측근을 제거하기 위한 공작의 일환이라고 여기고 대책을 강구해야 한다고 톤을 높였다. 이 원엽 대령은 불편했지만 그냥 건성으로 흘려 들었다.

이들은 다시 6월 8일, 구 황실재산 관리 총국장실에서 노 창점, 안 용학, 박 치옥까지 참석한 상태에서 '장 도영 의장이 국방부 장관괴 참모총장직을 겸하지 못하게 되어서 군부의 인사권을 상실했다' '이를 만회하기 위해서는 최고회의 인사소위원회 위원 중 고향이 같은 평안도 출신 이 주일 위원장이나 8기생들 중에서 오 치성, 옥 창호, 길 재호 등을 포섭하여 인사권을 장악하는 방안을 강구해야 한다'는 주장을 거침없이 해댔다. 박 치옥도 은연중에 불만이 많은 듯한 어조를 띠었다. 그는 '위원인 송 찬호가 조금만 노력해도 가능할 수 있다'고 했다. 박 치옥 대령은 자신을 공수부대장으로 임명한 것이 장 도영 의장이라고 굳게 믿고 있는 사람이다.

"중앙정보부가 검사의 지휘권 없이 수사를 하기 때문에 문제가 심각합니다. 중정을 없애든가 수사권을 폐지토록 만들어야 합니다."

"중앙정보부법을 없애든가 아니면 개정해야 합니다. 김 일환, 오 제도를 검거한 것도 중정법이 잘못되어 있어서 그럽니다."

이 회영, 안 용학 등이 언성을 높여 중정을 비난하고 나섰다. 이들은 이삼 일 간격으로 모여서 불만을 토로했고, 중앙정보부와 김 부장을 비난하고 나섰다. 6월 10일에는 채 명신까지 끌어들여 자신들의 불만을 전하고 동참을 유도하려고 했다.

"잘 알았어요. 이런 불만은 어찌 보면 중정에서 너무 눈에 띄게 일을 하고 있기 때문일 수도 있어요. 중정은 조용한 가운데 비밀스럽게 움직여야만 합니다."

좀 더 냉정해져야 한다. 이들의 보고를 그대로 믿는다는 것이 얼마나 무서운 일인지 알기 때문이다.

"아닙니다. 각하, 중정에서 한 일은 지난번에 김 일환을 구속했다가 풀어준 일 밖에 없습니다. 그 일을 계기로 방첩대 쪽에서 중정을 비난하기 시작했고 장 의장 겸직 금지 건과 연계되어 장 의장이 화를 내자, 주변 인물들이 같은 목소리를 내기 시작한 겁니다."

"5기 생들이 지금 혁명 정부에서 특별히 소외된 것도 없지 않아요? 불만을 가질 일이 없다고 보는데..."

"맞습니다. 모두가 분에 넘치는 보직을 받아서 나름대로 열심히 맡은 바 일을 해내고 있는 중입니다. 각하와의 관계는 모두 좋아 보입니다. 문제는 장 도영 의장이고 5·16 당시에 반혁명 활동을 보였던 방첩대 인물들입니다. 이들은 현 군사 정부에서 역할다운 역할을 하지 못하고 있습니다. 언제라도 자기들이 거세당할지 모른다는 걱정을 하고 있을 겁니다."

사실 장 의장이나 당시 반혁명 활동을 보였던 방첩대 인사들에 대한 '감정'이 남아 있다. 지금은 혁명 과업 수행에 정신이 없어서 방치하고 있다지만 언젠가는 반드시 정리하고 넘어가야만 할 일이다. 혁명 일등 공신인 문재준 대령을 헌병감으로 발령내서 군부 내 동요를 막도록 했더니 오히려 그들과 어울려 반혁명적 움직임에 앞장서고 있는 셈이다.

날자와 시간을 달리해서 문 재준, 박 치옥, 이 원엽, 채 명신, 이 희영, 최 재명 등을 따로따로 불러 만나기로 했다. 회의를 하는 사이사이 시간에, 차 한잔하면서 또는 식사를 같이 하면서, 또 보고를 받는 과정에서, 허심탄회하게 그들의 의견을 들었다. 그들은 솔직하게 속에 담아 두었던 얘기를 내게 해주었다.

"각하, 중앙정보부가 너무 설치려 합니다. 너무 큰 권한을 쥐어 준 것은 아닙니까? 우리 위원들을 은밀히 내사하는 것 같아 기분이 나쁩니다."

"장 도영 의장이 매우 속상해하고 있습니다. 그를 잘 달래서 제대로 역할을 하도록 하면 좋겠습니다. 어쨌든 그가 있었기 때문에 우리의 혁명이 순조롭게 된 것 아니겠습니까?"

"중정이 월권을 하기 때문에 방첩대나 헌병대, 하다못해 감찰위원회조차도 할 일을 못하고 있습니다. 우리가 할 일을 그 쪽에서 다 손대고 있어요."

그들이 하는 얘기를 충분히 경청했다. 그리고 내가 당부하고 싶은 말을 진지하게 전해주었다.

"중앙정보부는 누구를 내사해서 비리만 찾아내는 기관이 아닙니다. 그동안 자유당, 민주당 정부에서 만연했었던 부정부패와 권력형 비리 정보 수집, 공산당 불순분자 색출, 혁명 정부에서 시행하는 정책의 진행 상황과 문제점 파악, 학생 운동권 움직임 포착 등 많은 일을 담당하고 있어요. 최고회의 위원이나 내각, 시도지사, 공공기관장 등에 대한 내사(內查)는 내가 직접 부탁한 일입니다."

"당신들 내가 뒤를 캔다고 해서 두려울 것 있어요? 우리 혁명 정부가 내세울 수 있는 가장 큰 장점이 '깨끗하다'는 것 아닙니까? 뭐가 두려워요?"

"장 도영 의장에 대해서는 내가 따로 진지하게 얘기를 하려고 합니다. 내게 맡겨 주세요."

요즘은 너무 피곤해서 그 좋아하는 술도 마음대로 먹을 수 없다. 우리 혁명 동지들과는 언제라도 술 먹으면서 속내를 드러내고, 함께 회포를 풀 수 있다고 생각해 왔는데 지금은 그럴 짬이 나질 않는다.

혹시라도, '보지 않으면 멀어 진다'고 하는데

김 종오 총장을 사무실로 불렀다.

"총장님, 군내에 특별한 움직임은 없습니까?"

"뭐 특이 사항은 없습니다."

"한 가지 부탁을 드려야겠습니다. 이 사람들 좀 특별히 살펴봐 주십시요."

중정 보고 문건에서 헌병차감 김 시진 대령, 제3CID 대장 김 영우 중령, 제15CID 방 자명 중령, 헌병감실 황 모 중령 등을 주의 깊게 보도록 했다. 김 총장은 나의 뜻을 정확히 이해하고 있었다.

김 총장은 해당 인물들의 전역 인사 조치를 추진했다.

그러자 문 재준 헌병감이 발끈하고 나섰다. 김 종오 총장이 자기 사람을 아무런 상의도 없이 독단적으로 인사 조치하려 한다고 반발하였다. 그리고 역으로 김 종오 총장을 숙군 대상으로 명단을 올려 6월 27일 최고회의 장성 예편 심사위원회에서 가결시켜 버렸다.

이 일이 있기 전 24일, 문 재준 헌병감은 김 총장의 인사조치에 반발하여 자신의 방에서 이 회영, 안 용학, 박 치옥 등과 함께 김 종오 장군과 박 병권 장군을 동시에 비리 혐의자로 만들어 숙군 대상화하기로 모의하였다. 문 재준은 여차하면 헌병이라도 동원해서 중정의 방해 공작을 막겠다고 큰 소리를 쳤다.

장성 예편 심사위원회에서 김 종오 총장이 숙군 대상으로 결정이 나자 당장 난감해진 것은 이 주일 위원장이었다. 장 도영 의장에게서 국방부 장관과 육군참모총장 직을 회수한 뒤 송 요찬 장군을 장관으로, 김 종오 장군을 총장으로 발령 냈었다. 군사 정부 운영을 위해 가장 적임자라고 내가 적극적으로 밀어서 임명한 총장을 예편이라는 명목으로 쫓아내기로 결정했기 때문이다.

이 위원장이 난감한 표정으로 문 재준 헌병감과 함께 나타났다. 이 위원장이 내 눈치를 봐 가면서 어렵게 말을 꺼냈다.

"각하, 위원회에서 김 종오 총장 예편안이 가결되었습니다. 어떻게 해야 할 지 난감합니다."

"뭐요? 어쩌다가 그리 됐습니까?"

이 위원장이 문 헌병감 쪽을 흘끗 쳐다보면서 '당신이 말씀드려라'는 식으로 턱을 내밀었다.

"각하, 김 종오 장군은 자유당 시절부터 비리가 많아서 숙군 대상자였었습니다. 이제 물러날 때가 되었다고 생각합니다."

"이 봐요 문 대령. 내가 지난번에도 누누이 얘기하지 않았어요. 참아요. 지금 모두가 합심해야 할 판에 임명된 지 한 달도 안 된 총장을 해임하라니 말이 돼요? 당신이 고깝게 생각하는 방첩대 인사 조치는 내가 특별히 지시한 일이요."

"안됩니다. 다른 누구보다도 비리가 많은 사람입니다. 그런 사람을 총장으로 앉혀 놓고 무슨 일을 합니까?"

"뭐어~ 야? 너 말 다 했어?"

순간 역정이 확 났다. 손에 잡히는 재떨이를 벽으로 힘껏 내던졌다. 나의 인사권에 정면으로 도전하는 언행이다. 또 그동안 내가 없는 곳에서 공공연하게 작당을 하는 것에 대한 분노가 일시에 폭발했다.

문 대령이 순간 몸을 피하면서 당황해 한다. 나의 노기에 몹시 놀란 듯 얼굴색이 노래졌다. 평소 만만해 보였던 내가 극도로 화를 내자 어찌 할 줄을 몰라 했다.

"야, 혁명이 그리 만만해 보여? 네가 뭔 데 이리 건방져 졌어? 헌병감이면 헌병 일이나 잘 하면 되지 왜 몰려다니면서 이러쿵저러쿵 하는 거야. 너희들 왜 장 도영 의장을 부추기고 있어!"

화가 나니 도저히 '점잖게' 말할 수가 없었다.

"당장 나가. 이번 결정은 무효야, 다시 해!"

이 주일 위원장에게 재론을 '강요' 했다.

장 도영 의장 중심의 5기생 혁명 동지, 방첩대 출신 인사들의 반혁명 모의는 처음부터 중앙정보부에서 낱낱이 파악하고 있었다. 또 본인들은 '반혁명'이라기보다는 그저 장 도영 의장의 불만에 대한 동조, 중정과 김 종필 부장의 막강한 권력 행사에 대한 견제 심리 차원에서 모여서 수군거린 정도라고 여기고 있었는지도 모른다. 자기들과 전적으로 행동 통일을 할 의도가 없었던 이 원엽, 김 재춘, 채 명신 등에게도 자연스럽게 불만을 토로했기 때문이다.

어쨌든 그들은 정도를 벗어나고 있었다.

6월 30일 오후. 김 종필 부장이 중정 국장들과 함께 긴급 업무 보고 차 내 방으로 들어섰다. 박 태준 비서실장도 동석을 했다.

그들의 보고 내용은 실로 기가 막히고 엉뚱했다. 문 재준, 박 치옥, 방자명, 김 영우, 김 제민 등이 실질적으로 헌병과 공수단 병력을 동원하여 거사 계획을 세우고 구체적으로 행동에 들어갔다고 했다.

'핵심 혁명 동지로서 혁명의 일등 공신인 이 사람들이 도대체 더 무엇을 바라고 이런 모사를 꾸미는가? 본인들이 군사 정부를 제대로 이끌어갈 역량을 갖추었는가? 중정과 김 종필을 빌미 삼아서 나를 거세시키려고 하는가? 내가 또 다시 만만해 보였던가?'

"각하, 저희들에게 맡겨 주십시요."

"아냐, 그럴 수 없네. 그들의 충심을 아는데, 내가 그들을 어떻게 버리나. 욱하는 성질이 있는 것도 알고, 그저 장 의장이 안쓰러워 동조하는 것도 아는데, 내가 그들을 어떻게 내칠 수 있겠는가?"

담배를 입에 물고 불을 붙인다. 참으로 답답하다.

내가 선택한 사람들이고, 내가 더 없이 믿고 의지하던 사람들이다. 그들이 진정으로 못난 망나니라면, 그것은 사람을 잘못 본 내 책임이 아닌가?

창문 밖으로 바깥을 바라보면서 속을 태운다. 담배 두 대 세 대 연거푸 불을 붙여 입에 문다.

갑자기 제갈공명이 눈물을 흘리면서 마속을 벌하던 고사가 생각이 난다. 읍참마속(泣斬馬謖).

삼국연의(三國演義)에 제갈 공명이 아들처럼 아끼던 패장(敗將) 마속을 참(斬) 하는 장면이 나온다.

"공명이 (왕평의 말을 듣고) 화를 내며 장막 안으로 들어가면서 마속을 불렀다. 마속이 스스로 몸을 묶고 장막 앞에 무릎을 꿇었다. 공명이 화가 치밀어, '너는 어려서부터 병서를 수없이 읽고 전법을 암기했다. 내가 누차 가정이 중요하다고 일렀고 너는 목숨을 걸고 명을 받았다. 너는 왜 참모 왕평의 말을 듣지 않고 이 지경에 이르렀는고? 너로 인해 군대가 패하고 장군들이 목숨을 잃었으며 성곽을 빼앗겼다. 네 죄를 알렸다! 군율을 밝히 바로잡지 않는다면 누가 군령에 복종하겠는가. 너는 이제 법을 어겼으니 나를 원망하지 말아라. 네가 죽은 뒤에 네 가솔은 내가 잘 거두마.' 좌우에 소리쳐 '당장 참살하라' 명령했다.

마속이 울면서 '승상은 저를 아들처럼 여겼고 저는 승상을 아버지로 모셨습니다. 제가 죽을 길을 면하기 어려움을 압니다. 다만 순 임금이 곤을 죽이면서도 그 아들 우를 중용하신 것처럼 해주시면(제 아들을 살려주신다면) 구천에 가서도 한이 없을 겁니다.' 공명이 눈물을 흘리면서 '내가 너와 의형제처럼 지내는 사이니 네 자식이 곧 내 자식이니라.' 잠시 후 무사들이 마속의 머리를 뜰 아래 대령했다. 공명이 눈물을 흘리며 대성통곡을 했다. 마속의 나이 겨우 39살이었다."

孔明喝退，又喚馬謖入帳，謖自縛跪於帳前。孔明變色曰汝自幼飽讀兵書，熟諳戰法。吾累次叮寧告戒，街亭是吾根本，汝以全家之命，領此重任。汝若早聽王平之言，豈有此禍？今敗軍折將，失地陷城，皆汝之過也！若不明正軍律，何以服衆?　汝今犯法，休得怨吾。汝死之後，汝之家小，吾按月給與祿米，汝不必挂心。叱左右推出斬之。謖泣曰丞相視某如子，某以丞相爲父。某之死罪，實已難逃，願丞相思舜帝殛鯤用禹之義，某雖死亦無恨於九泉！言訖大哭。孔明揮淚曰吾與汝義同兄弟，汝之子卽吾之子也，不必多囑。須臾，武士獻馬謖首級於階下。孔明大哭不已。馬謖亡年三十九歲.

마음을 들킬까 염려되어 탁자 쪽으로 등을 돌리지 못하고 있는데,

김 부장이 조용히 일행과 함께 자리를 뜬다.

착잡하다. 만감이 교차한다.

모두가 함께 가야만 하지만 정도를 벗어나고, 내게 반발을 해 오는 그들을 언제까지 보른 체 할 수는 없다. 더 이상 곪기 전에 환부를 도려내야만 한다. 김 부장은 나의 이런 마음을 잘 읽고 있다.

"냉정할 때 냉정할 수 있어야 큰일을 해낼 수 있다.:

어릴 적 아버님 말씀이 갑자기 떠오른다.

박 정희: 전면에 나서다

7월 3일. 오후에 국가재건최고회의가 열렸다. 의장 겸 내각 수반 장 도영 중장의 사표를 수리하고. 새롭게 내가 의장이 되었다. 이어서 내각 수반에는 송 요찬 예비역 중장을 임명하고, 그리고 상임위원장을 의장이 겸하는 것으로 개정하였다. 애초부터 장 도영 의장 때문에 불필요하게 들어 있던 항목이었다. 또 체포 구금된 육군 준장 송 찬호, 육군 대령 박 치옥, 육군 대령 문 재준, 육군 중령 김 제민 등의 최고위원 사표를 수리하였다. 송 찬호가 맡았던 문교사회분과위원장으로는 손 창규 육군 대령을 임명하였다.

드디어 내가 전면으로 모습을 드러내는 순간이다. 회의석상에서 준비했던 취임사를 읽어 내렸다.

"5월 16일 군사혁명 거사 이후 월여(月餘)에 걸쳐 혁명 과업 수행에 노고가 많았던 장 도영 장군이 금반 일신상의 사정으로 국가재건최고회의 의장직을 사임함에 따라 불초 본인이 의장의 중책을 맡게 되었습니다. 국가재건최고회의는 그간 국민 제위의 절대적인 신임과 협조를 얻어 부패와 부정을 일소하는 혁명과업의 초기 목표를 우선 달성하였습니다. 그러나 우리들 전도에는 과거 10여 년간에 걸친 구 정권 하 적폐로 인하여 국민경제의 재건과 사회도의 확립 등 허다한 난관이 가로놓여 있습니다.

이러한 시기에 임하여 국가재건최고회의는 국민 여러분과 더불어 다시 한번 5월 16일의 결의를 가다듬어 조속히 구악 일소에 결말을 지우고, 국가의 기강과 민족정기를 앙양하는 동시에 사회적, 경제적 모든 면에 있어서 국민생활의 향상을 기하여 공산주의의 침략을 저지하고 진정한 민주복지국가를 건설하는 데 총역량을 집중하여야 하겠습니다.

이러한 중대한 시기에 처하여 국가재건최고회의 의장의 중책을 맡은 본인은 비재(非才) 하나마 오직 열성과 애국적 신념으로 국가재건최고회의와 행정 및 사법부의 총역량의 결속을 기하고 국민 제위의 적극적인 협조를 얻어 진정한 민주주의적 국가 재건의 역사적 성업(聖業)을 완수할 것입니다.

배수의 진을 친 우리에게는 이제 후퇴란 있을 수 없습니다. 우리들 앞에는 오직 전진이 있을 따름입니다."

위원들이 우뢰와 같은 박수를 보내왔다. 하지만 씁쓸하기만 했다.

'어쩌다 이렇게 되었는가?'

역사에는 선양(禪讓)이라는 정권 승계가 있다. 현대적 의미로는 순조로운 업무 인수인계다. 요(堯)에서 순(舜)으로 이어진 권력 승계가 그것이다. 군에서는 선임 부대장이 후임 부대장에게 진정으로 책임 있는 권한 승계를 한다. 노년의 아버지가 장성한 아들에게 가업을 물려주는 것도 아름다운 선양의 모습이다. 그런데

나의 등장은 조금은 떨떠름하고 개운치가 않다. 장 의장의 어거지 사표, 수많은 혁명 동지들을 구속 수감한 상태에서 이루어졌다. 내가 가장 경계하던 일이 '예정 조화된' 것처럼 벌어지고 말았다. 참으로 속이 상하고, 저들을 생각하면 안스러우면서도 역겹기까지 하다.

그동안 살아오는 과정에서 수없이 겪었던 일이다. 내 진면목을 알아보지 못하는 이들은 나를 순순히 자기 앞으로 내세워 주질 않는다. 항상 얏 보고, 외면하며, 모른 체한다. '우는 아이 젓 준다'는 속담처럼 애걸복걸해도 효과가 없다. 결국 '끝까지 가서야' '할 수 없다는 듯' 길을 비켜 준다.

오늘 아침, 중정 김 부장이 그예 일을 저질렀다는 보고를 해 왔다. 결정을 못하고, 주저주저하고 있는 나를 제끼고 중정에서 독단적으로 장 도영 및 주변 인물들을 구속시켰다. 무려 40여명이나 되었다. 보고를 받는 순간,

'아이고오~'

'아이고' 소리가 절로 나왔다. 문경에서 훈도로 있을 때 아버지 서거 소식을 듣고 털썩 주저앉으며 내 뱉았던 말이 '아이고오~' 였다.

"여보, 당신. 어쩌려고?"

“각하, 선제공격하지 않으면 더 큰 일이 벌어질 판이었습니다. 문 재준, 박 치옥이 헌병대와 공수단 병력을 이용하여 어제 날자로 거사하려고 했었습니다. 그들이 조금 주춤하는 사이에 우리가 먼저 손을 쓴 겁니다. 그대로 뒀다면 아마 오늘, 내일 중으로 병력을 움직였을 겁니다.”

며칠 전 보고를 받은 뒤로 나름대로 동지들을 만나서 이해도 구하고 설득도 해 오던 중이다. 장 의장과도 독대하여 최대한 내 의사를 전달하고 자중할 것을 요청하였었다. 하지만 뒤 끝이 찜찜하게 끝나서 마음이 몹시 편치 않은 상태에 있는 중이었다.

김 부장 보고를 들으면 중정에서 제대로 일을 한 것 같기도 했다. 놀란 가슴을 쓸어내린다. 사태가 어떻게 전개될 것인가 조심스럽다.

지난 6월 28일 오후 12시 30분 점심시간. 오전 회의를 막 마치고 난 뒤 문 재준 헌병감이 박 치옥 공수단장을 최고회의 옥상으로 불러 올렸다. 문 재준은 심각한 표정이었다.

“박 단장. 이제 더 이상 참을 수 없어. 김 종필과 중앙정보부를 손 좀 봐줘야 겠어. 너무 설치고 다녀서 헌병 50명 정도를 동원해서 이삼 일 내로 해치울 테니까 자네 공수단 병력도 좀 동원해 주시게.”

“섣부르게 움직여서는 안 될 거야. 김 종필이 그리 호락호락하지 않아. 우리 공수단이나 헌병대에도 중정 끄나풀들이 많을 거요. 김 부장이 공수단과 방첩대, 헌병대에서 중정 요원들을 차출해 갔잖아.”

“잘 알지. 그래서 내가 가장 믿을만한 병사들을 따로 차출해 놓았네.”

“그건 그렇다 치고, 지난번에 김 종오 총장 문제로 각하께 엄청 깨졌다면서? 이번 일은 어떻게 가져가려고?”

“일단 중정을 우리 손아귀에 넣은 뒤, 박 장군께 보고하여 중앙정보부법을 개정토록 하려고 하네. 중정이 거세된 상황에서 우리말을 안 들을 수 없을 거야.”

박 치옥의 고민이 깊어진다. 혁명 동지들 사이에 병력을 동원하여 상대를 체포, 구금하는 일은 엄청난 사건이다. 혁명 총지휘자인 박 정희 부의장의 뜻에 의해 설립된 중앙정보부를 무력화시키는 일은 김 종오 총장을 예편시키려던 사건과는 비교가 되지 않을 정도로 큰일이다. 재떨이가 날아오는 정도가 아닐 것이다.

"문 대령, 사실 나 두렵네. 그냥 병력을 동원해 적군과 싸우라면 하나도 겁날 게 없네. 하지만 이번 거사는 그것과 성격이 달라. 어제도 각하께서 우리를 불러 사정을 듣고, 장 의장 주변에 우리들이 모여들어 수근거리는 것을 조심하라고 했잖은가? 무엇보다도 우리가 왜 김 종필을 미워하고 중정을 제압해야만 하는 가에 대한 확신이 서질 않네."

"이 사람아. 여기까지 와서 주저하면 어쩌나? 이미 우리 갈 길은 정해져 있네. 김 부장을 비롯한 중앙정보부 임원들을 체포하여 김포 공수단 본부로 감금하고, 그 사이에 각하에게 보고하여 부장을 김 윤근 소장으로 바꾸면 돼. 그런 다음 차분하게 중앙정보부 핵심 요원들을 우리 사람으로 교체하고 법을 개정하여 업무 범위를 정하고 수사권을 조정하면 되네."

박 치옥이 반신반의하고 있는 사이, 김 제민 중령이 옥상 문을 열고 나타났다.

"어서 오게 김 중령. 박 단장과도 얘기를 끝냈네. 7월 3일 오전 2시를 기해 김 종필과 중앙정보부를 급습하려고 하네. 공수단 1개 중대 병력을 동원해야 하네."

박 치옥이 주저하는 사이에 김 제민의 공수단 병력 동원이 기정사실로 굳어졌다. 김 제민도 그동안 진행 과정을 대충 알고 있던 터라서 전혀 의심을 하지 않았다.

육군 헌병감실로 돌아온 문 재준은 오후 4시, 김 영우와 방 자명 방첩대장들을 불러 병력 동원을 지시했다. 제3 CID 대장인 김 영우에게는 병력 30명을 확보하여 언제든지 동원 가능하도록 비상 대기하라고 지시하고, 제

15 CID 대장인 방 자명에게는 본부 병력으로는 부족하니 부산 여수 등지에 출장 중인 오 기수가 지휘하는 병력 19명을 곧바로 귀대시켜 비상 대기하라고 지시하였다. 오 기수 등은 밀수 사건 조사 차 부산 지역으로 파견되어 있었다.

다음 날 오후 6시, 긴급 상경한 오 기수를 여의도공항에서 마중한 방 자명은 노량진 중국집으로 저녁 식사를 하러 들어갔다.

"고생하셨네. 긴급하게 불러 올린 이유는 중정을 무력으로 제압해야 할 일이 생겼어. 김 종필이가 김 종오 총장을 움직여서 나와 김 영우 대장을 예편시키려고 해. 아마 우리가 중앙 고등군법회의에 회부한 이 규광 장군을 처벌하려고 하자 역으로 우리를 치려고 하는 것 같아요. 김 종필이가 쏘삭거린 게 틀림없어."

"무력으로 진압한 다는 것은 어떤 의미입니까?"

"저쪽 세력이 만만치 않을 테니까 우리도 많은 병력을 무장시켜 쳐들어가는 거지 뭐. 순식간에 끝날 거야."

오 기수는 반신반의하면서도 뚜렷하게 반발하고 나설 수는 없었다.

"헌병감과 대장님께서 지시하시면 따르겠습니다."

방 자명은 다음 날 오 기수를 시켜 부산 출장 병력이 완전히 귀대하는 것과 동시에 전원을 무장시켜 내무반에 대기토록 했다. 명색은 아편 수사 출동을 위한 것이라 하기로 했다.

7월 1일 오후 1시경, 영등포 제6군관구 사령부를 방문했다가 귀로에 이 회영의 차에 동승한 박 치옥은 진지하게 모레 새벽에 단행할 거사에 대해 논의를 하였다. 이 회영은 혁명 자금이라면서 박 치옥에게 50만환짜리 수표 한 장을 건네주었다. 둘은 이제 거사가 눈앞으로 다가왔음을 실감한다.

이 날 저녁 9시 30분경, 김 제민은 대방동 소재 자기 집으로 부하 직원인 김 경식과 김 병현을 불러들였다.

"너희들을 오라고 한 것은 지금 혁명 정부 내에서 황해도-평안도 인맥과 함경도-이남 인맥 사이에 권력 투쟁이 시작되었어. 중간에서 중앙정보부가 모략을 꾸미고 있기 때문에 헌병대와 공수단에서 이들을 제거하기로 했네. 내일이나 모레쯤 거사할 것이니 당장 1개 중대 병력을 무장 대기시켜 주시게."

그들은 즉시 귀대하여 병력 차출에 들어갔다.

5·16 혁명 당시에 병력을 동원한 경력이 있는 박 치옥은 또 다시 병력을 동원해야만 하는 일이 마음에 내키지는 않았다. 하지만 이제 호랑이 등에 올라탄 셈이 되었다. 2일 오후 6시 40분 경, 박 치옥은 다음 날 새벽 출동을 위한 준비에 들어갔다. 사정을 잘 모르는 주번 사령 유 주형 소령에게 보초들에게 카빈 총탄 75발씩을 지급하라고 지시했다.

이런 장 도영 측근 세력의 움직임은 중앙정보부에 시시각각 보고되고 있었다. 최고회의와 헌병대, 공수단, 방첩대 내에는 중정 수사팀과 친밀한 관계를 유지하고 있는 병력이 적지 않게 움직이고 있었다. 문 재준이나 박 치옥, 김 제민 등은 사실 정보 분야보다는 전투 병과에 속하는 사람들이다. 방첩대의 김 일환, 방 자명, 이 희영, 김 영우 등이 장 의장을 중심으로 움직이면서 중정 제거 작업을 주도하는 형국이었다.

중앙정보부는 7월 3일 새벽 2시를 기해 '거미줄에 포착되어 있던' 모든 관련 인사를 일망타진해서 구금 조치하였다.

사건 전모에 대해 보고를 받으면서, 지난 며칠 동안 이들을 만나, 설득하려고 했던 나의 노력이 무의미했음을 실감한다. 그토록 간곡하게 설명을 하고 부탁을 했건만, 전혀 효과가 없었다.

'도대체 무슨 영광을 더 보겠다고 이런 무리수를 두려고 했을까?'

'그냥 군대로 복귀해도 충분히 영광을 누릴 수 있고, 현재 군사 정부에서 하고 있는 국가 발전, 부정부패 척결, 공산 세력 분쇄만도 얼마나 신나고 즐거운 일인가?'

'중앙정보부의 역할과 필요성에 대해서 누누이 설명하고 도움을 요청했건만'

장 도영은 말할 것도 없이 최고위원으로 활동하고 있는 송 찬호, 박 치옥, 문 재준, 김 제민 등 얼마나 아까운 인재인가. 5 · 16 거사에 내 분신과 같았던 동지이고, 5 · 16을 성공케 한 일등 공신들인데.

'어쩌란 말인가?'

답답한 호흡이 길어진다.

전화로 이 주일 장군을 호출했다.

“이 장군, 오늘 시간 되시는가?”

의장이 되어 송요찬 내각 수반 임명장 수여

내 눈치를 아는 이 장군은 약속이 있어도 없다고 할 판이다.

“예. 한잔 하셔야죠? 드디어 모습을 드러내시는 날인데.”

사방에 보는 눈이 많아서 호텔이나 요정으로 가는 것이 껄끄럽다. 집으로 전화하고 내 차에 둘이 합석해 신당동으로 달렸다.

오랜만에 흠뻑 취하기로 했다. 혁명 거사를 논의하기 시작했던 2군 사령부 근무 시절, 경주를 오가면서 마음을 달래고 결심을 굳히던 때가 떠올랐다. 이 장군과 함께 시작한 혁명이 이제서야 비로소 나의 시야로 들어섰다는 느낌이 든다.

“각하, 이제 제대로 된 것 같습니다.”

“오래 걸렸죠?”

의미심장한 눈길을 서로 주고 받는다.

단군 신화에서 배우다

“이 장군, 단군신화에 나오는 곰과 호랑이 얘기를 아시죠?”

“당연하죠. 쑥과 마늘을 먹으며 21일을 잘 버틴 곰은 여자가 되었지만 성질 급한 호랑이는 사람이 되지 못했다는 얘기 잖아요. 곰 토템족이 호랑이 토템족을 이겼다는, 뭐 그런 애기 아닌가요?”

“맞습니다. 그런데 나는 좀 다르게 해석하고 싶어요.”

「삼국유사」에 단군 조선에 대한 신화가 나온다. ‘단군의 아버지인 환웅이 3000의 무리를 이끌고 태백산 신단수 아래에 신들의 도시인 신시(神市)를 열었다. 환웅천왕은 장군으로 풍백(風伯), 우사(雨師), 운사(雲師)를 거느리고, 통치를 위해 부서를 식량(主穀), 행정(主命), 의료(主病), 사법(主刑), 교육(主善惡) 부서로 나누었다. 쑥과 마늘만을 먹고 견뎌낸 웅녀를 부인으로 맞아서 단군을 낳았다.’ 대개 이런 내용이다.

「三國遺事」 古朝鮮(王儉朝鮮). 「魏書」云 乃往二千載有壇君王儉, 立都阿斯達, 開國號朝鮮, 古記云 昔有桓因庶子桓雄, 數意天下, 貪求人世, 父知子意, 下視三危太伯 可以弘益人間, 乃授天符印三箇, 遣往理之. 雄率徒三千, 降於太伯山頂神壇樹下, 謂之神市, 是謂桓雄天王也. 將風伯·雨師·雲師 而主穀主命主病主刑主善惡, 凡主人間三百六十餘事, 在世理化. 時有一熊一虎, 同穴而居, 常祈于神雄, 願化爲人. 時, 神遺靈艾一炷·蒜二十枚曰爾輩食之, 不見日光百日 便得人形. 熊·虎得而食之忌三七日, 熊得女身, 虎不能忌而不得人身. 熊女者無與爲婚, 故每於壇樹下, 呪願有孕, 雄乃假化而婚之, 孕生子, 號曰壇君王儉. 都平壤城, 始稱朝鮮. 又移都於白岳山阿斯達, 又名弓忽山 又今彌達, 御國一千五百年.

“풍백, 우사, 운사는 환웅 천왕이 국가를 건설하기 위해서 강력한 군대를 동원했다는 얘기인데 여기서 우사, 운사는 지금으로 치면 좌장군, 우장군이라 할 수 있고 풍백은 총사령관으로 볼 수 있어요. 구름과 비를 움직이는 것이 바람이거든요. 이 말은 국가 건설을 위해서는 강력한 군대를 통해 반국가 세력을 철저하게 제거하고 국론 통일을 기한다는 의미지요.”

“그렇군요. 5 · 16 혁명군이 바로 우사, 운사이고 각하께서 풍백이 되는 셈이네요."

"그리고 곰과 호랑이는 그냥 토템족에 대한 얘기로 볼 것이 아니라 국가 건설기에는 강력한 군대 즉 호랑이 같은 무관들이 필수 요건이지만, 일단 국가를 건설하고 난 뒤에는 참을성 있고 지혜로우며 듬직하게 말을 잘 실천해 주는 곰 같은 문관이 필요하다는 말입니다."

이 장군이 이해가 된다는 듯이 고개를 끄덕인다. 소반 위 막걸리 사발을 들어 한잔 쭈욱 들이켰다. 이 장군에게 술잔을 넘겨주고 주전자로 술을 가득 따랐다.

"군사 혁명을 통해 모든 정치와 행정 영역을 일시적으로 군인들이 담당하고 있어요. 하지만 이는 '일시적일 뿐'입니다. 군인은 혁명을 위해 필요한 힘을 지녔지만 정치와 행정은 전혀 다른 얘깁니다. 저는 하루하루가 바늘방석입니다. 언제 일이 터질까 불안해서 잠을 못 잡니다."

이 장군이 말없이 술잔을 들이켠다.

"일단 군사 혁명이 성공한 다음에는 군대의 역할을 최소한으로 제한하는 것이 필요해요. 군인들이 설쳐 대면 이전의 자유당, 민주당 정권보다도 더 형편없어질 수 있답니다. 봐요. 이번 장 도영과 문이나 박과 같은 사람들의 행동이 왜 나타났겠어요. '내가 아니면 안 된다'는 생각, '한 번 뒤 집어 엎었는데, 두 번은 못하랴?' 하는 생각을 가지고 있는 겁니다."

"호랑이들을 잠재우고, 곰 같은 우직한 관료들이 필요한 거지요."

"그렇습니다. 우리가 몇 년 동안 지켜보고 자료를 수집한 전 세계 군사 혁명 사례들을 보더라도 군사 혁명이 또 다시 혁명을 낳고, 서로 죽이고 죽는 감투 싸움이 비일비재합니다. 그토록 경계하고 걱정했던 일이 바로 우리 곁에서 일어난 겁니다."

"저도 혁명 일등 공신인 이 사람들이 어쩌다 이렇게 되었나 안타까워요."

나와 같은 답답함이 그의 얼굴에 가득하다. 혁명 동지 모두가 똘똘 뭉쳐서 일을 한다고 해도 국민 기대치에 미치지 못할 판인데, 이런 내부 분열이 일어났다니 믿기지 않는다. 불과 한 달 보름 만에.

"아무리 생각해도 그들은 각하께서 김 종필 부장이 이끄는 중정을 이용하여 자기들을 제거하려고 벌린 일로 여길 겁니다."

"그래서 더욱 답답합니다. 본인들은 그렇다 치더라도 외부에서 나를 어떻게 보겠어요?"

장 도영을 이용할 대로 이용하고, 배은망덕하게 저버렸다고 할 것이고, 다급하게 군대를 동원하기 위해서 온갖 감언이설로 문이나 박을 꼬셔 대더니만 혁명이 성공하고 난 뒤에는 금새 차버렸다고 하리라. 내가 그토록 중히 여기던 대의명분, 혁명의 정당성, 혁명 동지들 사이의 의리가 모두 거짓말이라고 여길지도 모른다.

"갑자기 한신(韓信)의 토사구팽(兎死狗烹)이 생각납니다."

초나라 항우와의 전투에서 한나라 유방군을 승리로 이끈 위대한 사령관 한신은 전쟁 승리 후 얼마 안 있다가 제거되었다. 한신의 처신이 잘못된 것도 없지 않았겠지만 그의 공에 비해 너무나 허망하게 생을 마감해야만 했다.

"그러게 말입니다. 저는 저들을 버릴 수 없습니다. 내가 얼마나 독해져야 합니까?"

술에 취하면서 더욱더 울적해진다. 시간이 속절없이 흘렀다. 벌써 12시를 넘기고 있다. 내일 또 일찍 출근을 해야 하기에 운전병을 불러 이 장군을 댁으로 모시도록 조처했다.

불을 끄고 잠자리에 들었지만 이야기끈을 놓을 수가 없다. 술에 취해 깊은 나락으로 떨어지는 듯한 취기를 느끼면서도 이번 반혁명 사건이 뇌리에서 순화되지가 않는다.

'어쩌란 말인가?'

아침에 일어나니 머리도 아프고 잇몸이 욱신거렸다. 얼큰한 콩나물국에 밥을 말아 아침을 먹었다. 출근을 하면서 부인 영수에게 말하니 낮에 시간을 내서 치과 병원에 다녀오라고 신신당부한다.

"조만간 의장 공관으로 이사해야 할게요. 이곳을 정리하고 이사할 준비를 잘 하세요."

의장과 가족 경호 상 필요한 조치다.

출근하면서 어제 이 장군과 나눴던 얘기들을 곰곰이 되새겨 본다. 아버지 환웅 천왕으로부터 정권을 이어받은 단군은 홍익인간(弘益人間), 제세이화(濟世理化)의 통치 이념을 실현하기 위해 더욱 정교한 관료 조직을 만들어 운영했을 것이다. 그동안 다른 사람에게 맡겨왔던 행정 조직과 관리, 인사 문제에 대해 좀 더 확실하게 챙겨야겠다는 생각을 한다.

박 태준 비서실장이 오늘 10시에 한 신 내무부장관이 실무자와 함께 공무원 정원 감축에 대한 보고가 있고 이어서 11시에는 이 석제 법제사법위원장의 헌법 개정과 정부 조직 개편에 대한 보고 일정이 잡혀 있다고 한다. 시간이 되자 한 장관이 국과장과 실무진 예닐곱을 대동하고 회의실로 들어섰다.

"그동안 얼마나 바쁘셨습니까? 내무부와 전국 시도를 챙기느라 정신없을 겁니다."

"예, 좀 그렇습니다. 하지만 의장님 보다야 더 바쁘겠습니까?"

실무 국장이 그동안 진행되고 있는 공무원 감축 상황에 대해 보고를 시작한다.

"공무원의 정원을 행정 운영에 지장이 없는 한도 내에서 합리적으로 책정하기 위하여 부정, 무능 등으로 인한 과잉 인원을 도태 하며, 이로써 공무원의 질적 향상을 기하고 예산 절감을 도모하기 위해 공무원 감원 계획을 시행 중에 있습니다. 대상자는 국가공무원, 지방공무원 및 교육공무원인데,

다만 법원공무원 중에 판사, 검찰공무원 중에 검사, 교육공무원 중에 교원 및 사법권 시보는 대상에서 제외합니다. 국영기업체 또는 주식의 과반수가 국가에 귀속하는 기업체, 기타 법인의 관리인, 임원 및 유급 직원도 해당이 됩니다. 1961년 5월 16일 기준, 현재 인원 중 20만 명을 기준수로 유지하고 이를 초과하는 40,989명(총정원 24만 989명 중 순수 감원 대상인 156,581명에 대한 약 26.1% 상당)의 인원수를 감원합니다. 감원 실시 기간은 1961년 6월 20일부터 7월 20일 까지로 계획하여 진행 중에 있습니다."

"공무원 감원은 매우 신중하게 추진해야 할 겁니다. 자칫 억울한 사람이 생겨서는 안되지요."

"맞습니다. 그래서 지난 6월 23일자로 '공무원 감원 기본 방침'에 이어서 '인사 심의위원회 운영 요령'을 제정하였습니다. 부정공무원 정리 대상으로는 병역기피자, 축첩(蓄妾) 공무원, 병역 미필자, 부정행위자, 정치 관여자가 포함됩니다. 부정 행위자(不正行爲者)라면 공금 및 관물(官物) 횡취자(橫取者), 부정한 금품 수수한 자, 관권을 남용하여 축재(蓄財) 또는 타인의 축재를 방조한 정이 뚜렷한 자, 사고로 인하여 국고에 손실을 끼친 자, 경리(經理) 사고로 변상 판정을 받고 변상하지 아니한 자, 4개월 이상 감봉 처분 및 동등 이상의 징계 처분을 받은 자, 과도한 민폐를 끼쳐 공무원의 품위를 현저히 손상케 한 자, 시말서(始末書)를 2차 이상 제출한 자가 대상입니다. 정치 관여자는 정치 자금을 제공 또는 알선한 자, 정치권력을 배경으로 하여 관직에 임명된 자, 적극적으로 정치활동에 참여한 자, 재직 중 정당에 가입한 자, 정당 당원 중 공무원으로 기용된 자를 정리 대상으로 하였습니다."

"억울한 사례가 없도록 해당자에게 충분한 변론 기회를 제공하고 증거도 제출할 수 있도록 하려고 합니다." 한 장관이 보충 설명을 하고 나선다.

"너무 성급하게 성과를 내려고 하다 보면 실수가 나올 수 있어요. 100 중에 아흔아홉을 잘하고도 한 가지 잘못하면 그게 대서특필되고 전체 일을 망치게 만들기도 합니다."

"명심하겠습니다."

"지난 4월에도 장 면 정부와 민주당에서 무식하게 공무원을 뽑아 임명한 적이 있지요? 정식으로, 능력 있는 공무원을 선발하는 법적 절차와 제도를 갖춰 이런 일이 다시는 없도록 해야 합니다."

"공무원 인사제도가 있지만 국회와 정치인들이 나서서 편법을 강요하고, 이를 막지 못하고 무분별하게 동조하는 기관장들이 있기 때문에 그런 불법이 나타납니다."

한 장관은 5월 혁명 직후에 내무부장관으로 임명된 뒤 엄정하고 신속하게 내무 행정을 바로잡고 있는 중임을 잘 알고 있다.

11시에는 이 석제 위원장이 위원 셋과 함께 모습을 보였다. 그동안 진행된 헌법 기초 위원 선정에서부터 진행 상황을 간략하게 보고를 했다. 그리고 정부조직법 개정 건에 대해서도 몇몇 필요한 사전 작업 내용을 제시한다. 무엇보다도 경제기획원 신설과 부처 신설 및 통폐합, 굵직한 업무 또는 기능 조정에 대한 것이 선결되어야 한다고 내 눈치를 본다.

"일단 초안을 만들어 봅시다. 그것을 가지고 내각 회의를 통해 조정하는 작업을 해요."

"알겠습니다."

회의를 얼른 끝내고 싶어 졌다. 어제 밤부터 욱신거리던 이빨이 더욱 신경을 거슬리게 한다. 비서실장을 통해 서울대 병원 치과 예약을 부탁했다. 점심 시간을 이용하여 치과에 들렸다가 식사를 하고 들어 오기로 한다.

"각하, 담당 의사를 12시에 대기시켜 놓았습니다. 점심 식사를 조금 늦춰 달라고 했습니다."

부랴부랴 차를 타고 서울대 병원으로 향했다.

치과 처방을 받고 약을 타서 먹고 나니 통증이 다소 갈아 앉았다.

숨을 돌리고 건너편 낙산 산마루를 바라보니 서울대학교 건물 위로 다닥다닥 판자집들이 눈에 들어온다. 성곽 이쪽 편으로 복잡한 판자집들 사이에 이 승만 박사의 이화장(梨花莊)이 있다. 옛날 안평대군의 집이었는데 광복 직후에 미국에서 귀국한 이 승만 대통령이 머물 집이 없자 이 집을 기증받아서 거처하시도록 했었다. 대통령이 되신 후 처음 내각을 구상한 곳이어서 조각정(組閣亭)이라고도 하는 곳이다.

이빨 통증이 사라지고 어느 정도 기분이 차분해졌다. 차는 그대로 세워두고, 보좌진과 함께 동숭동 서울대 쪽으로 걸어 내려갔다. '세느강이라고 했던가?' 학생들이 대학 앞에 있는 도랑을 그렇게 부른다. 대학 본관 건물 앞 교정 한 가운데 마로니에 나무가 몇 그루 보인다.

학교 앞 칼국수 집에서 점심을 해결한다.

행정학 교수들과의 만남

정문 수위에게 '행정대학원이 어디냐?'고 물어서 원장 부속실 문을 열고 들어갔다. 여사무원에게 간단하게 나를 소개하고 원장님을 뵙고 싶다고 했다. 사무원이 문을 열고 들어갔나 싶더니 금방 내 나이 또래의 젊은 원장이 나왔다.

"아이고. 어서 오십시요. 원장 이 용희 교수입니다."

"안녕하십니까? 갑자기 찾아뵙고자 들렸습니다. 바쁘실 텐데 죄송합니다."

"아닙니다. 바쁘신 분이 예까지 찾아 주시니 영광입니다. 얼른 들어 오십시요."

원장실로 들어서니 젊은 교수 두 명이 인사를 해 온다.

"의장님 아니십니까? 저는 학과장을 맡고 있는 유 훈 교수입니다."

"박 동서 교수입니다."

"반갑습니다. 병원에 왔다가 행정대학원 교수님들을 뵙고 싶어 불쑥 들렀습니다. 회의 중 이신 것 같은데 제가 방해를 하게 돼서 죄송합니다."

"아닙니다. 별 말씀을 요. 차는 뭘로 드릴까요?"

"커피 한 잔 주시면 됩니다."

사무원이 내온 커피를 한 모금 마시면서, 원장에게 시간이 되면 몇몇 행정학 교수님들과 함께 얘기를 나누고 싶다고 했다. 이 원장이 밖으로 나가더니 사무원과 조교를 시켜 연구실에 있던 교수들 대여섯 명을 불러왔다. 원장실 소파를 중심으로 비잉 둘러앉았다.

"제가 모르는 게 많아서 행정학 교수님들께 여쭤 보려고 이렇게 불쑥 찾아왔습니다. 혁명 후에 여러 가지 일들을 벌려 놓다 보니 알아야 할 것들이 참 많습니다. 행정 일반이나 공무원 인사, 지방 자치, 보수, 연금 등 지금 당장 시급하게 해결해야 할 문제점에 대해서 말씀해주시면 좋겠습니다. 물론 혁명 정부에서 하고 있는 모든 일들에 대해서도 의견이 있으시면 주저치 마시고 가르침을 주십시요. 받아 적겠습니다."

사무원에게 볼펜과 백지 몇 장을 가져오게 했다.

"최근에 공무원 감축 얘기가 나오고 있던데 어찌 되어 가는지 궁금합니다."

인사 행정을 가르치고 있다는 박 동서 교수가 먼저 입을 뗀다.

"지금 각 부처별로 선별 작업을 하고 있는 중입니다. 그동안 부정을 일삼고, 정치인들 뒤꽁무니만 쫓아 다니는 사람들, 소위 '빽'으로 원칙 없이 임용된 사람들이 감원 대상입니다. 일제 시대부터 자리를 차지하고 앉아 있는 무능력한 공무원도 고민입니다."

"감원 방향은 맞다고 생각합니다. 하지만 직업 공무원제에서는 정년 보장이 필수인데 함부로 자를 수는 없을 겁니다."

"뭔 얘기인지 압니다. 하지만 지금은 혁명 시기입니다. 새로운 공무원 조직을 만들기 위해서는 과감하게 쳐낼 것은 쳐내야 합니다. 그래야 새로 시작할 수 있어요."

"제가 알고 있기로는 의장님께서도 미국으로 포병 교육을 다녀오신 것으로 알고 있습니다. 미국의 선진 국방 행정을 조금이라도 보셨으리라 생각합니다. 미국의 행정은 직위 분류제가 잘 되어 있어서 신규 직원 채용과 근무, 승진과 보수 체계가 합리적입니다. 우리도 각 부처의 직무와 직위를 새롭게 정비해야만 식민지 행정이나 전쟁 이후의 난맥상을 해소할 수 있을 겁니다."

자신을 조직론 전공이라고 소개하면서 조 석준 교수가 의견을 준다. 주의 깊게 교수들 얼굴을 살펴보니 대부분 30 초반의 앳된 교수들이다.

"좋은 말씀입니다. 지금 정부 조직 개편도 심도 있게 논의 중입니다."

"저는 최고회의에서 적극 추진하고 있는 경제기획원 신설과 각 부처의 기획조정관 제도에 관심이 많습니다. 경제 개발이라는 절실한 정책 수행과 함께 정부 각 부처가 정책 기획과 예산을 연계시키고, 중복으로 추진되는 업무를 전체 입장에서 조정 통제할 수 있기 때문입니다."

유 훈 교수가 정책 과정에서 기획과 예산의 연계, 부처나 국과 간 업무 중복 해소 차원에서 기획조정관 제도에 대해 관심을 표명한다. 경제기획원은 내가 가장 역점을 두어 출범시키는 조직이다. 정책과 계획, 예산을 한 부처에서 긴밀하게 연계시킴으로써 부처간 이기주의를 극복할 수 있고 정책 추진을 원활하게 할 수 있다.

"의장님, 국민재건운동은 참으로 거대한 국민 프로젝트라고 생각합니다. 어떻게 이런 일을 하시려고 생각하셨는지 궁금합니다. 전혀 군인답지가 않습니다."

김 해동 교수가 밝은 얼굴로 말을 꺼냈다.

"좋게 봐 주시는 겁니까?"

"진심입니다. 조선시대로부터 이어져 오고 있는 전근대적 폐습, 일제시대를 거치면서 체질화된 피해 의식, 해방 후 공산당과 싸우면서 생겨난 불신과 반목, 미국을 통해 들어온 새로운 문화가 뒤죽박죽 섞여 있어서 '모든 곳이 문제'입니다. 어느 누구도 엄두를 내지 못할 일을 혁명 정부에서 해내고 있습니다."

여러 교수들이 공감한다는 의미로 고개를 끄덕인다.

"하지만, 너무 급작스럽게 전 방위적으로 추진하는 것 같아서 걱정이 됩니다. 추진하는 것들 중에 어느 하나 중요치 않은 것이 없습니다. 관혼상제, 건전 가요, 국민복, 노름 금지, 농촌 계몽 등 대부분이 어려워 보입니다."

김 해동 교수가 옆에 있는 안 해균 교수에게 동의를 구하는 듯 돌아본다.

"농어촌 고리채 문제는 너무나 절실한데도 불구하고 부작용이 많아 보입니다. 정부가 엄청난 예산을 퍼부어야만 할 겁니다. 도덕적 해이(道德的 解弛) 문제도 간과할 수 없습니다."

"잘 알고 있습니다. 하지만 지금 시작하지 않으면 영원히 못합니다. 국민재건운동은 국민 모두의 생활 방식이나 습관, 우리 모두의 문화를 바꿔야만 하는 일입니다. 당연히 쉽지 않죠. 그래서 아무도 손을 대지 못한 거죠. 저도 처음부터 실패 가능성을 인지하고 있습니다."

듬직한 얼굴을 하고 있는 노 융희 교수가 지방 문제를 꺼낸다.

"지방자치는 정치의 영역이기도 합니다. 지금 혁명 정부는 정치 활동을 금지시키고 있는데 향후 지방자치는 어떻게 하실 생각이십니까?"

"국가가 발전하려면 국민 모두가 깨어나야 합니다. 저 밑바닥의 농촌 농민들로부터 자립, 자조, 자유 의식이 살아나야만 합니다. 위에서 대통령이나 국회, 장관과 시도지사가 아무리 해보려고 하더라도 국민들이 자발적으로 나서 주지 않는 한 어림도 없습니다. 저는 국민재건운동을 통해 국민들의 자주 의식을 깨나게 하고 싶습니다. 물론 농촌의 가난이 상존하는 한 자유도, 민주도, 지방자치도 공염불에 불과합니다. 지방자치의 선결 과제는 농어촌 소득 증대, 빈곤 퇴치입니다. 경제 개발이 필수입니다.”

“사실 우리 현실에서 미국이나 독일과 같은 선진국처럼 지방 자치를 정상화시킨다는 것은 무리입니다. 지난 자유당, 민주당 정부에서 겪어 본 바로는 시기 상조라고 생각합니다. 기본이 되어 있지 않은 상황에서 정치만 판을 치도록 하는 게 돼서 국가 발전에 전혀 도움이 안 됩니다.”

박 동서 교수가 끼어든다. 최 종기 교수도 거든다.

“저도 동감입니다. 농어촌 사람들 모두가 굶어 죽을 것을 고민하고 있는 판에 신나는 것은 오로지 정치꾼들뿐 입니다. 지방의회나 국회 모두가 마찬가지입니다.”

“교수님들, 오늘 이렇게 뵙게 돼서 기분이 좋습니다. 저 좀 많이 도와 주십시요. 제가 목숨을 걸고 군사혁명을 한 것은 건국 후, 그리고 전쟁을 치른 뒤 10여 년간 우리의 모습을 보고 절망을 했기 때문입니다. 도저히 눈 뜨고 볼 수가 없었습니다. 진짜로 새로운 나라를 만들어 보려고 합니다.”

물 한 잔을 부탁해 들이켰다. 하고 싶은 말이 많아지면서 목이 타 들어 간다.

“정치와 행정을 모두 뜯어 고치려 합니다. 우리 현실에서 내각책임제는 뭐 고, 참의원, 민의원은 또 뭡니까? 잘 보셨지 않습니까? 장 면 정부, 민주당 국회 하는 꼴들을. 국민 모두는 죽을 지경인 데도 불구하고 국회의원이나 대통령, 장차관, 관료들은 천하태평입니다. 확 바꾸려고 합니다.”

잠시 호흡 조절을 한다. 젊은 교수들의 생각을 듣고 싶어 부원장인 유 교수께 질문을 한다.

“교수님, 우리 행정을 획기적으로 바꿀 방법은 없습니까? 또 정치는 요?”

순간 당황을 하면서 생각을 한다.

“글쎄요...”

옆에 있는 다른 교수에게로 얼굴을 돌려 답변을 구한다.

"왜 아무 말씀을 안 하십니까? 이 원장님. 좋은 방안 좀 내주시죠?"

"단번에 우리 행정을 좋게 만들 방법이 과연 있을까요?"

내 생각을 말하기 전에 대화 주제를 잠시 다른 곳으로 돌려 본다.

"제가 요즘 잠을 못 잡니다. 군대를 몰고 남침을 해서 수백 만 명을 죽음으로 몰고, 전 국토를 초토화시켰던 김 일성이가 우리보다도 훨씬 잘 산답니다. 이게 말이 됩니까? 자유민주주의가 좋은 거라면서 전 세계 어디에 내놔도 꿀릴 게 없는 멋진 헌법을 가진 우리가 공산당만도 못하답니다."

"지난 장 면 정부에서는 정말로 큰 일 나는 줄 알았습니다. 공산당, 좌파, 중립론자들이 나라를 거의 거덜 내려고 했었지요. 철모르는 대학생들도 4·19에 취해서 난장판이었구요."

김 해동 교수다. 그는 장교로 군대 근무를 했다고 한다.

밖에 있던 부관이 들어오더니 3시에 회의가 있다고 귀뜸을 한다. 얘기를 마무리해야 했다.

"교수님들, 정치나 행정을 근본적으로 발전시키기 위해서는 정치인, 관료들을 모두 젊은 사람으로 바꾸면 됩니다. 행정부의 고위층을 모두 싱싱한 젊은 엘리트로 바꾸고, 천년만년 국회 주변에 머물면서 정치로 밥을 먹고 살려고 하는 이들을 생각이 건전하고 진정으로 국가 발전을 위해 나설 수 있는 신세대 젊은이로 바꾸려고 합니다. 지금 혁명 정부는 젊은 엘리트 장교들이 행정을 담당하고 있습니다. 두고 보십시요. 몇 년 이내로 대한민국이 근본적으로 달라질 겁니다. 환골탈태할 겁니다. 이들은 대부분 미국에 가서 선진 행정을 배우고 왔습니다. 이 자리에 게신 젊은 교수님들도 미국 연수를 다녀오셨지요?"

"그렇습니다. 저희들은 모두 교수 요원으로 선발되어 미국 미네소타 대학교에 가서 최첨단 행정학 교육을 받고 왔습니다."

이 원장이다.

“교수님들. 우리 한번 해 봅시다. 저 좀 도와주세요. 최고회의도 좋고, 저 개인에 대해서도 좋고, 정부 각 부처와 기관 어느 곳이라도 좋으니 적극적으로 참여하셔서 조언도 해주시고, 질책도 해주세요. 잘 모르는 공무원들 교육도 책임 져주세요. 부탁드립니다.”

자리를 일어서야 했다. 일일이 악수를 하면서 진심으로 부탁을 해본다.

“이렇게 특별한 약속이나 형식 없이도 만나 주셨으면 합니다. 식사라도 하면서 좀 더 진지하게 의견을 들을 수 있는 시간을 마련해 보겠습니다. 감사합니다.”

젊은 행정학 교수들의 생각이 내게 긍정적으로 전해져 왔다. 서울대 행정대학원은 미국의 후진국 개발 지원 전략 중 하나로 미네소타대학과 연계된 프로그램이다. 미국은 각 영역별로 자매 대학을 정해서 우리 한국의 젊은 엘리트들을 교수 요원으로 육성해오고 있다. 농업과 공업 등 다른 영역도 한창 진행되었다.

교수들이 1층 현관까지 나와서 나를 배웅해주었다.

치과 치료를 빌미 삼아서 그동안 벼르고 별렀던 일을 해냈다. 나의 혁명과업은 유능한 행정 관료들을 앞세워야만 효과를 낼 수 있다. 그러려면 현재의 관료 조직, 공무원 사회를 젊고, 강력하게 만들어야만 한다. 그래서 오늘 만난 전문가들이 절실히 필요하다. 정부 조직, 인사, 재정, 정책 모두를 선진화시켜야 한다.

행복이란 것이 별 게 아니다. 오늘 내가 느낀 이 신선함이 바로 행복이다. 욱신거리던 이빨이 악과 함께 편안해지고, 패기 넘치는 젊은 행정학자들이 내 기운을 북돋아 준다.

더없이 기분이 좋다.

민정 이양: 당연한 수순

최고회의 의장으로 취임한 뒤, 인터뷰 요청이 쇄도하고 있다. 그동안 장도영 의장에게로 향했던 관심사가 한꺼번에 내게로 쏠리고 있다. 눈앞에 전개되고 있는 일들도 감당하기 어려운 지경인데 이제는 대외적 업무까지 보태 졌다.

의장 비서실장을 통해 대외 업무를 최소한으로 하여, 적절히 관리하도록 엄명을 내렸다. 몸과 마음이 제대로 견뎌내 줄 지 걱정이 된다. 이제부터는 내가 반드시 챙겨야만 할 핵심 안건 몇몇을 제외하고는 책임자에게 적극적으로 위임해야만 하겠다. 실무 책임자를 믿지 못하고 혼자 모든 일을 챙기려고 해서는 곤란하다. 현실적으로 거의 불가능하다.

비서실에서 의장 취임 직후에 발간된 신문 기사들을 스크랩하여 가져왔다. 국내외 신문 모두가 군사 혁명의 실세가 전면에 등장했다는 식으로 머리글을 삼고 있다. 7월 3일자 New York Times에 실린 'Strong Man 표면에 나서다'라는 기사가 눈길을 끈다.

7월 19일, 공식 기자 회견을 가졌다. 질문의 첫 번째가 민정 이양에 대한 것이었다.

“정부 기획위원회에서 향 후 민간정부의 정부형태를 연구 중이라고 했습니다. 그 구체적인 내용 및 그 시기는 언제쯤으로 보며 일반인의 자유로운 정치 활동은 언제 쯤 보장될 것인가요?”

“지금 연구 중에 있고 결론이 나지 않아서 뭐라 말씀드릴 수 없습니다. 여러 분이 가장 궁금히 생각하고 있는 문제일 터이니 오는 8월 15일까지는 속 시원하게 발표하려고 생각하고 있습니다.”

신문 기자들이나 정치인들은 물론 국민 모두가 관심을 가지고 있는 사항이 '언제 민정 이양을 할 것인가'에 대한 것이다. 새로운 헌법 제정, 계엄령

해제, 정치 활동 허용, 장 면 정부 인사와 반혁명 사건 연루자 구금 해제 및 재판 일정 등이 모두 연관이 있다. 우리의 민정 이양 스케줄에 대해 말들이 많다.

가장 관심이 많을 윤 보선 대통령의 경우에도 지난 6월 2일 기자 회견을 통해 조속한 민정 이양의 속내를 드러낸 바 있다.

"혁명 정부가 해 놓아야 할 일을 조속히 끝낸 다음 정권을 속히 민간인에게 이양할 것을 희망한다. 혁명정부가 질서를 회복하고 누적된 사회악을 전광석화(電光石火)와 같이 제거하는 것을 국민이 쌍수를 들어 지지하는 줄 믿는다. 더우기 혁명정부가 군정 기간에 공산당을 깨끗이 소제해 주어야 하겠다. 군이 더욱 단결하여 6대 혁명공약과 5개 실천사항을 성취하고 국민은 혁명정신을 체득하여 새로운 결심으로 국가재건에 힘써야 할 것이다.(조선일보 1961.6.4.)

정권의 민간 이양은 그 시기가 문제일 뿐 당연한 조치다. 처음 혁명 공약을 만들 때부터 나는 혁명 정부가 소기의 목적을 달성하고 나면, 가급적 빠른 시일 내에 정권을 민정으로 이양하겠다고 천명하였었다.

군대는 국토방위에 책임을 지는 기구일 뿐 직접 정치와 행정을 전담할 수 있는 조직이 아니다. 대한민국은 1948년에 만들어진 자유민주주의 헌법을 토대로 건국되었다. 군사 혁명으로 인해 지금 현재는 국가재건최고회의라는 군사정부가 정권을 장악하고 있다지만 이것은 어디까지나 '정상 국가를 위한 과도기적 조치'일 뿐이다. 가능한 빠른 시일내로 정권이 헌법적 정당성을 지닌 기구로 이관되어야 한다.

혁명 당시부터 고민해 오고 있던 문제인데 기자 회견을 계기로 더욱 중요한 안건으로 부상되었다. 7월 27일 미국 국무장관 러스크의 성명 발표는 은근히 나와 혁명 정부를 압박하는 내용이었다.

"우리 미국 정부는 대한민국의 신 군사정부가 부패를 일소하고 국가재건을 위한 새로운 분위기를 조성하여. 민주주의를 위해 더욱 확고한 경제기반을 마련하고자 취해온 강력하고도 신속한 제반 조치를 환영하는 바입니다… 본인은 민간인 통치 회복에 관한 국가재건최고회의 의장 박정희 장군의 성명은 가장 고무적인 것이라고 생각합니다 신 한국 정부가 최근에 취한 제반 조치는 한국 국민의 합법적 포부가 앞으로 몇 해 후에는 성공적으로 달성될 수 있으리라는 새로운 희망을 우리에게 주었습니다. 미국과 한국이 긴밀히 협조할 새로운 기반이 확립되고 있는 것으로 생각합니다."

혁명정부 내부에서도 장 도영 반혁명 사건을 계기로 긴급 의제로 부상되었다 최고회의에서 이 문제를 심도 있게 다뤄야 한다는 의견을 제시하는 위원들이 많아졌다.

7월 마지막 목요일, 최고회의에서 비공식적 의제로 이 문제를 다루기로 했다.

"혁명 공약에 명시된 대로 일정한 시점에서 민정 이양을 해야만 합니다. 오늘은 공식 의제로 하지 않고 비공식적으로 자유롭게 논의해보고자 합니다. 기탄없이 의견을 말씀해주시기 바랍니다."

"언젠가 민정 이양을 해야만 한다는 사실은 분명합니다만, 이제 혁명을 한 지 석 달도 되지 않았는데 벌써부터 민정 이양 얘기가 나오는 것은 너무 성급하다고 생각합니다."

이 석제 위원이다. 그는 지금 한창 법률 정비 작업에 돌입해 있다. 일제시대의 법령이 아직까지 우리 행정의 근거로 쓰이고 있는 사실에 개탄을 하고 우리말 작업과 함께 법률 개정과 신규 법 제정까지도 책임지고 있다. 혁명 정부가 해야 할 일이 산더미처럼 쌓여 있다고 걱정하고 있는 중이다.

"저도 시기상조라고 생각합니다. 지난 두어 달 동안 우리가 한 일이라고는 고작 정권 인수 작업 정도에 불과합니다. 본격적으로 우리가 해보고자 하는 정책들을 제대로 시작도 못해 본 상태입니다. 헌법 개정이나 정부 조직 개편, 3·15 부정 선거와 4·19 범죄자 재판도 이제 겨우 시작 중입니다. 최대한 늦춰야 합니다."

오 치성 위원이 걱정스런 말투로 의견을 피력한다.

"물론 그렇지만 민정 이양을 언제쯤 하겠다는 정도는 국민들에게 미리 알려주는 것도 괜찮지 않을까요? 지난 의장 기자 회견에서도 밝혔듯이, 끌려가는 모양새보다는 우리가 타임 스케줄을 정해 놓고 거기에 맞춰가는 거지요."

김 동하 위원이 적극적인 성격을 드러낸다. 옥 창호, 유 원식 등이 고개를 끄덕이며 동조를 한다.

"좋은 생각입니다. 저는 처음부터 일정한 기간이 지나면 민정 이양을 하리라고 생각해 왔습니다. 문제는 그 시점이 언제가 되어야 하는가에 대한 고민입니다. 현재로서는 눈앞에 닥친 일들이 폭주하여 민정 이양에 대한 생각을 거의 할 새가 없네요."

특별위원으로 참석한 김 종필 부장이 발언권을 얻어 나섰다.

"민정 이양은 혁명 정부의 목적 달성이 가시적으로 나타나기 전까지는 불가능하다고 생각합니다. 정권의 민정 이양이란 것이 결국은 자유당, 민주당 정치인들에게 정권을 다시 넘겨주는 것입니다. 우리가 일부 인사를 재판하고 제거한다고 하더라도 금방 복귀할 겁니다. 장 면 정부 세력의 복귀는 우리의 군사 혁명을 근본적으로 부정하는 것이라고 생각합니다. 아마 여기 계신 모든 분들이 재판정에 서야 할 겁니다. 현재 우리가 하고 있는 헌법 개정, 국민재건운동, 경제개발계획, 공산 좌파 세력 퇴치가 모두 공염불이 될 겁니다."

위원 모두가 숙연해진다. 그냥 부담 없이 논의하고 결정할 사안이 아님을 실감하는 눈치다. 신중에 신중을 더해서 검토해야만 할 중요 사안이다.

"민정 이양은 매우 신중하게 결정해야만 합니다. 언론에서 떠드는 얘기에 동조해서, 또 일부 정치꾼들이 하는 불평에 편승해서는 절대 안 됩니다. 김 동하 위원의 말씀처럼 우리 스스로 플로우 차트를 만들어서 차근차근 일정을 밟아 나가야 합니다."

"의장님 복안을 말씀해주시지요?"

여럿이 나서서 나의 의견을 묻는다.

"새로운 헌법 제정과 시행, 경제개발 5개년 계획의 수립과 초기 집행, 국민재건운동의 1단계 완성 등을 고려하면 적어도 2년은 군사 정부가 유지되어야 합니다. 그때쯤에는 새로운 대한민국에 대한 모습이 희미하게나마 보일 것입니다."

사실 정권 이양 시기를 몇 년 몇 월이라고 특정하기가 어렵다. 우리가 시도한 군사 혁명은 이 성계의 조선 건국이나 나폴레옹의 신 프랑스 국가 건설에 버금가는 것이다. 불과 몇 년 사이에 목적을 달성하고 정권을 다른 사람에게 맡길 수 있는 차원이 아니다.

그래서 고민이 많다. 위대한 복지국가 건설, 경제 발전과 강력한 국방력을 갖춘 국가 건설은 수십 년이 걸려도 달성하기가 쉽지 않은 목표다. 혁명 주체 세력 내에도 나의 이런 원대한 목표를 이해하는 이가 많지 않다. 그냥 '권력욕에 빠져든' 인간 박 정희가 아님을 아는 이가 몇이나 될 런지...

"일단 헌법 제정과 공표, 시행을 고려하여 2년 정도의 기한을 정하는 것은 어떨까 합니다. 국민 불안 요소를 해소한다는 차원에서 민정 이양 시점을 정하여 공포하고, 이 기간에 맞춰 혁명 정부 사업을 차질없이 추진해 가는 겁니다."

김 부장이 2년 기한을 제안한다.

"좋습니다. 찬성합니다."

많은 위원들이 공감 의사 표시를 한다.

"제 생각도 같습니다. 그러면 1963년 여름 정도에 정권의 민간 이양을 하는 것을 전제로 일을 추진해 가십시다. 제가 행정팀과 상의하여 최고회의 의장 성명으로 대국민 발표를 하도록 하겠습니다. 다른 의견이 있으시면 말씀해 주십시요."

“한 가지 꼭 부탁드리고 싶은 것은 '민정 이양이다 군대 복귀다' 라는 사안을 가지고 너무 흔들리지 않으셨으면 좋겠습니다. 우리는 지금 위대한 대한민국 건설을 위해 목숨을 걸고 나선 상태입니다. 이런저런 불평불만에 흔들리거나 지나치게 많은 생각으로 좌고우면 하고 있어서는 안 됩니다. '돌격 앞으로'의 군인 정신으로 맡은 바 임무에 최선을 다해주시기 바랍니다.”

회의를 파하고 김 종필 부장과 몇몇 위원장들을 방으로 불러 마주 앉았다. 그리고 민정 이양에 관련된 성명서 초안을 논의하였다.

8월 12일자로 민정 이양에 관한 성명서를 발표하였다.

<정권 이양 시기에 대한 성명>
“혁명정부는 구악을 일소하고 새로운 민주체제의 터전을 마련한 다음 혁명공약 제6항에 천명한 바와 같이 하루 속히 정권을 민간에게 이양하기 위한 시기와 방안을 예의 검토해 오던 바 아래와 같은 국가재건 최고회의의 최종 결정을 국민에게 공포한다.

1) 혁명 정부는 정권 이양에 앞서서 진정한 민주적 정치질서를 창건하고 구악의 재발을 방지하기 위하여 최소한 아래와 같은 기초과업을 완수한 연후에 민간정부에게 정권을 이양한다.

첫째, 정치적 사회적 모든 구악을 발본색원하고 청신한 사회 기풍과 법질서를 확립하고 둘째, 모든 체제를 개혁하고 이를 발전시켜 어느 정도의 궤도에 올려놓아야 할 것이며 셋째, 국민경제를 재건하고 빈곤을 없애기 위한 종합 경제 5개년 계획의 제1차 계획은 강력한 행정력으로서 혁명 정부가 이를 추진한다.

2) 정권 이양 시기. 정권 이양 시기는 1963년 여름으로 예정하며 그 이유는 아래와 같다.

가. 1962 년도는 제반 체제의 개혁 및 육성 단계이며, 5개년 계획의 제1차 시행 단계이다. 이 기간에는 혁명과업 둔화를 초래할 염려가 있는 정치활동이나 국민행사 등은 가급적 이를 제한한다.

나. 1963년 3월 이전에 신헌법을 제정하여 공포한다.

다. 1963년 5월에 총선거를 실시한다. 그 후 헌법이 규정하는 바에 따라 정권을 완전 이양한다.

라. 정당 활동을 허용하는 시기는 1963년 초가 될 것이다.

3) 정부형태, 국회 구성 등에 관한 구상.

가. 정부 형태: 대통령 책임제를 채택한다.

나. 국회의 구성: 100 내지 120의 단원제로 한다.

다. 선거 관리: 철저한 국가공영제로 한다.

라. 구 정치인: 구 정치인 중 부패부정한 정치인은 정치진출을 방지하기 위한 입법 조치를 취한다.

4) 이상은 혁명정부가 혁명공약을 실천하고 조국의 민주적인 번영을 기할 수 있는 확고한 토대를 마련하기 위한 최소한의 시간이라고 판단하며 정부 형태, 국회 구성 등은 앞으로 광범한 국민여론을 참작하여 신헌법에 반영할 것이다.

1961년 8월 12일

대통령 권한대행, 국가재건최고회의 의장 박 정 희”

민정 이양에 관한 성명서 발표

민정 이양 시기에 대한 성명서에 대해 미국이나 일본, 아시아 각국의 언론이나 정부에서는 대체로 환영하는 분위기다. 이집트나 미얀마, 태국, 중남미 아메리카 군사 정부가 오랜 기간 지속되는 경우에 비춰볼 때 우리의 혁명정부가 일정한 기한을 정해 놓고 민정 이양을 선언했다는 사실에 대해 지지를 보낸 것이다. 모택동의 중공이나 김 일성의 북한, 스탈린이나 흐루시초프의 소련은 아예 논의 선상에도 올릴 수 없는 공산 군인 독재국가이다.

2년 기한을 정해 공표를 하였지만 걱정이 크다. 나의 원대한 대한민국 건설 전략이 이 기간 동안 얼마나 가시적 성과를 낼 수 있을 것인가? 원하던 대로 성과를 만들어낸다면 순조롭게 정권 이양이 이루어질 것인가? 또 그 반대로 원하는 바의 성과를 제대로 만들어 내지 못한다면 어떨 것인가?

혁명 과업의 성공도, 실패도 변수가 될 수 있다.

지금의 대한민국은 한 치 앞도 예측하기가 어렵다.

하지만 확실한 것이 있다. 나, 인간 박 정희는 대한민국과 함께 원대한 미래를 열어 가고야 말겠다는 사명감, 그리고 자신감의 화신(化身)이라는 점이다.

'기다려라, 내가 반드시 해 낼 것이다.'

민정 이양의 딜레마

군정의 민정이양이 당연한 수순이라고 하더라도 상황이 그리 만만치 않다. 군사 혁명의 근본적인 원인 문제가 해소되고, 향후 지속적인 국가 발전이 보장되어야 만 민정 이양을 할 수 있다. 2년 만에 이런 전제 조건이 충족될 수 있을 것인가?

- **신헌법 제정**: 당장 헌법을 개정해야만 한다. 반드시 개정해야만 할 내용은 내각 책임제 정부 형태와 국회의 양원제 규정이다. 지난 민주당 국회는 4·19를 계기로 기존 헌법의 핵심 골격을 대폭 바꿔버렸다. 대통령제 정부 형태가 아닌 내각 책임제를 선택함으로써 형식적으로 국가를 대표하는 대통령과 행정부를 실질적으로 총괄하는 국무총리가 경쟁하는 구도를

만들었다. 내각 책임제는 국회가 행정부를 장악하여 의원이 정부 장관을 겸직한다. 행정부는 오직 국회의 신임을 전제로 존재 가능하다. 건국 후 한국 정치 상황을 보면 극도로 분열되어 정쟁만 일삼는 국회가 행정부까지도 정치판으로 만들어 버렸다. 4·19를 계기로 출범한 내각 책임제 형태의 장면 정부는 '독재라고 비난하던' 이 승만 대통령 시절보다도 무능력한 정권이 되어 버렸다. 같은 민주당 소속의 대통령과 국무총리가 서로 편을 갈라 싸우는 정국이 조성되었다.

현 시점에서 우리에게는 국회와 독립적으로 대통령이 행정부를 이끄는 대통령 중심제 정부가 바람직하다. 국민 선출의 대통령이 강력한 권한을 가지고 정책을 추진해 갈 수 있어야 한다. 또 다른 국민 선거로 구성되는 국회는 대통령이 이끄는 행정부를 적절히 견제할 수 있으면 된다.

두 번째로 개정해야 할 것은 양원제 국회다. 자유민주주의 정치를 제대로 해내지 못하고 있는 정치권이 국회를 참의원과 민의원으로 구분해 운영함으로써 더욱 복잡해진 정쟁 구도를 만들어 놓았다. 오로지 정치인들의 감투만 늘려 놓았을 뿐이다. 현재 우리나라는 안정된 정치, 국회가 절대적으로 필요하다. 국민 모두가 100% 합치된 의견을 내도 경제 성장, 국가 발전이 어려운 판에 사분오열된 정치 국회는 행정부로 하여금 '아무런 일도 못하게' 막고 있다.

신헌법 제정은 최고회의 내에서 빠른 속도로 안을 만든 뒤 국민 투표에 붙여 개정 작업을 완료해야 한다. 그런 다음에 대통령과 국회의원 선출이 가능해진다. 군사 정부는 헌법 개정에 이어서 민정을 담당할 대통령과 국회의원 선출까지 마무리해야만 한다.

- **공산 좌파, 중립 국가론자의 제거**: 건국과 전쟁 전후에 날뛰던 공산당 세력, 좌파 분열주의자들이 이 승만 대통령 시절에는 반공법과 함께 강력한 처벌을 함으로써 수면 아래로 잠잠해졌었다. 그러나 4·19 이후 등장한 민주당 정권이 무능력하게 대응하는 바람에 또 다시 극성을 부리고 있다. 무분별한 학생들의 자유, 민주, 통일 주장과 함께 좌파 불순분자들이 고개를

쳐들고 당당하게 거리를 활보하고 있다. 공산당은 교묘하게 한국의 중립화를 주장하면서 미국과 유엔군 철수를 주장하고 나섰다. 군사 혁명의 가장 직접적인 원인을 제공한 것이 바로 이런 공산당, 좌파 불순분자, 중립화 통일론자들의 등장이다. 전 국민이 불안감에 휩싸여 있으면서 우리 군부가 나서기만을 기다렸다. 무혈 군사혁명이 가능했던 것이 오로지 이런 공산당 세력에 대한 장 면 정권의 무능력에 가까운 대처 때문이었다.

민정 이양은 이런 불순 세력을 완전히 박멸하여 또 다시 준동하지 못하게 만든 연후에나 가능하다. 반공법과 중앙정보부법, 검찰과 경찰법 등 법규를 완벽하게 구축하고, 경찰과 검찰, 정보부 요원들의 역량을 극대화하여 간첩과 좌파 불순분자들을 철저히 잡아낼 수 있어야 한다.

- **정치 불신 해소**: 우리 한국은 아직 자유 민주 정치가 요원하다. 가난과 문맹이 극심하고 자유와 민주가 무엇인지도 모르는 농민과 노동자가 대부분이며, 선출직 의원들의 정치적 역량이 너무나 미흡하다. 회의를 어떻게 해야 하는지도 모르고, 오로지 고함만 지르며 반발하고, 합의라는 것을 모른 채 끝까지 버티기 만을 능사로 삼는 정치인이 국회 안에 가득하다. 모두가 제 잘났다고 설쳐대면서, 자기를 뽑아 준 국민들이 안중에도 없다. 국회의원들이나 정당인들은 국민 대표라는 고귀한 사명감을 잊은 채, '직업 정치인'으로 만족하고 있다.

대대손손 이어가면서 정치를 직업으로 삼고 있는 자유당, 민주당 정치인들을 대체할 새로운 젊고 유능하며, 책임 의식 강한 정치 세력이 나와야만 한다. 조선 시대로부터 이어져 오는 양반 계층, 일제 시대에 구차하게 연명하면서 관청 주변에서 놀던 그런 정치인들을 정리해야만 한다. 이 승만 정권, 장 면 정권 내내 부정부패와 이권에 개입하고, 정쟁만을 일삼던, 이런 정치꾼들이 군사 정부를 이어받는 민정 이양은 의미가 없다. 내가 가장 싫어하는 정권 이양이 바로 이것이다.

- **행정 혁신**: 우리 군사 정부는 행정 혁신을 제대로 해내고 있다. 무기력하고 구태의연한 행정 방식을 이어가고 있는 공무원들을 대신해서 빠른 의

사결정, 일사불란한 행정 처리, 부정부패 없는 깨끗한 행정을 만들어 가고 있다. 우리나라 수천 년 역사 중에 가장 청신한 행정을 만들어 가고 있다. 군사 정부가 물러나고 새로운 민간 정부가 들어선다고 했을 때 지금 현재 우리가 담당하고 있는 이런 행정을 이어갈 수 있을까?

생각이 많다.

'민정이양을 해야만 하는가? 언제? 어느 시점에?'

이 문제는 나 홀로 고민할 문제만은 아니다. 군사 혁명 동지 모두가 함께 고민해야 할 사안이다. 지난 번 민정 이양에 관한 대국민 담화는 국가재건 최고회의 상임위원회에서 오랜 기간 논의를 한 결과다.

9월 2일 토요일, 오전에 최고회의 24차 회의를 개최하여 이 주일 소장을 부의장으로 선출하였다. 그가 맡고 있던 재정경제위원장 자리에 김 동하 장군을 임명하고 최고위원으로 조 시형 준장, 유 병현 준장, 박 태준 준장, 강 상욱 대령을 새로 임명하였다. 새로 임명된 위원들과 분과위원장들, 몇몇 주요 인사들이 함께하는 오찬 자리를 만들었다. 나는 국제크릴에서 동남아사절단과 오찬을 나눈 뒤 조금 일찍 자리를 떠서 일행과 합류했다. 일행들은 늦은 점심을 마친 뒤 후식을 먹으며 담소를 나누고 있었다.

"최고회의가 더욱 든든해졌어요. 이제 군사 정부가 본 궤도에 오른 것 같습니다. 정부 각 부처도 잘 움직이고 있고, 감찰부와 군사재판도 서서히 실적을 내고 있어요. 국민재건운동도 전 국민이 참여하는 형태로 발전해 가고 있고…"

좌중을 둘러보니 분위기가 좋다. 대낮부터 막걸리 잔을 돌리고 있다. 새로 임명된 부의장과 최고위원들이 적당히 거나해져 있다.

"진작에 위원이 되었어야 했는데 조금 늦은 감이 있습니다. 잘 부탁합니다."

"영광입니다. 열심히 해보겠습니다."

조 장군이 의욕을 내보인다. 오 치성 위원장을 이어서 내무위원장직을 맡기로 되었다. 다른 신임 위원들과 함께 잔을 들어 부딪친다.

“그나저나 정신없이 지나오다 보니 5 · 16 거사로부터 벌써 100여 일이 지났습니다. 어린아이가 태어나면 백일잔치를 근사하게 하는데 우리도 한번 해야 하는 게 아닌가 싶네요. 그동안 얼마나 노심초사하고 힘이 들었습니까?”

“지금이라도 당장 하시죠? 여기 핵심 동지, 요원들이 모두 모여 있으니 종로떡집에서 시루떡 한 말만 날라 오면 됩니다.”

김 윤근 교통체신위원장이다. 신임 운영기획위원장 오 치성이 거들고 나섰다.

“새로운 이 부의장님과 신임 위원장, 최고위원들 축하도 해야 하니 제가 당장 주문하겠습니다.”

왁자지껄 흥이 높아진다.

“자, 자, 그러지 마시고 축하 건배 한 번 하십시다.”

모두가 잔을 높이 들고 ‘건배’를 외쳤다.

“지난달에 민정 이양에 대해 대국민 공표를 하고 난 뒤로도 생각이 많아졌습니다. 혁명 정부가 본궤도에 올라 있는 지금, 이제는 어떻게 내려설까에 대해 생각해 볼 때가 된 것 같습니다. 밖에서는 얼른 내려놓고 군대로 돌아가라고 성화인 듯합니다.”

“아직은 때가 되지 않았다고 생각합니다. 이제 시작인데…”

손 창규 문교사회위원장이 입을 연다. 송 찬호 위원 대신으로 일을 하고 있다.

“언론이나 공산 사회주의자들, 중립론자들은 군사 정부의 눈치만 보면서 숨죽이고 있는 겁니다. 학생 운동권도 마찬가지구요. 민간 정부가 등장하면 금방 이전의 장 면 민주당 시절의 난장판으로 되돌아갈 겁니다. 지금의 조용함이 진정으로 순화된 상태가 아니라 그냥 ‘폭풍 전야’와 같은 모양새입니다."

들떴던 분위기가 차분하게 가라앉는다.

"지난 반혁명 사건을 계기로 백 명 가까운 영관급, 장성급 군인들이 검거되거나 예편을 했습니다. 군 내부도 불안정할 수 있습니다. 민정 이양 작업에 병행해서 현역 군인의 원대 복귀도 질서 정연하게 이루어져야 합니다."

김 종필 부장이다. 군사정부에 동원되어 있는 장교들은 대부분 군으로 복귀하여 장군으로 승진하고 주요 보직을 받는 것을 영광으로 삼는 이들이다. 현재 맡고 있는 장관이나 각종 기관장, 정부 위원, 검찰관 등의 보직은 '일시적일 뿐 내 자리가 아니라'는 생각을 가지고 있다. 정권 인수 절차에 맞춰서 원대 복귀 명령을 내려야만 한다.

이미 장 도영, 송 찬호, 김 제민, 문 재준, 박 치옥 등은 본인 의사와 관계없이 원대 복귀 명령이 내려졌다.

나의 경우에도 최고회의 의장인 군통수권자로서 8월 11일자로 중장에 진급하였지만, 조만간 군복을 벗어야 할 것이다. 군사영어학교 출신의 고위급 장성들이 거의 대부분 옷을 벗었다. 가까운 시 일 내에 나도 민간인 신분이 된다.

그런데 말이다. 현 군사정부를 과연 민간으로 넘겨줄 수 있겠는가? 이 엄청난 변화를 감당해 낼 민간 정치인, 대통령급의 행정 전문가가 존재하는가?

그래서 걱정이다.

"의장님, 조급하게 생각하셔서는 안됩니다. 모든 것을 그르칠 수 있어요."

언제나 냉정하게 의견을 주는 이 석제 위원장이다.

"정권 인수를 채근하면서 보채는 사람들이 누군가 뻔합니다. 면면을 보면 대부분 자유당, 민주당 시절에 한 자리하면서 힘 깨나 쓰던 인사들이지요. 지금 연금 상태에 있는 이들이 대부분입니다. 이들이 연금 상태에 처하게 된

연유가 무엇입니까? 하나 같이 무능하고 부정부패에 물들어 있으며, '말만 무성한' 사람들입니다. '죽 쒀서 개 준다'고 하던데 우린 그럴 수 없습니다."

김 동하, 이 주일, 김 윤근, 오 치성, 김 종필 모두가 공감하고 나선다.

"우리의 군사 혁명은 이 성계의 조선 건국이나 나폴레옹의 위대한 프랑스 건국과 같은 선 상에 서 있습니다. 최 충헌이나 항 우와 같은 하극상, 레닌이나 김 일성과 같은 공산당 혁명과는 근본적으로 격을 달리합니다."

감정이 격해지면 잠시 쉬어 가는 것이 상책이다. 술 한 잔을 들이켜고 호흡 조절을 한다.

"이 성계의 조선 건국은 정 도전과 같은 젊은 엘리트 관료들이 함께 했기 때문에 성공할 수 있었습니다. 일제를 세계 최강대국으로 이끈 명치유신도 알고 보면 젊은 엘리트 집단, 우수한 관료들이 핵심이 되었기 때문에 가능했던 일입니다. 잘 생각해조세요. 지금 우리 군사 정부를 이어받아 우리의 원대한 국가 발전의 꿈을 이어갈 조직이 있습니까?"

"맞습니다. 국가 발전이, 경제 성장이 충분히 동력을 확보하여 지속적으로 유지될 수 있다는 확신이 설 때까지는 군사 정부가 내려설 수 없습니다. 무능력한 정치인들에게 정권을 넘겼다가는 장 면 정부 시절보다도 못한 지경에 이를 수도 있어요."

김 부장이 내 말을 받아 열변을 토한다. 그리고 못을 박는다.

"잘 준비해야만 합니다. 절대 서둘러서는 안 됩니다."

모두가 정권의 민간 이양의 불가피성은 인정하되, 결코 서둘러서는 안된다는 사실에 공감한다. 민간 이양은 우리가 정한 절차에 따라, 전제 조건을 충실히 갖춘 상태에서, 신중하게 진행되어야 한다.

딜레마(dilemma)다.

우리 한국을 고려시대의 무인 정권기의 중방(重房)이나 일제의 막부(幕府)

통치처럼 만들어서는 절대로 안 된다. 위대한 자유 민주주의 대한민국을 만들어가야만 한다. 그렇다면 군사 정부를 조금이라도 일찍 마감하고 정권의 민간 이양을 이뤄야 한다.

그런데 정권을 인수받을 민간의 역량이 미지수다. 혁명 직전의 민간 정부라면 없는 것만 못해서 또 다시 군사 혁명을 불러일으킬 것이다. 생각이 올바른, 젊은 엘리트 정치인을 육성하고 지혜로운 행정 관료들을 정치와 행정의 중심에 자리잡도록 만들어야 한다.

그게... 정권 민간 이양의 전제 조건이다.

법제: 일제의 유산, 정리

이 석제 법제사법위원장이 난감한 표정으로, 조금은 흥분된 듯 문을 열고 들어섰다.

"각하, 이것 좀 보십시요. 민법이니, 상법이니, 형법이 온통 일제시대 것입니다. 아직도 일본어로 되어 있는 법조문을 참조하여 행정을 하고 있습니다."

"그게 뭔 말이요? 해방되고 건국한 지가 벌써 몇 년인데."

"그러게 말입니다. 1912년에 일제가 우리를 강점하면서 시작한 철도법, 공증인법, 공장저당법이 아직도 그대로 사용되고 있습니다. 이 승만 정권 때 우편법, 항공법, 공탁법 등 일부를 개정하기는 했습니다만, 이건 좀 말이 안 됩니다. 도대체 그동안 정부가 뭔 일을 했는지 도무지 이해가 안 갑니다."

그가 보여주는 법률들을 보면서 한심하고 기가 막혔다. 모두가 일본어로 된 것들이다. 공증인법을 보니 1908년에 제정된 것과 1913년 조선공증령이다. 전기사업법은 1932년에, 문화재보호법은 1933년에 제정된 것이다. 미군정청령으로 된 영문 법령들도 눈에 띈다. 향교 재산관리에 관한 법은

1948년 5월에, 농업통계보고령은 1947년 것이다.

내 일그러진 얼굴 표정을 읽으면서 이 위원장이 제안을 해 온다.

"각하, 이것 제가 한번 정리해보겠습니다. 이런 게 바로 혁명입니다. 모두가 일제 시대를 억울해 하고 거부감을 보이면서도 우리 행정, 사법, 경제, 문화, 민간의 모든 영역이 아직도 일제의 그늘 아래 있습니다."

"해 낼 수 있겠소? 이 작업은 단순하게 일본어를 우리 말로 번역하는 차원과는 달라요. 기존 법을 통폐합하고, 지금 우리 현실에 맞춰서 새로 제정하는 수준이 되어야 할 게요."

"맞습니다. 수 천 개에 달하는 법률, 령, 지시들을 모두 검토하면서 국가재건최고회의 법률로 새롭게 제정해야만 합니다. 각 분야별로 담당 부처와 전문가를 총동원해야만 합니다."

지난 10여년의 자유당, 민주당 국회가 한심스러워졌다. 건국과 6.25 전쟁, 그 후 복구 작업에 정신이 없었다지만, '이건 아니다' 싶다. 국회가 싸움질만 할 것이 아니라 이런 법률을 찾아서 하나 하나씩 정리해 주었어야만 하는데 전혀 손을 대지 않고 있었다.

"이 위원장, 이 작업은 우리가 가고자 하는 국가 재건, 국민 복지 국가 건설을 위한 첫걸음이 될 걸세. 한번 해봅시다. 내가 전적으로 지원하겠으니 모든 부처, 법원, 인력을 총동원해서 빠른 시일내로 해치워버립시다. 민정 이양 이전에 반드시 마무리해야 합니다. 저들에게 맡기면 또 다시 '세월아 네월아' 할 겁니다. 최고회의에서 산뜻하게 마무리하고 민정 이양에 대해 논의합시다."

이 위원장이 굳게 다짐하고 일어섰다. 나는 그를 믿는다. 그의 지혜와 의지력이 남다름을 알고 있다. 또 우리의 군사혁명을 고대하던 국민들이 원하던 일이다.

우리는 일제 통치 36년을 억울해하고 분통을 터트린다. 하지만 우리 지난 과거와 현실을 돌아보면 그게 그리 만만치 않다. 우리는 온전히 일제의 영향을 받으면서 오늘에 이르고 있다. 일제 유산을 청산하여 털어버리고 싶지만 '어림도 없다.' 일제 유산은 우리 몸 속, 정신 속, 사회 문화 속에 굳건하게 자리하고 있다.

'어쩌다 이리 되었는가?'

인류 역사는 1900년도를 넘어 20세기가 되면서 놀라운 속도로 급발전하기 시작했다. 그 이전 수천 년 인류 발전에 비해 20세기 초엽 30~50년간의 발전이 수백 배, 수천 배 큰 성과를 가져왔다. 서구의 르네상스 이후에 증기기관이 발견되고 전기와 전파가 등장하면서 동시다발적으로 문명 발전이 일어났고 문화적 성장이 이루어졌다.

할머니 베틀이 섬유 의복 공장으로 변했고, 지게 등짐이 한 순간에 억만 개의 청년 등짐을 옮길 수 있는 자동차와 기차 운송으로 변했다. 호롱불이나 촛불이 전기로 바뀌었고, 파발마가 전자 통신으로 발전해갔다. 연안에 떠 놀던 조각배가 수만 톤의 거대한 철선(鐵船)으로 변해 대서양을 건너 태평양으로 나타났다.

20세기 초엽 어느 날, 사이언스 픽션(Science Fiction) 작가가 그 거대한 철선을 바라보면서

'언젠가 저 철선이 하늘을 날 수도 있을까?' 상상을 했더니

불과 20여년 만에 수백 명을 태운 비행기가 하늘을 날았다.

이런 모든 일이 20세기 초반에 나타났다.

문명만이 아니라 문화사적으로도 20세기는 남다르다. 20세기 초반에는 거의 모든 현대 지성, 학문, 예술, 교육 분야에서 혁명이 일어났다. 수백 년간 각축전을 벌리던 유럽 제국주의가 세계 제1차 대전을 계기로 몰락했다. 식민지 국가들이 서서히 기운을 차리기 시작했다. 선진국으로부터 자유 민주주의가 성장하면서 인간 존중의 정치 체제가 등장하였다.

그런데 말이다. 이 엄청난 인류 문명 발전이 일어나던 시기에 우리 한국인은 일제 식민지 백성이 되어 있었다. 인류 문명 발전의 궤도에 '당당한 주역'으로 역할을 할 수 없었다. 그 여파는 우리 문화와 역사에 엄청난 폐해로 남아있다. 지금 눈앞에 보고 있는 일제의 법제들이 '나를 조롱하듯' 올려다보고 있다.

유럽 정통 강대국들이 몰락한 상태에서 일제는 신흥 제국으로 급성장했다. '못된 일제'는 서구 제국주의를 모방하면서 세력 확장을 꾀했고, 조선 침략을 단행했다. 우리 한국인에게는 참으로 지옥 같은 불운이 닥쳤다. 일제 강점기를 35년이라고 하지만 해방되기 전까지, 20세기 초엽 대부분을 일제 영향력 하에서 억눌려 있었다.

지금 우리가 사용하고 있는 현대 문명, 정치 행정 제도와 법제는 우리 스스로 창출한 것이 아니라 일제에 의해 만들어진 것들이다. 모든 영역이 일본 스타일로 변질되어 있다. 예를 들어 보자.

자동차와 관련된 용어인 오라이, 도락구, 빠꾸는 모두 일본어다. 여성들 미용에 관련된 카트, 파마, 고데나 건축에서 사용하는 노가다, 와꾸, 나라시, 가꾸목 등 모두가 일본어다. 국민 재건 운동으로 이런 일본식 언어를 고치자고 애를 쓰고 있다. 하지만 현대 문명과 관련된 우리 말이 없으니 어쩔 방법이 없다. 서울의 도시계획, 지방 곳곳의 신작로, 전국의 토지 도면, 현대 지도, 댐과 저수지 및 수리조합, 서울 한복판의 화신 백화점, 중앙청으로 쓰이고 있는 조선총독부, 한국은행 등 모두 일본인에 의해 구축된 우리 모습이다.

일제 유산이 우리 한국 모든 영역에서 기승을 부리고 있다. 이런 폐단을 군사 혁명하듯이 단판에 고칠 수가 없다. 전 국민을 일제의 속박에서 벗어나게 하는 일이 거의 불가능해 보인다.

'그래도, 그래도, 해 보자.'

자유당, 민주당 국회나 정권이 손 놓고 있었던 일제 청산 작업을 우리 군사 정부에서 도전해보기로 한다. 이전 정권에서는 말로만 '친일파 청산'을 외치면서 정적 제거에 몰두해 있었다. 생각하면 할수록 어리석기 짝이 없는 일제 청산에 매달려 있었다.

민주당, 신민당 정치인들은 입만 열면 일제 청산을 외친다. 누가 누구를 비난하고 청산한다는 말인가? 만주로, 상해로 나가서 목숨을 바쳐 독립 운동을 한 사람들은 더없이 존경받을 사람들이다. 그들의 노력이 어느 정도는 일제로부터의 해방과 대한민국의 건국에 도움이 되었을 것이다. 그렇다고 해서 그들이 한반도에 머물러, 일제의 노예로 살아남은 사람들을 비난할 수 있겠는가?

식민지 조선인들은 일제 지주의 소작인으로 일하면서 먹고 살려고 발버둥 쳐야 했다. 총칼 위협과 순사들의 강요에 못 이겨 창씨개명(創氏改名)을 당해야 했고, 전쟁판에 노동자로 정신대로 끌려가 치욕스런 목숨을 부지해야만 했다. 우리의 할아버지 할머니, 아버지 어머니의 삶은 그야말로 비참했다. 독립군들이 목숨을 바쳤던 것 그 이상으로 애절한 삶을 이어왔다.

젊은 청년들이 광주학생 의거, 대구사범 독립 운동을 했다지만 참으로 '무기력하기만' 했다. 일제는 너무나 강했다. '조선인의, 조선인에 의한' 국가 건설은 엄두도 낼 수 없었다. '그냥 대단한 일본의 일부로 살아야만 하는 줄' 알았다. 그러다가 갑자기 해방이 되고 국가를 세웠다.

생각이 길어지고, 골치가 아파온다. 또 다시 담배를 피워 입에 문다.

헌법 제정 당시에. '헌법 제100조 현행 법령은 이 헌법에 저촉되지 아니하는 한 효력을 가진다'는 규정을 두어서 구한국(舊韓國), 왜정(倭政), 미군정(美軍政), 과도정부(過渡政府)의 법령을 계속 사용할 수 있도록 했었다. 그러다가 이승만 정부에서는 구법 정리를 위하여 1951년 5월 12일자로 대통령령 제499호로 법령 정리 간행위원회 규정을 공포하였다. 하지만 구 법령 정비 작업은 지지부진하여 군사 혁명 전까지 19 건의 대치 법률을 제정하였을 뿐이다.

자유당 국회와 정부의 일제 법령 정비 작업에 대해 신랄한 비판이 가해진 경우도 있다.

"…'입법기관에서는 무엇을 하고 있는 것인가?' 이와 같은 소리는 근자에 와서 더욱 국민들의 입버릇같이 되었다 일제(日帝)로부터 해방된 지 14년, 군정 삼 년이란 과도기가 있었지만 독립국가로서 내 나라 정부를 수립한 지 12년. 그동안 4대의 국회를 열었 건만 우리의 헌법 정신과 실정에 알맞는 법률을 만들지 못한 탓으로 일찌기 일시에 실효(失効)되었어야 할 일제 식민지정책의 산물인 법령이… 아직도 우리 주변에 득실거리고 있다…

24일 관계 당국에서 집계한 바에 의하면 일본 총독부와 군정(軍政)이 쓰다 남은 기존 법령 중에서 … 정리 대상 총455건 중 겨우 126건이 정리되었고 무려 329건이 아직도 정리되지 못한 채 하루 속히 민주국가의 법률로 뜯어 고쳐지기를 기다리고 있는 것이다.(조선일보 1959.6.26.)"

군사 정부는 1961년 7월 15일 법률 제659호로 '구 법령 정리에 관한 특별조치법'을 제정하고 대법원에 설치되어 있던 '법전 편찬 위원회'를 폐지시켰다. 이후 법령 정비 작업은 급피치를 이루어 혁명 1년 동안에 2,169건의 법령을 정비하였다.

헌법을 최고 위치에 두고 하위 법령으로서 법률, 대통령령 및 총리령, 부령(部令)의 법체계가 확립되었다.

법령 정비 작업은 지속적으로 추진되어야만 한다. 새로운 헌법이 제정되고 정부조직법, 민법과 형법, 상법 모두가 정비되면 '해 볼만 하다'. 새로운 대한민국 건설에 박차를 가할 수 있다.

구 법령 정비 작업이 곧 일제 청산이고, 미군정을 올바르게 대한민국 역사로 안착시키는 일이었으며, 1948년에 건국된 대한민국을 제대로 착근(着根)하게 만드는 일이다. 젊은 군사 정부만이 해낼 수 있는 일이었다.

뭔가 길이 보이는 듯싶다. 재건 국민운동도 법령 정비처럼 내 능력대로 할 수만 있다면 당장이라도 끝장을 내고 싶다. 국민 정신의 건전화, 관혼상제 현실화, 국민 사치 풍조 타파, 부정부패 근절 모두 일순간에 해결하고 싶어진다. 그만큼 절실하다.

법령 정비를 계기로 해서 정부 각 부처의 정책 및 사업 내용을 차근차근 살펴보게 되었다. 각종 행정법은 정책을 수행하는데 절대적으로 필요하다. 법이 없거나 잘못되어 있으면 그와 관련된 정책이 성공하기 어렵다. 법원의 사법적 판단을 위해서도 법규가 완벽하게 갖춰져 있어야만 한다. 또 일본어나 영어로 되어 있는 법령은 한국인의 지적, 감성적 현실을 담아내는데 한계가 있다.

법령 정비 작업은 1차로 1962년 1월까지 일단락 지었다. 하지만 세부적인 시행령이나 부령 수준까지 들어가면 아직도 할 일이 태산 같다. 법령 정비 예산을 충분히 확보하고 최고회의 차원에서 적극 지원을 이어가야 했다. 법령 정비가 곧 새로운 정부 출범을 위한 기반 작업이다.

일본에, 마주 서다

11월 4일. 윤보선 대통령과 송요찬 내각 수반이 최고회의 위원장들이 지켜보는 가운데 내 양 어깨에 빛나는 별 네 개를 달아주었다. 일본과 미국 국빈 방문을 앞두고 이케다 수상이나 케네디 대통령과 격을 맞추기 위함이다. 최고회의와 내각, 특히 외무부에서 적극적으로 안을 냈고 서둘러 진급식을 가졌다. 물론 최고회의 의장으로서 군 통수권을 행사하기 위해서도 필요한 조치이긴 했다. 민간인 대통령이라면 군 경력과 상관없이 대장급 장군들을 통수하는데 문제가 없지만 나는 현직 중장이기 때문에 하급자로서 상급자를 지휘하는 셈이 된다.

어쨌든 평생 꿈이었던 군 최고 장성 위치에 올랐다. 감개무량하다. 동료들이 대부분 군복을 벗은 마당에 조만간 나도 민간인 신분이 되어야 한다. 지금 본격적으로 추진하고 있는 새로운 국가 건설 작업이 마무리됨과 아울러 나도 민간인 신분이 될 것이다. 아직 그 뒤는 생각해 보지 않았지만…

혁명 6개월 밖에 안 되었는데 벌써부터 '언제 민정 이양을 할 것이냐?'고 난리다. 지난 8월에 민정 이양 약속을 했건만 윤보선 대통령으로부터 구 정치인들 모두가 목소리를 높이려 하고 있다.

'도무지, 우리가 추진하고 있는 위대한 대한민국에 대해서 알고나 있는가?'

러스크 미 국무장관이 서울에 도착했다는 보고가 들어왔다. 엊그제(11월2일) 이케다(池田) 수상의 친서를 들고 내한한 스기 미치스케(杉道助) 일본측 협상 수석대표가 오늘 내 방을 찾았다. 이케다 수상의 초청에 대한 답변으로 '도미 중에 방문한다'고 통보하였다. 러스크 국무장관은 케네디 대통령과 미국측 분위기를 전하고 순방 일정을 조율하기 위함이다. 이틀 전에는 일본에 들러 이케다 수상과 회담을 갖고 미일 공동성명을 발표하였다.

케네디 대통령의 정식 초청장이 전달된 것은 9월 중순이었다. 11월 14일과 15일, 양국 정상이 회담을 갖기로 되어 있다. 혁명 직후에 장 도영 의장이 워싱턴 방문을 자청했다가 미국측에 의해 정중하게 거절된 것과는 사뭇 다른 상황이다. 미국측에서는 혁명군 실세가 누구인가를 정확하게 알고 있었다. 혁명 정국이 안정되자 그 즉시 나를 초청하려고 먼저 움직였다.

"미국은 최근의 한국 사태에 대해 깊은 관심을 갖고 주시하여 왔습니다. 박 의장과 그의 동료들이 동란 후 더욱 절실해진 여러 문제를 처리하는데 있어서 보인 정성과 정력을 흡족한 기쁨으로 주시해 왔습니다. 미국 정부가 필요에 따라 그리고 한국민 스스로가 이룩할 수 있는 진보와 발전에 따라 원조를 계속 할 것임을 재 확언합니다."

러스크의 공항 도착 성명은 확신에 차 있었다.

러스크 장관은 짧은 일정 상 바쁘게 움직였다. 다음 날(11월 5일) 아침 9시 미 버거대사와 함께 청와대로 윤 보선 대통령을 방문하여 약 20분간 인사를 나눈 뒤 곧바로 장충동 내 공관으로 들이닥쳤다. 35분 정도 짧게 인사를 나누면서 케네디 대통령이 나의 미국 방문을 환영한다는 메시지를 전해주었다. 훤출한 키에 스마트한 인상이 마음에 들었다. 그는 곧이어 송요찬 내각 수반과 최덕신 외무부장관 등을 순방하였다.

오후에 비서실장이 방문을 열고 들어섰다.

"의장님. 일본과 미국 순방 관련해서 회의 준비가 되어 있습니다."

"알았어요. 갑시다."

오는 11일부터 일본을 거쳐 미국 순방길에 나서게 되어 있다. 미국 케네디 대통령의 정식 초청 공문을 받고 수락을 한 뒤 일정 조율 중이다. 미국 순방길에 1박 2일 일본에 체류하면서 수상과 정상회의를 하기로 되어 있다.

회의실에는 최 덕신 외무부 장관, 유 양수 최고회의 외교국방위원장, 김종필 중앙정보부장 등 관계자들이 미리 착석해 기다리고 있었다. 회의 시작과 함께 최 장관이 일정에 대해 간략하게 설명한 뒤 주요 현안인 한일회담 의제에 대해 말문을 열었다.

"미국 순방 일정은 확실하게 일정을 조율하여 이제 거의 모두 확정된 상태입니다. 미국측에서는 한국과 일본 간 한일회담의 조속한 합의를 원하는 것 같습니다. 이케다 일본 수상도 그런 의욕을 보이고 있구요."

"수년간 끌어오고 있는 한일회담은 어떤 식으로 든 마무리해야 합니다. 이래도 저래도 욕을 먹을 수밖에 없는 상황에서 우리의 실리와 명분을 최대한 찾을 수 있는 선에서 합의를 해야 할 겁니다. 너무 늦어져도 우리가 손해이고, 너무 명분 싸움만 해서도 곤란합니다. 지난주부터 새로 시작된 회의를 통해 차근차근 짚어 가야겠죠?"

"지난번에 김 유택 경제기획원 장관과 제가 일본을 다녀왔습니다. 경제개발5개년계획 추진을 앞두고 재산 청구액과 차관 문제에 대해 실무자 선에서 논의를 했습니다. 그런데 우리와 일본측 견해 차이가 커서 접점을 찾기가 어려웠습니다. 일본측에서도 국회와 여론을 의식해서 결코 만만하게 우리 뜻대로 끌려올 생각이 없어 보였습니다."

김 부장이 그동안의 회담 진행 상황을 간단하게 설명했다.

"지금까지 논의된 내용을 보면 재산권 청구액에 있어서 일본은 1억불 이상을 낼 수 없다는 태도입니다. 우리가 8억 불에서 오억 불까지 낮춰줬는데도 불구하고 요지부동입니다. 나머지는 일본이 미국에 갚아야 할 부흥 원조기금, 즉 가리오아 및 에로아 원조(EROAAssistance) 기금 중 3~4억불을 우리에게 돌려주겠다고 합니다."

"논의가 쉽지 않을 겁니다. 급한 건 우리니... 러스크 장관도 내 눈치를 봅디다. 우리에게 뭐라고 종용할 수는 없지만 내심 빨리 결판을 내고 싶어해요. 지금 소련과 중공이 세력 확장을 위해 온갖 짓을 다하고 있는 판에 한국과 일본이 서로 날을 세우고 있으니 답답할 겁니다. 러스크 장관은 일본 입장에 서서 우리에게 합의를 종용하는 모양새가 될까봐 엄청 조심하는 눈치였어요. 내가 말도 꺼내지 않았는데 스스로 '나의 방한이 마치 한일관계를 중재하려는 것 같은 인상을 주고 있으나 그런 것이 아니라'는 뜻을 분명히 합디다."

지난 6월 말에 미국을 방문한 일본 이케다 수상과 케네디 대통령 사이에도 한일 관계 개선에 대해 심도있는 의견을 나눴다고 한다. 케네디 대통령이나 이케다 총리는 우리 군사정부의 성격에 대해 예의 주시하면서 그동안 지지부진 했던 한일관계 개선에 대한 희망을 버리지 않고 있었다. 회담 직후 정일권 주미대사를 초치하여 우리의 민정 이양 일정과 한일관계 개선 여부에 대해 의견을 구했다고 했다. 소련과 중공 중심의 공산 세계와의 대결 구도에서 한국의 반공 태세, 한일 간 협력 관계가 초미의 관심사였다.

정 일권 대사는 물론 우리 외부부에서도 혁명 정부의 확고한 반공 정책, 굳건한 방위, 일본과의 관계 개선에 관한 적극적 자세를 여러 루트로 전해 주고 있는 중이다.

한일회담은 양측 모두에게 만만치 않다. 나로서도 절대 양보하고 싶은 생각이 없다. 어떻게 세운 나라인가? 이승만 대통령이 그어 놓은 평화선을 두고도 일본측은 불만이 많다. 최근에 우리가 불법 어로에 나선 일본 선박을 나포한 일을 두고도 강력하게 항의를 해왔다.

"이번 방일에서는 그냥 원칙론만 얘기하는 것으로 하셔야겠습니다. 세부적인 것은 실무진에게 맡겨서 충분히 시간을 갖고 논의토록 해야 합니다. 방문 전에 분위기 조성 차원에서 지난번에 나포한 일본어선 3척을 풀어주었습니다. 그리고 일본 측에도 재일교포 북송 문제에 대해 강력하게 제재를 가해 줄 것을 요청했습니다."

최 장관이다. 유 위원장이나 김 부장 모두가 긍정적인 의미에서 고개를 끄덕인다.

"잘 하셨습니다. 이케다 수상을 만났을 때 내가 꼭 챙겨야 할 부분만 조목조목 체크해서 말씀해주세요."

"알겠습니다. 출발 전에 다시 보고 드리겠습니다."

한일교섭은 배 의환 수석대표를 비롯한 협상팀과 김 종필 부장이 이끄는 중정에 전적으로 맡겨 두고 있다. 전쟁 직후 이 승만 정권부터 협상을 시도해 오고 있었지만, 양국의 입장 차이가 심해서 좀처럼 합의될 기미를 보이질 못하고 있다. 협상을 위해서는 일본측의 입장과 정치 상황, 경제여건 등에 관한 정보가 많이 필요하다. 무턱대고 우기기만 해서 될 일이 아니다.

중정에서는 최 영택 참사관을 파견하여 책임을 맡겼다. 그는 일본 외교부와 일본 정계 원로인 기시 노부스케(岸信介) 전 총리, 이케다(池田) 현 총리 등을 지속적으로 접촉하면서 협상 진전에 노력하고 있다.

10월 12일자로 한국은행 총재를 역임한 바 있는 배 의환을 수석 대표로 하는 한일협상 대표단 22명을 임명하였다. 이 동환 주일대사를 부대표로 하고 의장 고문인 서울대 법대 이 한기 교수를 포함하여 관계 국장들로 구성하였다. 10월 20일에는 도쿄에서 양국 대표단이 만나서 한일협상을 시작했다.

이번 미국 방문 길에 일본을 들려 이케다 수상과 회담을 갖기로 한 것은 사실 내가 김 부장과 상의하여 결정한 일이다. 미국 방문 일정이 어느 정도 윤곽을 드러냈을 즈음에 긴급하게 김 부장과 석 정선 차장을 일본으로 파견하여 직접 수상과 만나도록 지시했다. 그 결과 비록 짧은 30시간 체류 기간이지만 상징적은 회담을 갖기로 하였다. 그리하여 11월 2일 일본측 협상 대표인 스기 미치스케(杉道助)가 기시다 수상의 초청 서한을 가지고 내한하게 되었다.

미국으로 출발 순간이 다가오면서 5 · 16 직전의 긴장감이 몰려왔다.

드디어 11월 11일 아침. 공관을 떠나면서 부인과 아이들의 환송을 받는다. 혁명 전야에 집을 나서던 순간처럼 가슴이 벅차온다. '다녀오리다'는 말이 그때나 지금이나 단호하게, 귀에 섧다.

깔끔한 검정 양복에 넥타이, 회색빛 코트를 걸쳤다. 옅은 갈색의 나이방을 끼고 중절모를 머리에 썼다. 나 딴에는 최대한 권위 있는 복장을 한 셈이다.

처음으로 국제 무대에 등장하는 순간이다. 떨리지 않을 수 없다. 국가 원수 자격으로 한국을 대표하고, 일본과 미국의 국빈이 된다. 당당하게 일본과 미국의 최고 책임자와 단독으로 대면하고 회담을 갖는다. 상모리 시절부터, 대구 사범, 만주 군관학교를 거치면서 얼마나 고대했던 장면인가?

'드디어 일본에, 마주 선다.'

'그 대단한 미국의 대통령과 일대 일로 회담을 갖는다.'

나 개인만이 아니라 우리 대한민국이 드디어 일본과 당당하게 마주선다. 해방을 맞고, 독립 국가를 이뤄 10여년이 지났건만 전쟁을 치르고, 복구 작업에 몰두하느라고 일본에 당당하게 서지를 못했었다. 전쟁과 폐허로 인해 지독하게 어렵다 보니 일본에, 미국에 구걸하기도 바빴다.

이제는 벗어나야 한다. 일본과의 협상은 '당당하고, 책임 있는 주체'로서 능동적으로 임할 것이다. 식민지 피해자 입장에서 '하소연하거나' '억울하게 뺏긴 것을 모두 되찾고 말겠다'는 식의 결벽증을 벗어나야 한다. 고지 점령을 위해 '돌격 앞으로'를 외치는 일개 장교 입장이 되어서는 곤란하다.

김포공항에 엄청난 인파가 몰려 우리의 장도를 환송하였다. 출국 인사를 하고 비행기에 올라 11월 11일 오후 4시, 일본 하네다 공항에 도착. 엄청난 인파가 나를 반겼다. 재일교포 수천 명과 일본 우익단체 사람들이 나와서 태극기와 일장기를 흔들었다. 이케다 수상이 직접 장관들을 배석하고 나타나 나를 환영했다.

이케다 수상과 당당하게 악수를 했다. 수상과 환한 얼굴로 인사를 건네며 손아귀에 힘을 주었다. 얼마나 기다렸던 순간인가?

"오늘 본인이 이케다(池田) 수상 각하의 특별 초청을 받고 아름다운 귀국을 방문하게 되었음을 기쁘게 생각합니다… 우리 양국은 지리적으로도 일의대수(一衣帶水)의 가장 가까운 거리에 있을 뿐만 아니라 문화, 사회 등 여러 가지면에서 극히 상통된 점을 많이 가지고 있는 것입니다… 서로가 성의로써 문제 해결에 임하여야 할 것이라고 생각하고 있으며… 현재 이곳 동경에서 진행되고 있는 제6차 한일회담은 그 어느 때보다도 따뜻한 분위기 속에서 진행되고 있다고 여기고 있습니다... 본인을 이곳에 초청해 주신 이케다 수상 각하를 비롯하여 기타 여러 지도자들과 만나 솔직하고 성의 있는 의견 교환을 통하여 양국간의 이해 증진과 한일 회담의 조속한 타결을 성취할 수 있는 유익한 기회가 될 것을 기대하는 바입니다."

짧은 도착 성명을 발표하고 차를 타고 숙소인 영빈관으로 이동했다. 연변에는 환영 인파와 함께 공산당 조총련계, 사회당 인사들의 반대 시위도 목격되었다.

저녁 만찬은 수상 관저에서 열렸다. 앞서 도착 성명과 비슷한 톤으로 만찬 연설을 했다.

"…현재 진행하고 있는 한일 회담은 결코 사소한 문제로 논란을 되풀이하여서는 안 될 것이며, 어디까지나 대국적인 견지에서 서로 성의 있는 해결책을 찾도록 노력해야 한다고 생각하며 또한 믿는 바 입니다…."

잠을 자는 둥 마는 둥 아침 일찍 눈을 떴다.

일본 수상과 대면하여 나눌 대화 내용을 곰곰이 되새겨 본다.

'실수를 해서는 안 된다'

긴장을 하면 할수록 가슴이 떨려 온다. 어릴 적부터 겪어 오고 있는 소심증이 다시 도진다. 시원한 물 한 잔을 들이켰다.

'냉정해져야 한다.'

이럴 때 떨리는 소심증을 극복하는 방법이 있다.

'걱정할 것 없다. 여기는 내가 활동하는 공간이기에 내가 주인이다. 주인인데, 뭐, 남 눈치 볼 것 없다. 가슴을 펴자. 크게 심호흡을 하고 두려움을 떨쳐 내자. 그래 한번 해 보자.'

어느 정도 여유를 찾는다.

회담에 임하는 이케다 총리는 노련해 보였다. 나를 대하는 말과 태도에 진실함이 배어 있다. 어떻게 든 한일회담의 성사를 위해 나와 의미있는 대화를 하고 싶어 하는 눈치다.

"박 의장님. 이렇게 단 둘이 마주 앉아 회담을 갖게 되어 영광입니다. 군사혁명 이후에 한국이 안정되고 괄목할 만한 국가 발전이 이루어지고 있다고 보고 받았습니다. 모두 박 의장님의 영도력 때문이라고 생각합니다."

"감사합니다. 최고회의와 전 국민이 일치단결하여 애를 쓴 덕분입니다. 저와 대표단을 이렇게 환영해 주셔서 감사할 따름입니다."

한국과 일본의 두 정상이 마주 앉은 것 자체가 대단한 발전이다. 구체적인 협상은 대표단의 지속적인 회의를 통해이루어질 것이다.

"한일회담 성사를 위해 서로 간에 조금씩 양보를 해야만 합니다. 너무 극단적인 요구 조건을 내세워 서로 '뺏고 뺏기지 않으려는' 줄다리기가 되어서는 안 될 겁니다."

먼저 말을 꺼냈다. 이케다 수상도 잔뜩 긴장을 한다.

"일단 일본측에 있는 우리 한국의 재산을 모두 돌려주셔야 합니다. 법적으로 한국 재산인 지금(地金), 지은(地銀), 우편 적금(郵便積金), 피징용자에 대한 미수금(未收金) 및 연금, 약탈해간 문화재 등이 대상입니다."

이케다 수상의 얼굴이 씰룩거린다. 그는 조심스럽게 개인 차원의 재산권 청구만을 고려해야 한다는 의견을 피력해 왔다. 그리고는 잠시 뜸을 들이더니

"우리 정치 현실에서는 평화선 존폐 문제가 더 심각합니다. 이는 한국측에서 일방적으로 정한 것으로 결코 인정할 수 없습니다. 어로(漁撈) 문제에 더해서 근본적으로 국경 문제와 연결되어 있습니다. 이번 박의장님 방문을 계기로 사회당은 물론 우익측 인사들도 모두 문제 제기를 하고 있습니다."

이미 들어서 알고 있는 내용이다.

"평화선은 국제 협약에 근거해서 한국 정부가 선포한 국경입니다. 독도와 대마도, 제주도를 고려하고, 한국의 역사적 사실에 근거한 것입니다. 그동안 일본 어선이 함부로 우리 해역을 침범하면서 어로 작업을 한 것이 문제였습니다."

우리 주장만 하고 있을 수가 없다. 사실 급한 것은 우리일 지도 모른다. 당장 내년부터 시작하는 경제개발 5개계획을 추진하기 위해서는 일본측이 우리가 요구하는 재산권 청구에 순순히 응해 주어야만 하고, 35년 식민 지

배에 대한 피해 보상금이나 우리가 필요로 하는 경제 개발 원조 차관에 긍정적인 답이 있어야만 한다. 이케다 수상을 자극하면 좋을 게 없다.

"구체적인 내용은 실무진에게 전적으로 맡기려고 합니다. 오늘은 큰 원칙만 정하시죠? 저로서는 한일협상을 빠른 시일내에 마무리하고 싶습니다."

"저도 그렇게 생각합니다. 오늘 이 자리에서 구체적인 결론을 낼 수는 없습니다. 일본 국회, 정치 상황도 만만치 않습니다."

"수상 님의 어려움도 충분히 이해합니다. 참, 재일 한국인의 법적 지위 문제 해결과 북송 제지에 대해서도 수상 님께 단단히 확답을 듣고 싶습니다. 이미 7만여 명의 재일 한인이 북송선을 탔는데 같은 반공 국가로서 이를 철저하게 막아 주시길 간곡히 부탁드립니다."

짧은 시간 동안 여러가지에 대해 세세하게 논의할 수는 없다. 대강 핵심적인 문제만을 제기하고 나와 우리 한국이 원하는 것이 무엇인가를 확실하게 해 두는 정도면 충분하다.

그리고, 웃으면서 헤어져야 한다.

일본에, 당당히 마주서서, '한국'을 말할 수 있어서 기분이 좋아졌다.

30시간 동안 체일(滯日) 하면서 두 차례에 걸친 이케다 수상과의 회담, 자민당 간부 및 실업인과의 면담, 재일교포와의 만남, 기자 회견 등 바쁜 일정을 소화하고 밤 10시에 시카고로 향했다.

<부록 1> 민정 이양 당시(1963.12.16.) 최고위원 명단.

성 명	계 급	취 임	직 책	비 고
박 정희	육군 대장	1961. 5.16.	의장	61. 8.10. 중장 61.11. 1. 대장
이 주일	육군 중장	〃	부의장	62. 1.24. 진급
강 기천	해병 준장	1963. 2.21.	법사위원장	62. 1.24. 진급
김 용순	육군 소장	〃	내무위원장	61. 8.10. 진급
박 원석	공군 소장	1963. 7.19.	외무국방위원장	
김 희덕	육군 소장	1963. 2.21.	재정경제위원장	
박 두선	공군 준장	〃	교통체신위원장	
이 원엽	육군 준장	1963. 7.12.	문교사회위원장	
장 경순	육군 소장	〃	운영기획위원장	61. 8.10. 진급
길 재호	육군 대령	1961. 5.16.		61. 8.15. 진급
김 두찬	해병 중장	1962. 7.11.	해병대사령관(겸직)	
김 종오	육군 대장	1961. 5.16.	연참의장(겸직)	61. 1.24. 진급
김 진위	육군 소장	〃	수도방위사령관(겸직)	61. 8.10. 진급
민 기식	육군 대장	1963. 6 .6.	육군참모총장(겸직)	
박 영석	육군 준장	1963. 2.21.		
박 태준	육군 준장	1961. 9. 4.		61. 8.10. 진급
박 현식	육군 준장	1963. 2.21.		
옥 창호	육군 대령	1961. 5.16.		61. 8.15. 진급
이 맹기	해군 중장	1962. 9.28.	해군참모총장(겸직)	
장 성환	공군 중장	1962. 8. 1.	공군참모총장(겸직)	
장 지수	해군 준장	1963. 2.21.		
홍 종철	육군 대령	1961. 5.27.		

<부록 2> 역대 내각 수반 및 장관 (1963.7.20.현재)

관 직	성 명	취 임	퇴 임
내각 수반	장 도영	61. 5.20.	61. 7. 3.
	송 요찬	61. 7. 3.	62. 6.16.
	박 정희	62. 6.18.	62. 7.10.
	김 현철	62. 7.10.	
경제기획원장	김 유택	61. 7.22.	62. 3. 2.
	송 요찬	62. 3. 2.	62. 6.18.
	김 현철	62. 6.18.	62. 7.10.
	김 유택	62. 7.10.	63. 2. 8.
	유 창순	63. 2. 8.	63. 4.12.
	원 용석	63. 4.12.	
부원장	송 정범	61. 9.26.	62. 6.29.
	차 균희	62. 6.29.	63. 6.28.
	김 학렬	63. 6.28.	
외무부 장관	김 홍일	61. 5.20.	61. 7.22.
	송 요찬	61. 7.20.	61.10.11.
	최 덕신	61.10.11.	63. 3.16.
	김 용식	63. 3.16.	
내무부 장관	한 신	61. 5.20.	62.10.15.
	박 경원	62.10.15.	
재무부 장관	백 선진	61. 5.20.	61. 6.22.
	김 유택	61. 6.22.	61. 7.22.
	천 병규	61. 7.22.	62. 6.16.
	김 세련	62. 6.18.	63. 2. 8.
	황 종률	63. 2. 8.	
법무부 장관	고 원증	61. 5.20.	62. 1. 9.
	조 병일	62. 1. 9.	63. 2. 1.
	장 영순	63. 2. 1.	63. 4.22.
	민 복기	63. 4.22.	현재
국방부 장관	장 도영	61. 5.20.	61. 6. 6.
	송 요찬	61. 6.12.	61. 7.10.
	박 병권	61. 7.10.	63. 3.16.
	김 성은	63. 3.16.	
문교부 장관	문 희석	61. 5.20.	62. 1. 9.
	김 상협	62. 1. 9.	62.10.15.
	박 일경	62.10.15.	63. 3.16.
	이 종우	63. 3.16.	
농림부 장관	장 경순	61. 5.20.	63. 6. 4.
	유 병현	63. 6.25.	
상공부 장관	정 래혁	61. 5.20.	62. 7.10.
	유 창순	62. 7.10.	63. 2. 8.
	박 중훈	63. 2. 8.	
보사부 장관	장 덕승	61. 5.20.	61. 7. 7.
	정 희섭	61. 7. 7.	

교통부 장관	김 광옥 박 춘식 김 윤기	61. 5.20. 61. 8.16. 63. 2. 8.	
체신부 장관	배 덕진 김 장훈	61. 5.20. 63. 2. 1.	63. 2. 1.
공보부 장관	심 흥선 오 재경 이 원우 임 성희	61. 5.20. 61. 7. 7. 62. 6.18. 63. 4.12.	61. 6.22. 62. 6.18. 63. 4.12.
건설부 장관	박 임항 조 성근	62. 6.18. 63. 3.16.	63. 3.11.
내각사무처장	김 병삼 이 석제	61. 5.20. 63. 2. 1.	63. 2. 1.
무임소 장관	조 시형	63. 2.16.	
법제처장	박 일경 문 홍주	61.10. 2. 62.10.15.	62.10.15.

<부록 3> 역대 직속 기관장 (1963. 7. 20. 현재)

구 분	성 명	취 임	사 임	비 고 (사임 당시)
재건국민운동본부장	유 진오 유 달영 이 관구	61. 6.10. 61. 9. 7. 63. 5.14.	61. 9. 7. 63. 5.14. 현재	
중앙정보부장	김 종필 김 용순 김 재춘 김 형욱	61. 6.10. 63. 1. 4. 63. 2.21. 63. 7.12.	63. 1. 4. 63. 2.21. 63. 7.12. 현재	육군 대령 윤국 소장 육군 준장 육군 준장(예)
총무처장	문 중섭 박 희동 황 종갑	61. 5.16. 61. 7.12. 62. 2.10.	61. 7.12. 62. 2.10. 현재	윤군 준장 육군 준장 육군 준장
공보실장	원 충연 이 후락	61. 5.16. 61.12. 8.	61.12. 8. 현재	육군 대령
수도방위사령관	김 진위	61. 5.16.	현재	육군 소장
감사원장	이 원엽 한 신	63. 3. 4. 63. 7.12.	63. 7.12. 현재	육군 준장 육군 소장
기획위원장	함 병선 송 요찬	61. 5.21. 61. 6.23.	61. 6.23. 61.11.20.	육군 중장
혁명재판소장	최 영규	61. 7. 8.	62. 5.31.	육군 소장
혁명검찰부장	박 창암	61. 7. 8.	62. 5.10.	육군 대령
심계원장	이 원엽	61. 5.21.	63. 3. 4.	육군 준장
감찰위원장	최 재명 채 명신	61. 5.21. 61. 7.12.	61. 7.12. 63. 3. 4.	육군 대령 육군 소장

<부록 4> 전직 최고위원 명단 (1963. 7. 20. 현재)

성 명	계 급(사임당시)	선 임	사 임	비 고
박 기석	육군 대령	61. 5.16.	61. 5.27.	
장 경순	육군 준장	〃	〃	
정 래혁	육군 소장	〃	〃	
한 신	육군 소장	〃	〃	
문 재준	육군 대령	〃	61. 6. 6.	
최 주종	육군 준장	〃	〃	
한 웅진	육군 준장	〃	〃	
김 제민	육군 중령	〃	61. 7. 3.	
박 치옥	육군 대령	〃	〃	
송 찬호	육군 준장	〃	〃	
장 도영	육군 중장	〃	〃	
채 명신	육군 준장	〃	61. 9. 4.	61. 8.10. 진급
박 임항	육군 중장	〃	62. 6.18.	
김 성은	해병 중장	〃	62. 7. 1.	
손 창규	육군 준장	〃	62. 7.20.	61. 8.10. 진급
유 원식	육군 준장	〃	〃	〃
김 신	공군 중장	〃	62. 8. 1.	
이 성호	해군 중장	〃	62. 9.28.	
김 용순	육군 소장	〃	63. 1. 4.	61. 8.10. 진급
강 상욱	육군 대령	61. 9. 4.	63. 1.26.	61. 8.15. 진급
김 동하	해병 소장	61. 5.27.	〃	
김 재춘	육군 준장	〃	〃	61. 8.10. 진급
오 정근	해병 대령	〃	〃	61.11. 1. 진급
이 석제	육군 대령	61.5.16.	〃	61. 8.15. 진급
조 시형	육군 준장	61. 9. 4.	〃	
김 윤근	해병 소장	61. 5.16.	63. 2.21.	62.11.13. 진급
박 원빈	육군 대령	〃	〃	61. 8.15. 진급
오 치성	육군 대령	〃	〃	
정 세웅	해병 대령	〃	〃	
유 병현	육군 준장.	61. 9. 4.	63.6.25.	
김 형욱	육군 대령.	61. 5.27.	63.7.12.	61. 8.15. 진급
유 양수	육군 소장.	61. 5.16.	63.7.19.	

<부록 5> 부정 기업체 환수 금액

기 업 체	환수액 (환, $)	기 업 체	환수액(환, $)
경성방직	88,238,000	금성방직	1,430,676,328
기아산업	50,000,000	극동해운	1,283,120,000
태창방직	12,547,715,133 6,913,531.60$	동립산업	2,715,212,120 586,525$
대한중기	60,000,000	대한방직	4,814,243,176
전주방직	484,854,855	조선견직	545,708,543
대동공업	1,417,348,776	대한제분	2,110,947,672
한국강업	50,000,000	대한양회	3,866,700,944
한국교과서	150,000,000	동양시멘트	3,165,610,336
전남방직	139,817,000	삼호무역	3,614,082,182
중앙산업	890,554,572	화신산업	99,880,200
동양방직	257,463,973	제일모직	8,000,215,564
삼양사	355,270,086	한일극장 (임화수)	82,340,000 (면제)
동대문상인연합회 (이정재)	513,394,503 (면제)	한국유리	627,445,858
낙희화학	959,441,091		
김 성룡	100,000,000	기아산업	50,000,000
이 석구	96,620,000	이 건웅	50,000,000
한국타이아	50,000,000	합계	50,101,506,409 7,500,056.60$

(출처: 한국군사혁명사. 제1집 상. 468)

<부록 6> 개인별 부정 재산 환수 금액

성 명	환수 금액 (환)	성 명	환수 금액 (환)
곽 영주 (면제)	217,978,210	양 일동	108,600,000
김 진만	1,249,081,585	구 본준	99,658,464
한 광석	591,825,432	서 정학	98,093,803
이 정재 (면제)	332,493,201	백 남권	94,600,000
백 인엽	297,456,865	박 해정	90,826,850
유 봉순	279,247,198	정 재설	81,074,361
엄 홍섭	256,219,280	고 재봉	78,811,000
양 국진	180,000,000	이 용운	75,674,139
김 만기	172,593,600	김 진형	59,495,300
강 경옥	167,146,610	안 정근	59,485,689
조 경규	162,146,610	최 경남	54,090,720
배 제인	147,463,516	임 흥순	53,571,302
박 용익	139,195,290	정 준모	50,808,368
김 영선	130,733,000	윤 병칠	50,628,717
국 쾌남	130,132,178	이 기붕	2,299,914,461
함 병선	129,998,000	합계	8,056,738,835
송 인상	117,093,066		

(출처: 한국군사혁명사. 제1집 상)

<부록 7> 박 정희 저. (1961)「지도자도」

朴正熙著

指導者道

ー革命過程에處하여ー

著 者 近 影

革命口號

間接侵略을 粉碎하고
革命課業 完遂하자!

國家再建 國民運動 要綱

一、容共中立思想의 排擊
二、耐乏生活의 勵行
三、勤勉精神의 鼓吹
四、生産 및 建設意識의 增進
五、國民道義의 昂揚
六、情緖觀念의 醇化
七、國民體位의 向上

Ⅰ. 서 언

누적된 부패와 부정을 물리치며 국내적 대외적인 침략으로부터 조국을 방위하며 국가를 재건하기 위하여 국군이 총 역량을 기울여야 할 이때에 처하여 무엇보다도 긴급한 문제는 그러한 역량을 옳게 지도해 나가야 할 지도자들의 지도자도(指導者道)의 창조와 확립이다. 이와 같은 우리 사회가 요구하고 있는 지도자도의 확립이야말로 무엇보다도 선결돼야 할 과제이다.

사실 5·16 군사혁명은 지난날의 우리나라의 모든 지도자라고 하는 자들이 확고한 지도자 도를 갖지 못함으로써 국민을 도탄에 빠뜨리게 하고 국가를 누란의 위기에 몰아넣은 결과 불가피하게 취해진 조치였다. 지금 국가 재건의 선두에 나선 우리 지도자들이 또다시 그 길을 그르친다면 국가와 민족을 다시 구해낼 수 없는 마지막 궁지에 몰아넣고 말 것이다. 이제야말로 국가 존망을 판가름하는 때이다. 국가의 번영과 안전을 가져오기 위하여 우리는 올바른 지도자도를 시급히 확립해야 한다. 특히 혁명기에 처해있는 지도자도란 영웅적이라야만 한다. 우리 사회가 불타오르겠다는 기름(油) 바다라면, 이 바다에 점화 역할을 해주는 신화적 작용이라야 한다. 이를 위해서는 안일주의, 이기주의, 방관주의 및 숙명론자로부터 탈각하여 피지도자(국민)가 부르짖는 것을 성취하도록 이끌어 나가야 한다.

Ⅱ. 지도자의 성격

1. 지도자의 상대성

피지도자와 그들이 살고 있는 시대를 초월한 절대적 지도자란 신 이외에 인간 중에서는 구해 볼 수 없다. 따라서 인간인 지도자의 가치는 피지도자가 그 시대에 요구하는 것을 어느 정도 응해주는가에 달려있다. 그리고 그러한 요구들은 여러 가지 현실적 조건의 제약 때문에 모두 충족시킬 수 없는 것도 사실이다. 그럴진대 이 요구와 현실적 조건간의 간극을 여하히 최소한도로 좁히느냐가 곧 지도자의 지도 능력인 것이다.

2. 과거의 지도자

원시, 고대, 중세기를 통하여 지도자의 개념은 시대를 따라 완력이 보통보다 강한 자, 체격이나 신체 구조가 우수한 자, 또는 일정한 문벌이나 혈통을 가진, 어떤 영웅의 표준에 달한 자 등등으로 변천해왔다. 그러나 일언으로 요약하면 후천적인 요소보다 선천적인 요소에 지도자의 자격을 구해왔기 때문에 지도자 됨을 숙명적으로 생각해 왔고, 따라서 후천적으로 노력하고 경쟁하는 범위는 넓지 못했다.

그리하여 피지도자는 지도자를 초인간시하고 우상화하며, 신성불가침의 태도를 가지게 되었으며, 지도자의 입장에서도 피지도자가 그러한 태도를 가지는 것이 자기의 지위를 유지하는 데 절대 필요한 것이었다. 그러나 어떤 난제를 극복할 때에는 지도자에게 초인간적 기적이나 마술적인 결과를 기대하기 쉬운 까닭에, 지도자의 인간적 약점이나 실수에 대하여는 동정이나 이해보다는 실망과 반감을 갖게 했다.

20세기 현대에 있어서도 민도(民度)가 얕은 국민들은 자기가 형식상 자유롭게 선거한 지도자에 대하여 초인간적 능력 발휘를 기대하는 것이 보통이다. 그런 고로 이 모순을 조절하기 위하여 지도자를 둘러싼 측근자들이나 부하들이 인의 장막을 쳐놓고 하의상달(下意上達)을 막으며 상의하달(上意下達)은 일방적 명령형으로 독재를 초래하는 수가 많다.

3. 현대적 지도자

민주사상이 발달한 현대에 와서는 지도자는 피지도자와 이해관계를 공통으로 가진 평등한 지위에서 일보 앞서 그들과. 같은 길을 걷는 동지이다. 즉 피지도자를 호령하는 자가 아니라 피지도자를 가장 잘 대표하는 자이다.

대표자인 고로 선천적이 아니라 후천적이요, 고정적이 아니라 유동적이며, 창조적이다. 그 당시 그 대중과 호흡을 같이 하며 그들이 가장 절실하게 원하는 것이 무엇인가를 신속 정확하게 파악하여 가장 가능한 방법을 찾을 수 있고 자기가 확신하는 방향과 가장 가능한 방법에 대하여 납득시킬 수 있는 능력을 가지며 협력을 자극하고 이끌고 나갈 용기를 가진 자이다. 완력이 강하다거나 학식이 우수하다고 해서 반드시 지도자가 될 수 있는 것은 아니다.

Ⅲ. 피지도자의 분석

1. 우리가 당면한 이 시대

2차 세계대전 후 세계는 적색 제국주의 세력과 인권과 개인의 자유를 존중하는 민주주의 세력 간의 치열한 대립이 있다. 붉은 마수는 오늘날도 힘이 약하고 안정되지 못한 여러 곳에 뻐쳐지고 있으며, 우리나라에 있어서도 적색 병마가 중추 신경을 침식하기까지에 이르렀다. 금반 혁명 전 우리나라는 공산주의의 무서운 마수 앞에 빈사 상태에 놓여 있었다. 위정자들의 외침에도 불구하고 우리 앞에는 인권과 개인의 자유 대신에 적색 독재하의 노예 상태만이 있었다.

우리 민족은 오랜 동안의 일제의 압제와 폭력에서 해방된 후 자유민주 사상을 받아들였다. 그러나 우리의 민주주의는 장구한 시일을 두고 자각과 자율과 자유정신이 뿌리를 깊이 박고 피어난 것이 아니라 다른 나라로부터 돌연히 받아들인 것이었기 때문에 자율 정신과 자각과 책임감이 따르지 못하였다. 마치 그것은 초석 없이 지은 집과 같은 민주주의였다. 그리하여 급기야는 그 집은 무너지고 말았다.

우리는 집 자체가 나쁘다고 원망할 것이 아니라 초석 없이 지었음을 부끄럽게 생각해야 한다. 이제 우리는 든든한 초석부터 견고하게 박아나가야 할 단계에 도달했다. 여기에 국가 재건을 위한 가장 중요한 과업의 하나가 있다.

2. 우리 겨레의 구성요소

우리 겨레 중에는 가장 발달된 자유민주주의를 향유할 수 있을 만큼 자율정신과 책임감이 강한 자가 있다는 것은 물론이다. 그러나 인구 전체의 비례로 볼 때 정도의 차이는 있으나 대부분은 강력한 타율에 지배받는 습성이 제2 천성으로 변하여 자각, 자율, 책임감은 극도로 위축되어 버렸다. 그리하여 책임감 없는 자유가 방종과 혼란과 무질서와 파괴를 조장시켰고. 인권존중 사상이 토대가 되어야 할 민주주의는 모략, 중상, 무고로 타락해 버렸다. 의무감이 박약한 권력층은 국민과 유리되어 권력을 남용하고 부패 분자들과 결탁하여 거부(巨富)를 축적하였고, 경제인들은 정치인과 결탁하여 부정 융자, 탈세, 밀수, 재산의 해외 도피 등등 실로 악랄한 수단을 통하여 축재(蓄財)하는데 혈안이 되어 왔다.

고목에서 돋아난 새싹과 같은 어린이 청소년들에게까지 그러한 기풍은 물들어서 도의의 기초 없는 성공주의, 출세주의, 안일주의에 빠져버리고 소위 '빽'과 '사바사바'와 처세술만을 가증하게도 모색해내는 사람이 많게 되었다. 이와 같이 하여 우리 사회에는 정의와 인륜은 땅에 떨어지고 부패와 부정과 불의가 횡행하게 되어 만신창이, 생명을 유지하기 어려운 정도에 이르렀다.

지금 우리 겨레들이 혁명과 새 출발을 열렬히 환영하면서도 민족의 고질을 뿌리채 뽑아버리는 데는 오랜 시일과 눈부신 노력이 필요하다. 그러한 고질은 시급히 완치되어야 하나 성취를 위한 공정한 대가의 지불도 하기 전에 마치 일확천금만을 꿈꾸는 불로소득의 사조에 젖은 나머지 절망과 자포자기에 빠져버리는 일이 없어야 한다.

3. 우리 겨레의 소원

우리 겨레는 지금 조국을 완전 통일하고 타력의 강압이나 조종이나 침범이나 여하한 간접적인 침략으로부터도 완전히 해방되는 주권을 확보하며, 인류의 최대적(最大敵)인 빈곤으로부터 해방되어서 모든 국민이 평화롭고 윤택한 생활을 영위하며 상호간의 인권을 존중하는 진정한 자유민주주의를 확립할 것을 갈망하고 있다. 그러나 실지로는 그 반대의 길을 걷고 왔으니 그것은 심으지도 않은 곳에서 거두려는 공짜와 기적과 마술을 비현실적으로 막연하게 바라는 까닭이다.

Ⅳ. 우리 사회가 요구하는 지도자의 자격

1. 동지 의식

지도자는 대중과 유리되어 그 위에 군림하는 권위주의자나 특권계급이 아니라 그들과 운명을 같이 하고 그들의 편에 서서 동고동락하는 동지로서의 의식을 가진 자라야 한다. 국민을 지도함에 있어서 친절하고 겸손하며 모든 어려운 일에 당하여 솔선수범하여 난관을 돌파하며 사(私)를 버리고 오직 국민을 위하여 희생한다는 숭고한 정신을 그는 가져야 한다. 지도자로서 가지는 모든 권력의 연원은 국민이다. 자기 스스로 창조한 권력도 초인간적 존재로부터 수여된 여하한 특권도 있을 수 없다. 지도자는 모름지기 대중에 깊이 뿌리박고 전근대적 특권의식을 버리라. 만약 그렇지 않는다면 또 다시 이(李) 정권과 장 면 정권의 전철을 밟게 될 뿐만 아니라 이제는 다시 조국을 소생시킬 방도를 잃게 될 것이다.

2. 판단과 해결의 능력

문제를 똑바로 파악하는 것은 참된 해결의 열쇠이다. 아무리 좋은 약과 치료도 진단을 그르치면 오히려 병을 악화시킬 수가 있다. 국민 위에 군림하는 태도를 버리고 국민과 같이 있다는 동지의식을 가졌을 때 국민들이 무엇을 느끼고 있는가? 무엇을 원하고 있는가? 또 무엇을 피하려 하고 있는가를 올바로 파악할 수 있게 된다.

피지도자인 국민이 원하는 것은 모두 합리적인 것은 아니므로 모순이나 불합리성을 그들이 깨달을 수 있도록 친절히 가르쳐줄 수 있고, 이를 피하도록 적극적으로 이끌어 나갈 능력이 있어야 한다. 즉, 그 사회의 어떤 실태가 병적이며 사회의 건전을 해(害) 하는 것인가를 판단할 능력이 있어야 한다. 항상 필요한 사회악의 한계는 어데 있으며, 이해관계의 사회적 균형점은 무엇인가를 확실히 알고 있어야 한다.

문제의 해결 방법은 일률적인 것은 아니다. 피지도자의 배경, 성의, 정력, 습관, 태도, 신념 여하에 따라 또는 시대를 휩쓰는 풍조 사상의 영향 또는 침투를 받는 정도 여하에 따라 다를 것이며 재정 형편을 포함하여 문제 해결에 필요한 인적, 물적 자원의 사정에 따라 다를 것이다. 그러므로 해결해야 할 문제의 우선순위를 결정하고 무엇을 어떤 방법으로 어느 정도로 해결해나갈 것인가를 판단할 줄 아는 총명이 지도자에게는 필요하다. 문제 해결을 위한 정열이 있어야 하되 그 방법에는 충분한 신축성이 필요하다.

문제 해결을 위하여는 그를 위한 충분한 지식이 있어야 한다. 그러나 그렇다 해서 모든 지도자가 전문적 기술적인 모든 지식을 구비할 수는 없으므로 그러한 것은 그 분야의 전문가의 협력을 구하지 않으면 안 된다. 이 경우 그들의 조언을 경청하고 포용하는 넓은 아량이 있어야 함은 물론이다.

3. 선견지명(先見之明)

지도자는 현실의 문제를 적절히 해결할 능력이 있어야 할 뿐만 아니라 장래의 일을 예견하고 적절한 대책을 강구할 수 있는 선견지명이 있어야 한다. 물론 현재를 일컬어 과학 만능시대라고는 하나 아직도 24시간 이후의 일기(日氣)를 정확히 측정하지 못하는 고로 소위 국가 백년의 대계를 세워야 할 지도자에게 있어서 먼 장래를 예견하기란 힘든 일임에 틀림없다. 스러므로 실상 먼 장래의 일을 세밀하게 계획할 수 없는 것도 당연한 일이다. 그러나 장래를 향하여 나아갈 기본 종착점과 이에 이르는 접근방법에 대해서는 확고한 신념을 가지고 여하한 우발적 또는 예기치 못했던 장애도 물리치고 국민을 이끌고 나간다는 뚜렷한 태도를 항상 견지하여야 한다.

4. 원칙에 충실: 양심적 인물

원칙을 관철하기 위하여 방편을 고칠 수는 있으나 방편에 노예가 되어 원칙을 굽히는 것은 인간으로서의 절조를 잃은 자이요, 믿을 수 없는 자이다. 하물며 어떤 목표를 향하여 원칙을 세우고 그 궤도 위에 나를 따르라던 지도자가 그때그때 편리한대로 갈팡질팡 방향을 고친다면 그는 지도자로서의 자격을 스스로 포기하는 자가 될 것이며, 이와 같이 정치가로서 정치 의무를 버리는 처사는 국민 앞에 허용될 수 없는 일이다.

인간에 대하여 절개가 있는 자는 원칙에 대하여 충실한 자이요 원칙에 충실하기 위해서는 자기에게 정직하고 남에게 정직하며, 찬양을 받던 비난을 받던 오직 정의와 양심의 판단에만 복종하는 자이다. 공정과 공평에 있어서도 옛날 '구로리안즈' 나라의 임금 '사로가즈'가 자기 아들의 범법에 대한 정해진 벌칙을 가하기 위하여 두 눈을 빼되, 아들에게서 하나 자기에게서 하나씩을 후벼내게 했듯이 공정하여야 된다.

5. 용단

국민의 선두에 서서 길을 안내하며 개척하는 자에게는 모험을 감수하는 용기가 필요하다. 또한 그는 언제나 시간의 제약을 받는 고로 무한정 미결로 두고 처리 못 한 채 일을 끌어갈 수 없다. 시기에 뒤떨어지지 않도록 착착 단안을 내려야만 일은 진행될 수 있다. 용기와 결단성, 즉 용단(勇斷)은 지도자에게 없을 수 없는 속성이다.

용기와 결단은 감수력이 강하여 피지도자에게 속히 전달되므로 만난(萬難)을 용이하게 극복할 수 있으며, 일시적 실패 앞에서도 재기의 소생력을 주는 것이다.

6. 민주주의에 대한 신념

이번 혁명은 꼭두각시 반민주 체제를 근본적으로 전복하고 진실한 자유민주주의를 실현하기 위한 기틀을 마련한 것이었다. 그것은 결코 새로운 독재와 전체주의를 수립하기 위함이 아님은 명명백백하다,

그러므로 혁명 과업을 수행하는데 앞장선 지도자들 자신이 민주주의에 대한 굳은 신념을 가져야 함은 두 말할 필요도 없는 일이다. 그들은 공산주의 독재를 포함한 여하한 독재도 물리치는데 용감하여야 한다. 언제나 국민과 호흡을 같이 하고 그들에게 진정한 자유와 민주 정신을 불어넣는데 모든 힘을 다 하여야 한다.

공산주의를 배격하는 데는 굳은 반공 사상이 확립되어 있어야 함은 물론이다. 그러나 사상만으로서 공산당에 이기고 민주주의를 이 나라에 세워놀 수는 없다. 그를 위하여는 민주주의가 공산주의보다 우월한 민족단결과 생활수준의 향상을 실증하지 않으면 안된다. 그리고 우리나라가 보다 평화롭고 안정되고 보다 국제적 협력을 받는 나라가 되며 국민경제가 월등히 향상되었을 때에 우리 제도의 우월성이 실증될 것이다.

지도자는 모름지기 굳은 반공 사상과 민주주의 신념을 견지하는 동시에 정치적, 사회적, 경제적으로 비약적인 발전을 가져오게 하는 든든한 토대를 구축하는데 온갖 정력을 기울여야 한다.

7. 목표에 대한 확신

(가) 자유민주주의와 혁명: 주권의 연원은 국민에게 있는 고로 국민이 권리는 침범을 당하지 않도록 무장하는 것이 우리의 목표이다. 물론 혁명전에 있어서도 제도면에 있어서는. 주권재민(主權在民)의 원칙을 내걸고 국민의 권리는 형식적으로 보장되도록 되어 있기는 했다. 그러나 실제로는 주권은 일부 특권층에 있었고 국민의 권리는 그들에게만 있었지 일반 국민은 법적으로 보장된 권리를 정당하게 행사할 수 없었다. 또 국가의 주권 자체가 파멸 일보 전에 있었다.

그러면 군사혁명은 자유민주주의의 철저(徹底)와 부합되는 것인가 또는 배치되는 것인가? 건강하고 동등권을 가진 두 사람 중 갑은 을의 의식주를 무조건 제한할 수 없다. 그러나 을이 일단 병들어 갑(의사)의 치료를 받을 때는 의사와 환자란 조건하에 갑은 을의 식사 제한 및 조절을 할 수 있을 뿐 아니라 때로는 집을 떠나 병원에 입원하도록 명령할 수도 있다. 의사는 환자의 완전한 건강 회복을 위하여 신체 활동을 일시적으로 제한할 뿐만 아니라 고통스러운 수술까지도 강요할 때가 있다. 부분적으로 볼 때 건강법칙에 위배되는 듯한 신체 일부분의 절단까지도 단행해야만 생명을 건질 때가 있다. 수술은 유쾌한 오락이 아니라 큰 것을 구하기 위한 적은 희생인 고로 '필요한 악(Necessary Evil)'으로 용납되는 것이다.

금반의 군사혁명은 일종의 수술이다. 국가가 파멸에 직면하고 국민의 주권이 비참히 유린되었을 때 여기에 일대 수술을 가하여 국가와 국민의 자유와 권리를 소생시키고자 한 것이 이번 군사혁명이다.

마치 자기 혹은 타인의 신체, 생명, 정조, 자유 또는 재산에 대한 현재의 위난을 피하기 위하여 부득이한 데서 나온 행위가 정당성을 갖는 것과 마찬가지로, 민주주의 자체가 위협을 받고 국가가 파멸하는 순간에 처해 있을 때, 공산주의 분자들이 국가를 삼키려 하고 인륜이 땅에 떨어져 부패와 부정이 나라 안을 휩쓸고 있을 때에 국가와 민족의 수난을 피하기 위해 취해진 행위는 정당한 것이다. 아니, 그러한 행위는 정당성을 가질 뿐만 아니라 국민의 당연한 의무이기도 할 것이다.

물론 군사혁명은 법실증주의의 견지에서 볼 때 현존 법질서에 대한 침범일지도 모른다. 그러나 그것은 법질서 이전에 있는 또 실지로는 현재 법질서의 기저에 있는 아무에게도 양보할 수 없는 국민의 기본권의 행사이며, 기본적 의무의 이행인 것이다. 이런 관점에서 혁명은 정당성과 합법성을 가진다. 그러나 그것은 어디까지나 수단이지 그 자체가 목적이 되어서는 안된다는 것은 당연한 일이다.

우리는 이제 진정한 민주주의를 이 땅위에 가져오고, 번영과 안전을 실현해야 한다. 부패와 부정을 물리치고 정의의 토대 위에 국가와 국민을 올려놓아야 한다. 인간관계의 옳은 질서를 확립해야 한다.

(나) 강권 발동과 자율과의 관계: 강권 발동과 자율은 극히 예민(銳敏)하게 반비례(反比例)되어야 한다. 피지도자가 자율정신이 강하여 마땅히 해야 할 것을 책임지고 자진하여 할 때는 강권을 발동시킬 필요가 없다. 그러나 의식적이든 무의식적이든 자기책임을 회피하거나 타인에게 전가시킬 때 또는 법과 질서를 적극적으로 지키지 않는 등등 자율정신이 결여될 때에는 최소한도의 질서의 유지를 위하여 타율적 강권을 발동시키지 않을 수 없다.

단 강권의 발동은 어디까지나 자율정신을 유도하는 자극제로서 사용하여야 하며, 점차 자율 정신이 커갈 때에는 반비례로 강권 발동의 범위와 정도를 줄이도록 하는 것이 이상적이다. 기술(旣述)한 바와 같이 모든 사회가 도적의 소굴이 되고 무질서와 혼란이 지배하고 있는 이 나라에 옳은 질서를 가져오기 위해서는 광범하게 또한 상당한 기간 동안 강력한 강권 발동이 필요하다고 본다. 경제계의 혼란을 제거하고 진정한 민주주의 경제 질서를 확립하기 위해서는 당분간 강력한 계획 경제를 가함이 필요할 것이다. 모든 부정과 부패를 제거하고, 도의를 확립하기 위해서는 당분간 확호(確乎)한 시책을 강구해야 할 것이다.

환자의 고통을 동정하여 회복대를 시기상조하게 제거함으로써 환자로 하여금 영구히 병신으로 만드는 감정적 의사가 되어서는 안 된다. 자율정신이 대치될 때까지 타율의 강권 발동은 불가피한 보호 조건이다.

(다) 강권 발동의 한계: 의사는 환자의 건강 회복에 필요한 정도 이상의 고통을 주어서는 안되는 것과 같이 강권 발동이 피지도자의 공익과 질서유지에 필요한 양과 정도를 초과해서는 안 될 것이며, 만약 다른 방도로도 목적을 효과적으로 달성할 수 있을 경우에는 피해야 할 것이다. 강권 발동은 따라서 최후의 방법으로만 사용되어야 할 것이다. 즉 우리의 사회가 정상적 발전을 이룩할 수 있는 터전을 마련하게 되면, 강권인 비정상적 발전을 위한 수단은 멈추게 될 것이다.

8. 지도자단(指導者團의) 단결

피지도자 간의 단결보다 지도자들 사이의 단결은 더욱 중요하다. 불량아동은 편부 편모 슬하라는 불완전한 가정에서 보다 부모가 다 있으면서도 불화를 일으키는 가정에서 많이 생긴다는 것이 사회학적 조사에 의해서 판명되었다. 만약 지도자들 사이에 불화, 충돌, 지위 다툼, 알력이 생겨서 모든 지도력이 분산되고 틈이 생기고 피차의 결점을 보충하는 대신 폭로시킬 때에는 피지도자들은 또다시 일종의 '불량 아동'이 되고 말 것이다. 국가를 누란의 위기에서 건져내려는 이 시기 처하여, 지도자단 내에 굳은 단결이 없다면 국민은 갈 바를 모르고 국가는 적색 제국주의의 독아(毒牙)에서 벗어날 도리가 없게 되리라는 것을, 각자는 깊이 명심해야 할 것이다.

지금 우리나라 지도자단의 구성은 혁명 완수에 대한 뚜렷한 이념과 열의에 있어서 공통적임에도 불구하고 여러 면에서 이질성을 지니고 있다. 계급에 있어서 많은 차가 있다. 성격에 있어서 혹자는 온화하고 혹자는 급진적이다. 경력에 있어서 혹자는 지휘관 생활을 오래 하였고 혹자는 참모 업무를 주로 하였다. 지식의 종류나 정도에 있어서도 천차만별이다. 그리고 이러한 이질성은 자칫 잘못하면 알력을 조성하기 쉬운 요소이다.

그러한 알력의 요인을 극복하고, 단결을 이룩하는데 가장 중요한 요소는 협조정신이다. 그리고 그러한 협조는 언제나 공동의 이념에 입각해야 한다. 자기 소신에 대하여 신념을 갖되, 다른 사람의 의견을 포용하는 아량이 있어야 한다. 자기 능력에 자신을 갖되, 남의 능력을 멸시하는 태도를 버려야 한다. 하물며 모략 중상이란 있을 수 없다. 남과 협조한다는 태도, 주어진 일에 대하여 자기의 모든 정성을 바친다는 정신을 언제나 견지할 것이다. 파벌과 알력과 중상 모략으로 국정을 어지럽게 하고, 국가를 위기에 몰아넣은 구 정권의 전철을 또다시 밟아서는 안 된다. 치부(致富)의 사조에서 오는 이권 다툼, 권세를 위한 파벌 싸움 및 부귀영화를 위한 감투싸움을 용감하게 물리치고, 순수 무구(純粹無垢)한 협조 정신으로 맡은 일에 정성을 다 바칠 수 있는 우리 사회성이 바라는 인간성의 창조야말로 민족단결의 접경임을 촌시도 잊어서는 안 될 것이다.

9. 성의와 정렬

지성이면 감천이라고 하는 것은 반드시 약한 자의 정성이 강한 자의 마음을 움직인다는 데 한하지 않고, 강한 자의 정성은 약한 자에게 공포감보다 협조심을 일으키고, 반감보다 이해를 조장시킨다는 의미도 갖는다.

민주주의 하의 지도자는 독재주의 하의 지도자보다 몇 배의 정성을 기울여야 한다. 모든 인간적 약점이 지도자에게서 나타나는 때라도 지성과 정열을 기울일 때는 피지도자들은 동정과. 이해로서 쉽게 용서할 것이다.

10. 신뢰감

우리가 요구하는 지도자의 자격 중 (1)에서 (9)까지를 구비한다면 피지도자는 지도자를 신뢰하기 쉽게 된다. 그러나 지도자와 피지도자와의 관계는 결국 인간이 인간을 다루는 관계이다. 인간인 피지도자가 기꺼이 지도자에 따르게 하는 가장 중요한 요소는 지도자의 인간성 그것이다. 그는 앞에서 쓴 바와 같은 솔선수범, 희생의 정신, 양심을 가져야 한다. 또 협조할 줄 알아야 한다. 부가하여 그는 품성이 고상하고. 덕망이 뛰어나고, 언행이 일치하고, 국가와 국민에 대하여 누구보다도 충실하여야 한다. 그의 행동은 언제나 정의에 입각하여야 한다. 이와 같이 할 때 피지도자는 마음속에서부터 지도자를 따를 것이다.

V. 결론

반만년 역사를 통하여 우리는 올바른 지도자도를 확립하지 못한 까닭으로 해서 때로는 외침을 받았고, 때로는 나라가 분열되고, 서로 싸우고 할고 꼬집고 했으며 대부분의 시기를 통하여 국민은 빈곤에 허덕이었다. 무너진 구 정권만 하드라도 만약 그들 지도자들이 진실로 국민을 대표하고 사랑하고 민주주의 이념의 투철하고 성의를 가졌더라면 그들이 무능했을망정 나라가 이와 같은 궁지에 빠지는 일은 없었을 것이다. 결국 나라의 안태(安泰)와 민족의 번영은 지도자도의 확립 여하에 달려 있다고 해서 과언은 아니다.

이제 국가 재건의 성스러운 과업의 완수에 국민을 이끌고 나갈 지도자의 책임은 실로 중대한 바가 있다. 그들은 현존하는 위기를 극복하고 국태민안의 확고한 기틀을 세워놔야 하며 영세 만대의 지도자들을 위하여 과거 우리가 가져본 바 없는 진정한 지도자도(指導者道)를 계승해 주어야 한다. 이와 같은 미풍의 전통을 다음 위정자에게 정치가의 의무로서 본보기로 넘겨줄 수 있을 때, 비로소 우리는 이미 자립할 수 있는 민족성의 개조를 포함하는 민족의 굳은 단결과 아직도 세계에서 최저 생활수준을 배회하고 있는 빈곤 타파를 위한 군사혁명 과업의 완수를 보게 될 것이다.

檀紀四二九四年六月十六日 發行

(非賣品)

著者 朴正熙

發行處 國家再建最高會議

「박정희이력서 I : 세상은 내가 바꾼다
- 5 · 16 군사혁명 -」

펴낸날 제1판 제1쇄 2024년 8월 30일
지은이 이 대 희 (精而)
펴낸곳 ACRIS (도서출판)
주 소 16856 경기도 용인시 수지구 성복1로 35
등 록 2019년 6월 20일 제2019-000064호
전 화 070-7644-1002
E-mail nulbo2000@gmail.com

ISBN
값 22,000 원

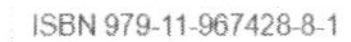